Libro de Alexandre

Letras Hispánicas

Libro de Alexandre

Edición de Jesús Cañas

SEGUNDA EDICIÓN

CATEDRA

LETRAS HISPANICAS

© Ediciones Cátedra, S. A., 1995
Juan Ignacio Luca de Tena, 15. 28027 Madrid
Depósito legal: M. 17068-1995
ISBN: 84-376-0773-6
Printed in Spain
Impreso en Selecciones Gráficas
Carretera de Irún, km. 11,500 - Madrid

Índice

Introducción

A Juan Manuel Rozas,
maestro y amigo,
siempre.

1. EL *Libro de Alexandre* ANTE LA CRÍTICA
Y LA HISTORIA LITERARIA

De auténtico lujo para la literatura medieval castellana —y española en general— podemos calificar, sin temor a equivocarnos, el *Libro de Alexandre*. De auténtico tesoro —incluso diríamos— cuyo nombre merece figurar impreso con grandes mayúsculas en la historia de nuestras letras. Grande fue la aceptación que obtuvo en los momentos inmediatos a la fecha de su composición. El *Libro de Apolonio* tal vez[1], y, con toda seguridad, el *Poema de Fernán González*, la *General Estoria*, el *Libro de Buen Amor* y el *Poema de Alfonso Onzeno*[2], entre otros —no es mi propósito ser exhaustivo—, dejaron entrever en su texto recuerdos, imitaciones y copias conscientes de algunos de sus pasajes, a la vez que otros autores —Gamés, Bivar— incluían, con diversa finalidad, fragmentos suyos dentro de las obras escritas por ellos mismos —*El Victorial y Marci Maximi Caesa-*

---

[1] A. D. Deyermond ha estudiado el problema de las relaciones que pudieron existir entre el *Libro de Apolonio* y el *Libro de Alexandre* en un artículo —«Mester es sen pecado», *Romanische Forschungen*, LXXVII, 1-2, 1965, páginas 111-116—, cuyo contenido resumimos y comentamos en la nota a la estrofa 2 de nuestro texto.

[2] Cfr. *Poema de Fernán González*, edición, prólogo y notas de Alonso Zamora Vicente, Madrid, Espasa-Calpe, Clásicos Castellanos, 1963, Introducción, página XII, «Las fuentes».

García Solalinde, Antonio, «El juicio de Paris en el "Alexandre" y en la "General Estoria"», *RFE*, XV, 1928, págs. 1-51.

Arcipreste de Hita, *Libro de Buen Amor*. Edición, introducción y notas de Jacques Joset, Madrid, Espasa-Calpe, Clásicos Castellanos, 1974, 2 vols., vol. II, pág. 154, nota a 1266 y ss.

Davis, Gifford, «The debt of the "Poema de Alfonso Onceno" to the "Libro de Alexandre"», *HR*, XV, 4, 1947, págs. 436-452.

raugustani, viri doctissimi continuatio Chronici omnimodae Historiae ab Anno Christi 430 (ubi Flav. L. Dexter desiit) usque ad 612 quo maximus pervenit..., respectivamente. Su fama atravesó, sin grandes dificultades, la frontera de su siglo y aún en la Edad Dorada de nuestra literatura continuaba conservándose su memoria. Santillana lo menciona, junto con *Los Votos del Pavón,* hoy, desgraciadamente, desaparecido, el *Libro de Buen Amor* y el *Rimado de Palacio,* como uno de los primeros escritos en castellano en que se usó «primeramente el metro», en su famosa *Carta-Prohemio*[3]. Pellicer y Nicolás Antonio en el Siglo de Oro aún se acuerdan de su existencia. Su aureola de éxito, y su conocimiento directo sobre todo, decrecieron con posterioridad, pero nunca llegaron a perderse totalmente. En el siglo XVIII el padre Sarmiento, en sus *Memorias para la historia de la poesía y poetas españoles*[4], inicia la serie de estudios que le han sido dedicados. Sánchez, el gran erudito y bibliógrafo al que debemos el rescate de buena parte de nuestra creación literaria medieval, logra localizar uno de los dos manuscritos que en la actualidad se conservan de nuestra obra —el de la Biblioteca Nacional de Madrid— entre los libros respetados por las llamas en el incendio que había destruido el palacio del duque del Infantado, sito en la ciudad de Guadalajara, manuscrito que es totalmente copiado por él e incluido en su *Colección de poesías castellanas anteriores al siglo XV,* base para la posterior edición de Janer en la BAE. El texto había sido rescatado para la posteridad.

Mucha es, pues, la importancia que históricamente tuvo el *Libro de Alexandre* («el Poema más famoso de aquella antigüedad, metro y estilo» lo llamaba el padre Sarmiento en su estudio)[5]. Pero, en absoluto contraste con esa situación, escaso, para lo que sería deseable, es el conocimiento que de él tenemos en la actualidad. A diferencia de lo que ha sucedido con otras obras de nuestra literatura medieval, poco o casi nada se había avanzado hasta tiempos bien recientes en el estudio de

---

[3] Cfr. ed. de Augusto Cortina (El Marqués de Santillana, *Obras),* Madrid, Espasa-Calpe (Austral), 1968, 4.ª ed., pág. 36.

[4] En *Obras Posthumas,* tomo I, Madrid, por Joachin Ibarra Impresor de Cámara de S. M., 1775. Las páginas dedicadas al *Alexandre* son las 245-249.

[5] *Ibídem,* pág. 245.

los problemas internos —en el análisis interno propiamente dicho—, que plantea el *Libro de Alexandre*. Los críticos, posiblemente amedrentados por las grandes dimensiones de este texto (tiene 2.675 estrofas —10.700 versos—), no se habían atrevido a abordarlos. Prácticamente nos hallábamos todavía ante las puertas del edificio. E incluso aquí, no estaba —ni lo está aún en su totalidad— el suelo lo suficientemente preparado como para permitir que el estudioso, el investigador, o, simplemente, el curioso lector, pudiera pasear sobre él con suficientes seguridades. Problemas de fuentes, de autor, de lenguaje, de léxico, y poco más habían sido investigados, pero los resultados —salvo en el primero de los capítulos, las fuentes—, distaban —y distan— mucho de haber contribuido a despejar totalmente el panorama de la situación. Los críticos españoles han sido —y, desgraciadamente, con excepciones, siguen siendo— remisos, continúan resistiéndose a abordar abiertamente su estudio. Y no porque no reconozcan su valor histórico (su valor literario está en parte por determinar). Incluso, hasta hace poco tiempo, no contábamos con ninguna edición que hubiera tratado de armonizar la diferencia de lecturas existente entre los dos manuscritos que en la actualidad nos lo conservan[6], de presentar el texto completo del *Libro de Alexandre* ante el posible lector. Y es que nos encontramos, como siempre, ante el eterno problema. Se editan obras medievales —por ceñirnos a nuestro caso concreto (aunque lo mismo cabe afirmar de cualquier otra época de nuestra literatura)—, pero son casi siempre las mismas. El *Cantar de Mio Cid*, el *Libro de Buen Amor* o las obras de Berceo (y no todas, sino casi exclusivamente los *Milagros de Nuestra Señora,* pues, por ejemplo, no existe ni una sola edición «suelta», *asequible* y fiable de *El Sacrificio de la misa* —está incluida en las *Obras Completas* publicadas por la Diputación provincial de Logroño, en el tomo de *Poetas castellanos anteriores al siglo XV* de la BAE y en las

---

[6] La primera edición del *Alexandre,* accesible, publicada fue la primitiva versión de este trabajo nuestro, impreso en 1978 por Editora Nacional. Tras ella se dio a la luz la reconstrucción crítica de Dana A. Nelson (Madrid, Gredos, 1979). Sobre las ediciones existentes del *Alexandre,* cfr. en nuestra bibliografía el apartado correspondiente.

Obras Completas que viene editando Dutton en la Colección Tamesis Books—) son objeto de sucesivas, y casi continuas, impresiones —quizá porque para el filólogo es más cómoda la labor de perfeccionar el trabajo iniciado, o realizado, por un estudioso anterior, o porque a las editoriales les interesa más ver aseguradas sus ventas mediante la inclusión en sus colecciones de títulos ya conocidos por el posible comprador y no desean exponer su capital en una aventura cuyo resultado positivo puede parecer problemático, o por ambas cosas a la vez. En cambio, hay obras fundamentales, como ha sido nuestro *Libro,* que, una y otra vez, se iban, y se van, quedando incomprensiblemente arrinconadas. La carencia de ese texto fijado del *Alexandre* ha constituido un auténtico obstáculo, ante el cual han sucumbido los ánimos de nuestros críticos de habla hispana, un obstáculo que ha impedido, en buena parte, el progreso de los estudios sobre la materia. Y, como en tantas otras ocasiones, han tenido que ser los críticos extranjeros —anglosajones en este caso— los que se han visto obligados a dar la voz de alerta, a advertirnos, casi, a los españoles que poseíamos una de las obras más importantes que, dentro de la literatura medieval europea, se habían escrito sobre la vida del gran emperador macedonio[7], a destruir barreras de incomprensión, a explicarnos, prácticamente, cuáles son los grandes rasgos que configuran el funcionamiento interno del *Libro de Alexandre.* Los principales estudios generales de crítica interna sobre nuestra obra[8] han visto la luz no en universidades españolas, y no han salido, salvo honrosísimas y escasas excepciones, de la pluma de investigadores que utilizan el castellano como lengua materna, como medio personal de expresión. Han sido las universidades inglesas y americanas las que han hecho posible la redacción de esos trabajos. Gracias a ellos se ha producido un avance en el conocimiento que hasta entonces se poseía del *Alexandre.* Gracias a ellos se han sentado unas bases —que sin no son totalmente sólidas y se hallan necesitadas de perfeccionamientos, ampliaciones y consolidaciones, sí

---

[7] Cfr. Deyermond, *La Edad Media,* en *Historia de la literatura española,* Barcelona, Ariel, 1973, pág. 123.

[8] Cfr. Bibliografía.

constituyen un buen punto de partida y están situadas evidentemente en el camino verdadero— capaces de conseguir una auténtica revalorización de la obra que posibilite la realización de un acercamiento entre el papel que hubo de representar el *Alexandre* dentro del momento histórico en que se produjo su composición, entre su importancia en la historia, y el reconocimiento práctico, mediante hechos —estudios, ediciones...—y no sólo a través de las palabras, de esa importancia.

2. EL AUTOR

Tres hombres han sido sucesiva y alternativamente citados en la historia como posibles compositores del *Libro de Alexandre:* Alfonso el Sabio, Gonzalo de Berceo y Juan Lorenzo de Astorga. A José Pellicer, en su *Memorial por la casa de los Sarmientos*[9], se debe la atribución de nuestra obra al docto rey hijo de Fernando III el Santo, sin que, a decir de Sánchez[10] presentase «más prueba de su afirmación que su palabra y autoridad». Nicolás Antonio en su *Bibliotheca Hispana Vetus*[11] recoge, sin mayores comprobaciones, la opinión de Pellicer. Francisco de Bivar[12] supone que Berceo pudo ser el escritor de cuya pluma salió el *Libro de Alexandre,* pero especifica que, aun existiendo tal posibilidad, no se atrevía a presentarla como afirmación personal. El padre Sarmiento, en el siglo XVIII,

---

[9] Citado por el padre Sarmiento, *op. cit.,* pág. 245.

[10] Pág. XXVII de sus *Preliminares* incluidos por Janer al frente de su edición de la *BAE (Poetas castellanos anteriores al siglo XV, BAE,* tomo LVII, Madrid, Atlas, 1952, págs. XXVI-XXXI).

[11] Nicolás Antonio, *Bibliotheca Hispana Vetus, sive Hispani Scriptores qui ab Octaviani Augusti Aevo ad Annum Christi MD. floruerunt.* Matriti, Apud Viduam et Heredes D. Ioachimi Ibarrae regii quondam Typographi, MDCCLXXXVIII. En el tomo II y en la página 79 Nicolás Antonio incluye el *Alexandre* entre las obras de Alfonso el Sabio.

[12] *Marci Maximi Caesaraugustani, viri doctissimi Continuatio Chronici omnimodae Historiae ab Anno Christi 430 (ubi Flav. L. Dexter desiit) usque ad 612 quo maximus pervenit...* Madriti, Ex typ. Didaci Díaz de la Carrera. Anno MDCII, páginas 335-337. Citado por Willis, *El Libro de Alexandre. Texts of the Paris and the Madrid manuscripts prepared with an introduction by...,* Nueva York, Kraus Reprint Corporation, 1965, pág. xxi.

consideró la no afirmada sugerencia de Bivar, si no totalmente aceptable, sí, al menos, verosímil, dado que, según él, «el metro, y la naturalidad de este Poema, es muy semejante al de los versos de Berceo»[13]. La localización y publicación por Sánchez del manuscrito que se conserva actualmente en la Biblioteca Nacional de Madrid vino momentánea y aparentemente a solucionar el problema de la autoría. En la última estrofa del texto recién descubierto se declaraba el nombre de su autor: Juan Lorenzo «Segura» de Astorga, un clérigo leonés. Diversos artículos se publican sobre el particular[14]. Se aducen documentos sobre la familia Segura de Astorga. Se defiende, incluso vigorosamente, la paternidad de Juan Lorenzo sobre la obra. A pesar de todo, no faltaron, como puede suponerse, opiniones contrarias a las hasta aquí señaladas. Morel-Fatio en 1875[15] ya rechazaba que Juan Lorenzo pudiera ser considerado el verdadero autor del *Alexandre,* y, del mismo modo, defendía que Gonzalo de Berceo tampoco podía ser presentado como candidato para ocupar el tan debatido puesto: el hecho de que Santillana, Gamés y Bivar no hubiesen mencionado al conocido escritor riojano al referirse al *Alexandre* era, según él, prueba suficiente para negar que a él pudiera deberse la composición de tan importante obra. El descubrimiento en 1888[16] del llamado manuscrito P —por contarse entre los fondos de la Biblioteca Nacional de París— de nuestro texto vino a oscurecer todavía

---

[13] *Op. cit.,* pág. 247.

[14] Cfr. (Blanco García, Francisco) Un religioso agustino (seud.), «Juan Lorenzo Segura y su Poema de Alejandro», *La Ilustración Católica,* V, Madrid, 21 de mayo de 1882, págs. 330-333.

Macías y García, Marcelo, *Discurso pronunciado en los juegos florales celebrados en Astorga el 30 de agosto de 1900 (...), seguido de un apéndice acerca de la patria del autor del «Poema de Alexandre» y un documento interesantísimo relativo a los Segura de Astorga,* Astorga-La Bañeza, Viuda e Hijo de López, 1900.

— *Juan Lorenzo Segura y el «Poema de Alexandre»,* Orense, Imprenta Popular, 1913.

Cillero, «Sobre el *Libro de Alexandre», BRAE,* III, 1916, págs. 308-314.

[15] «Recherches sur le texte et les sources du *Libro de Alexandre», Romania,* IV, 1875, págs. 7-90.

[16] La noticia fue comunicada por Morel-Fatio en una breve nota publicada en la revista *Romania* («A Chronique. Un nouveau manuscrit du *Libro de Alexandre* acquis para la Bibliothèque National», *Romania,* XVII, 1888, pág. 476).

16

más la situación. La última estrofa copiada en este manuscrito ofrecía una lectura casi totalmente diferente a la presentada por el manuscrito —llamado entonces O por proceder de la biblioteca del duque de Osuna— que en Madrid se conservaba. Así, mientras en la versión entonces conocida —O— podía leerse

> Se quisierdes saber quién escrevió este ditado,
> Johan Lorenço bon clérigo e ondrado,
> Segura de Astorga, de mannas bien temprado;
> el día del iuyzio Dios sea mío pagado.

en el manuscrito recién descubierto —P— encontrábamos:

> Sy queredes saber quién fizo esti ditado,
> Gonçalo de Berceo es por nonbre clamado,
> natural de Madrid, en San Mylián criado,
> del abat Johan Sánchez notario por nonbrado.

Y no sólo a este extremo quedaba reducida la discordancia. Ya antes de tener noticias de la existencia de P se había resaltado la inclusión de un verso, el 1386d, en el manuscrito de Osuna en el cual podía leerse un nombre que para algunos era incuestionablemente el propio del autor y que en absoluto coincidía con el que figuraba en su última estrofa:

> e dixo a Gonçalo: «Ve dormir, que assaz as velado.»

El verso había sido interpretado como una broma que el compositor había querido gastar a sus lectores[17]. El nombre que contenía había sido constantemente aducido como prueba por los partidarios de atribuir la obra a Berceo. Pues bien, para enmarañar todavía más un problema cuya claridad distaba mucho aún de ser siquiera vislumbrada, al verso correspondiente al anterior en el manuscrito P —1528b— le había sido otorgada una formulación diferente. Y cuál no sería la sorpresa de los investigadores cuando pudieron comprobar que el nombre

---

[17] Cfr. Alarcos, *Investigaciones sobre el Libro de Alexandre*, Madrid, CSIC *(RFE, Anejo XLV)*, 1948, págs. 48-49.

que en su interior se hallaba contenido no era ni más ni menos que... *Lorente:*

Lorente, ve dormir, casaras velado.

Las discusiones sobre el particular no sólo continuaron, sino que se vieron acrecentadas. El primer fruto positivo de ellas fue el definitivo —parece— esclarecimiento del nombre que se hallaba incluido en la última estrofa del manuscrito (). El supuesto Juan Lorenzo Segura de Astorga no existía en la realidad. Su apellido, Segura, para cuya identificación se habían buscado y encontrado antiguos documentos[18], no figuraba en el texto del que, se suponía, era procedente. Había nacido como consecuencia de una lectura defectuosa del manuscrito. Baist[19] primero y Willis[20] después, logran restablecer la formulación auténtica del verso, la que es hoy prácticamente admitida sin discusión: *«natural* de Astorga». A partir de esos momentos —e incluso antes de llegar a esta última solución– –partidarios de atribuir el *Alexandre* a Juan Lorenzo (entre los que se encuentra un nombre tan ilustre como es el de don Ramón Menéndez Pidal[21]), defensores de la paternidad de Gonzalo de Berceo sobre el mismo (entre los que se hallan Baist y Müller[22]), y detractores de ambas posiciones (Hanssen, Ruth I. Moll[23]), esgrimen sus razones una y otra vez[24]. El nombre de

---

[18] Cfr. el primer escrito de Marcelo Macías citado en la nota 14.

[19] «Eine neue Handschrift des spanischen *Alexandre», Romanischen Forschungen,* VI, págs. 292 y ss. Citado por Alarcos, *op. cit.,* pág. 47, nota 123.

[20] *El Libro de Alexandre, Texts of the Paris...,* pág. 461.

[21] M. Pidal ha defendido en diversas ocasiones sus teorías sobre este particular. Así, en *Poesía juglaresca y juglares* (Madrid, Centro de Estudios Históricos, 1924), posteriormente revisado y publicado con el nombre de *Poesía juglaresca y orígenes de las literaturas románicas* (Madrid, Instituto de Estudios Políticos, 1957); *El Dialecto Leonés* (Madrid, RABM, 1906; «El *Libro de Alixandre», Cultura Española,* VI, 1907, págs. 545-552)...

[22] Baist, G., *Grundisz de Gröber,* II, 2, 403, Strassburg, 1897.

Müller, E., *Sprachliche und Textkritische Untersuchungen zum altspanischen «Libro de Alexandre»,* Strassburg, 1910.

Citados ambos por Alarcos, *op. cit.,* págs. 48 y 50.

[23] Hanssen, F., «La elisión y la sinalefa en el *Libro de Alejandro», RFE,* III, 1916, págs. 345-356.

Moll, Ruth I., *Beiträge zu einer kritischen Ausgabe des Altspanischen «Libro de Alexandre»,* Würzburg, Buchdruckerei Richards Mayr, 1938.

Alfonso X el Sabio no ha vuelto a ser mencionado desde el Siglo de Oro. Ante la complejidad con que el problema aparece revestido y la imposibilidad, al menos de momento, de obtener una solución para el mismo que pueda acercarse, siquiera levemente, a lo que pudo ser la verdadera situación original, tal vez la postura que todavía puede mantenerse es la expuesta y defendida por Niall J. Ware en su artículo «Gonzalo, Lorenço, Lorente: an *Alexandre* enigma»[25]. En líneas generales podemos resumirla en los siguientes puntos:

1. Consideración de Juan Lorenzo de Astorga como simple copista del manuscrito O. Su nombre habría sido incluido en el texto mediante la introducción de un cambio en su formulación original (prueba suficiente de ello sería la aparición del verbo «escribir» —*escrevió*—, sinónimo de «copiar» en la Edad Media, en el verso de la estrofa, aun en contra de las exigencias métricas del hemistiquio —el segundo— en el que figura, a costa de romper la regularidad métrica del verso).

2. Sobre el dilema planteado por la divergencia de lecturas en uno de los versos de la estrofa 1548 (el verso 1386d en la numeración de estrofas del manuscrito O; el verso 1528b, en P) del *Alexandre*, juzga, basándose en la métrica, que como lección auténtica debe ser considerada la contenida en la versión de O, en la que figura el nombre de *Gonçalo,* mientras que la lectura de P ha de ser interpretada como deformación del original efectuada por su copista, *Lorente,* que en modo alguno puede ser identificado —no hay pruebas para ello— con Juan Lorenzo de Astorga (el nombre de Lorenzo no es en absoluto tan extraño y peculiar que no pueda haber servido para designar a dos personas diferentes a la vez).

3. No por todo lo anterior debemos admitir la atribución del *Alexandre* a Berceo como indiscutible. Existe la posibilidad, dice, de que su nombre fuese incluido en el texto

---

[24] Para una descripción más detallada de todas estas posiciones, véase Alarcos, *op. cit.,* págs. 47-53.

[25] *BHS,* XLIV, 1967, págs. 41-43.

por algún copista despierto, conocedor de la fama y de las obras del escritor riojano[26], y deseoso de establecer —habida cuenta de las semejanzas externas— algún tipo de vinculación entre su persona y el *Libro de Alexandre.*

No obstante, investigaciones más recientes no muestran la existencia de un consenso en torno a la postura mantenida por Ware. Tres posiciones encontradas son defendidas por diferentes estudiosos. Una más aislada, las afirmaciones vertidas por Antonio Prieto en su libro *Coherencia y relevancia textual (De Berceo a Baroja)*[27], según las cuales se da por sentada , sin entrar en discusión puntual sobre el problema, la paternidad de Juan Lorenzo de Astorga sobre el *Alexandre.* Las otras, más extendidas entre los especialistas. Defiende la primera de estas la atribución de nuestro *Libro* a Berceo. Dana Arthur Nelson se ha convertido en el abanderado de esta postura. En su reconstrucción crítica de la obra hace imprimir en la portada el nombre de Gonzalo de Berceo como autor del *Alexandre,* sin incluir en su interior razones objetivas que justifiquen tal atribución. En otros trabajos aborda el estudio de diferentes aspectos lingüísticos, métricos y estilísticos del *Libro,* comparándolos con los usos similares identificables en las obras de Berceo, para concluir que, dada la identidad existente entre ambos bloques de textos o la posibilidad de explicar las divergencias por la aparición de una evolución en la forma de redactar del propio Gonzalo, el *Alexandre* sería una composición temprana del escritor riojano[28]. Brian Dutton, Gilberto Triviños y Ray-

---

[26] Y de su biografía, pues recordemos que Brian Dutton en su artículo «The profession of Gonzalo de Berceo and the Paris manuscript of the *Libro de Alexandre*» *(BHS,* XXXVI, 1960, págs. 137-145) ha demostrado que son totalmente ciertas las noticias que sobre su persona han sido incluidas en la última estrofa de nuestra obra, según la versión recogida en el manuscrito P.

[27] Antonio Prieto, «Con la titulación del Libro del Arcipreste de Hita», en *Coherencia y relevancia textual (De Berceo a Baroja),* Madrid, Alhambra, 1980, páginas 77-114. Cfr., sobre el *Alexandre,* las págs. 89-95, en las que rebate a Dana A. Nelson, y 95-101, en las que señala semejanzas y diferencias entre el *Alexandre* y Juan Ruiz.

[28] Cfr. Gonzalo de Berceo, *Libro de Alixandre.* Reconstrucción crítica de Dana Arthur Nelson, Madrid, Gredos, BRH, 1979; Dana A. Nelson, «The Domain of the Old Spanish *-er* and *-ir* verbs: A Clue to the Provenience of the

mond S. Willis se muestran partidarios de las tesis de Nelson[29]. Otros investigadores, como Deyermond y Gerli[30], consideran insuficientes las pruebas presentadas por Nelson para defender su posición; o, como Alarcos, Gorog y Goldberg[31], estudian léxico, recursos retóricos, estilo y métrica y llegan a la conclusión de que las diferencias entre Berceo y el *Alexandre* son tan grandes que no puede considerarse al riojano autor del *Libro,* y que las semejanzas son coincidencias de «maestría», de escuela; o, como Michael[32], proponen nuevas lecturas para

Alexandre» (en *Romance Philology,* XXVI, 2, 1972, págs. 265-305), «Syncopation in *El Libro de Alexandre» (PMLA,* 87, 1972, págs. 1023-1038), «In Quest of the Select Lexical Base Common to Berceo and the *Alexandre»* (en *Kentucky Romance Quarterly,* 22, 1975, págs. 33-59). «Generic vs. Individual Stile: The Presence of Berceo in the *Alexandre»* (en *Romance Philology,* XXIX, 2 de noviembre de 1975, págs. 143-184), «A Re-examination of Synonymy in Berceo and the *Alexandre»* (en *Hispanic Review,* 43, 4, otoño de 1975, págs. 351-369), «Lexical Gleanings in Berceo and the *Alexandre* (en *Kentucky Romance Quarterly,* 1975), «"Nunca devriés nacer", clave para la creatividad de Berceo» (en *BRAE,* LVI, CCVII, enero-abril de 1976, págs. 23-82), «Versificación, dialecto y paternidad del *Libro de Alixandre:* evitando el círculo vicioso» (en *Actas del Sexto Congreso Internacional de Hispanistas,* Universidad de Toronto, 1980, págs. 510-513).

[29] *Vid.* Brian Dutton, «A Further Note on the *Alexandre* enigma», en *BHS,* XLVIII, 1971, págs. 298-300; Gilberto Triviños, «Vagar doma las cosas: sobre la edición crítica del *Libro de Alexandre»,* en *Thesaurus. Boletín del Instituto Caro y Cuervo,* XXXVIII, 3, Bogotá, 1983, págs. 564-592; Raymond S. Willis, «In Search of the Lost *Libro de Alexandre* and his Author (Review-Article)», *HR,* LI, 1, 1983, págs. 63-88.

[30] Cfr. Alan Deyermond, «Berceo y la poesía del siglo xiii», en *Edad Media,* de la *Historia y crítica de la literatura española,* dirigida por Francisco Rico, Barcelona, Crítica, 1979, págs. 127-140 *(vid.,* sobre el *Alexandre,* las págs. 127 y 132-134); y Michael Gerli, «Introducción» a su edición de Gonzalo de Berceo, *Milagros de Nuestra Señora,* Madrid, Cátedra, Letras Hispánicas, 1985, páginas 11-53 *(vid.,* sobre el *Alexandre,* pág. 15, nota 9, en la que se adhiere a la tesis de H. Goldberg).

[31] Cfr. Emilio Alarcos, «¿Berceo, autor del *Alexandre?»,* en *Actas de las III Jornadas de Estudios Berceanos,* ed. Claudio García Turza, Logroño, Diputación Provincial, 1981, págs. 11-18, y *«Libro de Alexandre:* Estrofas 2554-2566», en *Archivum,* XXXIII, 1983, págs. 13-18; Ralph de Gorog, «La sinonimia en Berceo y el vocabulario del *Libro de Alexandre,* en *Hispanic Review,* XXXVIII, 4, octubre de 1970, págs. 353-367; Harriet Goldberg, «The Voice of the Author in the Works of Gonzalo de Berceo and in the *Libro de Alexandre* and the *Poema de Fernán González»,* en *La Corónica,* VIII, 2, primavera de 1980, págs. 100-112.

[32] Cfr. Ian D. C. Michael, «The *Alexandre* enigma: A Solution for stanza 1548», resumido en *La Corónica,* IX, 1, 1980, págs. 40-41, y publicado íntegro en *Medieval and Renaissance Studies,* Oxford, 1986, págs. 109-121.

una de las partes de la obra en las que supuestamente se menciona al autor, haciendo desaparecer los nombres de *Gonzalo* y *Lorente* para sugerir que en el texto original figuraría *«Galterio»*, el creador del *Alexandreis,* fuente de la composición española, como veremos, palabra deformada en la transmisión textual por los copistas. Todos estos se inclinan por seguir manteniendo la indicación de «anónimo» al frente del *Libro de Alexandre.*

En definitiva, no sabemos todavía quién pudo ser el compositor del *Libro de Alexandre.* Pero de su obra podemos extraer, tal y como Alarcos se ha encargado de señalar[33], una serie —corta— de datos que pueden servirnos para acercarnos un poco a su figura, para ponernos de relieve algunos aspectos de su personalidad. Tres son las noticias que, según Alarcos[34], el *Alexandre* nos conserva de su creador. Por un lado, su lugar de procedencia, la zona geográfica de la Península Ibérica de que era natural o en la que había transcurrido la mayor parte de su vida. Del análisis lingüístico de nuestro texto parece deducirse que el castellano es el idioma en que originalmente estuvo redactado[35]. Pero la inclusión en él de determinados arcaísmos morfológicos y la utilización de un cierto léxico no encuadrado estrictamente en el que al más típico castellano pertenece, permiten afirmar —dice aquel ilustre investigador— que nuestro desconocido escritor «sería natural de las tierras castellanizadas por la Reconquista»[36], posiblemente de la zona comprendida entre el sureste de Burgos y Soria. Las alusiones a diversos lugares de nuestra geografía peninsular (los ríos Tajo, Duero y Ebro; los montes Cogolla y Moncayo, citados todos como sitios característicos de España) que en la estrofa 2580 del *Alexandre* (insertada en la parte que se dedica a la descripción de la tienda del protagonista, en el fragmento en el que se incluye el famoso mapamundi) se contienen, parecen confirmar tal localización (no sería muy verosímil que a un autor no conocedor directo, no familiarizado por la frecuente contemplación, de la Cogolla y el Moncayo le hubiese surgido la idea de men-

---

[33] *Investigaciones sobre el Libro de Alexandre,* cit., págs. 54-57.
[34] Cfr. n. 33.
[35] Cfr. *infra.*
[36] Alarcos, *op. cit.,* pág. 54.

cionarlos como montes existentes en España en una descripción general de la tierra, destacándolos así de entre otros muchos cuya importancia geográfica puede ser bastante mayor). La estrofa 1824 nos transmite la segunda de las noticias a que hacíamos referencia: el grupo social, los eclesiásticos, los clérigos, al que pertenecía nuestro autor. De todo el conjunto del *Alexandre* se desprende el tercero de los datos. Por las fuentes utilizadas para la composición del *Libro* (latinas, francesas...), por el enorme caudal de citas, menciones y alusiones culturales, podemos saber que nuestro desconocido compositor era un hombre culto, un «letrado», que se hallaba en posesión de una gran cantidad de conocimientos, que posiblemente era, en suma, uno de los escritores de mayor nivel cultural que dentro de la Edad Media española —y, tal vez, europea— dedicaron sus esfuerzos a realizar una auténtica creación literaria.

Francisco Rico, en su artículo «La clerecía del mester»[37], acota aún más la investigación sobre los rasgos que conformarían la personalidad del autor del *Alexandre*. Del examen de las afirmaciones que incluye en su obra sobre la obligación de difundir los conocimientos que se poseen; del texto base que maneja como fuente, el *Alexandreis* de Gautier de Châtillon, «una respetable lectura de escolar»[38]; de la concomitancia de actitudes ante la creación y las obligaciones del creador entre el *Alexandre,* que establece un paralelismo de motivaciones entre el narrador y el personaje principal (el «autor infunde a su héroe el mismo afán de conocer y esparcir conocimientos que determina la composición de la obra entera», «afán de conocimiento» que «es inseparable•del afán de gloria que jamás abandona al protagonista»)[39], y el *Verbiginale* de Pedro de Blois, «compuesto hacia 1215 ó 1220 y dedicado a don Tello, obispo de Palencia»[40], y utilizado como libro de texto en la Universidad de Palencia entre 1210 y 1230; de la actitud ante la cultura y el saber; de los recursos prosódicos empleados (acentuación latina, esdrújula, de los nombres propios tomados de Gautier;

---

[37] Francisco Rico, «La clerecía del mester», en *HR,* 53, 1, 1985, págs. 1-23.
[38] *Ibíd.,* pág. 9.
[39] *Ibíd.,* pág. 13.
[40] *Ibíd.,* pág. 11.

mantenimiento «de la pronunciación de la lengua docta: no sólo imponiendo "cïencia" y "sapïencia", "devocïón" o "visïón", sino introduciendo "conféssor" o "demon" y aun formas verbales como "significa" o "versífico"»; «ausencia de sinalefa»[41]), concluye que el compositor de nuestro *Libro* pertenecería al grupo de los *«scolares... clerici»*, «clérigos que no se aíslan, que estudian y enseñan y trabajan en el mundo», que «andan a vueltas con los libros, los traducen, comentan, exponen, viven para ellos y mueren con ellos en las manos»[42], «muy distintos a los viejos curas» ignorantes, que «tienen la querencia de aprender» «y de comunicar lo aprendido, están dispuestos a aprovechar las exenciones y privilegios que se les conceden para frecuentar los centros de instrucción promovidos por la jerarquía y donde se remansa un estupendo caudal de saberes»[43], el *studium generale*, las escuelas catedralicias, las primitivas universidades.

3. Fecha de composición

La determinación del momento preciso en el que el *Libro de Alexandre* fue escrito, de la fecha exacta en la que se realizó su composición, ha sido uno de los problemas que más ha preocupado a la crítica y la erudición desde incluso épocas anteriores a la localización y publicación del manuscrito (¹) por Tomás Antonio Sánchez. Dejando a un lado las opiniones de Francisco de Bivar[44], un tanto exageradas (supone que el *Alexandre* contaba ya con quinientos años de antigüedad en la época —mediados del siglo XVI— en el que él tuvo conocimiento de su existencia) y ya rebatidas con sólidos argumentos por el padre Sarmiento[45] (si es imitación, dice entre otras cosas, del *Alexandreis* de Gautier de Châtillon —fuente principal de nuestro texto, como veremos posteriormente—, como pudiera com-

---

[41] *Ibíd.*, pág. 21.
[42] *Ibíd.*, pág. 7.
[43] Ibíd., pág. 8.
[44] Cfr. nota 12.
[45] *Op. cit.* (cfr. nota 4), págs. 246-249.

probarse si se lograse localizar algunos de sus manuscritos —el padre Sarmiento no pudo leer directamente el *Alexandre,* sino que lo conocía por referencias indirectas—, el *Libro* español nunca podría haber sido escrito en la época en que Bivar supone, dado que el susodicho *Alexandreis* fue dedicado por su autor a Guillermo, arzobispo de Reims, y este «Guillermo tuvo la silla desde el año 1176 hasta el de 201»[46]; si la obra base fue compuesta necesariamente a finales del siglo XII o principios, como mucho, del XIII, es claro que el escrito posterior procedente de ella no pudo haber visto la luz en fechas anteriores. Además, si el *Libro de Alexandre* —continúa— está escrito en versos alejandrinos, y estos proceden de Francia, del poema francés medieval que relata también la vida de Alejandro Magno, y este poema, según los estudios «modernos», no pudo ser anterior a 1155, el escrito español, que tal vez haya utilizado también —dice— la obra francesa de igual tema al suyo, no pudo estar ya redactado en los años en que Bivar pretende situarlo), nos encontramos con que en los *Preliminares*[47] escritos por Sánchez para su edición de nuestra obra ya es abordado el problema de su datación. Comprobada por él la relación existente entre el *Libro de Alexandre* y el *Alexandreis* de Châtillon —como veíamos, anteriormente sugerida por el padre Sarmiento[48]—, repite los argumentos aducidos por el erudito benedictino sobre este particular, y sitúa nuestro texto en la primera mitad del siglo XIII, dado que, según él, no es verosímil que, debido a las dificultades de transmisión y difusión de los libros propias de la época, su autor puediera tener conocimiento de la obra de Gautier con anterioridad. De la alusión al pergamino[49] insertada en el verso d de la estrofa 2306 (manuscri-

---

[46] *Ibídem,* pág. 247.

[47] Cfr. *BAE* (véase nota 10), págs. XXVIII-XXIX.

[48] La obra del padre Sarmiento se publica —cfr. nota 4— en 1775, mientras la *Colección de poesías castellanas anteriores al Siglo XV* es editada en 1779.

[49] No parece totalmente válida esta argumentación, dado que la alusión al pergamino, las *cartas de cabrones,* puede ser perfectamente justificable por otros motivos. Se introduce como comparación, como ejemplo gráfico con el cual se pretende convencer al lector de las razones que llevaron al autor a suspender la relación pormenorizada de las hazañas que habían realizado Alejandro y sus acompañantes en aquellos momentos de su vida, en aquella parte del relato, como medio de justificación personal. Hasta aquí nada se opone al razonamien-

to O —2470 en la numeración general del *Libro*—) y la inexistencia de cualquier tipo de referencia al papel, deduce que el *Alexandre* fue compuesto antes de que se introdujese en España el uso y fabricación de esta última materia, o, lo que es lo mismo, antes de 1260. Basándose en las repetidas menciones de los *pepiones* —monedas de poco valor— contenidas en el *Alexandre*, afirma que nuestra obra debió ser escrita antes de que Alfonso el Sabio, en el primer año de su ascensión al trono, ordenase, movido por la escasez de dinero que padecían sus dominios, que fuesen fundidas todas aquellas monedas y sustituidas por unas nuevas, los burgaleses, que con el material obtenido tras realizar aquella operación habían de ser acuñadas[50]. Termina por resaltar la existencia de una estrofa —la que en el manuscrito O lleva por número el 1637—, en la cual parece haber incluido el autor la fecha exacta en la que fue abordada la labor de componer su obra, el año concreto en que se hallaba trabajando en la redacción de su escrito. Pero, debido a la dificultad de determinar qué tipo de cómputo había utilizado para realizar tal especificación, declara su incapacidad de convertir los números insertados en ese texto en sus equivalentes dentro del calendario gregoriano.

Morel-Fatio[51] acepta la datación del *Alexandre* propuesta por Sánchez. Piensa que su composición debe situarse en la

---

to de Sánchez. Pero tenemos que advertir que la palabra *cabrones* ha sido situada al final del verso, le ha sido encomendada la función de mantener la rima con el resto de los versos que se integran dentro de su misma estrofa. ¿No podría ser este el motivo concreto de su inclusión? ¿No podría el autor verse casi obligado a adoptarla por razones fundamentalmente de rima? ¿No podría haber sido esta la causa que justificase su inserción dentro del verso, en perjuicio, incluso, de un «papel» hipotéticamente ya existente? No digo que sea esta la auténtica y verdadera explicación. Tan sólo que puede constituir una alternativa al argumento que sobre la mención que nos ocupa Sánchez ha querido montar.

[50] Tampoco esta explicación puede ser considerada absolutamente satisfactoria, dado que es totalmente posible que en la época hacer referencia al pepión para emitir un juicio valorativo, para indicar que no se tiene un aprecio excesivo por el objeto o la situación con el que es comparado (las menciones de esta moneda se encuentran situadas en el *Alexandre* en contextos en los que aparecen esos contenidos), pudiera haberse convertido en un lugar común, en un tópico, a partir del cual se hubiese generado una frase hecha cuyo uso se continuase manteniendo aún en épocas posteriores a la propia desaparición de la moneda.

[51] *Recherches...*, pág. 17.

primera mitad del siglo XIII. Pero juzga·que su redacción debió efectuarse en momentos posteriores a aquellos en los que las obras de Berceo fueron escritas, debido fundamentalmente, no a características de sintaxis o estilo (no existe, cree, gran diferencia entre el *Alexandre* y los textos compuestos por el famoso notario de la Rioja desde esas dos perspectivas concretas), sino a la no inclusión dentro de nuestro *Libro* de una serie de arcaísmos léxicos cuya incorporación al lenguaje utilizado por Berceo para realizar su creación literaria es totalmente habitual. Caroll Marden, considerando que el *Poema de Fernán González* se ha servido del *Alexandre* en algunas ocasiones, y que los alrededores del año 1250 podían ser considerados como fecha posible y probable de aquella obra, piensa que nuestro escrito es anterior al susodicho año[52]. Baist, en concordancia con la postura que adoptó respecto al problema de la determinación del autor de nuestra obra[53], afirma que el *Alexandre* es la más temprana de las producciones de Berceo. Destaca un dato más incluido dentro de su texto: la elogiosa mención al rey de Sicilia en el verso a de la estrofa 2522, que, según él[54], puede hacer pensar en la Cruzada que en el año 1228 se estaba desarrollando. Del mismo modo, Alarcos[55], profundizando en la línea marcada por Baist, considera que el verso 860d, en el que se inserta una alusión a Damieta —ciudad egipcia que en 1219 fue conquistada por los soldados de la quinta cruzada acaudillados por Pelagio, un clérigo español—, puede de alguna manera confirmar la datación propuesta por aquel investigador.

Willis y Niall J. Ware[56] han seguido otros caminos en sus investigaciones sobre este problema. Se dedican fundamentalmente a analizar la famosa estrofa 1799 del *Alexandre* (1637

[52] C. C. Marden, *Poema de Fernán González*, Baltimore, 1904, págs. XXIX-XXXIV. Citado por Alarcos, *Investigaciones...*, pág. 15.

[53] Cfr. *supra.*

[54] *Grundisz de Gröber*, II, 2, pág. 403. Citado por Alarcos, *op. cit.*, página 16.

[55] *Op. cit.*, pág. 16.

[56] Willis, R. S., *The relationship...*, págs. 73-74.

Ware, Niall J., «The date of composition of the *Libro de Alexandre:* a re-examination of stanza 1799», *BHS,* XLII, 1945, págs. 252-255.

en el manuscrito O; 1778 en P) cuya existencia e importancia, como advertimos, ya habían sido resaltadas por Tomás Antonio Sánchez en su citado estudio preliminar[57]. Sánchez con la simple lectura de O se había declarado incapaz de descifrar la fecha que en la estrofa se contenía. El descubrimiento del manuscrito P no vino en modo alguno a despejar el panorama, sino, como en otras varias ocasiones, a oscurecerlo, si cabe, aún más. Su lectura de la estrofa, al igual que en otros pasajes claves, difería de la conocida con anterioridad. Así, mientras la versión contenida en O era:

> Escrevió la cuenta ca de cor la sabía,   1637
> el mundo quando fue fecho e quantos annos avía:
> de tres mil e nueve çientos doze les tollía;
> agora iiii.º mil e trezientos e quinze prendía.

en P podíamos leer:

> Allí escribió la cuenta que de coraçón la sabié,   1778
> el mundo quando fue fecho, quantos años avié:
> de tres mill e nueveçientos e doze non tollié;
> agora quatroçientos e seys mill enprendié.

Willis es el primer investigador de nuestro texto que decide abordar abiertamente este problema. Señala que nuestro autor se ha basado en el verso 430 del libro séptimo del *Alexandreis* de Châtillon para comunicar a sus lectores la fecha exacta en que se produjo la muerte de Darío, el emperador de los persas, hecho que se verifica en el verso c de la estrofa en cuestión[58].

---

[57] Cfr. nota 45.

[58] Los versos exactos del *Alexandreis* en la edición de J. P. Migne *(Patrologiae cursus completus. Omnium ss. patrum, doctorum scriptorumque ecclesiasticorum sive latinorum sive graecorum,* tomo 209, págs. 459-574, Turnholti (Belgium), Typographi Brepols editores Pontificii, 1969) son:

> *In summma: Annorum bis millia bina leguntur*
> *bisque quadrigenti, decies sex, bisque quaterni*

(pág. 538, v. 3764-3765 en esta edición —Migne hace una numeración de versos general a toda la obra y no particular para cada uno de los libros concretos que la integran—, pero 3805-3806 en realidad, dado que existen una serie de erratas en la asignación del número de orden correspondiente a cada verso, como iremos advirtiendo en las anotaciones al texto de nuestra edición).

Pero también se encarga de destacar que ninguna de las dos cifras que los respectivos manuscritos del *Alexandre* contienen coincide en realidad con la insertada —4868— en el texto de Gautier. Supone que la lectura correcta de ese verso, la que verdaderamente coincidiría con el *Alexandreis,* tal vez pudo ser de *quatro mil nueveçientos treinta y dos les tollía,* métricamente irregular. Esta sugerencia ha sido aceptada por Dana A. Nelson, quien en su edición corrige el texto de la siguiente forma[59]:

de [quatro] mill nue[f] cientos [treinta e dos] tollié;

Esta fecha es totalmente coincidente con la proporcionada por San Isidoro de Sevilla para ese mismo suceso, y, transformada al calendario gregoriano, quedaría convertida en el año 330 antes de Jesucristo. El verso 1799d contiene en ambos manuscritos la especificación del año en que se produjo la composición del *Libro de Alexandre.* La lectura de O es, al parecer, totalmente errónea; en absoluto, como Sánchez advirtiera, puede servir —de momento— para esclarecer, ni siquiera mínimamente, la incógnita que tratamos de despejar. Si damos por válida la lectura de P, continúa Willis, y admitimos que para su redacción se ha seguido utilizando la cronología establecida por San Isidoro en sus *Etimologías,* el año 1202 ó 1201 es la fecha que obtenemos[60]. No obstante, termina, es imprescindible advertir que sería necesario demostrar que la versión ofrecida por P es absolutamente fiable para que la datación encontrada pueda ser aceptada sin reservas, y esto, por el momento, es una labor que no está totalmente a nuestro alcance realizar: nos faltan los materiales imprescindibles y no tenemos los suficientes elementos de juicio para ello.

---

[59] Cfr. Dana A. Nelson, Gonzalo de Berceo, *Libro de Alixandre* (cit. en nota 28), págs. 563. *Vid.,* también, nota 1799c.

[60] Nelson, *ibídem* y nota a 1799d, que reconstruye la lección de *P* modificando *enprendié* en *[r]en prend[r]ié,* coincide con Willis pero no cree que «el poeta haya querido dar una aproximación en este momento. P() *agora* denota la fecha de composición de este pasaje del *A.:* 6400 menos 4868 = 1532 menos 330 = 1202. Este cómputo señala la anterioridad del poema heroico a las obras religiosas de Gonzalo, un orden cronológico confirmado, me parece, por muchas consideraciones estilísticas».

El artículo de Ware sobre esta misma cuestión se halla en el camino abierto por Willis: el estudio de la estrofa 1799. Pero sus afirmaciones son mucho más categóricas, mucho menos cautas que las del anterior investigador. Por razones de regularidad métrica —que a todas luces resultan insuficientes— da por válida la lectura del verso d contenida en el manuscrito de París. Y porque nuestro autor utiliza a San Isidoro como fuente para algunos pasajes de su escrito, acepta sin discusión que también en este caso ha utilizado las *Etimologías* como base, ha adoptado el cómputo del tiempo que en ellas se contiene para la declaración de la fecha en que su labor literaria se estaba desarrollando. Tras realizar las oportunas operaciones matemáticas imprescindibles para efectuar el paso de la cronología isidoriana al calendario gregoriano, concluye que es el año 1204 la fecha que durante tanto tiempo se había venido rastreando, el momento en que se produjo la composición del *Libro de Alexandre*. El carácter discutible de las bases sobre las que se asienta su argumentación —tal y como Willis había certeramente advertido en épocas anteriores— hace muy problemática la aceptación de sus conclusiones. Se parte de hechos que distan mucho de haber sido probados en su totalidad. Se dan como válidas afirmaciones que deberían haber sido objeto de mayor comprobación. El trabajo por ello queda reducido a una simple hipótesis cuyos cimientos no se encuentran suficientemente asentados sobre tierra firme. En similar situación se halla el cálculo de la cifra que realiza Brian Dutton[61], quien, tomando como punto de partida una noticia transmitida por Berceo *(Duelo,* estrofa 101), según la cual el año de la Crucifixión de Cristo es el 5200 de la creación del mundo, afirma que el año 6400 sería el 1233, aunque especifica, no obstante, que no hay absoluta seguridad en la datación. Y es que, en realidad, en este como en otros muchos problemas que en torno al *Alexandre* se hallan planteados, estamos todavía lejos de alcanzar la solución por todos deseada. Como la cuestión del autor

---

[61] Brian Dutton, «French influences in the Spanish *Mester de Clerecía»,* en *Medieval Studies in Honor of Robert White Linker,* Valencia, Castalia, 1973, páginas 73-93. Sobre la fecha, *vid.* pág. 86.

que lo compuso, la fecha en que se escribió[62] sigue siendo en la actualidad una auténtica incógnita, un misterio que la crítica todavía no ha logrado desvelar[62 bis].

4. FUENTES

Tal vez sea este aspecto, la determinación y análisis de las fuentes utilizadas por nuestro escritor como base para emprender la redacción de su texto, el que ha registrado un avance más espectacular, un mayor cúmulo de aportaciones positivas, en los estudios que al *Libro de Alexandre* le han sido dedicados. Ya en el siglo XVIII, el padre Sarmiento había sugerido la posibilidad de que el *Alexandreis* de Châtillon y el *Roman d'Alexandre* francés hubiesen servido de modelo para realizar la compo-

---

[62] Existen otras propuestas de datación. Por ejemplo, Deyermond, en «Berceo y la poesía del siglo XIII» (cit. en nota 30), apunta, sin mayores explicaciones, las fechas ¿1225-1230? como posibles para delimitar la época de composición del *Alexandre* (*vid.* pág. 127).

[62 bis] Concluida nuestra labor, se publican dos trabajos de Francisco Marcos Marín en los que se aborda el problema de la datación del *Alexandre*. El primero se incluye en el prólogo a su edición del *Libro de Alexandre,* titulado «Ensayo crítico» (Madrid, Alianza, 1987, págs. 11-89), y, en concreto, en el apartado llamado «Observaciones sobre la fecha de composición» (págs. 24-26). El segundo constituye un artículo, «La confusión de numerales latinos y románicos y la fecha del *Libro de Alexandre*», impreso en la revista *Ínsula* (XLII, núm. 488-489, julio-agosto de 1987, pág. 20). Ambos son en realidad una misma cosa, pues el segundo constituye una reproducción casi literal del primero, al que se le han añadido unos párrafos (parte de los cuales han sido también extraídos de un apartado, «El libro de Alexandre», del mismo «Ensayo crítico» —páginas 22-23—), en los que se aborda el problema de la transmisión textual de nuestro *Libro.* Apoya aquí Marcos la tesis de Willis y Nelson sobre la lectura del verso *c* de la estrofa 1799. Considera incorrectas las lecciones de O y P, *tres,* y juzga que en el original posiblemente figurase *quatro,* que algún copista intermedio entre el autógrafo y O y P confundiría al aparecer la cifra escrita en su manuscrito base con números romanos *(iiii).* En el verso 1799*d* se cita el año 6400 en P, el 1202 de la era cristiana. En O, 1799*cd,* se hace alusión al año 6403, 1205 de nuestra era. Esa fecha podría ser la insertada en la copia del *Alexandreis* utilizada por el escritor español como fuente, pero esta suposición, dice Marcos, no explica la diferencia de años, 6403 y 6400, de O y P. Tal vez, continúa, la causa de la divergencia se halle en la existencia de «dos redacciones sucesivas, origen de las ramas de transmisión de O y P, si es que no se trata de una variación debida a las alteraciones del proceso de copia, o a otro error de cálculo, pues los sucesi-

sición del *Alexandre* castellano[63], posibilidad que el propio Sánchez, en lo que se refiere a la obra de Gautier, se había encargado de corroborar[64]. Pero es Morel-Fatio el que, en el largo artículo que en la revista *Romania* publicó en 1875[65], expuso de una forma más clara, completa y detallada los pormenores de esta cuestión, el que hizo una relación de los textos que habían sido utilizados como fuente de noticias en el proceso de elaboración del *Libro de Alexandre*. Entre otros títulos, quedaban allí citados el *Alexandreis* de Gautier de Châtillon, el *Roman d'Alexandre,* las *Etimologías* de San Isidoro, la *Historia de Preliis,* la *Ilias latina* de Pindarus Thebanus y las obras de Quinto Curcio y Flavio Josefo sobre el emperador macedonio[66]. Posteriores investigaciones han logrado determinar el modo en que nuestro autor emplea esas fuentes, los puntos concretos del *Alexandre* en que se registra la aparición de una u otra de ellas, cuál de todas ha sido aprovechada, y cómo, con mayor amplitud e intensidad[67]. Consecuencia de estos estudios ha sido la obtención de unas conclusiones que permiten clarificar de forma considerable uno de los problemas más interesantes que nuestra obra puede plantear: el sistema de composición empleado por su creador.

---

vos copistas, evidentemente, dejaron de entenderlo». Quizá, termina, haya que prestar más atención a las alusiones a sucesos históricos contemporáneos que se incluyen en el *Alexandre*. Podrían convertirse en buen auxiliar para efectuar su datación. Las conclusiones de Marcos no modifican las nuestras: hasta este momento nada sabemos con seguridad sobre el espinoso problema de la fecha de composición del Libro de *Alexandre*.

[63] Cfr. nota 45.

[64] Cfr. nota 47.

[65] Cfr. nota 15.

[66] Sobre las fuentes generales del conocimiento medieval de la vida de Alejandro Magno (fuentes *generales*, no sólo de nuestro *Libro de Alexandre),* véase George Gary, *The medieval Alexander,* Cambridge University Press, 1967, reimpresión.

[67] Cfr. Willis, R. S., *The relationship of the Spanish Libro de Alexandre to the Alexandreis of Gautier de Châtillon,* Nueva York, Kraus Reprint Corporation, 1965 (reimpresión).

— *The debt of the Spanish Libro de Alexandre to the French Roman d'Alexandre,* Nueva York, Kraus Reprint Corporation, 1965 (reimpresión).

Michael, Ian, *The treatment of Classical Material in the Libro de Alexandre,* Manchester University Press, 1970.

Tres grupos podríamos distinguir si intentásemos establecer una jerarquización en las fuentes utilizadas por nuestro autor para realizar la composición de su obra. El primero estaría exclusivamente formado por el *Alexandreis* de Châtillon, basamento general sobre el que ha sido levantado, construido, el *Libro de Alexandre*. Gautier le presta a nuestro desconocido escritor el hilo fundamental de su relato. De él es tomada la mayor parte de los incidentes y episodios que forman el conjunto narrativo del *Libro*. Pero, pese a ello, no es el texto exclusivo, no es el único que ha ofrecido noticias al compositor español. Su relato es constantemente completado por medio de otras fuentes, conocidas tanto por tradición escrita como por tradición oral[68] —los dos últimos versos de la estrofa 265 del manuscrito P (O, 259)

> la uno que leyemos, el otro que oyemos,
> de las mayores cosas recabdo vos daremos

son una prueba evidente de esta afirmación, tal y como Willis ha sabido indicar[69], y que son combinados con entera libertad. El *Roman d'Alexandre*, la *Historia de Preliis* y la *Ilias latina* se encuentran, dentro de esas otras fuentes y por ese orden, entre los textos más aprovechados. A ellos se acude en repetidas ocasiones —salvo en el caso de la guerra de Troya— para buscar noticias complementarias. La *Ilias* que tan sólo una vez es utilizada (se emplea como base para redactar el largo pasaje dedicado a la narración de la guerra de Troya), para buscar

---

Hanssen, F., «Las coplas 1788-92 del *Libro de Alexandre*», *RFE*, II, 1915, págs. 21-30.

Berzunza, J., «A digression in the *Libro de Alexandre*: The Story of the elephant», *Romanic Review*, XVIII, 1927, págs. 238-245.

Cirot, G., «La guerre de Troie dans le *Libro de Alexandre*», *BHi*, XXXIX, 1937, págs. 328-338.

Lida de Malkiel, M. R., «Alejandro en Jerusalem», *RPh*, X, 1957, páginas 185-196.

[68] La leyenda que sobre la vida de los elefantes se inserta en las estrofas 1976-1980, o la «canción de mayo» incluida en las estrofas 1950-1954, llegaron, al parecer, a nuestro autor por tradición oral (cfr. los artículos de Berzunza y Hanssen citados en la nota anterior).

[69] *The relationship...*, pág. 41.

noticias complementarias. Con ellos formaríamos el segundo de los grupos. El tercero estaría integrado por todo el conjunto de obras *(Etimologías* de San Isidoro, Quinto Curcio, Flavio Josefo, Ovidio, Catón...) o tradiciones orales que con menor frecuencia que las anteriores —no digo con poca frecuencia— —prestan algunos de sus contenidos al *Libro de Alexandre.*

El empleo de tan gran cantidad de fuentes nos descubre sin lugar a dudas una de las preocupaciones principales con que el autor del *Alexandre* se vio asaltado en los momentos en que estaba dedicado plenamente al trabajo de redactar su obra, una de las metas primordiales que guiaron su labor: la exhaustividad, el intento de ofrecer a sus lectores un relato lo más completo posible, que prácticamente no contuviese ni una sola laguna en su interior. El resultado que obtuvo fue una obra, no heterogénea e inconexa, como tal vez pudiera esperarse dada la diversidad y el número de fuentes utilizadas, sino compleja pero coherente y dotada de una perfecta unidad, tal y como en el apartado siguiente tendremos ocasión de comprobar.

5. Análisis interno

5.1. *Composición*

5.1.1. Estructura externa

La vida de Alejandro Magno constituye el relato fundamental, la «materia» —y utilizo el sustantivo con el que en repetidas ocasiones se le denomina en nuestra obra— básica, del *Libro de Alexandre.* Tras una introducción de seis estrofas —cuya función esencial es captar la atención del lector, prestigiar la obra ante sus ojos y notificarle, a grandes rasgos, el argumento cuyo desarrollo va a contemplar en las posteriores páginas del *Libro*—, y antes de una despedida, de seis estrofas igualmente —cuya función básica es dar por terminada la redacción del relato y exponer directamente al lector, con fines didáctico-morales, las conclusiones que deben extraerse de los hechos «presenciados»—, perfectamente separados del resto (el autor se dirige directamente a sus lectores y en ellas no se incluye la narración de sucesos que sean parte integrante de la vida del gran emperador macedonio) y justificados plenamente ya que la retórica de la época exigía —prácticamente— su presencia, encontramos un amplio conjunto narrativo, en el cual podemos distinguir tres grandes partes. La primera de ellas, que abarca los sucesos inmediatamente anteriores a la coronación del protagonista como rey, y la propia coronación, presenta a un Alejandro en periodo de formación, tanto en el plano intelectual como en el plano de las armas, a un Alejandro joven e impetuoso. Es una parte relativamente tranquila, exenta de grandes luchas continuas y continuos sucesos extraordinarios, notas estas que serán las caracterizadoras del segundo gran grupo de sucesos, el que nos narra las grandes conquistas logradas por el héroe macedonio. En el tercer grupo —aquel que recoge los hechos inmediatamente anteriores a la muerte de Alejandro y el relato de este último acontecimiento, el fin de su vida—, la tranquilidad relativa vuelve a ser la nota predominante. Hay viajes y grandes sucesos. Pero los hechos de armas, las grandes batallas, son inexistentes. La figura de Alejandro, la presencia constante del protagonista, es utilizada como catalizador de estos tres grandes núcleos narrativos. A lo largo de los diversos y múltiples incidentes que configuran el relato, el autor nos va mostrando diversas facetas de su personaje, se preocupa por trazar cuidadosamente los diferentes rasgos que configuran su personalidad. Cada parte tiene su propia función (la primera, al descubrirnos el carácter del héroe y presentarnos el modo en que se realiza su formación, nos ayuda a comprender todo su comportamiento posterior a lo largo de su vida; la segunda, nos pone de manifiesto, nos comunica, nos detalla, los trabajos que ha de padecer hasta conseguir la implantación de su hegemonía sobre el mundo; la tercera, al relatarnos su llegada a la máxima situación de poder sobre la tierra y su fulminante caída posterior, da pie a la inclusión de una serie de moralizaciones, totalmente entroncadas con el problema de la visión del mundo y significado de la obra que más adelante analizaremos). Pero están perfectamente unidas entre sí, de tal manera trabadas que tan sólo por su diferente caracterización general advertimos su existencia.

Si nos fijamos en el punto que en cada momento del relato

acapara la atención del autor, advertimos, casi inconscientemente, que cada uno de esos bloques o conjuntos narrativos se
vuelve a subdividir. Así, observamos que el primero de todos
ha sido formado mediante la unión de tres nuevos grupos de
sucesos. El primero de ellos, esencialmente centrado en un
plano intelectual, estaría integrado por el conjunto de estrofas
en las que se detalla el proceso a través del cual Alejandro llega
a convertirse en un *clérigo,* en un hombre de letras[70]. El segundo, centrado en el plano guerrero, recogería la descripción de
la ceremonia en la que el protagonista es investido caballero y
el relato de las hazañas que realiza con el fin de confirmar el
nuevo título que acababa de recibir. El tercero, incluiría los sucesos que justifican su definitivo asentamiento en el trono macedónico. Al final de cada uno de ellos existe un corte temáti-
co (plasmado en las estrofas 89 y 169). Todos ellos tienen una
función propia, específica. Una función relacionada con la triple proyección que a lo largo de la obra se da a la figura del
protagonista: hombre culto, caballero, rey. Pero no por ello
carecen de unidad: el hecho de haber sido incluidos en un mismo periodo de la vida de Alejandro —sus años jóvenes— evita
que se produzca cualquier tipo de quiebra, cualquier fisura
dentro del relato.

Tres nuevos conjuntos narrativos, tres nuevas partes, tres
nuevos subcomponentes, observamos que integran el segundo
de los grupos. La consolidación de su hegemonía sobre Grecia,
el derrocamiento del emperador de los persas y la anexión del
reino de Poro —los sucesos desarrollados en la India—,
constituyen, respectivamente, el aglutinante de los distintos episodios que en cada uno de ellos se incluyen, la idea motriz que
justifica las acciones emprendidas por Alejandro en los diversos fragmentos concretos que en cada uno se encuentran agrupados. Estos tres conjuntos narrativos son complementarios,

---

[70] En esta subparte se incluiría también el relato de las circunstancias en las
que se produjo su nacimiento, que no forma él solo un apartado distinto: es un
mínimo fragmento de la obra, un fragmento que es casi una introducción al periodo de formación, un preliminar al mismo, incluido por el constante deseo de
ser exhaustivo que, antes decíamos, existía en el autor. El interés fundamental
se centra en la mencionada formación.

forman un auténtico ciclo dentro del cual se produce una ampliación progresiva del poder del protagonista, un ascenso continuado que lo acerca cada vez más a la meta —el dominio de todo el mundo— que se había propuesto alcanzar. Pero tienen todos ellos por separado su propio papel, poseen su respectiva función individual. La primera parte, el primer subcomponente, sienta las bases definitivas (Alejandro no hubiese podido emprender una lucha fuera de sus territorios de no haber conseguido la pacificación interior de su reino) para que los sucesos relatados en el segundo de ellos tuvieran la posibilidad de producirse. El segundo, presenta la puesta en práctica inicial de los planes del protagonista, sus primeras y continuas victorias, el desarrollo de los sucesos que le van acercando a sus objetivos. Pero se centra fundamentalmente en los éxitos que alcanza a través de la fuerza, por medio de batallas en las que su faceta de guerrero excepcional destaca brillantemente. El tercero, ofrece a un Alejandro ya famoso, fuerte, invicto, que sigue aún subiendo peldaños en la escala del poder. Pero de él se destaca no tan exclusivamente su genialidad militar, sino también, y con un carácter mucho más generalizado, su capacidad de salir victorioso de las situaciones más adversas por medio de su inteligencia, utilizando su razón como auténtica arma ofensiva y defensiva. A la vez, en él se introducen una serie de episodios de carácter más fantástico, más irreales, que los hasta estos momentos relatados. Cada uno de estos conjuntos no son simples, sino complejos, han sido formados, una vez más, mediante la unión de varios subcomponentes, todos los cuales hallamos que han sido de nuevo incluidos en grupos de tres. Así, si volvemos otra vez a fijarnos en el punto concreto del relato en el que el autor se ha ido centrando dentro de cada uno de los conjuntos, observamos, en el primero de ellos, la existencia de tres partes secundarias: el relato de las circunstancias en que se produjo la convocatoria de Cortes tras la subida al poder de Alejandro en Macedonia, y los resultados que se obtuvieron de ellas; la constatación del sometimiento de Atenas, y la narración de la conquista de Tebas que ponía fin al proceso de «pacificación» interior de Grecia. En el segundo, hallamos la presencia de tres grandes bloques de sucesos, definidos por la ausencia o aparición de combates en los que el héroe macedonio se enfrenta directamente al emperador de los persas (el primero estaría integrado por el relato de los hechos anteriores a la lucha directa, cara a cara, con Darío —partida de Grecia, llegada a Asia y primeras conquistas en ese continente—; el segundo, por la descripción de los dos combates librados, con un intervalo aprovechado por Alejandro para extender su hegemonía sobre Asia, contra las huestes del rey persa; el tercero, por la narración de los acontecimientos posteriores —nuevas conquistas, muerte de Darío, y sucesos anteriores a la campaña contra India— a su victoria sobre aquél). En el tercero, encontramos tres nuevos grupos: el relato de las circunstancias en que se produjo la muerte de Clitus y Hermolaeus (Ardófilus en el texto); la descripción de la lucha contra Poro —estructurada de modo similar a la parte en que se cuenta el enfrentamiento directo contra Darío (primer combate —colectivo—, sucesos intermedios, y segundo combate —individual—), tal y como Ian Michael se había encargado de advertir[71]; y la narración de la conquista de Sudrata[72]. La existencia de una estructuración ordenada y coherente, pese a la complejidad del relato, va poco a poco evidenciándose.

El tercer gran grupo de sucesos que componen la narración general del *Alexandre* —aquellos que recogen las circunstancias de su muerte—, se halla, como los anteriores, integrado por tres conjuntos narrativos, igualmente complejos —formados, a su vez, por diferentes grupos de acontecimientos—, todos los cuales han sido dotados de un cometido específico, todos los cuales cumplen una función individual. Al primero de ellos —la comunicación del «pecado» de soberbia cometido por Alejandro— la intencionalidad de justificar la muerte del protagonista le serviría de aglutinante. Comprendería, a su vez, tres grupos de sucesos, según el núcleo —la descripción del

---

[71] Ian Michael, *The treatment...* (cfr. nota 44), pág. 254.

[72] Para no alargar excesivamente esta introducción, evito incluir mayores concreciones y justificaciones para estos componentes (rasgos que pueden probar su existencia, funciones...). Me limito exclusivamente a indicar su presencia. En mi inédita memoria de licenciatura (cfr. nuestra «Bibliografía comentada») se aborda esta cuestión y se introducen las explicaciones pertinentes que exceden, por razones obvias, la capacidad de recepción de las páginas de una simple introducción.

proyecto que Alejandro ha concebido, la notificación de su puesta en práctica y la constatación de las consecuencias que de este último hecho se habían de derivar— al que se dirige la mirada del autor. Al segundo, compuesto también por tres subcomponentes —enumeración de los nuevos proyectos de Alejandro, relato de sus viajes, comunicación de la fama que había alcanzado hasta esos momentos con el fin de preparar su posterior ensalzamiento definitivo—, le proporciona cohesión interna la misión que le ha sido encomendada de elevar ya, prácticamente, al máximo la hegemonía de Alejandro sobre las cosas y seres de este mundo, de preparar con ello su caída definitiva, de facilitar el camino a la moralización final, a la enseñanza que el autor quiere que nosotros, sus lectores, extraigamos de su texto. Al tercero, en el que, del mismo modo, han sido tres partes —descripción de los homenajes que recibe Alejandro, antes de morir, de todos los pueblos de la tierra, relato de las circunstancias en que se produce su muerte, y narración de los sucesos que con posterioridad a ésta tienen lugar[73] —incluidas, la función de dar fin al proceso de ensalzamiento del héroe y de proporcionar la prueba palpable sobre la que el autor basa toda su argumentación moral, todo el didactismo que infunde a su escrito, le daría unidad.

Así, en la observación directa del relato contenido en el *Alexandre,* en la delimitación concreta de los grupos narrativos, de los componentes estructurales, que en él han sido insertados, hemos ido advirtiendo la presencia de una composición coherente y ordenada en la cual cada uno de los episodios que forman el hilo argumental han sido perfectamente integrados, de una composición que, en líneas generales[74], podríamos sintetizar en el siguiente esquema[75]:

---

[73] Cfr. nota 72.

[74] Por razones similares a las expresadas en la nota 72, me abstengo de realizar una partición exhaustiva, en la que se llegue hasta los últimos componentes, del *Libro de Alexandre.* Me limito a señalar los componentes más generales.

[75] Puede encontrarse una interpretación diferente de la estructura externa en la «Introducción» al *Libro de Alejandro,* versión modernizada de nuestra obra realizada por Elena Catena (Madrid, Castalia, Odres Nuevos, 1985, páginas VII-LV), págs. XXXV-XXXIX.

II.3.3.3. Sucesos posteriores (estrofas 2663-2669)

III. Despedida (estrofas 2670-2675)

5.1.2. Estructura tres

De las varias estructuras que en el estudio de la composición de un texto podemos encontrar (el hallazgo de una u otra dependerá de los rasgos que en cada momento utilicemos como base, tal y como Juan Manuel Rozas[76] ha sabido señalar), una hemos descubierto tras el análisis efectuado en el apartado anterior, y ésta se halla basada en el número tres[77]. ¿A qué se debe la importancia que a este número se da? ¿Por qué es destacado del conjunto formado por todos los números naturales? Desde épocas muy remotas los números impares estuvieron dotados de una significación especial, muy ligada a las creencias religiosas de cada pueblo, de una significación que se fue transmitiendo de padres a hijos, de generación en generación, y que, incluso hoy, la encontramos reflejada en las tradiciones folklóricas de los pueblos[78]. En Grecia, los pitagóricos dan configuración formal a esa situación y sus teorías, empapadas de los contenidos religiosos del cristianismo, se introducen en la Edad Media. El número tres adquiere especial

---

[76] Juan Manuel Rozas, «Composición literaria y visión del mundo: *El clérigo ignorante* de Berceo», en *Studia Hispanica in honorem R. Lapesa* (tomo III, páginas 431-452, Madrid, Gredos, 1975), pág. 447. La metodología que se utiliza en este artículo es la empleada por nosotros para nuestro estudio introductorio. Puede consultarse también este trabajo en Gonzalo de Berceo, *Milagros de Nuestra Señora*, ed. Juan Manuel Rozas López, Barcelona, Plaza y Janés (Clásicos), 1986, págs. 343-371.

[77] Realmente todo el *Alexandre* se encuentra estructurado en torno a este número —siempre son tres los componentes generales y cada uno de éstos de nuevo en tres se puede subdividir—, salvo en un único episodio —la descripción de la tienda de Alejandro, en la cual cuatro son las subpartes que hallamos debido a la constitución física del objeto que se describe (la tienda tiene cuatro paños, cuatro «paredes»)—, tal y como espero haber probado en el estudio mencionado en la nota 72.

[78] Cfr. Stith Thompson, *El cuento folklórico*, Caracas, Universidad Central de Venezuela, 1972.

preponderancia: tres son las personas de la Santísima Trinidad, Cristo resucita al tercer día de morir... El simbolismo religioso del que se ve revestido hace que siempre se encuentre, consciente o inconscientemente, presente en la mente de cualquier hombre de la época. Debido a esto, las obras que se realizan en ella, no sólo en el campo de la literatura sino en el de la creación en general —arquitectura, por ejemplo—, suelen presentar aspectos en los que se refleja esa situación: así, los escalones para subir al altar en las iglesias son tres en recuerdo de las personas de la Trinidad. A causa de tal prestigio, no es extraño la estructuración que encontramos en el *Alexandre*.

¿Es esta la única motivación que explica la configuración formal insertada en nuestra obra? Existe otra más poderosa. En la Edad Media, debido al teocentrismo imperante, perfectamente plasmado en todas las creaciones artísticas —pintura, escultura...—, existía una clara intencionalidad de realizar el trabajo a imitación del efectuado por Dios. El trabajo fundamental que Dios llevó a cabo fue, evidentemente, la Creación. Y Dios, según la *Biblia*, hizo el mundo en seis días y destinó el séptimo al descanso. Por ello, los hombres, siguiendo las huellas del Creador, seis días trabajarán y uno descansarán. Pero no sólo a esto queda reducido el buscado paralelismo con la manera de obrar divina. Las similitudes son más profundas. La situación existente es más general. No se busca únicamente relacionar el «sistema de repartir el trabajo» empleado por Dios. Se pretende plasmar en la confección de las obras humanas la configuración otorgada a la propia por el supremo Creador. ¿Cómo creó Dios el mundo? En el verso 177a del *Alexandre* esta época nos da su respuesta:

El que partió el mundo fízolo tres partidas

Dios «estructuró» su mundo en tres partes. El hombre puede, de nuevo a imitación suya, «estructurar» en tres componentes sus obras de creación. Así, las iglesias que se construyen en este momento de la historia tienen, por norma general, tres naves, si bien con carácter más excepcional cinco también pueden aparecer. En las obras literarias que se redactan existe también tendencia a escindir tres componentes que unidos forman el conjunto. Tal es la situación que Keller encuentra en el *Poema de Fernán González*[79]. El *Cantar de Mio Cid*, de época anterior, ha sido dividido por Menéndez Pidal en *tres* cantos, el segundo de los cuales —habría que comprobar si el primero y el tercero también— está escindido estructuralmente en tres partes que corresponden a los tres contactos con el rey Alfonso, según afirmaciones de Gustavo Correa[80]. En el *Libro de Apolonio* encontramos tres partes —introducción, narración y despedida—, la segunda de las cuales se subdivide en cinco, según el análisis efectuado por Juan Manuel Rozas en un estudio aún sin publicar (sería, pues, una excepción, no para el simbolismo —el cinco también era número simbólico[81]—, sino para la tendencia hacia el tres, paralelo al de las iglesias de cinco naves o al de los polípticos en la pintura). El milagro IX de Berceo se divide en cinco partes (nueva excepción), pero cada una de las cuales contiene tres estrofas[82]; y sus obras hagiográficas constan de tres componentes esenciales —menos identificables en la *Vida de Santa Oria* y en el *Martirio de San Lorenzo* (en esta última debido a su carácter fragmentario —falta el tercero de tales componentes—), dedicados respectivamente a relatar la vida del santo, los milagros realizados por él mientras transcurría su existencia y los prodigios efectuados por su intercesión una vez pasado el momento de su muerte. En *El Victorial* de Gamés —otra de las obras influidas por el *Alexandre* y posterior a éste— encontramos «tres ingredientes principales», según Juan de Mata Carriazo, editor de la obra[83], el tercero de los cuales se escinde en *tres* libros. Sobre otras obras medievales nada podemos conjeturar. La carencia de estudios sobre su composición nos impi-

[79] Keller, J. P., «The structure of the *Poema de Fernán González*», *HR,* XXV, 1957, págs. 235-246.

[80] Correa, Gustavo, «El tema de la honra en el *Poema de Mio Cid*», *HR,* XX, 1952, págs. 188-199. La citada afirmación se halla en la página 192.

[81] Cfr. Carmelo Gariano, *El enfoque estilístico y estructural de las obras medievales,* Madrid, Alcalá (Aula Magna), 1968, págs. 84-88.

[82] Cfr. Juan Manuel Rozas, *Composición literaria... (vid.* nota 51), páginas 433-436.

[83] En Madrid, Espasa-Calpe, Colección de crónicas españolas, 1940, página XIX.

den servirnos de ellas tanto para afirmar como para rechazar esta teoría.

Una prueba más podemos aportar para defender nuestra hipótesis. En la configuración que Dios hizo del mundo, según nuestro escritor, de las tres partes escindidas.

la una es mayor, las otras son más chicas (277c)

En la configuración que encontramos en nuestra obra esa distinción suele aparecer igualmente. Su uso es general en la tripartición de los componentes principales: II es mayor que I y III; II.2 es mayor que II.1, y II.3...; y bastante común en las escisiones menores, si bien en éstas, como puede observarse en el plano general que anteriormente incluimos, en algunas ocasiones puede desaparecer. La situación que encontramos en el resto de las obras mencionadas, cuya composición se basa también en el número tres, es enteramente similar. En el *Poema de Mio Cid*, el segundo cantar tiene mayor extensión que el primero y el tercero:

I.   1085 versos (1-1085)
II. 1192 versos (1086-2277)
III. 1054 versos (2278-3331)

El libro segundo de la *Vida de San Millán de la Cogolla* de Berceo posee un mayor número de estrofas que el anterior y posterior de la misma obra:

I.   108 estrofas (1-108)
II. 212 estrofas (109-320)
III. 169 estrofas (321-489)

Y en idéntica situación se halla la *Vida de Santo Domingo de Silos* del mismo clérigo riojano:

I.   228 estrofas (1-228)
II. 307 estrofas (229-535)
III. 242 estrofas (536-777)

La parte II del *Poema de Fernán González* es de longitud superior a la I y a la III:

igual sucede con la parte II de la narración de la vida de Pero Niño en *El Victorial:*

Sería una situación paralela a la que encontramos en los trípticos góticos o en las iglesias de tres naves: la parte central mayor y las laterales de menores proporciones. Al igual que en las pinturas románicas: un gran pantocrator en el centro, a cuyos lados hay figuras más pequeñas —así el frontal románico que se conserva en la Seo de Urgel, con Cristo y los Apóstoles: Cristo como figura central y los Apóstoles en grupos de seis a su derecha e izquierda—, y en los tímpanos góticos: una gran figura central a cuyos lados se sitúan figuras de menores proporciones. De la misma manera, pues, que Dios dividió su obra en dos partes más pequeñas y una de mayor extensión, los medievales, que pretenden imitarle, dividirán las suyas en dos partes más pequeñas y una tercera de mayores proporciones.

Pero, ¿por qué precisamente la mayor es la parte central? Para justificar la configuración de las iglesias de esta época se ha ofrecido una explicación que nos sirve para nuestro caso. Se piensa que la escisión en tres se debe al recuerdo de la Santísima Trinidad, y que la nave central es mayor por estar dedicada al Padre, anterior a las otras dos personas. ¿Contradice ello nuestra explicación? En absoluto. Es más, ambas razones son complementarias y responden juntas a una visión jerarquizada y totalmente armónica del mundo, perfectamente adecuada al modo de pensar de los medievales. Para el hombre medieval, ya lo hemos visto, Dios creó el mundo, y, como toda creación refleja al creador, la configuración del mundo refleja la configuración de Dios. Dios es Trinidad, tiene tres personas, y entre ellas existe una perfecta armonía. El mundo —reflejo de

Dios, no lo olvidemos— igualmente tiene tres partes perfectamente armonizadas:

> La una meatad es contra oriente,
> fízola una suerte el Rey Omnipotente;
> las otras dos alcançan por medio occidente,
> fiende la mar por medio a ambas igualmente.

(Libro de Alexandre, estrofa 278)

Es, en realidad, la teoría pitagórica del universo basado en el número y la armonía transvasada a la mentalidad cristiana medieval. En las personas de Dios hay una anterior y de ella proceden todas las demás. En las partes del mundo una es más importante, y de ella proceden, si no todas las demás, sí los habitantes de todas las demás: Asia, lugar en el que se localizaba tradicionalmente el paraíso terrenal, cuna de la humanidad (estrofas 282-287); y en ella tuvieron lugar los hechos, según la escala de valores de la época, más trascendentales para el género humano: la redención y el nacimiento de la Iglesia (estrofas 285-286). Asia, la parte mayor, pues, ocuparía, *mutatis mutandis*, en la configuración del mundo el mismo lugar que el Padre en la «configuración» de la Trinidad. Ahora bien, basándonos en estos presupuestos, si tuviésemos que hacer una representación de las tres personas divinas, ¿qué lugar asignaríamos al Padre? Evidentemente el lugar central, el más importante, dado que el resto de las personas proceden de él. Así se ha efectuado en representaciones pictóricas, de todas las épocas, que se han ocupado del tema. En su intento de plasmar simbólicamente el misterio de la Trinidad a través de la imitación de la creación divina que la refleja, el autor medieval, o, en términos más generales, el artista, sea de la especialidad que fuera, incluiría una parte de mayor longitud o de mayores proporciones, la equivalente a Asia en el mundo, al Padre en la Trinidad, con el fin de resaltarla —precisamente por ser, en última instancia, el símbolo del Padre, la figura, digamos, «más importante» por las razones expresadas—, la situaría en la posición central de la obra. Nuestra pregunta inicial queda con ello contestada. Quizá pueda haber influido en esta configuración la existencia de una tendencia general a la simetría —en el centro lo más extenso, lo más breve o de menores proporciones en las partes laterales— tanto en literatura como en arte en general. Pero, no lo dudo, la razón ideológica expuesta es la que más peso debió de ejercer en los compositores medievales, puesto que incluso puede constituir la justificación de esa tendencia: la aparición de la simetría genera una armonía en la obra, armonía que es reflejo de la existente en el universo, reflejo, a su vez, de la armonía de Dios.

La existencia de ese esquema en la concepción de la creación artística

esquema jerarquizado que podríamos llamar casi de «espejos», dado que cada escalón refleja al anterior: Dios se refleja en el mundo, el mundo se refleja en la creación humana, y al revés, y la armonía de Dios se refleja en la armonía del mundo, la armonía del mundo se refleja en la armonía de la creación humana, y todo ello genera una armonía total:

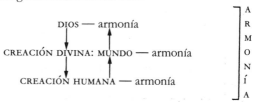

nos pone de manifiesto el pensamiento medieval sobre un mundo perfectamente organizado a partir de Dios, una visión que igualmente se revela en la propia jerarquización de la sociedad de la época, basada en la misma concepción teocéntrica que aquí nos hemos encontrado.

Prueba evidente de que esta ideología que hasta aquí hemos tratado de explicar tenía plena vigencia, existía en realidad, en el momento histórico en el que el *Libro de Alexandre* vio la luz nos la proporciona un texto cronológicamente muy próximo a él, la *Vida de Santo Domingo de Silos* de Gonzalo Berceo. En él el clérigo riojano, al tratar de justificar la inclusión del tercero de los libros que integran su obra, inserta tres estrofas en las que deja perfectamente plasmada y resumida la concepción del universo y de la creación literaria —y artística, por extensión— que hemos expuesto en las líneas anteriores[84]:

> Señores e amigos, ¡Dios sea end laudado!   533
> El segundo libriello avemos acabado,
> queremos empeçar otro a nuestro grado,
> que sean tres los libros e uno el dicatado.

> Como son tres personas e una Deidad,   534
> que sean tres los ibros, una certanedad,
> los libros sinifiquen la santa Trinidad,
> la materia ungada, la simple Deidad.

> El Padre e el Fijo e el Espiramiento,   535
> un Dios e tres personas, tres son, es un cimiento,
> singular en natura, plural en complimiento,
> es de todas las cosas fin e començamiento.

La cita es tan elocuente que hace innecesario cualquier tipo de comentario a ella.

5.1.3. Estructura cíclica

El *Libro de Alexandre* ha sido concebido como un auténtico ciclo de aventuras realizadas y, en ocasiones, sufridas por el protagonista. Su estructura narrativa parte de cero, de la inexistencia del personaje principal en el mundo, evoluciona a través de una serie de lances que se relatan y termina de nuevo en cero, en la desaparición del héroe de la tierra. En realidad, con ello no hacemos más que encontrarnos de nuevo con el reflejo de la obra procedente de las manos de Dios, una obra que tiene un principio a partir de cero, de la nada, que atravie-

---

[84] Citamos por la edición de Teresa Labarta de Chaves, Valencia, Castalia, Clásicos Castalia, 1972, pág. 166.

sa, y atravesará aún, una serie de etapas, y terminará, según la visión cristiana del mundo, con el regreso a cero, a la nada de la que partió. La diferencia entre ambas realidades estriba en que mientras los sucesos vividos por Alejandro perduran en la memoria de las gentes, los sucesos «vividos» por el mundo sólo perdurarán en la memoria de su Creador. Mas, no obstante, el paralelismo entre ambos hechos parece evidente.

En la composición de la obra tal configuración cíclica se ve plasmada. Tres hechos fundamentales la vienen a reflejar. En el principio de la vida de Alejandro la naturaleza anuncia con prodigios extraordinarios el nacimiento del héroe (estrofas 8-11). En los finales de la misma, grandes señales anticipan su muerte (estrofas 2603-2604)[85]. Bucéfalo cuenta entre las posesiones del macedonio al principio de sus hazañas caballerescas (estrofas 108-118); lo pierde cuando éstas van a terminar (estrofas 2093-2094). Al comienzo de las luchas el autor nos ofrece una descripción del mapamundi (estrofas 276-293), el mundo que Alejandro va a conquistar. Al terminar las mismas, idéntica descripción vuelve a aparecer (2576-2586) para mostrar el mundo que el protagonista ya ha conquistado.

Ahora bien, ¿es o no consciente la composición cíclica que encontramos en la obra? la estrofa 2604-versos c y d

> que como fuertes signos ovo en el naçer,
> vieron a la muerte fuertes apareçer

parece respondernos de una manera afirmativa.

---

[85] La intervención de la naturaleza en el *Alexandre* sería un interesante tema de investigación. Parece por estos casos y otros indicios de la obra —tales como el oscurecimiento del sol en la lucha contra Memnón (estrofa 826)— que su papel es activo en el relato y se acomoda a las diversas vicisitudes por las que atraviesa la narración: así, el *«locus amoenus»* en el que se desarrolla el discurso de Darío a sus hombres (estrofas 935-940) resalta el «buen contenente» (verso 942*a*) de su habla. No abundan, sin embargo, las descripciones que hacen referencia a lugares naturales. Pero siempre que aparecen, como digo, suelen tener una funcionalidad concreta en el relato. La intervención de la naturaleza aumenta al final del texto hasta ser convertida en una figura alegórica que toma parte activa en la conspiración que lleva a la caída final de Alejandro. No obstante, mientras no exista un estudio concreto sobre el problema no podremos presentar una conclusión específica, en uno u otro sentido, sobre el mismo.

5.1.4. Estructura narrativa

El *Libro de Alexandre,* pese a su configuración formal versificada, pese a su redacción en verso, posee una estructura auténticamente narrativa, similar a la que en novelas posteriores —escritas en prosa— podemos encontrar. En una mezcla de historia y de leyenda, o, lo que es lo mismo, sobre un fondo histórico al que se superponen un conjunto de relatos legendarios, el autor nos describe las pruebas, dificultades, aventuras y sucesos en general, que tuvieron por protagonista al gran conquistador macedonio, que fueron sufridas o realizadas por Alejandro a lo largo de su vida, desde el momento de su nacimiento hasta el instante de su muerte. Al lado de la narración biográfica, formada por una continua acumulación de sucesos que tienen como función primordial engrandecer progresivamente la figura del protagonista, se introduce una serie de digresiones que completan el relato primitivo, que comunican al lector una serie de conocimientos que podían serle útiles para aumentar su cultura, y que poseen una auténtica función —no tienen un carácter superfluo, tal y como en las anotaciones a las estrofas —dentro de la edición del texto— en que han sido incluidas tendremos ocasión de ir comprobando. El resultado es un relato complejo, construido a base de un hilo narrativo principal —la vida de Alejandro Magno— al que se añaden unos episodios, o descripciones, secundarios (secundarios con respecto a ese hilo narrativo principal, no, en muchas ocasiones, por su función en la obra) —las digresiones—, todo lo cual ha sido perfectamente medido, trabado, ensamblado, con el fin de evitar que se produzcan quiebras en el texto con el fin de lograr una obra dotada de perfecta cohesión[86].

---

[86] Siento que las breves páginas de esta introducción no me permitan descender más a detalles concretos, presentar un análisis más pormenorizado del relato que sea capaz de justificar más extensamente estas afirmaciones. No obstante, en las notas al texto —y, más concretamente, en aquellas que se dedican a las digresiones— podrá encontrarse un comentario algo más exhaustivo a todo este tipo de problemas.

¿Cuál es el carácter general que posee ese conjunto narrativo que es el *Libro de Alexandre*? ¿Qué clase de relato es el insertado en él? De la simple lectura de la obra inmediatamente un hecho se hace resaltar. Toda su estructura narrativa ha sido basada en los hechos que realiza, en las aventuras que le han tocado en suerte vivir a un único personaje protagonista principal, Alejandro Magno, el héroe que llegó a conseguir, a implantar, según las leyendas, su hegemonía sobre todo el mundo. De tales aventuras predominan absolutamente las que poseen un carácter bélico. Lo cual nos sitúa ante la posibilidad de que nuestro texto se halle entroncado con las narraciones épicas. En efecto, dentro del *Alexandre* existe una gran cantidad de contenidos y formas procedentes de la épica —la falacidad de la escisión radical entre juglaría y clerecía se hace por ello evidente. Fórmulas épicas se aplican constantemente a los personajes que intervienen en los sucesos relatados:

> El rey Alexandre, *de la barva onrada*
> (828a)
> El rey Alexandre, *una barva façera*
> (1720a)
> El buen emperador *que las sierpres domava*
> (2191a)
> El rey Alexandre, *cuerpo tan acabado*
> (2530a)

e incluso a los que figuran en las digresiones:

> cómo murió don Éctor, *una lança ardida*
> (333d)
> la una fue de Hércules, *firme campeador*
> (2567b)
> la otra fue de Paris, *el buen doñeador*
> (2567d)

y a las ciudades:

> Assí fue destroída Tiro *la muy preçiada*
> (1118a)

paralelas a las que aparecen en el Cid, si bien con valores, al parecer, diferentes a éstas[87]. Expresiones y términos épicos hacen su aparición:

> *llorando de los ojos* díxoles su rencura
> (401b)
> *Endereçó la lança*, firmóse en la siella
> (520a)
> calçóse las espuelas, *pensó de cavalgar*
> (1968b)
> Echaron las *algaras* a todas las partidas
> (774a)
> que tres días complidos duró esta *fazienda*
> (826b)

al igual que las conocidas fórmulas de la voz narradora, de inclusión constante en el *Cantar de Mio Cid*[88]:

> en escripto yaz' esto, *sepades*, non vos miento
> (11d)
> *sabet* que en las pajas el cuer non tenié
> (18d)
> *sabet* que de dormir nol prendía taliento
> (28d)

El paralelismo con la épica resulta todavía más evidente si comparamos el *Alexandre* con el *Cantar de Mio Cid*. Entre ambas obras pudiera existir alguna relación, tal vez de dependencia. Ian Michel[89] advierte la semejanza existente entre los versos 1974ab del *Alexandre*:

> Mandó por toda India los pregones andar,
> las cartas scelladas por más los acuitar.

---

[87] Véase Ian Michael, «A comparation of the use of Epic Epithets in the *Poema de Mio Cid* and the *Libro de Alexandre*», *BHS*, XXXVIII, 1961, páginas 32-41.

[88] Para un estudio sobre este tipo de lenguaje en el *Cantar de Mio Cid* véase Chasca, *El arte juglaresco en el «Cantar de Mio Cid»*, Madrid, Gredos (BRH), 1972, 2.ª ed.

[89] *The treatment...*, pág. 193.

y los versos 23-24 del *Cid:*

> Antes de la noche en Burgos dél entró su carta
> con grand recabdo e fuertemente seellada.

En otros aspectos encontramos también alguna sensibilidad. Así, en la recepción que Babilonia prepara a Alejandro se incluyen las siguientes palabras:

> Al entrar de la villa mugeres e barones
> ixieron reçebirlo
>
> (1538ab)

> sedién por las finiestras gentes sin mesura
> (1546c)

palabras que nos traen a la memoria los versos 16b y 17 del *Cantar*[90]:

> exien lo veer mugieres e varones,
> burgeses e burgesas por las finiestras sone

Del mismo modo, la subida de Alejandro a las torres de Babilonia y la contemplación desde allí de la ciudad recuerdan la actitud adoptada por el Cid en Valencia a la llegada de Jimena[91], si bien esta última coincidencia quizá pueda tener menos validez, dado que el gesto concreto es un lugar común, un «topos» medieval indicador del dominio sobre un territorio que adquiere un personaje. Exista o no dependencia, lo que realmente encontramos es una semejanza de carácter entre ambas composiciones. El *Cid* ha sido denominado «el poema de la honra»[92]. A través de su argumento observamos cómo su pro-

---

[90] Edición de Menéndez Pidal, Madrid, Espasa-Calpe, Clásicos Castellanos, 1971, pág. 105.

[91] Véase el estudio de Pedro Salinas, «La vuelta al esposo. Ensayo sobre estructura y sensibilidad en el *Cantar de Mio Cid*», *BHS,* XXIV, 1947, páginas 79-88.

[92] Véase Gustavo Correa, *op. cit.,* y Pedro Salinas, «El *Cantar de Mio Cid,* poema de la honra», en *Ensayos de Literatura hispánica,* Madrid, Aguilar (Ensayistas hispánicos), 1966.

tagonista se va progresivamente remontando desde una situación cero en cuanto a su prestigio ante el rey, en cuanto a su consideración social «oficial», hasta llegar a una altura máxima que lo equipara a la dignidad poseída por Alfonso. En el *Alexandre*, del mismo modo, el protagonista parte de cero en cuanto a su prestigio ante el mundo, y se va remontando hasta conseguir que todas las naciones le rindan pleitesía, que sus habitantes respectivos se proclamen sus vasallos. Cada uno de los lances que es capaz de superar repercuten en el honor que alcanza el protagonista. Tras vencer a Nicolao

> tornós pora su casa rico e *much'onrado*
> (141c)

Al conquistar Armenia

> tornos para su tierra su *barva much'honrada*
> (168b)

Su padre al morir confiesa

> Fierament *vos ondrastes, en grant precio soviestes,*
> cuand Nicolao mataste, Armenia conquisiestes
> (191ab)

En la lucha contra Poro

> En cabo non pudieron tanto se denodar
> que ovo el gríego *su barva a honrar*
> (2085ab)

En la recepción de las parias

> El rëy Alexandre, cuerpo tan acabado,
> *vas reçebir grant gloria,* mas eres engañado
> (2530ab)

La similitud de ambas situaciones es totalmente evidente[93].

---

93 El tema del honor es consustancial a la épica, de tal modo que este género ha sido definido por Bowra —*Heroic Poetry,* Londres, 1952, pág. 5 (citado por

Todas estas concomitancias —muy marcadamente la reseñada en último lugar, la relativa al tema de la honra— demuestran —parece claro— la existencia de una afinidad entre el *Libro de Alexandre* y el género épico. Una diferencia fundamental, en cuanto a caracterización general, encontramos, no obstante, entre el *Libro de Alexandre* y, en concreto, la épica castellana: la inclusión de episodios fantásticos en aquel frente al «verosimilismo realista»[94] que a la última caracteriza. ¿En qué tipo de composiciones medievales españolas que narran los hechos de armas, guerreros, de un personaje es insertado esa clase de episodios fantásticos? Evidentemente en los libros de caballerías. La relación del *Alexandre* con ellos ya fue advertida por Montoliu en 1930[95]:

> En su conjunto el *Poema d'Alexandre* viene a ser el primer precursor de los libros de caballerías en la literatura española. Alejandro, en efecto, está en él pintado en figura del perfecto caballero medieval, y espiritualmente emparentado con los héroes carolingios y aún más con los caballeros de la corte del rey Artús; el ambiente poético y maravilloso que le rodea es el mismo del mundo fantástico en que más tarde habían de respirar los Lanzarotes y Amadises. Con razón ha dicho Wolf que el *Cantar de Mio Cid*, las obras de Berceo y el *Poema d'Alexandre* forman una trilogía del carácter español, en el que el primero lo pinta como tal, el segundo como cristiano y el tercero como miembro de la caballería; esto es, la encarnación de los tres ele-

---

Deyermond, *La Edad Media,* Barcelona, Ariel, 1973, pág. 65)— como «narración heroica en verso», cuyo «objetivo esencial» es «la persecución del honor a través del riesgo». El hecho de que el *Alexandre* contenga este componente es una prueba evidente de su afinidad esencial con el género épico. La inclusión de formas y contenidos procedentes de la épica y la aparición de una serie de paralelismos con composiciones heroicas no son patrimonio exclusivo del *Libro de Alexandre*. La simple mención de Berceo (cfr. Brian Dutton, «Gonzalo de Berceo and the *cantares de gesta*», *BHS,* XXXVIII, 1961, págs. 197-205) y el *Poema de Fernán González* (de carácter totalmente épico, prueba del paso de la poesía popular a la creación de los cultos) son pruebas suficientes de esta afirmación.
[94] Véase M. Pidal, «La épica medieval en España y en Francia», en *En torno al Poema del Cid,* Barcelona, Edhasa, 1970, págs. 75-101. La frase citada se halla en la pág. 86.
[95] Manuel de Montoliu, *Literatura castellana,* Barcelona, Cervantes, 1930, pág. 64.

mentos esenciales de la Edad Media española: el pueblo, la Iglesia y la caballería.

Ahora bien, ¿en qué componentes de la obra se plasma esa relación? En primer lugar en el lenguaje, que, a pesar de estar muy ligado al que encontramos en los poemas épicos, ofrece términos y expresiones que lo entroncan con los libros de caballerías. Así, en el combate con Nicolao se afirma:

> las azes fueron fechas, el *torneo* mezclado
> (137c)

Sobre el escudo de Alejandro se dice:

> *cauallero* que lo troguies non serié abatudo
> (106b; 0)

Alejandro, tras ser armado caballero,

> fue *buscar aventuras*, su esfuerço provar
> (127b)

Pausanias

> ixió contra 'l infante *justa le demandando*
> (179d)

Alejandro, al despertar tras su primera noche pasada en Asia,

> Cavalgó man' a mano su cavallo ligero,
>
> pero se fue con él Festino, *su escudero.*
> (301ad)

Taxilis, el hermano de Poro, es

> *vassallo* d' Alexandre, ca besara su mano
> (2089b)

Sobre todos estos datos, y otros muchos que pueden encontrarse en la obra, puede, sin embargo, afirmarse que también en la épica, en los cantares de gesta, hacen su aparición. Sería un caso de coincidencia entre ambos géneros. Dos aspectos que expongo a continuación acercan todavía más el *Alexandre* al segundo de los géneros mencionados, al género caballeresco. El ambiente general de la obra —es el primero de ellos—, corrobora la similitud que venimos defendiendo. En efecto, todo el «aparato» mágico que rodea a las narraciones caballerescas aparece en el *Libro de Alexandre*. Se habla de hadas y encantamientos: la espada de Alejandro

> avié grandes virtudes, *ca era encantada*
> (94c)

sobre su camisa se notifica:

> Fizieron la camisa dos *fadas* so la mar,
> *diéronle dos bondades* por bien la acabar
> (100ab)

acerca de la llegada de Alejandro en los momentos en que su padre estaba a punto de morir dice el autor:

> Si vino en las nuves o lo aduxo 'l viento,
> o l' aduxo *la fada por su encantamiento*
> (177ab)

las tropas de Alejandro

> mas fueron con linfante todas muy mal quexadas,
> temián lo que les vino: que serián *mal fadadas*
> (179bd)

y así continuamente hasta el final de la obra. En la segunda parte de la misma, Alejandro ha de sufrir una serie de pruebas antes de lograr el dominio del mundo: vencer a serpientes, a monstruos extraordinarios, luchar contra los elementos naturales... Su absoluta hegemonía sobre la tierra la alcanza mediante la realización de dos hazañas perfectamente propias de un Amadís: el descenso a los mares y la subida a los cielos. El tercer aspecto es el que, no obstante, más separa al *Alexandre* de la épica y lo acerca a los libros de caballerías: la propia configuración que se nos ofrece del héroe. Alejandro desde los primeros momentos es presentado como un auténtico caballero medieval (en diversas ocasiones ha sido advertido esto; así Ángel del Río, en su *Historia de la literatura española,* afirma que «El héroe, más que como un personaje de la antigüedad, está tratado como un personaje caballeresco»)[96]. Recibe la investidura propia de esa clase, y la confirma mediante la realización de una larga serie de hazañas —que cada vez le honra más, como al Cid, pero también como a los personajes caballerescos[97] (sería este un nuevo caso en el que ambos géneros coinciden)— hasta el momento de su muerte. Claro que podría pensarse que la caracterización es la misma que encontramos en los héroes épicos. Hay una diferencia fundamental. En los caballeros de la épica —castellana— se tiende fundamentalmente a alabar su figura pero sin aislarlos, en la narración de sus luchas, del conjunto de los hombres que los acompañan. Tal es la situación que encontramos en el *Cid,* en las *Mocedades de Rodrigo,* e incluso en el culto *Poema de Fernán González,* si bien en este último hay mayor tendencia a la individualización, quizá —es una pura hipótesis— por influencia directa del propio *Alexandre.* En los libros de caballerías —*Cifar, Amadís, Oliveros de Castilla*— se relatan las hazañas hechas por un solo personaje fundamental. Existiría, pues, una oposición entre colectivismo en la participación en las gestas narradas en la épica, y un individualismno en las insertadas en los libros de caballerías. En el *Alexandre* la situación es intermedia. Por un lado, el protagonista siempre va acompañado durante la realización de sus «hazañas» por un grupo cada vez más numeroso de «cavalleros» (estrofa 1002c, por ejemplo), pero se tiende siempre a individualizar su participación en los combates, tanto que la última batalla importante para el éxito de sus planes de dominio, la segunda contra Poro, se convierte en un *«torneo»* individual entre los dos caudillos. En ello reside la diferencia fundamental —junto con la inclusión del mundo mágico y extraordinario que mencionábamos— entre el *Alexandre*

---

[96] Ángel del Río, *Historia de la literatura española,* Nueva York, Holt Rinehart and Winston, 1966, pág. 73.

[97] Véase el *Amadís (BAE,* XL, Madrid, Atlas, 1963), *Oliveros de Castilla y Artús d'Algarbe* (ed. Alberto Blecua, Barcelona, Juventud, 1969)...

y los cantares de gesta castellanos. Otro paralelismo, si bien de carácter más circunstancial, podemos aducir, en este caso referido al caso particular del *Amadís*. En el *Amadís* el héroe, tras realizar una serie de hechos que aumentan progresivamente su prestigio, viene a morir, en su versión primitiva[98], por un pecado de soberbia, por querer demostrar su valía mayor a la de su oponente —su propio hijo Esplandián, para él desconocido. En el *Alexandre* el héroe viene a morir por un pecado de soberbia, por no contentarse con el dominio exclusivo sobre los habitantes de la tierra y querer poseer el aire y el mar. Las situaciones son, *mutatis mutandis,* de carácter muy similar, si bien ello puede deberse a una simple coincidencia. Ahora bien, ¿advirtieron los contemporáneos el carácter caballeresco que envuelve al *Alexandre*? Analicemos dos de los textos en los que nuestra obra ejerció influencia: el *Poema de Fernán González* y *El Victorial*. La estrofa del *Fernán González*[99] que menciona explícitamente nuestro libro dice lo siguiente:

> Non cuentan d'Alexandre las noches nin los días,
> cuentan sus buenos fechos e sus *cavalleryas*
>
> (351ab)

Desde luego, podría objetarse que ese término, *cavalleryas,* es muy general y ofrece diversas posibilidades de interpretación. *El Victorial,* obra fundamentalmente caballeresca pese a estar basada en la historia de su personaje real, realiza las siguientes afirmaciones. Sobre el carácter general del libro nos dice[100]:

> E por quanto este libro es compuesto sobre razón de armas e *cauallería* (...) ante que entre en tratado, quiero hazer mención de algunos de los grandes prínçipes que fueron en el mundo (...).
> El primero fue Salomón, el segundo fue Alexandre Almaçedón, el tercero Nabucodonosor, el quarto fue Julio Çésar.

---

[98] Véase M.ª Rosa Lida, «El desenlace del *Amadís* primitivo», *RPh,* VI, 1953, págs. 283-289. Reimpreso en el vol. *Estudios de Literatura Española y Comparada,* Buenos Aires, Eudeba, 1966, págs. 149-156.

[99] Edición de Zamora Vicente, Madrid, Espasa-Calpe, Clásicos Castellanos, 1963.

[100] Ed. cit., pág. 9.

Especificada la función de las digresiones sobre los reyes, da comienzo a las mismas; y en la reservada para Alejandro, tras incluir unos fragmentos de nuestra obra, los «castigos» de «*Aristótil*», justifica la realización de esa copia textual con estas palabras[101]:

> Estos enseñamientos puse aquí por quanto son de *arte de caua-llería*.

Esta afirmación indica que ya en épocas cercanas a la composición del *Libro* su carácter caballeresco fue advertido. Lo mismo sucede con la frase insertada en la descripción de las hazañas que Alejandro, decía, realizaba[102].

> Matauan los reyes tiranos e los que no façían justiçia

¿no es tal hecho propio de un héroe de libros de caballerías? La confirmación que nos da *El Victorial* es fundamental, pues en esa época —los libros de caballerías en ella tenían floración— podrían estar más capacitados que nosotros —el paso del tiempo puede llevarnos a confusión— para advertir la identidad de carácter existente entre ambas clases de texto. Mas, ¿por qué aparecen en el *Alexandre* estos componentes caballerescos? M.ª Rosa Lida nos brinda la respuesta[103]:

> en parte porque la figura del héroe se presta de suyo a la elaboración caballeresca, como lo prueba la abundante floración de poemas que suscitó en diversas lenguas

en parte, añadimos nosotros —tras lo cual seguimos con palabras de la autora[104]—, debido a la existencia en la época de unos

> ideales caballerescos de los que Juan Lorenzo de Astorga se muestra totalmente impregnado.

---

[101] *Ibídem,* pág. 15.
[102] Cfr. nota 101.
[103] M.ª Rosa Lida, *La idea de la fama en la Edad Media Castellana,* México, FCE, 1952, pág. 167.
[104] Cfr. nota 103.

Si en el *Libro de Alexandre* encontramos una serie de componentes que lo entroncan con los cantares de gesta, y una serie de componentes que lo sitúan en la línea y ambiente propios de los libros de caballerías, ¿cómo podemos unir ambas vertientes?, y, por tanto, ¿cuál es el auténtico carácter que posee la narración? Dos aspectos tenemos que distinguir para responder a estas preguntas: Por un lado, el referente a la intencionalidad del autor, las pretensiones que tenía, las metas que se propuso alcanzar en el momento de abordar la labor de redactar su obra. Por otro, los resultados que obtuvo, independientemente de sus propósitos iniciales.

Debido a la fuente general que ha sido utilizada para la composición del *Alexandre* —al escrito base—, el *Alexandreis* de Châtillon, así como a algunas de las narraciones que han sido aprovechadas para la redacción de otros episodios que no habían sido incluidos en el texto de Gautier —la digresión sobre la guerra de Troya, por ejemplo, que ha sido basada en la *Ilias latina*—, la clarificación del primero de los aspectos nos resulta relativamente sencilla. Nuestro autor se ha servido para escribir su obra de un texto latino medieval que pretendía continuar en su época la brillante y admirada epopeya clásica, la épica que en el mundo grecolatino había vivido momentos de verdadero esplendor. Incluye además un amplio resumen de los hechos relatados en la *Ilíada,* representante por excelencia de la épica griega. E inserta continuas alusiones a personajes y hechos (Eneas, Aquiles, Héctor, Diomedes...) que los escritores de los más famosos poemas de la épica clásica habían introducido en sus obras. Ante esta situación, la dilucidación de sus propósitos ofrece bastantes posibilidades de ser alcanzada. Parece relativamente claro que la meta buscada por nuestro autor al componer el *Alexandre* no fue otra que la de conseguir redactar un texto que entroncase con la tradición épica latinomedieval, o, lo que es lo mismo, con la épica medieval culta —a su vez directamente enlazada con la epopeya clásica, de la que pretende ser continuación—, pero en el que se utilizase la lengua romance como medio de expresión[105]. Ante tal posible

[105] Tal vez los intentos de consolidar el castellano como lengua de cultura propios de Alfonso X el Sabio no fueran totalmente ajenos a este propósito. La

intencionalidad, hubo de enfrentarse con el obstáculo de una carencia general de modelos que contuviesen las mismas características, aptos para facilitarle la tarea de conseguir sus fines. En romance tan sólo habían sido compuestas obras épicas de carácter popular. Nuestro autor tendría necesariamente que recurrir a ellas en su búsqueda de soluciones para los problemas que a lo largo de su creación se le fueran planteando. La justificación de las concomitancias con la épica popular castellana —tanto en características generales como en fórmulas juglarescas concretas[106]— parece, al menos parcialmente, alcanzada. Esta dualidad de corrientes que confluyen en el *Libro de Alexandre,* nos explica, en parte, la dualidad de caracteres que encontrábamos en él. De un lado, aquellas formas y contenidos —algunos de los cuales eran rasgo común a toda la épica (el honor)— entroncados con los cantares de gesta castellanos: nuestro autor habría utilizado éstos como modelos de épica escrita en romance. De otro, la serie de aventuras fantásticas —y la tendencia a la individualización de los personajes en la narración de los combates— con cuya inclusión nuestra obra se apartaba de la épica juglaresca compuesta en el medievo peninsular: no son propios de los cantares de gesta castellanos, pero sí —recordemos la *Iliada,* la *Odisea* o la *Eneida*— de la epopeya culta greco-latina y de los escritos que en la Edad Media europea trataban de continuarla. La intención, pues, de nuestro escritor, la meta que perseguía con la redacción de su

dificultad estribaría en la datación concreta del *Libro de Alexandre,* pero, como ya advertimos, la clarificación definitiva de este punto está todavía lejos de alcanzarse.

[106] La inclusión de epítetos... que son aplicados a los personajes que intervienen en el relato es una característica general, común a cualquier tipo de épica, que ya en la epopeya grecolatina hacía su aparición. Nuestro autor, en su intento de incluir este rasgo en su texto, tropezaría con la dificultad de carecer de modelos concretos cultos, de acuñaciones preexistentes a su obra, a las que acudir, como decíamos. Por ello adoptaría las existentes en su época, las insertadas en los cantares de gesta populares. Con ello, conseguiría además que el lector de su escrito —con toda seguridad conocedor de la épica juglaresca— identificase el carácter real, épico, de su creación, la situase dentro del mismo género literario. La diferencia de temas, contenidos concretos, formas métricas..., le advertirían que nos hallamos ante dos corrientes distintas que se encuadran dentro de un mismo «género» literario. Las palabras *«non es de joglaría»,* incluidas en el verso 2b, parecen así adquirir su auténtico significado.

obra, fue —parece claro— conseguir un texto que, en lengua romance, se erigiese en continuador de la epopeya culta, de las obras épicas que fueron compuestas en la antigüedad.

Ahora bien, en el nivel de resultados obtenidos y dentro del panorama histórico de la literatura medieval castellana, el *Libro de Alexandre* continúa conservando la dualidad a que anteriormente nos referíamos. Tiene una parte épica y una parte que lo sitúa en el camino que a los libros de caballerías habría de conducir, ambas justificables según los presupuestos anteriormente comentados, pero no por ello menos resaltables, de existencia menos manifiesta, en el análisis del relato. En la evolución general de las letras medievales españolas, en la separación de las diferentes tendencias o géneros que integran la literatura castellana del medievo, el *Alexandre* aparece como una obra difícil de clasificar. No es un cantar de gesta, pero tiene rasgos —formales y de contenido— que lo entroncan con la épica juglaresca. No es un libro de caballerías, pero lleva insertados dentro de sí una serie de componentes que lo relacionan con los relatos de ese género. El autor, al tratar de instaurar la épica culta medieval dentro del panorama de nuestras letras, ha conseguido un texto que se halla en un camino intermedio entre la épica popular y los libros de caballerías sin que en ninguna de las dos corrientes pueda encuadrarse con propiedad. El *Alexandre* podría ser considerado, tal vez, una narración caballeresca —entendiendo por tal aquella que contiene en su interior una serie de componentes, junto con otros muchos, que después serán ampliados y desarrollados, hasta casi constituir el objeto fundamental del relato, en las novelas y libros de caballerías— iniciadora, ya en el siglo XIII, no precedente —si por tal entendemos la inclusión de una serie de rasgos *aislados* que *preludian* una situación posterior en la que aquellos intervendrán más intensamente (en nuestro texto ningún componente *preludia* nada, todos —o casi todos— han sido dotados de una caracterización similar a la que obtendrán en periodos más tardíos, ni está *aislado,* sino inmerso en un sistema bastante generalizado)— de un género que en España irá a desembocar en los libros y novelas de caballerías posteriores.

5.1.5. Sobre el modo de composición

El autor para redactar su *Libro de Alexandre* utilizó —ya lo veíamos— un escrito base, el *Alexandreis* de Gautier de Châtillon, al que fue añadiendo una serie de materiales procedentes de otras fuentes con el fin de rellenar los huecos que, creía observar, existían en aquél. Se ha señalado el carácter fundamentalmente francés que posee la composición de nuestra obra. Tal es la opinión de Cirot, no referida únicamente al *Alexandre* sino al conjunto de obras normalmente integradas en lo que comúnmente se llama Mester de Clerecía[107]. La opinión de Ian Michael se mueve en términos más moderados. Tras señalar cómo se efectúa la composición de la obra afirma que el resultado obtenido[108]

> is paralleled in medieval spanish literature only by the *Cavallero Zifar* and the *Libro de buen amor*, but which is commoner in medieval French literature.

Este paralelismo, ¿es simple coincidencia o existe una auténtica relación de dependencia tal y como puede desprenderse de las afirmaciones de Cirot? En otras palabras, ¿existen en la cultura española de la época modos de composición que puedan, aparte de los señalados por Michael, relacionarse con el utilizado por nuestro autor? Sí, evidentemente. Y no de importancia secundaria. El método empleado en el *Alexandre* es totalmente coincidente con el utilizado por los colaboradores alfonsíes en la redacción de sus obras. En efecto, Gonzalo Menéndez Pidal[109] demostró, con pruebas palpables, la existencia de dos periodos en la evolución general de las escuelas alfonsíes, en el segundo de los cuales —desarrollado con posterioridad a 1269— se abandona la traducción servil de textos escritos en

---

[107] G. Cirot, «Inventaire estimatif du *"Mester de Clerecía"*», *BHi*, XLVIII, 1946, págs. 193-209.

[108] Ian Michael, *The treatment...*, pág. 249.

[109] Gonzalo Menéndez Pidal, «Cómo trabajaron las escuelas alfonsíes», *NRFH*, V, 1951, págs. 363-380.

lengua no castellana para dar paso a un nuevo sistema consistente en amplificar con otras fuentes el texto base que se estaba traduciendo. Es el sistema que se utiliza en la composición de la *Estoria de España*, al parecer iniciada incluso antes de subir Alfonso al trono[110]. Es el sistema que se utiliza para la composición total de la *General Estoria*, de época posterior[111], e incluso para la composición de las partes concretas que contiene esta magna obra: así Kiddle estudia el caso concreto de la *Estoria de Tebas* y llega a la siguiente conclusión[112].

> The *Estoria de Tebas* (...) cannot be considered a translation as it is commonly understood, but rather a compilation, or the creation of a new work based on material offered by another work.

> While Alfonso's collaborators used the French source as a framework wihch they followed with varied success, they also used it as a sont of suggestive base for the creation of a new work.

Entre los colaboradores alfonsíes existía la idea de proporcionar una exhaustividad esencial a las obras. Tomaban un texto base, o una cronología, en el caso de las *Estorias*, y añadían el mayor número de noticias que sobre el tema podían encontrar. Así, en el prólogo a la *Estoria de España* afirma el rey[113]:

> Mandamos ayuntar quantos libros pudimos auer de istorias en que alguna cosa contassen de los fechos d'Espanna (...), et compusiemos este libro de todos los fechos que fallar se pudieron della, desdel tiempo de Noé fasta ese nuestro

Es la misma postura básica que el autor del *Alexandre* muestra en su obra —puede desprenderse de los citados versos 259cd del manuscrito O, 265cd de P (281cd en la numeración gene-

---

[110] Véase Francisco Rico, *Alfonso el Sabio y la General Estoria*, Barcelona, Ariel (Letras e Ideas), 1972, pág. 36.

[111] Rico, *ibídem*.

[112] L. B. Kiddle, «A source of the *General Estoria:* the French prose redaction of the *Roman de Thébes*», *HR*, IV, 1936, págs. 264-271.

[113] Citado por Rico, *op. cit.*, págs. 36-37.

ral del texto)—, y justifica la enorme cantidad de fuentes empleadas para confeccionarlo.

El hecho de que exista coincidencia, ¿a qué puede deberse? ¿Es un simple caso de poligénesis, o entre ambas posturas existe algún tipo de vinculación? Y, si es esta última la solución, ¿cuál es la obra influyente y cuál la influida? A la primera pregunta es, en la actualidad, casi imposible proporcionar una respuesta. Faltan datos concretos que hagan factible la presentación de una teoría capaz de explicar, con un mínimo de posibilidades de acertar, las coincidencias observadas. Ahora bien, en principio parece poco probable que la corriente de influencia —caso de existir— se estableciese desde el *Alexandre* hasta las escuelas alfonsíes, dada la enorme importancia que estas tuvieron y la cantidad de obras que produjeron y difundieron desde los primeros momentos de su creación, y la escasa que debió tener nuestra obra en los instantes inmediatos a su redacción, pese a alcanzar extraordinaria difusión en época relativamente corta —tanta que en el poco espacio temporal que lo separa del *Poema de Fernán González* fue capaz de ejercer influencia sobre él. Podría, quizá, rechazarse la existencia de tal vinculación entre ambos modos de componer, basándose en que, al parecer, el sistema alfonsí no comienza a ponerse en práctica hasta bien entrado el reinado del sabio monarca, mientras que el *Alexandre,* se supone, es de fecha anterior. Dos objeciones pueden presentarse: 1.º, no podemos basarnos en fechas para sustentar teorías que pretendan explicar hechos que se produjeron en una época cuya datación concreta —la localización temporal exacta de los sucesos que en ella acaecieron— está todavía poco lograda —o, al menos, las fechas presentadas con ese fin continúan siendo objeto de discusión— (además habría primero que determinar cuál es la auténtica fecha de la composición del *Alexandre);* 2.º, si en la *General Estoria* se usa este método de composición, y, según indicios, antes de reinar Alfonso ya había sido comenzada, quiere ello decir que el método —parece (con la salvedad antes expuesta)— estaba ya en vigor antes de 1252, fecha en la que el rey sabio —lo sabemos con seguridad[114]— sube al poder, y, por

---

[114] Véase Antonio Ballesteros-Beretta, *Alfonso el Sabio,* Madrid, Salvat, 1963.

tanto, pudo ser conocido por el autor de nuestra obra, un escritor evidentemente muy culto para su época, y utilizado. De todos modos, y sea cual fuere la situación real, los hechos comentados aquí parecen llevarnos a concluir que de ningún modo hay necesidad de relacionar el método de composición empleado en el *Libro de Alexandre* con el utilizado en las obras medievales francesas —quizá la coincidencia sea un mero caso de poligénesis—, dado que tenía plena vigencia en uno de los focos más importantes de la cultura medieval, no sólo española sino europea en general: las escuelas que trabajaban bajo la dirección de Alfonso el Sabio. No obstante, la relación con las escuelas alfonsíes y con las composiciones francesas medievales acaso pudiera explicarse también teniendo en cuenta la conexión que entre los autores del Mester de Clerecía y la Universidad de Palencia se estableció en el siglo XIII, tal y como han estudiado recientemente diversos investigadores, como Brian Dutton, Isabel Uría y Jesús Menéndez Peláez[115]. Tal vez los «clérigos» del Mester se formasen en Palencia con profesores provenientes de Francia, de la Universidad de París, y tuviesen como compañeros a personas que llegarían a formar parte de las escuelas alfonsíes. Juntos aprenderían técnicas retóricas, recursos y sistemas de composición que en la cultura francesa estaban en vigor y las utilizarían para crear obras en España. De ahí las semejanzas. Quizá los propios clérigos del Mester, educados por profesores españoles, pero también franceses, llegaran a convertirse en miembros de las propias escuelas alfonsíes. Es todo posible. Pese a ello, estas suposiciones no pasan en la actualidad de ser meras conjeturas, más o menos fundadas, que solamente a través de un estudio profundo sobre el problema sería posible verificar.

---

[115] Brian Dutton, «French influences in the Spanish *Mester de Clerecía*», citado en nota 61. Isabel Uría Maqua, «Sobre la unidad del Mester de Clerecía del siglo XIII. Hacia un replanteamiento de la cuestión», en *Actas de las III Jornadas de Estudios Berceanos,* ed. C. García Turza, Logroño, Diputación Provincial, 1981, págs. 179-188. Jesús Menéndez Peláez, «El IV Concilio de Letrán, la Universidad de Palencia y el Mester de Clerecía», en *Studium Ovetense,* XII, 1984, págs. 27-39.

5.1.6. Unidad de la obra

Pese a la complejidad de composición existente en el *Libro de Alexandre* el hecho que más destaca de su estructura es su absoluta coherencia y su carácter unitario. Tales notas han sido resaltadas por los principales estudiosos de la obra: Willis, Ian Michael[116]...

¿Cómo se logra esa unidad? A través de dos procedimientos principales[117]. En primer lugar, mediante la inclusión de un único personaje fundamental que aparece desde el principio hasta el final de la narración. Al referir todas las aventuras a ese único personaje se logran salvar completamente las diferencias de carácter que pudieran aparecer, y proporcionar a la obra una auténtica y perfecta cohesión. En segundo lugar, otorgando a cada componente del relato una función específica que depende de la narración general. Todas y cada una de las partes que la obra contiene, incluso las digresiones[118], poseen una función específica que justifica su inclusión en el texto.

¿Era propósito consciente del autor conseguir como resultado de su labor un relato coherente y unitario? Hay un verso, el 2324d, que puede ser clave para responder a esta pregunta. Tras finalizar la redacción del episodio en el que se describe la bajada de Alejandro al fondo del mar, y ante el propósito de incluir una digresión sobre el tema de la soberbia, nuestro clé-

---

[116] Véanse los estudios de estos autores citados con anterioridad.

[117] Existen otros que, al no haber realizado una exposición exhaustiva de la estructura externa de la obra en el apartado correspondiente, me abstengo de comentar. Así, la supresión —con alguna excepción— de versos, índices formales, de separación en los componentes más extensos. Versos que en las partes secundarias sí hacen su aparición, debido a que la función general común a todas ellas evita que se produzca cualquier tipo de ruptura en la composición total del texto.

[118] Véanse las anotaciones correspondientes a las estrofas, dentro de la edición del texto, en las que tales digresiones han sido incluidas.

rigo hace la siguiente afirmación con la que intenta justificar el abandono momentáneo del hilo narrativo fundamental:

> será en cabo todo a un lugar

El autor era perfectamente consciente de la funcionalidad que poseían las digresiones introducidas en la obra. Por extensión —sería lo más probable— podría ser igualmente consciente de los recursos que estaba empleando para unificar su obra. La pregunta quedaría respondida con ello.

5.2. *Invención*

Desde que en 1875 Morel-Fatio, en su artículo prácticamente iniciador de los estudios monográficos sobre el *Libro de Alexandre,* negara categóricamente la existencia de cualquier tipo de originalidad dentro de nuestra obra[119], la opinión de la crí-

---

[119] «Quand même les sources directes du *Libro de Alexandre* ne pourraient pas être déterminées avec précision, personne aujourd'hui ne serait tenté d'attribuer une part quelconque d'originalité à l'auteur de ce poème, eût-il même possédé un veritable talent d'invention, ce qui ne nous paraît pas absolument démontré. Remanier l'ensemble des légendes groupées depuis des siècles autour du nom d'Alexandre, tel était le rôle qui seul pouvait convenir à un poète espagnol du milieu du XIIIᵉ siècle.»

«L'auteur du *Libro de Alexandre* a pris dans Gautier la matière de son poème; il suit autant que possible la version de l'*Alexandreis* dont il lui arrive souvent de traduire très-exactement les vers. Sans se reconnaitre expressément pour un imitateur de Gautier, il ne cherche pas du moins à dissimuler les obligations qu'il a envers ce poète. Il invoque souvent son témoignage de la façon la plus précise et va même jusqu'à reproduire quelque suns de ses vers sous leur forme latine... On peut s'étonner avec une certaine raison de la préférence accordée par notre poète à l'épopée savante de Gautier, alors que l'un des poèmes français au moins, d'une tendance naturellement plus rapprochée de la sienne, ne lui était pas inconnu. Il convient évidemment de l'attribuer au respect que devait professer notre clerc pour les oeuvres en langue savante, surtout quand elles avaient pour auteur des hommes tels que Gautier de Châtillon; mais il ne faudrait, pas croire que notre poète soit resté pour cela dans le ton pseudo-classique de son modèle: au contraire la transformation des guerriers macédoniens et persans en chevaliers chrétiens du XIIIᵉ siècle est aussi complète que dans les poèmes français, et la croyance aux aventures merveilleuses d'Alexan-

tica sobre este problema concreto ha dado un giro vertiginoso, se ha modificado de modo sustancial. Análisis posteriores de nuestro texto[120] han esclarecido profundamente el sistema empleado para su redacción definitiva, han puesto de manifiesto que el *Alexandre* no es un simple calco de una serie de obras que le eran preexistentes, han resaltado los puntos en los que su creador se separa conscientemente de los relatos que estaba utilizando como fuente, han demostrado, en una palabra, que en nuestro *Libro* sí pueden encontrarse rasgos de originalidad.

La base de todo este conjunto de problemas la encontramos en el propio concepto que poseamos de originalidad. Si originales llamamos únicamente a aquellas obras que han sido totalmente hechas de la nada, que no poseen antecedentes inmediatos, es obvio que muy pocas creaciones humanas pueden ser consideradas como tales. Tal vez las realizadas por los primeros hombres que vivieron sobre la tierra. Pero las posteriores, es evidente que se hallan basadas en elementos procedentes de una tradición anterior. La originalidad absoluta, auténtica, es difícilmente encontrable en los materiales que sirven de base para un trabajo. En este mundo todo, o casi todo, lo esencial ya ha sido inventado. La originalidad más bien reside en la configuración definitiva que un autor proporciona a su propia composición. En el carácter que le imprime y la estructuración que le confiere, basándose, en la mayoría de los casos, en unos materiales extraídos de una tradición, notas ambas capaces de diferenciarla e individualizarla con respecto a las fuentes básicas empleadas.

En el caso concreto del Mester de Clerecía, el problema se ve agudizado por el apego consciente que los autores encuadrados en él muestran con respecto a los escritos, el *dictado,* que

---

dre y est aussi marquée que dans n'importe quel autre texte de la même époque. Gautier est pour notre auteur l-autorité suprême qu'il oppose à l'occasion à d'autres traditions, mais il sait aussi s'en écarter, et il le fait quand il trouve ailleurs une matière plus conforme a ses goûts.»

Morel-Fatio, «Recherches sur le texte et les sources du *Libro de Alexandre*», *Romania,* IV, 1875, págs. 7-90, págs. 57 y 59-60.

[120] Véanse, por ejemplo, los estudios de Willis y Ian Michael, citados en la nota 67.

utilizan como fuente de noticias. Siguiendo los principios de la retórica, que aconsejaban, para la composición de un nuevo texto, la adopción de un tema ya conocido, prestigiado, debido a ello, por una tradición, y afirmaban que la originalidad debería buscarse, más que en el contenido, en la configuración formal que había de proporcionarse al nuevo escrito[121], estos compositores dedican todos sus esfuerzos a conseguir una obra lo más personal posible pero en el puro plano de la expresión. Para ello la misma retórica les ofrece una serie de medios. Así, técnicas como la *amplificatio* —el desarrollo de unas noticias o episodios cuya inserción en el texto base había sido realizada en un espacio mucho menor al dedicado a ellas en el escrito cuya composición se estaba llevando a cabo— o, su contraria, la *abbreviatio;* recursos estilísticos —figuras, tropos...— ... Con estos medios, mediante su empleo sistemático, logran infundir originalidad a sus obras. En la forma, en la plasmación concreta de unos contenidos tratados ya en escritos anteriores, encontramos principalmente las diferencias que separan las creaciones del Mester de los textos que les han proporcionado las noticias transmitidas por ellas. No obstante, y en la cuestión específica de la estructuración externa de una obra, es posible, en algunos casos, que esa parte de la composición también haya sido tomada por el autor correspondiente de la fuente que había utilizado. Tal es la situación encontrada por Juan Manuel Rozas tras su análisis del Milagro IX de Berceo[122]. Sin embargo, en absoluto resta ello originalidad no a este milagro concreto de nuestro famoso escritor riojano sino a cualquier otra obra que pueda hallarse en similares circunstancias. La estructura externa de un texto no es sino una parte de su configuración formal, una parcela más de ese plano de la expresión anteriormente mencionado. La personalidad del autor, su aportación personal al tema adoptado, puede residir en otros aspectos y pormenores —dentro de las formas (ya decíamos que estas constituían el objetivo de interés fundamental en ese punto), pero también fuera de ellas—, partiendo incluso de la pro-

---

[121] Cfr. Carmelo Gariano, *El enfoque estilístico y estructural de las obras medievales,* Madrid, Alcalá (Aula Magna), 1968, pág. 47.
[122] Cfr. artículo citado en la nota 76.

pia recreación lingüística del texto base. Así, en el caso concreto de Berceo antes indicado, el mismo Rozas no deja de advertir las diferencias de carácter, por ejemplo, existentes entre ese Milagro IX y el texto latino del que ha sido extraído. Y Thomas Montgomery y Bernard Gicovate[123], en sus estudios ya no exclusivamente centrados en ese escrito, resaltan otros aspectos, dentro del campo de las formas, en los que la obra de Berceo es original.

En lo que al *Libro de Alexandre* se refiere, la situación es esencialmente coincidente con la que en el análisis de otras obras encuadradas dentro del Mester podemos encontrar. Su autor —ya lo veíamos—, ha tomado una serie de textos, escritos con anterioridad al suyo, como fuente imprescindible de noticias para realizar la composición de su relato. Pero su obra no resulta un simple plagio de éstas. Existen con respecto a ellas diferencias de carácter fundamental. En varios grupos podemos distribuirlas.

El primero, estaría formado por las variaciones introducidas por el autor sobre el texto base, el *dictado* principal, que ha empleado para redactar su propio libro: el *Alexandreis* de Châtillon[124]. Episodios existentes en Gautier son suprimidos. Otros, cambiados de lugar. Otros, acortados o alargados, según la voluntad del autor y según el carácter que éste quiere proporcionar a su obra. Por otra parte, se rellenan constantemente huecos observables —por nuestro escritor—en el *Alexandreis,* se completa su narración, mediante adiciones procedentes de otras fuentes, o de la propia imaginación del escritor. Con todo ello se logra como resultado una obra distinta a la latina que le sirve de base.

El segundo, lo constituirían los cambios de carácter efectuados por el autor sobre las fuentes utilizadas en cada caso: medievalizaciones, cristianizaciones, moralizaciones, inexistentes en los escritos anteriores aprovechados, aparecen en el *Ale-*

[123] Thomas Montgomery, «Fórmulas tradicionales y originalidad en los *Milagros de Nuestra Señora*», *NRFH,* XVI, 1962, págs. 424-430.

Bernard Gicovate, «Notas sobre el estilo y la originalidad de Gonzalo de Berceo», *BHi,* LXII, 1960, págs. 5-105.

[124] Cfr. los estudios de Willis citados en la nota 67.

xandre, tal como ha sido perfectamente estudiado por Ian Michael[125].

El tercero —cuyo contenido también estaría relacionado con el carácter general que posee la obra—, lo integrarían las constantes inclusiones del autor dentro de la narración, bien para moralizar, bien para tomar partido con respecto a los hechos relatados, bien para otros fines[126]. Con ello se evita el distanciamiento entre escritor y obra compuesta, un distanciamiento por lo general existente en las fuentes que utiliza.

El cuarto, vendría definido por el significado total y general que el autor otorga al *Alexandre,* distinto al que poseen, sus fuentes, y que especifico en el siguiente apartado.

El quinto, último y fundamental, estaría compuesto por la estructuración general que el *Alexandre* posee, esencialmente diferente a la otorgada por Châtillon a su *Alexandreis,* base primera y esencial para la composición del *Libro* español. En efecto, mientras Gautier quiso dividir su obra en diez libros, perfectamente individualizados en cuanto a estructuración externa por la inclusión al principio de ellos de un argumento tras el cual se introduce la narración de los hechos[127], el autor español elimina esta configuración que poseía su fuente principal y elige para su propia creación otra nueva, totalmente distinta a la anterior, fundamentalmente basada en el simbolismo del número tres por unas razones que exponíamos con anterioridad. Este es el rasgo que más diferencia el *Alexandre* de la obra que le ha servido de base. En él encontramos uno de los puntos en los que su autor se ha marcado una mayor independencia. A través de él el compositor del *Libro* ha querido proporcionar una de las pruebas de su capacidad para evitar el plagio, para construir por sí mismo una obra que, aunque basada en escritos anteriores, de tema ya conocido para el posible lector —como aconsejaba la retórica—, estuviera dotada de auténtica originalidad.

---

[125] Cfr. Ian Michael, *The treatment...* (citado en la nota 67).

[126] Véanse los versos y estrofas 170a, 763, 1051, 1698, 1718-1719, 1744, 1750, 2321, 2456-2457, 2548, entre otros.

[127] Véase Willis, *The relationship...,* Apendix A, págs. 80-84; y la edición del *Alexandreis* citada en la nota 58.

5.3. *Visión del mundo y significado*

A través de los diferentes episodios integrados en el *Libro de Alexandre,* su creador presenta a sus lectores la concepción que él poseía del perfecto caballero medieval. El personaje central, el protagonista del relato, ha sido caracterizado —ya lo veíamos—, como un auténtico caballero del medievo, pero un caballero que a esa condición agrega la circunstancia de haber sido revestido de la dignidad real, un caballero que es a la vez rey. Su comportamiento viene siempre definido por ambas coordenadas. Y en ellas, en las dos, el héroe siempre hace gala de un gran cúmulo de cualidades positivas que el autor se encarga muy bien de resaltar[128]. La confluencia de estas dos vertientes en la figura de Alejandro, dentro de nuestro *Libro,* no ha sido suficientemente destacada por la crítica. Se ha estudiado la caracterización como rey del héroe. Así Willis[129] ya en 1956 advertía la existencia de un gran número de rasgos positivos en esta faceta del protagonista, y consideraba el *Libro de Alexandre* como posible *speculum principium* —una obra en la que se pretendía plasmar cuál debería ser el comportamiento adecuado de un soberano, un texto destinado a la educación, a través de la observación directa de unos hechos, de un modo de comportamiento determinado, de un príncipe o un monarca—, dirigido, tal vez, a Fernando III el Santo o a su hijo Alfonso X el Sabio. Ian Michael, más recientemente, analizaba los puntos concretos del *Alexandre* en los que se refleja el concepto de realeza que poseía el autor, que muestran al personaje

---

[128] Junto a sus virtudes, Alejandro exhibe en diferentes partes del relato alguna que otra actuación equivocada. Tal hecho en absoluto merma —ni, mucho menos, anula— su bondad esencial, ya que sus actos negativos siempre —o casi siempre— son justificados (es «humano» y, como tal, puede dejarse arrastrar por las insidias de los que le rodean) por la actuación de agentes exteriores que influyen sobre él, y de ningún modo arrebatan totalmente la primacía a sus acciones rectamente ejecutadas, no empañan las buenas cualidades de que ha sido revestido.

[129] Willis, R. S., «*Mester de Clerecía:* a definition of the *Libro de Alexandre*», *RPh,* X, 1956-1957, págs. 212-224.

central como un auténtico rey de la Edad Media[130]. Pero no se ha hecho tanto hincapié en la configuración del héroe como caballero, pese a ser esta una faceta que va íntimamente ligada a la anterior. Ya en las primeras estrofas del *Alexandre*, Aristóteles *castiga*, alecciona, al entonces joven Alejandro sobre cuál debe ser su comportamiento a lo largo de su vida. En sus palabras se describe al rey perfecto, como dice Michael[131], pero también (recordemos *El Victorial*) al perfecto caballero. En su periodo de formación, el héroe estudia el *trivium* y el *quadrivium*, pero también es aleccionado en la carrera de las armas, lecciones que culminan con su investidura como caballero. Tiene grandes ansias de dominio, como rey; pero también de aventuras, como caballero:

> fue buscar aventuras, su esfuerço provar
> (127b)

Conquista como rey; pero es gentil con las damas como caballero, y no siente *«rencura»* contra sus adversarios (su comportamiento con Talestrix, con la madre de Darío, con el propio Darío y con Poro —entre otros casos— sirve para probarlo). La unión de ambos aspectos es una constante a lo largo de la obra. El contenido que bajo ellos se oculta constituye la visión inmediata del mundo inserta en el *Libro de Alexandre*.

Uno de los caracteres generales del Mester de Clerecía es su didactismo[132]. Los escritores agrupados en él no conciben su oficio como un simple placer, no redactan sus obras para proporcionar a sus lectores la posibilidad de un simple descanso en sus tareas, no escriben por escribir ni desean que su público lea tan sólo por el simple gusto de leer. Buscan con sus obras ayudar a la formación de sus lectores. Pretenden comunicar, a través de sus textos, una enseñanza. Desean que el posible receptor de su escrito, por medio del relato en él insertado, reciba una lección que revierta en su propio beneficio personal.

---

[130] Ian Michael, *The treatment...*, III, «Medievalization: the concept of kindship», págs. 28-87.
[131] *Op. cit.*, pág. 30.
[132] Willis, *Mester de Clerecía...*, pág. 214.

Esta situación, esta ideología, se refleja perfectamente en el *Libro de Alexandre*.

Si analizamos nuestra obra, encontramos que las estrofas de contenido didáctico incluidas en ella, forman un grupo bastante amplio cuya importancia dentro de toda la narración no es en absoluto desdeñable. Entre los temas que en ellas se insertan —no pretendo ser exhaustivo—, por su importancia y frecuente y extensa aparición, podemos destacar[133]: la traición, la soberbia y el menosprecio del mundo. El primero surge en aquellos momentos del relato en que alguno de los personajes sufre sus consecuencias. El segundo aparece tras la comisión, por parte de Alejandro, de los hechos, de su «pecado», que provocarán su caída definitiva. El tercero es incluido en los instantes en que se relata la muerte de alguno de los personajes que intervienen en la narración. En realidad, los tres pueden reducirse a uno solo, al tercero, dado que los dos anteriores constituyen una prueba palpable de las «inmundicias» que en la tierra pueden producirse, y, por tanto, forman una base que puede conducir al menosprecio de esta vida. Todos han sido unidos en la figura de Alejandro (el héroe es traicionado, cae en soberbia y en el momento de su muerte: *«arrenuncio el mundo, a Dios vos acomiendo»* —verso 2645d—) y a lo largo de toda la obra hacen su aparición —en la muerte de Filipo (tema de la traición —estrofa 186—), al hablar del escudero de Darío y narrar la historia de Ciro (menosprecio del mundo —estrofa 952—), en la destrucción de Tiro (traición —estrofa 1117—), en la traición de Darío (traición —estrofa 1744—), en la muerte del rey persa (menosprecio del mundo —estrofas 1805-1830—), en la muerte de Hermolaeus *(Ardófilus* en el *Alexandre)* y Clitus (menosprecio del mundo —verso 1972c—), en el descenso de Alejandro al fondo del mar (soberbia —estrofas 2317-2321—), en la descripción de los pecados capitales (menosprecio del mundo —estrofas 2394-2405—), tras la conjura contra Alejandro que provoca su muerte (menosprecio del mundo —estrofas 2464-2465—), en la traición a Alejandro (traición —estrofa 2618—), antes de su muerte (menosprecio del mundo —estrofas 2627-2633—),

---

[133] Hay otros varios, como el de la fortuna (los cambios de fortuna)...

entre otras ocasiones—, hasta cristalizar en la moralización final situada en las estrofas 2670-2672.

Ante estos datos, el significado global de la obra queda bastante evidenciado: la historia de Alejandro es presentada como un ejemplo de la «vanidad» de las cosas de este mundo. En el *Libro* es retratado un personaje que fue capaz de alcanzar el dominio sobre toda la tierra, pero al que, en última instancia, todas sus hazañas de nada le valieron: murió como el resto de los mortales y su gloria sólo le sirvió para quedar en la simple memoria de los hombres. La narración no tiene un carácter secundario dentro de la obra. Lo fundamental no es el didactismo —moralización aquí—, como afirma Lucilla Pistollesi[134]. El relato es importante desde el momento en que sobre él se monta toda esa moralización. El didactismo se desprende de los hechos relatados, no es preexistente a éstos. Lo que sucede es que nuestro autor, una vez conocidos los hechos y concebido el didactismo moralizante que quería hacer depender de ellos, que quería presentar a sus lectores como conclusión provechosa de los mismos, utiliza una curiosa técnica mediante la cual invierte el proceso que *genéticamente* (y quiero subrayar esta palabra) ha tenido lugar, y consistente en convertir, *a posteriori,* toda la narración en un conjunto de hechos que, artificialmente, se sitúa en función de la enseñanza mediante la continua inclusión de estrofas de contenido moralizante y, sobre todo, mediante la inserción de unas estrofas al final de la obra (2671-2672) en las cuales el escritor expone directamente al hipotético público receptor de su texto la «doctrina» que la vida de Alejandro Magno sirve —insisto, falsamente— para ejemplificar. El desarrollo natural de los hechos va desde el relato a la moralización. Su desarrollo *artificial,* el ideado en un segundo estadio por el autor, desde la moralización hasta el relato.

Con el fin de aumentar la eficacia del significado de la obra, de la enseñanza moral que el autor quiere inculcar a sus lecto-

---

[134] Lucilla Pistolesi, «Del posto che spetta il *Libro de Alexandre* nella storia de la letteratura spagnuola», *Revue des langues romanes,* XLVI, 1903, páginas 255-281.

res, nuestro compositor utiliza diversos recursos. Cuatro fundamentales.

Primero, resalta los aspectos positivos existentes en la figura del protagonista, así como los grandes éxitos que alcanza. Con ello logra hacer más patético el desenlace final y, a la vez, más palpable el ejemplo que nos brinda.

Segundo, proyecta hacia el final las funciones de las partes principales (digresión sobre Troya, mapamundi, hazañas del héroe[135]...), con lo que consigue aumentar la importancia de la figura del personaje base —Alejandro— con la finalidad ya expuesta.

Tercero, los adelantamientos épicos: el autor a menudo comunica a sus lectores los sucesos negativos que va a padecer el protagonista (sobre todo en la segunda parte de la obra —por ejemplo, las estrofas 2530-2533—, cuando su gloria está llegando al máximo y su muerte se encuentra próxima) antes de que se produzcan. Persigue alcanzar, mediante ese procedimiento, dos objetivos: preparar al lector para el final del relato, y disponer el camino para que se realice una mejor recepción de la moralización final.

Cuarto, acumulación de moralizaciones parciales al final de la obra sobre el tema del menosprecio del mundo, que ya a lo largo de toda ella había hecho su aparición.

Las palabras dichas por el protagonista, en las cuales expresa su renuncia al mundo, en el instante de su muerte, y, desde luego, la moralización final, valedera para toda la narración y explicitadora de su significación total, son también medios de los que se sirve el autor para facilitar la recepción de la enseñanza por parte de sus lectores.

La inclusión del contenido moral en nuestra obra estaba obligada por la tendencia al didactismo propia de la época y a la que los escritores del Mester, generalmente clérigos, eran especialmente sensibles. Pero, incluso dentro del propio texto del *Alexandre,* encontramos, en la parte final del discurso de Alejandro sobre Troya, unas palabras, dichas por el autor, que muy bien pueden servir para demostrar la conciencia clara de

---

[135] Cfr. en la edición del texto las anotaciones a las estrofas correspondientes.

la función que posee la moralización en el conjunto del relato, existente en nuestro compositor:

> Pero com' es costumbre de los predicadores
> en cabo del sermón adobar sus razones,
> fue aduziendo él unos estraños motes,
> con que les maduró todos los coraçones.

Para «madurar» los corazones de sus soldados, el héroe macedonio extrae unas consecuencias de su narración. Para «madurar» los corazones de sus lectores, siguiendo un paralelismo de actitudes similar al que encontramos en la estructuración de esta digresión y la general a todo el relato[136], el autor del *Alexandre* presenta unas consecuencias a la suya.

La existencia de tal significado en la obra facilita enormemente la resolución del tan debatido problema de los anacronismos. Constantemente se ha afirmado el carácter esencialmente anacrónico que posee el *Libro de Alexandre*, la incapacidad de nuestro autor para diferenciar su época del momento histórico en el que el gran conquistador macedonio vivió. Tal es la postura defendida por Montoliu[137]:

> Se ha dicho que esta utilización del anacronismo a gran escala era cosa obligada en los autores y debida a la necesidad de hablar a su público en la única lengua que entendía. No es esta la razón. Eran los autores los que se encontraban en la imposibilidad de interpretar de otro modo a aquellos personajes cuyo ambiente histórico no podía ser captado por la mentalidad medieval.

Ian Michael, sin embargo, emite un juicio totalmente contrario. Mantiene la absoluta consciencia del autor en la realización de los cambios de ambientación temporal —llamados medievalizaciones por él[138]— y su total capacidad para advertir

---

[136] Cfr. nota 135.

[137] Manuel Montoliu, «El Mester de Clerecía», en *Historia general de las literaturas hispánicas*, tomo I, Barcelona, Vergara, 1949, págs. 369-401. La cita copiada se halla en la pág. 393.

[138] *Op. cit.*, págs. 247-248.

que su héroe era un personaje pagano y nacido varios siglos antes de Cristo[139]. Una opinión que perfectamente podemos comprobar por medio de citas extraídas de la obra. Así, en el fragmento en el que se relata el milagro hecho por Dios ante una súplica de Alejandro afirma el autor:

> Quando Dios tanto fizo por un *ome pagano*
> tanto o más farié por un fiel christiano
>
> (2116ab)

al describir las relaciones existentes entre Nicanor y Símacus:

> Mejores dos amigos, de mayor lealtad,
> que assí fuessen ambos de una voluntad,
> nin naçrán nin naçieron; cuidado dezir verdad:
> entre pocos *christianos* corre tal amistad
>
> (2021)

al final de la narración exclama refiriéndose a Alejandro:

> si non *fuesse pagano,* de vida tan seglar,
> diviélo ir el mundo todo a adorar
>
> (2667cd)

Análoga situación encontramos en otros pasajes. En realidad, la postura de Montoliu no es más que la repetición de viejos tópicos que ya comienzan a desvanecerse. Rico señala la existencia de una perfecta noción del tiempo en las obras alfonsíes[140], a las que también las palabras de Montoliu —o, más exactamente, sus contenidos—, habían sido aplicadas. En el *Alexandre* hallamos igualmente esa misma consciencia histórica. Y es muy probable que si estudiásemos el resto de las obras pretendidamente anacrónicas, encontrásemos una situación muy similar. La causa general de la medievalización —y utilizamos ahora la terminología más exacta empleada por Michael— pudo ser un intento de nacionalizar los temas proce-

---

[139] *Ibidem,* pág. 16.
[140] Francisco Rico, *Alfonso el Sabio y la General Estoria,* Barcelona, Ariel (Letras e Ideas), 1972.

dentes de la antigüedad clásica, de otorgar, con ello, un mayor prestigio a la naciente literatura en lengua romance. La causa más inmediata —y ahora me refiero concretamente al *Libro de Alexandre*— es la finalidad didáctica con que la obra está escrita, su significado. Mediante ella —Ian Michael dice algo similar[141]—, se evita el distanciamiento que el paso del tiempo puede producir, la narración llega de modo más directo a los lectores y paralelamente la enseñanza por ella transmitida. La intencionalidad didáctica explica la transformación medievalizante de la narración clásica.

---

[141] Cfr. nota 138.

Nuestra edición

Dos manuscritos y varios fragmentos conservamos en la actualidad del *Libro de Alexandre*. El primero de aquellos, publicado en 1779 por Sánchez, procede de la Biblioteca del duque de Osuna, fue copiado en finales del siglo xiii o principios del xiv y se guarda hoy en la Biblioteca Nacional de Madrid. El segundo, descubierto a finales del siglo xix, tiene letra del siglo xv y se conserva en la Biblioteca Nacional de París. Los fragmentos son tres. El primero de ellos constituye un principio de copia no acabada del *Alexandre,* emprendida en el siglo xiv; se cuenta entre las pertenencias del Archivo Ducal de Medinaceli, y contiene las siete primeras estrofas del *Libro*. El segundo lo forman las estrofas insertadas por Bivar, en el siglo xvii, dentro de su obra anteriormente mencionada[142], y que proceden de un manuscrito, perdido hoy, antes conservado en el monasterio burgalés de Buxedo. El tercero está integrado por el pasaje que incluye Gamés en *El Victorial*[143]. Todos ellos,

---

[142] Cfr. nota 12 de la Introducción. Son las estrofas 787-793, 851, 1167-1168ab.

[143] Ed. de Juan de Mata Carriazo, Madrid, Espasa-Calpe (Crónicas Españolas), 1940. Tiene dos versiones esta obra: la publicada por Llaguno Amirola en 1782, llamada *G*, que contiene las estrofas 51-55, 57-58, 61, 66-67, 72, 75-76, 80-82, 84 del *Alexandre,* y la incluida en un manuscrito conservado en la Real Academia de la Historia de Madrid *(G'),* que inserta las mismas estrofas más la 77. Ambas han sido recogidas en la tantas veces mencionada edición de Willis (cfr. Bibliografía). Sin embargo, tal y como Mata Carriazo ha señalado *(op. cit.,* págs. XXI-XXXII) el manuscrito editado por Llaguno (hoy conservado en la Biblioteca Nacional y que es utilizado como base para realizar la edición impre-

manuscritos y fragmentos, han sido publicados por Willis[144], manteniendo su grafía original, en 1934. Esta edición es la que ha servido de base para la nuestra.

Para la fijación de nuestro texto he tenido en cuenta las puntualizaciones a la edición de Willis que hizo Solalinde en una larga reseña publicada en la *Hispanic Review*[145], así como «Notas para el teatro del *Alexandre*», de M.ª Rosa Lida[146]. Igualmente he consultado las ediciones de Sánchez y Morel-Fatio[147] de los manuscritos O y P, respectivamente, la edición crítica hecha por Alarcos[148] de la digresión sobre la guerra de Troya, los fragmentos editados por Moll en su tesis doctoral[149], la selección de pasajes de nuestro *Libro* incluida por Alvar en su

---

sa en la colección de Espasa-Calpe), contiene una estrofa más, la 77 (al igual que *G'*), de las insertadas en la impresión de 1782 —parece que el propio Llaguno fue el que «incomprensiblemente» (dice Carriazo) la suprimió— (y, por lo tanto, una más de las publicadas por Willis, que usa el texto de Llaguno), y cuatro versos más —2490cd-2491ab—, de los cuales Willis no había dado noticia ni los había incluido en su libro. La versión que en el texto preparado por Mata Carriazo se nos ofrece contiene diferencias de grafía con respecto a la presentada en la edición de Willis (cfr. Mata Carriazo, *op. cit.*, págs. 13-15, y Willis, *op. cit.*, págs. 10-23).

[144] Cfr. Bibliografía, apartado dedicado a las ediciones de nuestra obra. En el prólogo a esta edición de Willis podrá encontrar una descripción completa de los manuscritos y fragmentos que poseemos del *Alexandre* (págs. ix-xxv).

[145] García Solalinde, Antonio, *«El Libro de Alexandre.* Texts of the Paris and the Madrid manuscripts prepared with an introduction by Raymond S. Willis, Jr. (Elliot Monographs in the Romance Languages and Literatures, edited by Edward C. Armstrong, vol. 32), Princeton University Press, 1934: xl + 461 páginas y 4 láminas», *Hispanic Review*, IV, págs. 74-80.

[146] Lida de Malkiel, M.ª Rosa, «Notas para el texto del *Alexandre* y para las fuentes del *Fernán González», RFH,* VII, 1, 1945, págs. 47-51.

[147] Cfr. Bibliografía, apartado correspondiente a las ediciones del *Alexandre.*

[148] *Investigaciones...* (cfr. Introducción, nota 17), págs. 95-184. Son las estrofas 321-773.

[149] Ruth I. Moll, *Beiträge zu einer kritischen Ausgabe des altspanischen Libro de Alexandre,* Würzburg, Buchdruckerei Richard Mayr, 1938. Edita, críticamente, las estrofas 1-6 (págs. 23-25); 7-20 (págs. 26-31); 48-85 (págs. 32-47); 786-797 (págs. 48-52); 847-873 (págs. 53-61); 1131-1168 (págs. 62-72); 276-294 (páginas 73-80); 311-320 (págs. 81-85); 822-837 (págs. 86-90); 1218-1231 (págs. 91-95); 1872-1879 (págs. 96-99); 1955-1963 (págs. 100-104); 1975-1980 (págs. 105-108); 2496-2514 (págs. 109-116); 1702-1709, 685-688, 1256-1258, 2597-2600, 1087-1089, 962-963, 120-123 (págs. 121-127).

Poesía española Medieval[150] y la reconstrucción de Dana A. Nelson[151].

Una de las mayores dificultades con las que me he tenido que enfrentar para realizar mi labor, ha sido el desconocimiento —o no conocimiento exacto— del dialecto concreto en el que fue originalmente redactado el *Libro de Alexandre.* En efecto, desde que se produjo el descubrimiento del manuscrito P, la crítica no ha cesado de debatir este problema. Las diferencias existentes entre el manuscrito O, que contenía rasgos marcadamente leoneses, y el manuscrito P, en cuyo texto figuraban rasgos aragoneses, se erigieron en motivo que sirvió para desencadenar la polémica[152]. Desde el primer momento pareció descartarse la idea del aragonesismo de nuestra obra. La disputa se establecía entre los defensores del leonesismo del *Alexandre,* del carácter leonés de su lenguaje, y los que afirmaban, ba-

---

[150] Manuel Alvar, *Poesía española medieval,* Barcelona, Planeta (Clásicos Planeta), 1969, págs. 175-202. Para editar los fragmentos que figuran en esta antología se han utilizado exclusivamente las lecturas que figuran en el manuscrito O —del que incluso se respeta la numeración de las estrofas—, con la excepción de dos únicos casos, la estrofa 1301 (1462 en el orden general), cuyos tres últimos versos no han sido recogidos por O, y el verso tercero de la, en esta edición, estrofa 1301a (1463), que se halla en situación idéntica a los anteriores, y, que, por tanto, son completados a base de la lección insertada en P. Las estrofas seleccionadas (doy entre paréntesis el número que corresponde al orden general de estrofas de todo el *Alexandre)* son las siguientes: 21-25 (21-50); 888-928 (935-975); 1299-1305 (1460-1467); 1331-1341 (1493-1503); 1701-1726 (1863-1888); 1788-1806 (1950-1968); 1954-2000 (2117-2163); 2141-2159 (2305-2323); 2376-2421 (2540-2585).

[151] Gonzalo de Berceo, *El libro de Alexandre,* reconstrucción crítica de Dana Arthur Nelson, Madrid, Gredos (BRH), 1979.

[152] Entre los estudios sobre problemas lingüísticos de nuestro texto véanse los siguientes:

Cornu, Jules, «Études de Phonologie espagnole et portugaise», *Romania,* IX, París, 1880, págs. 71-98 *(«Grey, Ley* et *Rey* disyllabes dans Berceo, l'*Apolonio* et l'*Alexandre»,* págs. 71-89; «La troisième personne plur. du parfait en *–ioron* dans l'*Alexandre,* págs. 89-95.

Menéndez Pidal, R., «El dialecto leonés», *RABM,* 1906.

Hanssen, F., «Los infinitivos leoneses del *Poema de Alejandro»,* *BHi,* XII, 1910, págs. 135-139.

Keller, Julia, *Contribución al vocabulario del Poema de Alejandro,* Madrid, Tipografía de Archivos, 1932.

Lathan, J. Derek, *«Infierno, mal lugar:* an Arabicism?», *BHS,* XLV, 1968, páginas 177-180.

sándose en una serie de datos[153], que nuestro *Libro* había sido redactado en castellano. Los últimos parecían haber ganado la partida. La postura que representaban fue durante mucho tiempo la generalmente admitida. Pero he aquí que en 1972 Dana A. Nelson publica un artículo en *Romance Philology*, cuya conclusión general es que ni el leonés ni el castellano son los dialectos en que fue escrito el *Libro de Alexandre*, sino que del estudio de las terminaciones verbales en *−er / −ir* incluidas en él parece desprenderse que la obra fue compuesta en un dialecto que tenía muchos rasgos comunes con el aragonés, en un dialecto que había registrado fuerte influencia aragonesa[154]. En posteriores trabajos[155] concreta más su postura y considera que el *Alexandre* fue redactado en dialecto riojano, la lengua de Berceo, a quien atribuye, como vimos, la autoría de la obra. El problema, como vemos, no está todavía, al parecer, próximo a solucionarse. Y ello se ha convertido en uno de los mayores obstáculos con los que hemos tenido que enfrentarnos.

La métrica ha sido la segunda de las dificultades importantes que nos hemos visto obligados a afrontar. El problema de su regularidad o irregularidad ha sido largamente debatido por los estudios que se han ocupado, no sólo del *Alexandre,* sino del Mester de Clerecía en general. La disociación entre la afirmación incluida en el verso 2d de nuestra obra —a sílabas contadas— y la situación real que encontramos en el examen de su texto, en el cual la irregularidad hace frecuentemente su aparición, se ha convertido en la causa que produjo el debate. Una y otra postura (defensa y negación de la regularidad en el cómputo de sílabas) han sido constantemente postuladas y contestadas[156]. Para unos,

---

[153] Cfr. Alarcos, *Investigaciones...*, págs. 17-46.

[154] Dana A. Nelson, «The Domain of the Old Spanish *−er* and *−ir* verbs: A Clue to the Provenience of the *Alexandre*», *Romance Philology,* XXVI, 2, 1972, págs. 265-305. Sus conclusiones, no obstante, al estar basadas en un único rasgo aislado no pueden ser admitida en su totalidad.

[155] Cfr. nuestra Bibliografía.

[156] Véanse entre los estudios que se han ocupado de analizar la métrica del *Alexandre* los siguientes:

Hanssen, F., «La elisión y la sinalefa en el *"Libro de Alejandro"*», *RFE,* III, 1916, págs. 345-358.

Arnold, H. H., «Notes on the versification of *"El Libro de Alexandre"*», *Hispania,* XIX, 1936, págs. 245-254.

la regularidad es la norma general —dado que es excesivamente extraño que un autor, tras afirmar el principio de *sílabas contadas* como consustancial a su texto, cometa la tremenda incoherencia de no ponerlo en práctica en la redacción concreta del mismo—, y, por tanto, deben modificarse todos los versos que no respondan a ese principio básico. Para otros, las irregularidades métricas contenidas en el *Libro* no son justificables por el anterior razonamiento ni deben, en consecuencia, ser achacadas a la impericia de los respectivos copistas de ambos manuscritos. Forman parte de la versión original y son debidas a la incapacidad del autor de llevar a la práctica las ideas que poseía sobre el particular. Incluso ha habido críticos —Spurgeon Baldwin— —que han llegado a afirmar que el *Libro de Alexandre* tenía la irregularidad por norma, y que la prosa, no el verso, fue la forma externa utilizada para su redacción, basándose fundamentalmente en la mención del *cursus* —*curso rimado*— contenida en el verso 2c de nuestro texto[157]. La base de todos estos pro-

---

Henríquez-Ureña, P., «La cuaderna vía», *RFH,* VII, 1945, págs. 45-47.

Ware, Niall J., «The testimony of Classical names in support of metrical regularity in the *Libro de Alexandre*», *HR*, XXXV, 1953, págs. 211-216.

Alarcos *(Investigaciones...,* págs. 67-76) resume el estado de la cuestión sobre este punto hasta 1948, fecha en que su libro fue publicado.

[157] Spurgeon Baldwin, «Irregular versification in the *Libro de Alexandre* and the posibility of a *cursus* in old Spanish verse», *Romanische Forschungen,* 85, 3, 1973, págs. 298-313. En este artículo Baldwin analiza el concepto de *cursus* que se tenía en la época medieval —se aplicaba, como en la antigüedad, a la prosa, y estaba basado en una sucesión acentual que se hacía recaer sobre un periodo, en el cual podían escindirse diversas partes (llamadas cada una *colon*), en las que cabía la posibilidad de introducir rimas internas—y afirma que la *cuaderna vía* no existe en realidad como estrofa, el Mester de Clerecía utiliza la prosa para redactar sus escritos, pero una prosa sobre la que se han insertado los condicionamientos del *cursus*. La dificultad estriba en que para probar su tesis tan sólo analiza una parte mínima del *Libro de Alexandre* (estrofas 1640-1746) y que con su explicación únicamente aclara la mención del *cursus* del verso 2c, pero no la cuestión de *a sílabas contadas,* ni por qué los sucesivos periodos de prosa de los que el autor se sirve para comunicarse con sus lectores aparecen agrupados en conjuntos de cuatro partes —o *cola*—, cuyos finales sistemáticamente riman entre sí (además, no debemos olvidar que el Marqués de Santillana —véase Introducción, nota 3— al mencionar el *Libro de Alexandre* lo considera uno de los más antiguos escritos que en castellano utilizaron el *metro* —rasgo caracterizador, en la época, de la poesía—, y él, como escritor del medievo, más próximo, por ello, históricamente a los hechos, podía estar más capacitado para juz-

blemas se encuentra en el concepto de *cuaderna vía* que posea
cada uno. Si por tal entendemos estrofas de cuatro versos mo-
norrimos divididos en dos hemistiquios que invariablemente
deben poseer siete sílabas cada uno, es obvio que la *cuaderna vía*
nunca —o casi nunca— es regular, que el principio de *a sílabas
contadas* apenas si se cumple no sólo en nuestro libro sino en el
Mester de Clerecía en general. Ahora bien, si adoptamos la definición, mucho más flexible, que ya en 1905 Fitz-Gerald se
había encargado de proporcionar[158]— «The *cuaderna vía* consist
of *Coplas* of four verses in monrrim; each verse consisting of
two hemistichs; each hemistich containing six syllabes if acute,
seven if grave, and eight if *esdrújulo*, the verse thus containing
anywhere from twelve to sixteen syllables. There is but one *metrical* accent in each hemistich, and it falls invariably upon the
sixth syllable there of. There may be other, rhetorical, accent,
but their number and disposition are at the choice of the
poet»—, es posible encontrar la regularidad en el *Libro de Alexandre* —aunque en obras posteriores el principio de *sílabas
contadas* decayese en uso, como el propio Fitz-Gerald afirma—,
es posible hallar la unión entre intenciones y realizaciones
prácticas en nuestro autor.

Ambos obstáculos, ambas dificultades, han tratado de ser

---

gar y comprender mejor esta cuestión). El problema, creo, puede resolverse si
aceptamos la definición que Fitz-Gerald da de *cuaderna vía* —más adelante la incluimos—, con la cual se resuelve la cuestión del *cursus* —en el verso existe una
sucesión acentual compuesta por un acento métrico fijo (recae en la sexta sílaba
de cada hemistiquio) y varios rítmicos libres— y de las *sílabas contadas* —el autor
mediría el verso para lograr que ese acento obligatorio en sexta ocupase siempre
su lugar—. No obstante, tal vez la solución definitiva pueda lograrse considerando la *cuaderna vía* una mezcla de ritmo (y otros rasgos) —procedente de la
prosa, del *cursus*— y metro (y otros rasgos) —procedente del verso—, una
mezcla de estilos diferentes, permitida por las leyes de la retórica y que gozaba
del favor de bastantes escritores medievales (cfr. Curtius, *Literatura europea y
Edad Media Latina,* México, FCE, 1955, 2 vols.; vol. I, págs. 217-224). Con ello
las dos afirmaciones insertadas en la estrofa 2 del *Alexandre (curso rimado* y *a sílabas contadas)* quedarían explicadas. Solamente, pese a ello, un estudio concreto
en el que se investigase esta posibilidad podría proporcionar los datos necesarios para confirmarla o negarla por completo.
[158] John D. Fitz-Gerald, *Versification of the «cuaderna vía» as found in Berceo's
«Vida de Santo Domingo de Silos»,* Nueva York, The Columbia University Press,
1905, pág. XIII.

flanqueadas en nuestra edición. Para realizarla, tomo como base las lecturas contenidas en el manuscrito P, pero no dudo en modificarlas cuando O nos proporciona una versión más clara, más correcta, desde el punto de vista del significado, de la métrica, sintaxis o morfología. Sobre la cuestión del dialecto original en que el *Alexandre* pudo ser escrito, debido a los problemas anteriormente mencionados, he preferido no adoptar ninguna norma general única que suponga introducir una regularización lingüística total en el texto. Mantengo las fluctuaciones de todo tipo que en los dos manuscritos —según la lectura adoptada— se contienen —así, fluctuaciones de timbre vocálico *(i / e)*, de morfemas verbales *(–ie / –ia,* en el imperfecto de indicativo), en los grupos cultos y algunos grupos consonánticos (de*bdo* / deu*do*), en la formación de los futuros verbales *(vernán / fers'ha),* en la situación del pronombre personal que realiza la función de complemento directo en la frase...—. No obstante, corrijo los dialectismos exagerados —leoneses o aragoneses— que en una y otra copia se insertan (con lo cual indirectamente —soy consciente de ello— parezco aceptar la tesis del «castellanismo» de nuestra obra, la opinión que defiende que el castellano es la lengua original del *Libro).* En el problema de la métrica, acepto las opiniones de Fitz-Gerald por considerar que en una gran mayoría de casos —y, por supuesto, me estoy refiriendo en concreto a nuestro *Libro*— se cumplen las condiciones que él señala como rasgos propios de la *cuaderna vía.* Consecuentemente con ello, busco siempre la regularidad en el cómputo de sílabas, entendida ésta como inclusión de un acento métrico en la sexta sílaba de cada uno de los hemistiquios en que el verso es escindido[159]. Trato de regularizar —con los riesgos consiguientes— el uso de grafías, sin modernizar las que responden a la pronunciación real existente en la época (mantengo, pues, la inclusión de *z, ç* en lugares en los que hoy utilizaríamos *s* o *c,* y conservo —en lo posible—la distinción entre *v* y *b* —pese a que este problema

---

[159] Es decir, entiendo que todos los versos tienen en común un acento en la sexta sílaba de cada hemistiquio y que en esto consiste su regularidad, no en el número fijo de sílabas, dado que éste puede variar desde seis hasta ocho en los respectivos hemistiquios.

concreto dista mucho de haber sido totalmente clarificado—
que en gran parte del medievo parece haberse mantenido).
Para la restitución de la forma que originalmente pudieron tener los nombres propios o el léxico científico (nombres de piedras...) insertados en el *Alexandre,* acudo a las fuentes que el
autor utiliza en cada caso (el *Alexandreis* [160], las *Etimologías* de
San Isidoro...), si bien un texto concreto, la *Historia de Preliis,*
no he podido consultarlo, por lo que en los pasajes que en él se
hallan basados no me ha sido posible introducir en algunos
nombres las correcciones oportunas. Pese a ello, tanto en este
como en el resto de los casos, tiendo a no modificar el texto
cuando las lecturas de los dos manuscritos, O, y P, son coinci-
dentes.

En las notas, concebidas más bien como auxiliar de lectura,
como ayuda al lector para que consiga entender con más facilidad el *Alexandre,* tiendo a reducir al máximo la erudición pura.
Procuro evitar la aglomeración de anotaciones de variantes de
lecturas. Tan sólo indico los puntos en los que las diferencias
entre ambos manuscritos son más acusadas o aquellas que pueden resultar interesantes en un momento determinado y por alguna razón concreta. Doy preferencia a las notas cuyos contenidos entran dentro del campo de la crítica literaria sobre las
filológicas y explicativas del lenguaje en general, por entender
que el público al que va dirigido esta edición, que puede intere-
sarse por nuestro texto, debe poseer —casi con toda seguridad— los suficientes conocimientos de los fenómenos que
acaecen en el castellano medieval del siglo xiii (conservación
de *f* inicial latina, apócope y elisión de vocales finales —*o* y *e*
sobre todo—, uso de haber, tener, ser y estar como auxiliares,
utilización del imperfecto de subjuntivo actual en −*ra* con el
valor etimológico de pluscuamperfecto de indicativo...) como
para no encontrar especiales dificultades, en este punto, para
la comprensión total del *Alexandre* [161]. Trato de citar siempre

---

[160] Cfr. Introducción, nota 51.

[161] No obstante, caso de que pudiera surgir alguna duda puede acudirse al
Manual de gramática histórica española de Menéndez-Pidal (Madrid, Espasa-Calpe,
1968, 13 ed.) o a la *Historia de la lengua española* de Rafael Lapesa (Madrid, Gredos
—BRH—, 1980, 8.ª ed.) como libros en los que son tratados estos temas y
cuya consulta se encuentra al alcance de cualquier tipo de lector.

que me sea posible, los textos y estudios mencionados en las notas cuya lengua original no es el español, en traducciones —si existen— al castellano, con el fin de facilitar la labor de consulta, y para hacerlos accesibles al mayor número posible de lectores.

Como complemento a mi labor inserto, en sendos apéndices, las dos cartas en prosa que aparecen en el manuscrito O del *Libro del Alexandre* —pese a que no figuraban (parece demostrado) en la redacción original—, y las ilustraciones incluidas en el mismo lugar, además de un *Vocabulario,* cuyas características y finalidad aparecen indicadas en la parte correspondiente.

Mi edición pretende acercar una de las grandes joyas de la literatura española a un público más extenso al que habitualmente puede disfrutar de ella. Si con este libro consigo cumplir los deseos que Solalinde expresó en las últimas líneas de su reseña a la tantas veces citada edición de Willis[162] —«Lo que haría falta ahora —más que una edición crítica, dificilísima si no imposible de realizar por los escasos y divergentes elementos de que disponemos— sería una elaboración literaria del texto, en la que con libertad se combinasen las lecturas de los dos manuscritos, sin excesivos deseos de reconstruir las modalidades lingüísticas del autor, y con la única intención de hacer asequible el *Alexandre* —sin duda el mejor poema de clerecía anterior a Juan Ruiz— a los lectores no eruditos, ya que el aroma medieval de esta biografía clásica merece ser gustado por todos y no puede serlo mientras se halle sepultada bajo la impericia de sus dos mediocres copistas»—, los objetivos primordiales de mi trabajo habrán sido alcanzados por completo.

---

[162] Solalinde, *op. cit.,* pág. 80.

Nota a la segunda edición,
primera de esta colección

Manteniendo esencialmente el trabajo presentado en la primera edición (publicada en Madrid, Editora Nacional —Biblioteca de la literatura y el pensamiento hispánicos—, en 1983), realizamos en esta segunda una actualización de las investigaciones dadas a conocer desde el año de su conclusión, 1976, hasta el presente, 1987, sobre el *Libro de Alexandre*. En el texto hemos eliminado modernizaciones gráficas que eran requeridas por las normas de la anterior colección y que no se ajustan a las características de la actual, Letras Hispánicas.

Agradecemos la buena acogida que en su momento tuvo este trabajo, las menciones laudatorias, reseñas, comentarios... que a raíz de su publicación primera vieron la luz, y esperamos que esta versión corregida y actualizada del mismo siga cumpliendo los objetivos que nos propusimos en su día al efectuar la investigación, hacer accesible el texto al estudioso, al estudiante y al curioso lector.

Siglas y abreviaturas utilizadas

BAC   Biblioteca de Autores Cristianos.
BAE   Biblioteca de Autores Españoles.
BHi   *Bulletin Hispanique.*
BHS   *Bulletin of hispanic Studies.*
BRAE   *Boletín de la Real Academia Española.*
BRH   Biblioteca Románica Hispánica.
CSIC   Consejo Superior de Investigaciones Científicas.
DRAE   *Diccionario de la Real Academia Española (Diccionario de la lengua española,* Madrid, Espasa-Calpe, 1970, 19 ed.).
FCE   Fondo de Cultura Económica.
HR   *Hispanic Review.*
NRFH   *Nueva Revista de Filología Hispánica.*
RABM   *Revista de Archivos, Bibliotecas y Museos.*
RAE   Real Academia Española.
RFE   *Revista de Filología Española.*
RFH   *Revista de Filología Hispánica.*
RPh   *Romance Philology.*

THE DEBT   Willis, R. S., *The debt of the Spanish Libro de Alexandre to the French Roman d'Alexandre,* Nueva York, Kraus Reprint Corporation, 1965.

THE RELATIONSHIP   Willis, R. S., *The relationship of the Spanish Libro de Alexandre to the Alexandreis of Gautier de Châtillon,* Nueva York, Kraus Reprint Corporation, 1965.

THE TREATMENT   Michael, Ian, *The treatment of Classical Material in the Libro de Alexandre,* Cambridge University Press, 1970.

Bibliografía comentada

1. Historia bibliográfica del «Libro de Alexandre»

Ya en el primer apartado de la introducción hacíamos una rápida síntesis, una breve descripción histórica, de la fortuna que tuvo el *Libro de Alexandre* en el panorama diacrónico de las letras españolas. En su historia bibliográfica particular podríamos distinguir tres periodos o fases fundamentales. Uno primero de «aprovechamiento», en el que ejerce influjo directo sobre escritos cuya composición había sido abordada en épocas próximas a la suya propia[1], que respondería exactamente a la situación observable en el medievo. Una segunda de «citas», de menciones insertadas dentro de otras obras de carácter científico, o casi científico —unas recogen tan sólo su nombre, otras copian fragmentos de su texto y proporcionan algunas noticias externas relacionadas con él (posible autor...)—, que se situaría históricamente en los siglos xv-xvii (Santillana, Bivar, Nicolás Antonio, Pellicer). Una tercera de «estudios», de aproximaciones —unas de carácter externo, otras más cercanas al análisis interno— a su texto, localizable temporalmente en los siglos xviii-xx. El padre Sarmiento en su obra[2] publicada póstuma en 1775 y Tomás Antonio Sánchez con su prólogo insertado entre los *Preliminares* a su *Colección de poesías castellanas anteriores al siglo XV,* publicada en Madrid en 1779, constituirían los puntales que abrirían esta tercera y última etapa, a la vez que Amador de los Ríos y Menéndez Pelayo[3], en 1863 y 1890 respectivamente, dentro de la crítica española, y Ticknor[4] en su *Historia de la literatura española,* tra-

---

[1] Cfr. Introducción, apartado primero.

[2] Cfr. nota 4 en Introducción.

[3] Amador de los Ríos, José, *Historia crítica de la literatura española,* tomo III, Madrid, Gredos, 1969 (ed. facsímil de la publicada en 1863), págs. 304-330.

Menéndez Pelayo, Marcelino, *Antología de poetas líricos castellanos,* tomo I, Madrid, CSIC, 1944, págs. 191-206.

[4] Ticknor, *Historia de la literatura española,* traducción de Pascual de Gayangos y Enrique de Vedia, tomo I, Madrid, Rivadeneyra, 1851, págs. 60-64.

ducida por Gayangos y Vedia y publicada en 1851, dentro de la crítica extranjera, iniciarían un periodo de estudios más profundos sobre el *Alexandre*.

Dentro de esta tercera fase que hemos dado en llamar «de estudios», podríamos distinguir dos etapas. La primera, que denominaríamos «precientífica», estaría formada por las obras del padre Sarmiento y Sánchez anteriormente mencionadas. En ellas sus autores se limitan más bien a dar algunas noticias externas sobre el *Alexandre* y a emitir una serie de juicios y proporcionar algunos indicios para posibles investigaciones posteriores, más basados en su propia intuición personal —realmente muy acertada en algunos casos— que en el análisis real de los problemas contenidos en el *Libro* y su propio texto. La segunda, «científica», estaría iniciada por los susodichos estudios de Amador de los Ríos y Menéndez Pelayo, base para otras muchas historias de la literatura escritas con posterioridad a ellos y que repiten, casi sin variación, las opiniones y datos incluidos en éstos. Ticknor comenzaría la serie de estudios que los hispanistas no peninsulares han dedicado a nuestra obra. Morel-Fatio[5] en 1875 iniciaría los trabajos monográficos sobre el *Alexandre*. La distribución de los materiales insertados en su artículo y los problemas abordados en él, marcarían la pauta por la que habían de guiarse, durante varias décadas, las investigaciones sobre el *Libro*. Cuestiones de texto, fuentes, autoría, dialecto..., serían estudiadas una y otra vez, con menosprecio evidente para el análisis interno de la obra que constantemente quedaba postergado. El descubrimiento[6] del manuscrito P en 1888 ampliaba —debido a sus diferencias con el hasta entonces conocido— los horizontes de investigación. Los trabajos de Willis[7] en torno a las fuentes del *Alexandre* facilitaban considerablemente la comprensión de nuestra obra, descubrían los medios utilizados por su autor para separarse de los escritos que había empleado como base, ayudaban a comprobar en qué puntos residía la originalidad del compositor español. Del mismo modo, su edición paleográfica de ambos manuscritos —O y P— servía de inapreciable auxilio al estudioso que se había propuesto abordar alguno de los aspectos incluidos en el enorme conjunto de problemas que el *Alexandre* podía plantear. La tesis doctoral de Alarcos[8] marca un nuevo avance en la senda seguida por los investigadores de nuestro texto. Recopila y resume todos los problemas estudiados por la crítica hasta el momento de su realización (se publica en 1948), e inicia un nuevo camino hasta

---

[5] Cfr. Introducción, nota 15.
[6] Cfr. Introducción, nota 16.
[7] Cfr. Introducción, nota 67.
[8] Cfr. Introducción, nota 17.

esos instantes no intentado: la edición crítica de un largo fragmento (la digresión sobre la guerra de Troya) del *Alexandre*. M.ª Rosa Lida[9] en 1952 inaugura la corta, ya cada vez algo más larga, serie de estudios que hasta la actualidad se han publicado sobre cuestiones internas, que han pretendido abordar, con un mínimo de profundidad, el análisis interno de nuestra obra. Con ella se abre un nuevo camino[10] que otros se han encargado de continuar con un conjunto de trabajos fundamentales para nuestro texto. Willis[11] y, más recientemente, Ian Michael —tanto en su tesis doctoral[12] como en una serie de artículos que paulatinamente ha ido publicando[13]— se encuentran entre los estudiosos que más han contribuido a esclarecer aspectos concretos internos insertados en el *Libro de Alexandre*. Actualmente, un grupo de investigadores anglosajones se están ocupando de desvelar partes no suficientemente conocidas (y otras que, a pesar de haber sido estudiadas, no resultan totalmente claras) de nuestro texto (Deyermond, Dana Nelson, el propio Michael...), sin que su trabajo tenga un correlato exacto en la labor efectuada por la crítica española del momento. En España sí se han publicado últimamente estudios importantes sobre determinados puntos concretos del *Alexandre* (es el caso del análisis realizado por Francisco Rico del fragmento de nuestra obra en el que se incluye la descripción del mundo[14], o del trabajo de Juan Manuel Cacho Blecua sobre la digresión de la tienda de Alejandro[15], por ejemplo). Pero es todavía lo excepcional. Lo cierto es que son los estudiosos de habla no hispana los que nos siguen ayudando a los españoles a comprender el *Alexandre*, los que nos siguen descubriendo sus características internas, los que nos siguen resaltando la importancia que posee y el papel que ocupa dentro del panorama histórico de la literatura española medieval.

---

[9] Lida de Malkiel, M.ª Rosa, *La idea de la fama en la Edad Media castellana*, México, FCE, 1952.

[10] En parte había sido adelantado algo por el artículo de Lucilla Pistolesi citado en la nota 134 de la Introducción y por algunos puntos contenidos en los dos trabajos de Willis anteriormente mencionados.

[11] Cfr. Introducción, nota 129.

[12] Cfr. nota 67 en Introducción.

[13] Cfr. *infra*.

[14] Rico, Francisco, *El pequeño mundo del hombre*, Madrid, Castalia, 1970, págs. 50-59.

[15] Juan Manuel Cacho Blecua, «La tienda en el *Libro de Alexandre*», en *Actas del Congreso Internacional sobre la lengua y la literatura en tiempos de Alfonso X*, Murcia, Universidad, 1984 (edición de 1985), págs. 109-134.

2. Bibliografía selecta

Incluyo a continuación la reseña a una serie de trabajos que han sido dedicados al *Libro de Alexandre*. No es mi propósito ser absolutamente exhaustivo en la recopilación. Es más, el criterio del que me he servido ha sido de selectividad, hasta el punto de dejar reducido bastante al mínimo los títulos escogidos. He dado casi siempre preferencia a las obras que analizan aspectos generales de nuestro texto. Las particulares, las dedicadas a problemas más concretos, podrán encontrarse mencionadas —y, en ocasiones, reseñadas— en las anotaciones a la edición y en las anteriormente incluidas dentro de la Introducción general. Ordeno las fichas procurando establecer una jerarquización que va de lo más general a lo más concreto, y siguiendo un criterio de cronología.

2.1. *Bibliografía*

Simón Díaz, José, *Bibliografía de las literaturas hispánicas,* tomo III, 1, Madrid, CSIC, 1963.

> Relación, algo incompleta, inserta en las págs. 101-108, de los manuscritos, ediciones y estudios existentes, hasta la fecha de publicación de este repertorio bibliográfico, de y sobre, respectivamente, el *Libro de Alexandre*. Mas actualizada se halla la bibliografía sobre nuestra obra que incluye Simón, en el tomo II de este mismo trabajo, 3.ª edición corregida (Madrid, CSIC, 1986, págs. 253-261).

— *Manual de bibliografía de la literatura española,* Madrid, Gredos (BRH), 1980, 3.ª ed.

> Sobre el *Libro de Alexandre, vid.* págs. 104-105, en las que recoge una selección de ediciones y estudios sobre la obra.

Michael, Ian, «Estado general de los estudios sobre el *Libro de Alexandre»*, *Anuario de Estudios Medievales,* II, 1965, págs. 581-595.

> Recoge Ian Michael en este trabajo toda la bibliografía existente sobre el Alexandre hasta 1965. Ordena en nueve apartados (manuscritos, ediciones, fecha, estudios lingüísticos, autor, versificación, fuentes, interpretación literaria, estudios en preparación) todo el material que había logrado recopilar. Comenta y resume el contenido de los estudios reunidos, con lo cual convierte su artículo en la única bibliografía críti-

ca existente sobre nuestra obra, y, por tanto, en trabajo de consulta imprescindible para todo aquel que, por una u otra causa, se halle interesado por el *Alexandre,* desee conocer de él algo más que el simple contenido de sus versos. Al final del artículo se incluye, libre ya de todo comentario, la relación completa de los estudios mencionados en las páginas anteriores.

DEYERMOND, Alan, «Berceo y la poesía del siglo XIII», en *Edad Media,* en Francisco Rico, *Historia y crítica de la literatura Española,* I, Barcelona, Crítica, 1979, págs. 127-140.

> Resumen del estado de los estudios sobre el Mester de Clerecía. Sobre el *Libro de Alexandre, vid.* págs. 132-134 y «Bibliografía» en páginas 136-140.

2.2. *Ediciones*

SÁNCHEZ, Tomás Antonio, *Colección de poesías castellanas anteriores al siglo XV,* Madrid, Sancha, 1779-1790, 4 vols., vol. III, *Poema de Alexandre.*

> Posteriormente incorporada por Florencio Janer a la BAE *(Poetas castellanos anteriores al siglo XV,* BAE, LVII, Madrid, Rivadeneyra, 1864), se incluye en esta obra la primera edición del *Libro de Alexandre,* basada en el manuscrito O, recién descubierto entonces. Contiene algunos errores de lectura y numeración de las estrofas (repite en un caso el número 2052) que fueron subsanados por la posterior edición de Willis.

JANER, Florencio, *El Libro de Alexandre,* en *Poetas castellanos anteriores al siglo XV,* Madrid, Rivadeneyra (BAE, LVII), 1864, páginas 147-224).

> Reproducción de la edición de Sánchez anteriormente citada.

MOREL-FATIO, Alfred, *El Libro de Alexandre. Manuscrit esp. 488 de la Bibliothèque National de Paris. Publié par...,* Dresden, Geseschaft für romanische literatur, Band 10, 1906.

> Edición del recién descubierto —entonces— manuscrito P del *Alexandre,* precedida de una introducción en la que se aborda el estudio de diversos aspectos externos de nuestra obra (autor, fuentes, manuscritos, dialecto original...).

WILLIS, Raymond S., *El Libro de Alexandre. Texts of the Paris and the Madrid manuscripts prepared by...,* Princeton University Press, 1935.

Reimpresa con posterioridad en 1965 (Nueva York, Kraus Reprint Corporation), contiene esta edición el texto completo de los dos únicos manuscritos del *Alexandre* conservados, y de los diversos fragmentos suyos que, sueltos o insertados dentro de otros escritos, poseemos en la actualidad. El texto se edita paleográficamente. Todo el libro constituye una ayuda inapreciable y un instrumento de trabajo fundamental sobre el que se han asentado todas —o la mayor parte— de las investigaciones realizadas en torno al *Alexandre* después de su publicación.

Cañas Murillo, Jesús, *Libro de Alexandre*, ed. preparada por..., Madrid, Editora Nacional (Biblioteca de la literatura y el pensamiento hispánicos), 1978.

Sobre la base del manuscrito *P,* constituyó el primer intento publicado de presentar una edición completa del *Libro de Alexandre,* en la que se hubiesen tenido en cuenta los dos manuscritos y todos los fragmentos conservados de nuestra obra. Fue reimpresa el año 1983 por la misma editorial, y utilizada como base para realizar una antología de este texto por M. Díez Rodríguez, M. Paz Díez Taboada y L. de Tomás Vilaplana en su *Literatura Española. Textos, crítica y relaciones. Vol. I. Edad Media y Siglos de Oro* (Madrid, Alhambra, 1980, págs. 83-87). Reseñas a esta edición fueron hechas por Ángel Dotor (en *Los libros y su eco,* Radio Nacional de España, tercer programa, día 27 de abril de 1979, de 22,46 a 22,59 h.; impresa en *El Norte de Castilla,* Valladolid, 14 de junio de 1979, y en *El Siglo,* México, 24 de julio de 1979); Nicasio Salvador Miguel («Nuestros clásicos, día a día», en *Historia 16,* 121, 1979); María del Carmen Romeo Pemán (en *Tiempo para leer,* Radio Teruel, 1979); Segismundo López Bardón («Apoteosis delirante de proezas», en *La nueva España,* Oviedo, 4 de noviembre de 1980); Graciela R. de Beavedan *(Cuadernos del Sur,* 15, Bahía Blanca, Argentina, 1981, páginas 234-236); Gregory Peter Andrachuk *(Revista Canadiense de Estudios Hispánicos,* V, 2, invierno de 1981, pág. 241); Teodosio Fernández («Un antiguo héroe», en *Orientación Bibliográfica S. A.); Frances Day Wardlaw (Revista de Estudios Hispánicos,* XVI, 1982, págs. 470-472).

Nelson, Dana Arthur, Gonzalo de Berceo, *Libro de Alixandre,* reconstrucción crítica de..., Madrid, Gredos (BRH), 1979.

Tomando el manuscrito *P* como base, intenta Dana A. Nelson efectuar una reconstrucción crítica del *Libro de Alexandre,* precedida de un estudio, eminentemente lingüístico, de la obra, atribuida, sin presentar pruebas concluyentes, a Gonzalo de Berceo. Reseñas a esta edición fueron realizadas por José M.ª Díez Borque («El *Libro de Alexandre* reconstruido», en *Nueva Estafeta,* 6, Madrid, mayo de 1979, págs. 95-97); José Joaquín Montes Giraldo (en *Thesaurus. Boletín del Instituto Caro y Cuervo,* XXXIV, 1979, págs. 195-196); James S. Burke (en *Journal of Hispanic Philology,* IV, 2, invierno de 1980, págs. 171-174); Giuseppe Tavani (en *Romanistische Jahrbuch,* XXXI, Berlín, 1980, págs. 416-417); Peter T.

Such (en *Modern Language Notes*, 76, págs. 213-216); Carlos Alvar (en *RFE*, 60, 1978-80, págs. 359-362); Reinaldo Ayerbe-Chaux (en *Hispania*, LXIV, 1, marzo de 1981, págs. 150-151); Ian MacPherson (en *BHS*, LVIII, 1981, págs. 258-259).

Libro de Alexandre, Barcelona, Orbis, 1983.

> Reproducción, sin introducción y sin notas, de la edición de Florencio Janer impresa en el tomo LVII de la BAE, seguida de un «Glosario» que constituye una mal disimulada copia del vocabulario inserto en la edición de Jesús Cañas impresa en Editora Nacional el año 1978 (véanse págs. 533-592).

CATENA, Elena, *Libro de Alejandro*, versión de..., Madrid, Castalia (Odres Nuevos), 1985.

> Versión modernizada del *Alexandre*, esencialmente basada en el texto fijado por Jesús Cañas en su edición de Editora Nacional, y precedida de un prólogo en el que se abordan, y resumen, los principales problemas estudiados por los investigadores en torno al texto y la interpretación del *Libro de Alexandre*.

AERNI, Madelaine, *El* Libro de Alexandre: *A Critical Student Edition*, University of New Mexico, USA, Begun, 1975.

> Tesis dirigida por J. E. White Jr., citada en *La Corónica*, VI, 1, 1977, pág. 26.

AERNI RYLAND, Madelaine, *A Critical Edition of* El libro de Alexandre, Alburquerque, University of New Mexico, 1977, 727 págs.

> Tesis doctoral inédita, citada en *La Corónica*, VII, 1, 1978, pág. 47, fue dada a conocer en *DAI (Dissertation Abstracts International)*, 38A, Ann Arbor, Michigan, 1977, 3476.

MARCOS MARÍN, Francisco, *Libro de Alexandre*, estudio y edición de... Madrid, Alianza (Alianza Universidad), 1987.

> Edición realizada con el auxilio de la informática y anotada sólo con variantes textuales. En el prólogo, llamado «Ensayo crítico», se repasan diferentes problemas abordados por la crítica en torno al *Libro* (transmisión de la leyenda de Alejandro, fecha de composición del *Alexandre*, relación entre los manuscritos que conservan la obra, caracterización del protagonista...) y se explican detenidamente los criterios y el proce-

so de elaboración de la edición informatizada[16]. Existe reseña a esta edición en Alianza Editorial, Novedades 21, noviembre-diciembre de 1987, pág. 7.

2.3. *Estudios*

2.3.1. Sobre problemas externos

2.3.1.1. Crítica textual y fuentes

MOREL-FATIO, Alfred, «Recherches sur le texte et les sources du *Libro de Alexandre*», *Romania*, IV, 1875, págs. 7-90.

La importancia fundamental de este artículo es más de carácter histórico. Fue el primer estudio crítico que se realizaba sobre el *Alexandre* como tema exclusivo. Aborda los problemas que después serán replanteados por diversos investigadores y, por tanto, marca la pauta que los trabajos sobre nuestra obra iban a seguir durante mucho tiempo (problemas de autor, fecha de composición, manuscritos, lenguaje, versificación y fuentes). Resume, generalmente para debatirlas, las opiniones de algunos estudiosos que, en historias de la literatura —como Amador de los Ríos—, ediciones de la obra —como Sánchez—, o estudios sobre otros temas, se ocuparon de nuestro *Libro*. La parte más extensa del artículo es la dedicada al problema de las fuentes. En ella se realiza una enumeración —que servirá de base a las posteriores investigaciones de Willis, mucho más científicas y de carácter más riguroso— de los textos utilizados por el autor del *Alexandre* como guía. Rechaza totalmente la originalidad del escritor español, al que considera mero traductor de una serie de obras que le eran preexistentes.

— «A Chronique. Un nouveau manuscrit du *Libro de Alexandre* acquis par la Bibliotheque National», *Romania*, XVII, 1888, página 476.

Breve crónica de seis líneas en la que se comunica la noticia de la adquisición por la Biblioteca Nacional de París del manuscrito, *P* posteriormente llamado, del *Alexandre* procedente de la Biblioteca de los Agustinos de Lyon. Se indica la atribución de la obra que hace dicho manuscrito a Gonzalo de Berceo.

---

[16] Se publicó esta edición cuando nosotros habíamos concluido nuestro trabajo. No hemos, pues, podido tenerla en cuenta en el proceso de revisión de nuestro texto. Tenemos noticia de que en la colección Clásicos Castellanos de la editorial Espasa-Calpe se incluirá otra edición del *Alexandre* que en la actualidad está preparando Ian Michael.

WILLIS, Raymond S., *The relationship of the Spanish Libro de Alexandre to the Alexandreis of Gautier de Châtillon,* Princeton University Press, 1934.

Análisis exhaustivo de la relación de dependencia existente entre el *Libro de Alexandre* español y el escrito latino de Gautier que le sirve de fuente primordial de inspiración. Señala Willis las semejanzas y diferencias existentes entre ambos textos. Concluye, tras sopesar unas y otras, que es totalmente lícito y justo admitir la originalidad esencial que posee el *Libro* español. Junto a la investigación fundamentalmente dirigida a determinar el uso que el autor peninsular hace de la obra de Châtillon, existen constantes incursiones en el estudio profundo de diferentes aspectos del *Alexandre* (estructuración de algunos fragmentos, funciones de episodios...). El trabajo —nuevamente publicado en 1965 (Nueva York, Kraus Reprint Corporation)— es, sin lugar a dudas, de los mejores que se han escrito sobre el texto español.

— *The debt of the Spanish Libro de Alexandre to the French Roman d'Alexandre,* Princeton University Press, 1935.

Estudio del *Roman d'Alexandre* como fuente del *Libro de Alexandre*. Utilizando un método tan pormenorizado y riguroso como en otras ocasiones, Willis señala que el clérigo español toma la obra francesa tan sólo como base para añadir una serie de descripciones que embellecen la obra y completan su material narrativo. El trabajo ha sido reimpreso (Nueva York, Kraus Reprint Corporation) en 1965.

HANSSEN, Friedrich, «Las coplas 1788-1792 del *Libro de Alexandre*», *RFE,* II, 1915, págs. 21-30.

Artículo que establece la posibilidad de entroncar el fragmento de la obra citado en el título con la poesía tradicional. El *Alexandre* no es su punto de interés esencial. Le sirve como mero pretexto para intentar la reconstrucción de un poema tradicional hoy perdido, si no en sus exactas palabras, al menos en su contenido.

BERZUNZA, Julius, «A digression in the *Libro de Alexandre:* The story of the elephant», *Romanic Review,* XVIII, 1927, págs. 238-245.

Busca el autor las fuentes de este episodio en la literatura y la tradición anterior. Señala la procedencia de la leyenda de una tradición oral ampliamente difundida por toda la época medieval no sólo española, y cuyos orígenes encuentra ya antes de Aristóteles, primera referencia escrita que halla de la misma. La comparación con las versiones escritas de esta tradición le llevan a rechazar la procedencia directa del pasaje de ninguna de ellas.

CIROT, Georges, «La guerre de Troie dans le *Libro de Alexandre*», *BHi*, XXXIX, 1937, págs. 328-338.

> Comparación de los episodios de la guerra de Troya incluidos en el *Alexandre* y la *Ilias* latina, obra que le sirvió de fuente. Reconoce el autor la personalidad del clérigo español en sus traducciones y su capacidad de vitalizar un texto base usado como fuente.

MOLL, Ruth-Ingerborg, *Beiträge zu einer Kritische Ausgabe des altspanischen «Libro de Alexandre»*, Würzburg, Buchdruckerei Richard Mayr, 1938.

> Estudio textual del *Libro de Alexandre* y edición crítica de diferentes fragmentos de la obra.

LIDA DE MALKIEL, M.ª Rosa, «Alejandro en Jesuralem», *RPh*, X, 1957, págs. 185-196.

> Noticia de los autores que han utilizado el tema de Alejandro en Jesuralem en la historia de la literatura. Señala las fuentes empleadas por cada obra en los respectivos casos.

— «Notas para el texto del *Alexandre* y para las fuentes del *Fernán González*», *RFH*, VII, 1945, págs. 47-51.

> Corrección de una palabra (*Artús* en lugar de *Artes*) en el texto del *Libro de Alexandre* editado por Willis, y afirmación de la insuficiencia de pruebas que permitan admitir la *Continuatio hispana* como fuente del *Fernán González*, defendida por Marden.

ALARCOS LLORACH, Emilio, *Investigaciones sobre el Libro de Alexandre*, Madrid, CSIC *(RFE; Anejo XLV)*, 1948.

> Resumen, al que se añade una toma de postura personal, de los principales estudios publicados hasta el momento en que fue realizado este trabajo, sobre el *Libro de Alexandre*. Es completada esta labor con un análisis del fragmento concreto de nuestro texto que contiene la digresión sobre la guerra de Troya, digresión que, a su vez, es editada críticamente en su totalidad.

NELSON, Dana A., *Toward a Definitive Edition of El Libro de Alexandre*, Stanford, 1964.

> Se trata de la tesis doctoral de Dana A. Nelson en la que se plantea problemas textuales del *Alexandre*, y que no hemos podido consultar.

— «*El libro de Alexandre:* A Reorientation», *Studies in Philology*, LXV, 1968, págs. 723-752.

MILANI, Virgil I., «Evidence of an Alteration in the *Libro de Alexandre*», *Romance Notes*, X, 1969, págs. 413-416.

> Considera la estrofa 861, ausente en el manuscrito *O*, apócrifa y propone su eliminación del texto del *Alexandre.*

NELSON Dana A., «Editing the *Libro de Alixandre*», *La Corónica*, V, 1977, págs. 119-120.

> Trabajo citado en «Bibliography of Medieval Spanish Literature», de Oliver T. Meyers, *La Corónica*, VII, 2, 1979, págs. 135-141. La mención se halla en la página 140.

GIER, Albert, «Zum altspanischen *Libro de Alexandre*», *Zeitschrift für Romanische Philologie*, 97, 1-2, 1981, págs. 172-183.

> Estudio de, principalmente, variantes textuales del *Alexandre.*

ALARCOS LLORACH, Emilio, «*Libro de Alexandre:* Estrofas 2554-2566», *Archivum*, XXXIII, 1983, págs. 13-18.

> Reconstrucción, en réplica a la efectuada por Dana A. Nelson en su edición de nuestra obra, de las estrofas 2554-2566 del *Libro de Alexandre,* en las que se incluye la descripción de los meses del año, dentro de la digresión dedicada a la tienda de Alejandro.

MARCOS MARÍN, Francisco, «La confusión de las lenguas. Comentario filológico desde un fragmento del *Libro de Alexandre*», en *El comentario de textos, 4. La poesía medieval,* Madrid, Castalia (Literatura y Sociedad), 1983, págs. 149-184.

> Sobre la base de un comentario filológico dividido en cinco apartados (grafía y fonología; morfología; sintaxis; léxico y semántica; conclusión), realiza Marcos Marín la reconstrucción crítica de un fragmento del *Libro de Alexandre,* el que relata la confusión de las lenguas, incluido en las estrofas 1508-1512 de nuestra edición.

URÍA MAQUA, Isabel, «*De la nariz hereda. Libro de Alexandre*, c. 1875b», *Archivum*, XXXIV-XXXV, Oviedo, 1984-1985, págs. 377-383.

> Análisis del fragmento del *Alexandre* en el que se efectúa el retrato de Talestrix, reina de las amazonas. Se señala el influjo de la retórica en

esta parte de la obra. Se sugiere que la palabra *hereda* puede ser un error de lectura del copista de *O;* el lexema que figuraría en el original del *Alexandre* sería *erecta.*

FRAKER, Charles F., «Repetition Old and New. The *Libro de Alexandre*», en *Studies in Honor Summer M. Greenfield,* Lincoln, Nebraska, 1985, págs. 95-106.

> Según *La Corónica* (XV, 1, 1986, pág. 162), estudia fuentes del *Alexandre* en *La Eneida* de Virgilio, Gautier de Châtillon.

MARCOS MARÍN, Francisco, *Hacia una edición informatizada del Libro de Alexandre,* Madrid, Universidad Autónoma de Madrid, Cátedra de Lingüística General, Centro de Investigación UAM-IBM, 1986.

> Estudio de los problemas textuales que plantea el *Libro de Alexandre* y propuesta de soluciones con vistas puestas en la realización de una edición completa de la obra utilizando la informática como auxiliar básico. Se incluyen (págs. 15-20) como ejemplos fragmentos del *Alexandre* reconstruidos con ayuda del ordenador.

2.3.1.2. El autor

[BLANCO GARCÍA, Francisco] UN RELIGIOSO AGUSTINO (seud.), «Juan Lorenzo Segura y su poema de Alejandro», *La Ilustración Católica,* V, Madrid, 21 de mayo de 1882, págs. 330-333.

> Hace el autor una gran defensa de la literatura medieval española y del *Libro de Alexandre,* más por motivos religiosos que auténticamente literarios, en particular. Se muestra partidario de realizar la atribución de la obra a Juan Lorenzo de Astorga y da para probarlo dos indicios extraídos por él del *Libro* que, paradójicamente, no logran demostrar nada. Utiliza el método del comentario basado en la narración del contenido de la obra. Considera el *Poema de Alejandro,* como él lo denomina, «uno de los más preciosos monumentos de la literatura española en la Edad Media». El artículo tiene el interés de ser uno de los primeros que se escribieron sobre el *Alexandre.*

MACÍAS Y GARCÍA, Marcelo, *Discurso pronunciado en los juegos florales celebrados en Astorga el 30 de agosto de 1900 (...), seguido de un apéndice acerca de la patria del autor del «Poema de Alexandre» y un documento interesantísimo relativo a los Segura de Astorga,* Astorga-La Bañeza, Viuda e Hijo de López, 1900.

> Con estilo florido y ampuloso, Macías hace una defensa del *Libro de Alexandre,* al que considera una de las grandes joyas de la literatura me-

dieval española, y de, para él, su autor, Juan Lorenzo de Astorga. Presenta un documento para mostrar que este clérigo estaba vinculado a Astorga y probar que de ella era su procedencia.

— *Juan Lorenzo Segura y el Poema de Alexandre*, Orense, Imprenta La Popular, 1913.

Defensa de la atribución del *Libro de Alexandre* a Juan Lorenzo de Astorga. El autor parece tomar el problema como una cuestión de honor personal —quizá por ser él mismo de Astorga o ejercer un cargo importante en esta ciudad, y no querer renunciar a contar entre sus oriundos a un hijo tan ilustre como sería el autor del famoso *«Poema de Alexandre»*, al cual consiguió que la mencionada ciudad honrase dedicándole una de sus calles—, y se muestra muy «irritado» contra los adversarios de la paternidad de Juan Lorenzo y los que destacan algunos puntos que les parecen negativos (anacronismos sobre todo) dentro de «su» obra. Presenta una serie de pruebas que pretenden demostrar la veracidad de la noticia contenida en la estrofa 2511 del manuscrito *O*, aunque en absoluto logra su meta primordial. Curiosa es la respuesta ofrecida por Macías a los críticos que han señalado la existencia de anacronismos dentro de la obra: se contenta con contestarles que «semejantes anacronismos son comunes a todos los poemas de la Edad Media» (pág. 62). El trabajo peca de excesiva parcialidad: alaba a los críticos que le proporcionan pruebas para apoyar sus teorías y censura a los que van en contra de ellas sin proporcionar pruebas de valor auténtico para refutarles. Le sobra apasionamiento y le falta rigor científico.

CILLERO, R., «Sobre el *Libro de Alexandre*», *BRAE*, III, Madrid, 1916, págs. 308-314.

Más que un estudio, el artículo puede ser considerado como unas notas sobre el *Libro de Alexandre*. Es interesante la parte tercera del mismo, en la que el autor hace una crítica a las opiniones de Macías contrarias a la paternidad de Berceo sobre el *Alexandre*, afirmada por Baist.

DUTTON, Brian, «The profession of Gonzalo de Berceo and the Paris manuscript of the *Libro de Alexandre*», *BHS*, XXXVII, 1960, págs. 137-145.

La profesión de Gonzalo de Berceo es tratada de averiguar por Dutton a partir de la última estrofa existente en el manuscrito *P* del *Libro de Alexandre*. Aborda las relaciones entre Berceo y el *Alexandre*, y defiende la posibilidad de existencia entre ambos de alguna vinculación. Comprueba la veracidad de las noticias transmitidas por la última estrofa del *Alexandre P* sobre Berceo cotejándolas con las existentes en las diferentes obras de este autor. Esclarece el problema del nacimiento de

Berceo en Madrid, tal y como en *P* se afirma, problema que ya había sido explicado por Cillero en *BRAE*, III, págs. 308-314.

WARE, Niall J., «Gonzalo, Lorenço, Lorente: an *Alexandre* enigma», *BHS*, XLIV, 1967, págs. 41-43.

Replanteamiento del problema de autoría del *Libro de Alexandre*. Resumimos sus conclusiones en nuestra «Introducción».

DUTTON, Brian, «A Further Note on the *Alexandre* enigma», *BHS*, XLVIII, 1971, págs. 298-300.

MICHAEL, Ian, «The *Alexandre* Enigma: A Solution for Stanza 1548», *La Corónica*, VIII, 2, primavera de 1980, págs. 185-186.

Resume los problemas de autoría del *Alexandre*, y la postura de diversos críticos ante ellos, y la conclusión de Michael: una lectura correcta de la estrofa 1548 incluiría el nombre de Gautier de Châtillon en sus versos, no *Gonzalo*, no *Lorente*.

— «The *Alexandre* enigma: A Solution for stanza 1548», *La Corónica*, IX, 1, 1980, págs. 40-41.

Resumen de una conferencia pronunciada por Michael en el Encuentro de la Asociación de Hispanistas de Gran Bretaña e Irlanda en el año 1980, y del debate que se produjo entre diversos especialistas a continuación. Michael propone que las lecturas de *O, Gonzalo*, y *P, Lorente*, pudieron ser deformaciones, debidas a los copistas, del texto original en el que se leería *«Galterio»*, nombre del autor del *Alexandreis*. El trabajo fue publicado completo con posterioridad y su ficha la recogemos a continuación.

— «The *Alexandre* enigma: A Solution», en *Medieval and Renaissance Studies*, Oxford, 1986, págs. 109-121.

NELSON, Dana A., «Versificación, dialecto y paternidad del *Libro de Alixandre:* evitando el círculo vicioso», en *Actas del Sexto Congreso Internacional de Hispanistas*, Universidad de Toronto, 1980, págs. 510-513.

Resumiendo anteriores investigaciones suyas sobre el dialecto en el que fue escrito el *Alexandre*, Nelson concluye que Juan Lorenzo de Astorga no pudo ser su autor, dado que el original del *Libro* no fue escrito en leonés, sino el copista del manuscrito *O*. El autor real sería Berceo. Una síntesis de este trabajo puede encontrarse en *La Corónica*, VI, 1, 1977, pág. 56, realizada por Harold G. Jones en «VI.º Congreso de la Asociación Internacional de Hispanistas» (págs. 55-58).

ALARCOS LLORACH, Emilio, «¿Berceo, autor del *Alexandre?*», en *Actas de las III Jornadas de Estudios Berceanos,* ed. Claudio García Turza, Logroño, Diputación Provincial, 1981, págs. 11-18.

> Revisión de las diversas teorías que se han presentado para identificar al autor del *Alexandre,* prestando especial atención a las argumentaciones de Dana A. Nelson. Alarcos rebate al editor de nuestra obra y considera que no aporta pruebas suficientes para demostrar que Berceo fue el auténtico redactor del *Libro de Alexandre.* Las semejanzas entre los textos del autor riojano y nuestro *Libro* son debidas al uso común de técnicas de escuela.

TRIVIÑOS, Gilberto, «Vagar doma las cosas: sobre la edición crítica del *Libro de Alexandre», Thesaurus. Boletín del Instituto Caro y Cuervo,* XXXVIII, 3, Bogotá, 1983, págs. 564-592.

> Extensa reseña-artículo de la edición crítica de Dana A. Nelson del *Libro de Alexandre.* Su autor pasa revista al estado de los estudios sobre el *Alexandre* con el fin de extraer de ellos datos, y refutar opiniones contrarias, para apoyar la tesis de Nelson referente a la paternidad de Berceo sobre el *Libro.* Este mismo trabajo se publicó también en la *Nueva Revista de Filología Hispánica,* XXXII, 1, 1983, págs. 137-155.

WILLIS, Raymond S., «In Search of the Lost *Libro de Alexandre* and his Author (Review-Article)», *HR,* LI, 1, 1983, págs. 63-88.

> Artículo-reseña, muy laudatorio, de la edición de Dana A. Nelson del *Libro de Alexandre,* en el que se resumen y comentan los principales aspectos y problemas abordados por el editor en sus trabajos sobre la obra.

RICO, Francisco, «La Clerecía del Mester», *HR,* 53, 1, 1985, páginas 1-23.

> Traza el autor el perfil intelectual del escritor del Mester de Clerecía y, por supuesto, del creador del *Libro de Alexandre,* tal y como recogimos en nuestra «Introducción».

2.3.1.3. Fecha de composición

WARE, Niall J., «The date of composition of the *Libro de Alexandre:* a re-examination of stanza 1799», *BHS,* XLII, 1965, págs. 252-255.

> Replanteamiento del problema que plantea la datación del *Alexandre,* basándose en los datos insertos en la estrofa 1799. Resumimos sus conclusiones en el apartado correspondiente de la «Introducción».

Marcos Marín, Francisco, «La confusión de numerales latinos y románicos y la fecha del *Libro de Alexandre*», *Ínsula*, XLII, números 488-489, julio-agosto de 1987, pág. 20.

Reproducción del apartado «Observaciones sobre la fecha de composición» inserto en el «Ensayo crítico» que sirve de prólogo a la edición de Marcos del *Libro de Alexandre*, con leves adiciones (parte de las cuales proceden de otro apartado, «El Libro de Alexandre», de esa misma introducción) sobre la transmisión textual de nuestra obra. Se defiende una diferente lectura de los versos 1799cd del *Alexandre*, se efectúa un cálculo de las cifras en ellos contenidas y se proponen diversas posibilidades de interpretación para las mismas.

2.3.2. Análisis interno

2.3.2.1. Métrica, lenguaje y vocabulario

Cornú, Jules, «Études de Phonologie espagnole et portugaise», *Romania*, IX, París, 1880, págs. 71-98.

— «*Grey, Ley et Rey* disyllabes dans Berceo, l'*Apolonio* et l'*Alexandre*», págs. 71-89.

Aborda, entre otros aspectos, el autor un estudio de una serie de ejemplos, tomados de las obras de Berceo, del *Apolonio* y del *Alexandre*, que contienen las formas *grey, ley* y *rey* como disílabos, y quiere extraer, basándose en ellas, una serie de conclusiones lingüísticas sobre la procedencia de los antiguos plurales españoles *grèys, rèys, lèys,* para él los etimológicos procedentes de *greges, reges* y *leges.*

— «La troisième personne plur. du parfait en *–ioron* dans l'*Alexandre*», págs. 89-95.

En este apartado de su artículo —atribuido por Simón Díaz en el tomo III, 1, 1963, pág. 102, y tomo II, 1986, 3.ª ed., pág. 258, de su *Bibliografía de las literaturas hispánicas* a Baist y confundido el lugar de su publicación por *Romania*, XXXIII, 1904, págs. 89-95, lugar en el que se hallan, si bien no exactamente en esas páginas, artículos de Gedeon Hunt («La parabole des faux amis», págs. 87-91), A. Thomas («Encore l'auc, franç. gers.», págs. 91-92), A. Longnon («Estourmi de Bourges», págs. 93-94), y Louis Brandin («Un fragment de la vie de Saint Gilles en vers français», págs. 94-98), que forman el apartado «Melanges»—, se ocupa Cornú del estudio de los perfectos en *–ioron* en el *Alexandre.* Tras realizar un recuento de las veces que esta forma aparece en la obra, concluye, basándose en las rimas y otros testimonios, que el dialecto original del *Alexandre* no debió de ser uno de aquellos que distinguen los perfectos a la manera portuguesa, y se muestra partidario de, o, al menos, muy propicio, a aceptar que la lengua base de la obra es el castellano.

HANSSEN, F., «Los infinitivos leoneses del *Poema de Alejandro*», *BHi*, XII, 1910, págs. 135-39.

> Se proponen diversas enmiendas a las correcciones que M. Pidal hace al texto del *Alexandre* en el campo de las formas de infinitivo. No parece el autor mostrarse demasiado partidario de la tesis leonesa de don Ramón, o, al menos, adopta una postura de prudente reserva.

— «La elisión y la sinalefa en el *Libro de Alejandro*», *RFE*, III, 1916, págs. 345-356.

> Estudio, bastante exhaustivo, parece, del problema mencionado en el título. Aborda las relaciones y diferencias en este aspecto entre las obras de Berceo y el *Alexandre,* así como entre las *Cantigas* y nuestro libro.

KELLER, Julia, *Contribución al vocabulario del Poema de Alejandro*, Madrid, Tipografía de Archivos, 1932.

> Vocabulario, si bien incompleto, del Libro de *Alexandre,* extraído del manuscrito *P* publicado por Morel-Fatio.

ARNOLD, H. H., «Notes on the versification of *El Libro de Alexandre*», *Hispania*, XIX, 1936, págs. 245-254.

> Se plantea el articulista los problemas de medida que los versos del *Alexandre* pueden suscitar. Pasa revista a las irregularidades que en el mismo se encuentran. Aborda el estudio del problema de los octosílabos, cuya existencia fue defendida por Lang.

HENRÍQUEZ UREÑA, Pedro, «La cuaderna vía», *RFH*, VII, 1945, págs. 45-47.

> Crítica a la teoría de Arnold sobre la regularidad métrica del *Apolonio* y el *Alexandre.* Para Henríquez Ureña las irregularidades métricas no se deben a la mano de los copistas, sino a la de los autores de las obras, que no alcanzaban la perfección por ellos ansiada.

WARE, Niall, J., «The testimony of classical names in support of metrical regularity in the *Libro de Alexandre*», *HR*, XXXV, 1953, páginas 211-16.

Estudio de los nombres propios en relación con los problemas métricos que plantea el *Libro de Alexandre*. Defiende Ware que, salvo en dos ocasiones, el autor del *Alexandre* mantiene la acentuación del latín clásico en la transcripción de los nombres propios, afirmación que prueba con numerosos ejemplos extraídos de la obra.

MICHAEL, Ian, «A Comparison of the Use of Epic Epithets in the *Poema de Mio Cid* and the *Libro de Alexandre*», *BHS*, XXXVIII, 1, enero de 1961, págs. 32-41.

Estudio comparativo de la utilización de los epítetos épicos en el *Cid* y el *Alexandre*. Michael llega a la conclusión de que existe una divergencia fundamental entre ambas obras en la utilización de este recurso. En el *Cantar* tienen los epítetos mucha mayor funcionalidad, debido, tal vez, a que su composición se realizó con miras puestas en el recitado público, caso en el que no se encontraría el *Libro de Alexandre*.

MILANI, Virgil I, «*Lydones* in the *Libro de Alexandre*», *Romance Notes*, VIII, 1966, págs. 133-136.

Estudio de la etimología de la palabra *lydones*, derivada, según Milani, de *lidiar*..

LATHAN, J. Derek, «*Infierno, mal lugar:* an Arabicism?», *BHS*, XLV, 1968, págs. 177-180.

Investigación sobre el origen de la construcción «*mal lugar*» referida a «*infierno*» que aparece frecuentemente en las obras del Mester de Clerecía. El autor aporta pruebas para sospechar que la procedencia de la misma puede encontrarse en la lengua árabe.

STELZMANN, Rainulf A., «A Critical Note on *leones... lydones* in the *Libro de Alexandre*», *Romance Notes*, XI, 1969, págs. 186-189.

Investigación sobre la etimología de la palabra *lydones* incluida en la estrofa 861 del *Alexandre*, y, procedente, según el autor, de *lydus*.

GOROG, Ralph de, «La sinonimia en Berceo y el vocabulario del *Libro de Alexandre*», *HR*, XXXVIII, 4, octubre de 1970, págs. 353-367.

Estudio comparativo del uso de la sinonimia en las obras de Berceo y en el *Libro de Alexandre*, que lleva a su autor a concluir que esta última producción no pudo ser obra del escritor riojano dadas las considerables diferencias observables en el uso concreto del mencionado recurso.

NELSON, Dana A., «The Domain of the Old Spanish *-er* and *-ir* verbs: A Clue to the Provenience of the *Alexandre*», *Romance Philology*, XXVI, 2, 1972, págs. 265-305.

> Del estudio de las terminaciones verbales *-er* e *-ir* en el *Alexandre* concluye Nelson que ni el leonés ni el castellano fueron los dialectos en los que se redactó el original de nuestro texto, sino un dialecto con muchos rasgos en común con el aragonés, de influjo aragonés. Sus conclusiones, no obstante, al estar basadas en un único rasgo aislado, no pueden ser admitidas en su totalidad.

— «Syncopation in *El Libro de Alexandre*», *PMLA (Publications of the Modern Language Association of America)*, 87, 1972, páginas 1023-1038.

SAS, Louis F., *«"No vale una paja"* y expresiones de este tipo en el *Libro de Alexandre*», en *Estudios filológicos y lingüísticos. Homenaje a A. Rosemblat*, Caracas, 1974, págs. 469-477.

NELSON, Dana A., «In Quest of the Select Lexical Base Common to Berceo and the *Alexandre*», *Kentucky Romance Quarterly*, 22, 1975, págs. 33-59.

— «Generic vs. Individual Style: The Presence of Berceo in the *Alexandre*», *Romance Philology*, XXIX, 2, noviembre de 1975, páginas 143-184.

> Estudio comparativo de la utilización que se hace del estilo formulario en las obras de Berceo y el *Libro de Alexandre*. Nelson identifica fórmulas (de autoridad, de modestia...) coincidentes en todos esos textos, si bien más perfectamente empleadas en las producciones berceanas que en el *Alexandre*. Debido a ello, concluye que el *Libro* no es sino obra de juventud de Gonzalo de Berceo.

— «A Re-examination of Synonymy in Berceo and the *Alexandre*», *HR*, 43, 4, otoño de 1975, págs. 351-369.

> Respuesta al trabajo de Gorog sobre la sinonimia en Berceo y el *Alexandre*. Nelson ve semejanzas notables entre los textos del riojano y nuestro *Libro*. Las diferencias son explicables por la distinción existente entre las materias tratadas en cada caso. Berceo, concluye, sí pudo ser el autor del *Alexandre*.

— «Lexical Gleanings in Berceo and the *Alexandre*», *Kentucky Romance Quarterly*, 1975.

> Citado en *La Corónica*, III, 2, 1975, pág. 46.

SAS, Louis F., *Vocabulario del Libro de Alexandre*, Madrid, Anejo XXXIV del *BRAE*, 1976.

Obra importante que elimina una laguna hasta hace poco existente en los estudios dedicados a nuestro *Libro* y que, sin lugar a dudas, contribuye a proporcionar un mejor conocimiento del léxico medieval español. Con el auxilio de una computadora se ha conseguido inventariar, con sus respectivas acepciones, todo el vocabulario de los dos manuscritos, *P*, que es la base, y *O*, del *Alexandre*.

NELSON, Dana A., «"Nunca devriés nacer": Clave de la creatividad de Berceo», BRAE, LVI, CCVII, enero-abril de 1976, págs. 23-82.

Basándose en el estudio de las semejanzas existentes entre las obras piadosas de Berceo y el Libro de *Alexandre* en la utilización de fórmulas y estereotipos verbales, conceptuales y rítmicos, concluye que el riojano es el autor de la biografía literaria de Alejandro Magno. El *Libro* sería composición de juventud de Berceo, que evolucionaría en su estilo a lo largo de su vida hasta alcanzar una mayor perfección en sus obras piadosas conservadas. De ahí las diferencias entre éstas y el *Alexandre*.

GILBERT BISHOP, Sarah, *The Leonese Features in the Madrid Manuscript of the Libro de Alexandre*, Ohio State University, USA, 1977.

Tesis doctoral dirigida por David A. Griffin, citada en *La Corónica*, VI, 1, 1977, pág. 27, y publicada, según la misma revista (VII, 2, 1979, pág. 140), en *DAI (Dissertation Abstract International)*, 38, Ann Arbor, Michigan, 1977, 758a.

ECHENIQUE ELIZONDO, M.ª Teresa, «Relaciones entre Berceo y el *Libro de Alexandre:* El empleo de los pronombres átonos de la tercera persona», *Cuadernos de Investigación Filológica*, IV, Logroño, 1978, págs. 123-159.

GOLDBERG, Harriet, «The Voice of the Author in the Works of Gonzalo de Berceo and in the *Libro de Alexandre* and the *Poema de Fernán González*», *La Corónica*, 8, 2, primavera de 1980, páginas 100-112.

Realiza un estudio comparativo de las intervenciones directas del autor en varias obras de Berceo, en el *Alexandre* y en el *Fernán González*, buscando semejanzas y diferencias. Las disimilitudes que detecta entre los textos del riojano y nuestro *Libro* le llevan a concluir que Berceo no es, no hay pruebas de ello, el autor del *Libro de Alexandre*.

GARCÍA, Michel, «La strophe de «cuaderna vía» comme élément de structuration du discours», *Cahiers de linguistique hispanique médiéva-*

114

le, publiés par le Séminaire d'Études Médiévales Hispaniques de l'Université de Paris-XIII avec le concours du Centre National de la Recherche Scientifique, 7bis, 1982, págs. 205-219.

> Habla de los sistemas de puntuación usados en los manuscritos medievales. Comenta la estrofa 2 del *Alexandre* y trata de la cuaderna vía como estrofa.

HOMER, Herriott J., «Word list of the *Libro de Alexandre*» (investigación inédita del Seminario de Estudios Medievales Españoles de la Universidad de Wisconsin, Madison).

HERNÁNDEZ GONZÁLEZ, C., «Los nombres propios en el *Libro de Alexandre*».

> Comunicación anunciada, aunque no llegó a presentarse, en el *Primer Congreso Internacional de Historia de la Lengua Española* (Cáceres, 30 de marzo-4 de abril de 1987).

2.3.2.2. Interpretación

PISTOLESI BAUDANA VACCOLINI, Lucilla, «Del posto che spetta il *Libro de Alexandro* nella storia della letteratura spagnuola», *Revue des langues romanes*, XLVI, 1903, págs. 255-281.

> El artículo, según los temas tratados, puede dividirse en tres partes: 1) resumen —excesivamente extenso— de los trabajos anteriormente publicados; 2) investigaciones sobre el carácter auténtico del *Libro de Alexandre;* 3) valoración de la obra. Dejando el primero de ellos, en el segundo punto concluye la autora que el *Alexandre* posee un carácter eminentemente didáctico, un carácter que prevalece siempre sobre la narración, que resta importancia al relato. Para probar esta afirmación, la articulista se limita a hacer una estadística de las interpolaciones existentes en la obra y a comprobar su carácter con más o menos profundidad. No se basa en absoluto en citas extraídas del *Alexandre.* Se contenta con hacer una elaboración conceptual a partir de unos datos estadísticos que, por sí mismos, en absoluto consiguen el objetivo pretendido: la demostración de una tesis. Encuadra con posterioridad el *Libro* en la literatura didáctica medieval. En el tercer punto hace una valoración muy positiva de la obra, a la que considera en algunos puntos (bajada al Océano...) en la misma línea de creación, *mutatis mutandis,* representada por Verne en el siglo XIX.

MENÉNDEZ PIDAL, Ramón, *«El libro de Alixandre», Cultura Española,* VI, Madrid, 1907, págs. 545-552.

115

Se publicó una tirada aparte de este trabajo en Madrid, Imprenta Ibérica, s. a.

LIDA DE MALKIEL, M.ª Rosa, *La idea de la fama en la Edad Media castellana*, México, FCE, 1952, 1.ª ed.

Análisis de la idea de la fama en las letras clásicas y en la Edad Media, primero fuera de España, luego en la propia literatura peninsular. Especialmente nos interesan las páginas 167-197, dedicadas al *Libro de Alexandre*, por vez primera estudiado en cuestiones internas en profundidad, detalladamente. Señala la importancia fundamental de la obra para la idea de la fama en la España medieval. Analiza las partes del relato en las que se manifiesta esta temática y las compara con los pasajes correspondientes insertados en el *Alexandreis* de Châtillon. Efectúa una interpretación general de las últimas partes del *Libro*, en las que considera que prevalece en el autor la actitud de admiración hacia su héroe.

WILLIS, Raymond S., *«Mester de Clerecía: a definition of the Libro de Alexandre»*, *RPh*, X, 1956-1957, págs. 212-224.

Comentario detallado de la estrofa 2 del *Libro de Alexandre*, a partir de la cual el autor presenta las características fundamentales que definen el Mester de Clerecía. En la parte última del trabajo, Willis realiza una serie de incursiones en la interpretación más profunda de nuestro *Libro*. Lo considera un auténtico monumento a la erudición, se preocupa del desenlace final de la obra, con el cual el autor, según él, ensalza a Alejandro y perdona su pecado de soberbia. Investiga el problema del significado general que nuestro texto —especie, según Willis, de *speculum principum* dedicado a Fernando III o a Alfonso X el Sabio— posee. El artículo es importante no sólo para el estudio del *Libro de Alexandre*, sino del Mester de Clerecía en general. Una selección, traducida, de este trabajo se puede consultar en Alan Deyermond, *La Edad Media*, tomo I de la *Historia y crítica de la Literatura Española* dirigida por Francisco Rico, Barcelona, Crítica, 1979, págs. 141-145.

MICHAEL, Ian, «Interpretation of the *Libro de Alexandre:* The Author's Attitude towards his hero's death», *BHS*, XXXVII, 1960, páginas 205-214.

Hace Michael en su artículo una interpretación de, aproximadamente, las cuatrocientas últimas estrofas, como él mismo nos indica, del *Libro de Alexandre*. Comenta, bastante detenidamente, los episodios incluidos en ellas, y llega a concluir, contrariamente a Willis y M.ª Rosa Lida, que el autor reprueba la conducta de Alejandro antes de dar a entender que sus faltas habían sido ya purgadas en el momento de su muerte. Su interpretación puede ser o no discutible, pero el trabajo resulta un intento de abordar cuestiones más internas a las habitualmente tratadas por los estudiosos del *Alexandre*.

— *The treatment of Classical Material in the Libro de Alexandre*, Manchester University Press, 1970.

Estudio de las transformaciones efectuadas por el autor del *Alexandre* sobre las fuentes que utilizó para redactar su obra. Defiende Michael que el escritor español ha sometido a un proceso total de medievalización la figura del héroe, y en general el conjunto del relato. Rechaza la denominación de «anacronismo» para los aspectos, abundantes a todas luces, que extraen al protagonista, Alejandro, de su época histórica y lo sitúan en el momento en que el *Libro* vio la luz. Considera que las causas de tal medievalización hay que encontrarlas en un intento de acercamiento del autor a los posibles lectores de su obra: mediante ella la enseñanza y la moralización —aspectos muy bien escindidos por Michael— llegarían con mayor facilidad a dichos lectores. La última parte del libro está dedicada al análisis estructural del *Alexandre*. Se incluyen como complemento tres apéndices —en los que se insertan una división del *Alexandre* por episodios y una serie de estadísticas sobre la obra— y una bibliografía, la más completa de las realizadas hasta el momento de su publicación. El trabajo es, en suma, uno de los estudios más importantes que sobre el *Libro de Alexandre* han visto la luz.

— «A parallel between Chrétien's *Erec* and the *Libro de Alexandre*», *Modern Language Review*, 62, 1967, págs. 620-628.

BLY, P. A., y DEYERMOND, A. D., «The use of the Figura in the *Libro de Alexandre*», *Journal of Medieval and Renaissance Studies*, 2, 1972, págs. 151-181.

Estudio del procedimiento de las «figuras», tomado de la exégesis bíblica, en el *Libro de Alexandre*. Los autores demuestran «cómo en algunos aspectos los personajes y materias del relato pueden considerarse prefiguraciones de lo que vendrá después», según indica Juan Manuel Cacho Blecua en su trabajo «La tienda en el *Libro de Alexandre*»[17].

CAÑAS MURILLO, Jesús, *Composición e invención en el Libro de Alexandre*, memoria de licenciatura presentada en la Universidad Autónoma de Madrid, el día 16 de noviembre de 1973, y dirigida por el doctor don Juan Manuel Rozas López. [Inédita.]

GIMENO CASALDUERO, Joaquín, «Un nuevo estudio sobre el *Libro de Alexandre. (The Treatment of Classical Material in the «Libro de Alexandre»*), *RPh*, XXVIII, 1974, págs. 76-91.

MICHAEL, Ian, *Alexander's Flying Machine: The History of a Legend*, Southampton, University of Southampton, 1974, 25 págs. + 12 plates.

---

[17] *Actas del Congreso Internacional sobre la lengua y la literatura en tiempos de Alfonso X*, Murcia, 1984 (edición de 1985), págs. 109-134. No hemos podido consultar el trabajo de Bly y Deyermond, de ahí la referencia indirecta.

WILLIS, Raymond S., «The artistry and enigmas of the *Libro de Ale-xandre:* A Review-Article», *HR*, XLII, 1, invierno de 1974, páginas 33-42.

    Artículo-reseña del Libro de Ian Michael *The Treatment of Classical Material in the «Libro de Alexandre»,* en el que se resumen y comentan los diferentes capítulos de esa investigación.

SUCH, Peter T., *The Origins and the Use of Rhetoric in the Libro de Alexandre,* Cambridge University (Cains), England, Begun, 1975.

    Tesis doctoral dirigida por C. C. Smith y mencionada en *La Corónica,* VI, 1, 1977, pág. 36.

ÁLVAREZ, Nicolás, «El recibimiento y la tienda de Don Amor en el *Libro de buen amor* a la luz del *Libro de Alexandre»,* *BHS,* LII, 1976, págs. 1 y ss.

    Estudia el episodio de la tienda de don Amor como parodia de la descripción de la tienda de Alejandro inserta en el *Libro de Alexandre.*

LUGONES, Néstor A., «El ave fénix en el *Libro de Alexandre»,* *RABM,* 79, 1976, págs. 581-586.

WILLIAMSON, J. R., «Darius and the Spring Landscape», *Neophilologus,* LXI, Amsterdam, 1977, págs. 534-540.

FRADEJAS, José, «Interrelaciones entre el *"Locus amoenus"* de Berceo y el *Alexandre».* *Berceo,* 94-95, 1978, págs. 85-87.

SUCH, Peter, *The Origin and Use of School Rhetoric in the Libro de Alexandre,* Cambridge, 1978.

    Tesis doctoral inédita.

RICO, Francisco, *«Sylvae* (XI-XIV)», *RPh,* XXXIII, 1, 1979, páginas 143-147.

    Comentario de la estrofa 2 del *Alexandre* con vistas puestas en los caracteres generales del Mester de Clerecía. Sugiere que *«cuaderna vía»* puede no referirse sólo a la estrofa, sino también, como dijo Willis, al *quadrivium,* y defiende que *«sen pecado»* hace alusión a la métrica, a la usencia de defectos en la construcción de los versos.

NELSON, Dana A., *Libro de Alexandre.*

    Trabajo presentado en «The 1981 Kalamazoo Congress: Session Abstracts» y resumido por Marilyn Olsen en *La Corónica,* IX, 1, 1980, págs. 83-84.

Liria, Pilar, «El *Libro de Alexandre* and the Painting in S. Isidoro de León», *La Corónica*, X, 1, 1981, pág. 83.

Trabajo resumido por Kathleen Kish en su reseña de «The Thirty-Fouth Annual Kentucky Foreign Language Conference» *(La Corónica*, X, 1, 1981, págs. 82-85), constituye una comparación de la descripción de los meses del año inserta en el *Libro de Alexandre* y la que se encuentra en los frescos de San Isidoro de León. Concluye su autora que no existe relación entre ambos. Los dos autores, el del *Alexandre* y el pintor de San Isidoro de León, pudieron basarse en ideas que se transmitían a través del camino de Santiago.

Cacho, M. T., *«Retórico so fino.* Sobre los tópicos en el *Libro de Alexandre»*, en *Homenaje a Don José M.ª Lacarra de Miguel en su jubilación del profesorado, Miscelánea,* V, Zaragoza, Anubar, 1982, páginas 133-151.

Salomon, Michael- Temprano, Juan Carlos, «Modos de percepción histórica en el *Libro de Alexandre», INTI. Revista de Literatura histórica*, núm. 15, Providence, 1982, págs. 2-24.

Citado en *La Corónica* (XIII, 2, 1985, pág. 294), constituye un estudio del tratamiento de la historia y del problema del anacronismo en el *Libro de Alexandre.*

Greenia, George D., «Medieval Narrator as Schoolmaster: the *Libro de Alexandre»*, *La Corónica*, XII, 1, 1983, págs. 141-142.

Constituye un resumen del trabajo presentado en la «Ninth Annual Conference of the Southeastern Medieval Association» por su autor. En él se afirma que las transformaciones hechas por el autor del *Alexandre* sobre su fuente base, el *Alexandreis* de Châtillon, han sido realizadas utilizando el método de un profesor que enseña a sus alumnos en clase. De ahí el carácter de las intervenciones del narrador en la obra, intervenciones que contribuyen a proporcionar unidad a la gran cantidad de fuentes manejadas.

Scordilis Brownlee, Marina, «Pagan and Christian: The Bivalent Hero of *El libro de Alexandre»*, *Kentucky Roman Quarterly*, 30, 3, 1983, págs. 263-270.

Según Oliver T. Myers en su «Bibliography of Medieval Spanish Literature» *(La Corónica*, XIII, 2, 1985, págs. 284-300), se aborda en este estudio el tratamiento del héroe, las relaciones con el paganismo y la cristianización (págs. 293).

Cacho Blecua, Juan Manuel, «La tienda en el *Libro de Alexandre»*, en *Actas del Congreso Internacional sobre la lengua y la literatura en tiempos de Alfonso X*, Murcia, Universidad, 1984 (edición de 1985), páginas 109-134.

Estudio, excelente, a la luz de la poética medieval, del episodio de la tienda de Alejandro, situado en las estrofas 2539-2600. Blecua demuestra que el autor ha utilizado con gran maestría todos los recursos que le brindaba la retórica hasta convertir la digresión en un microcosmos poético, estético, retórico, ideológico y vital de la trayectoria del héroe, perfectamente integrado desde un punto de vista estructural en el conjunto, anticipador de la caída y muerte del protagonista.

DENIA, George D., «The Deployment of Direct Discourse in *Alexandreis* and the *Libro de Alexandre*».

Ponencia presentada en «The 19th International Congress of Medieval Studies» (Western Michigan University, Kalamazoo, Michigan, May 10-13, 1984) y mencionada en *La Corónica*, XII, 2, 1984, página 320.

GÓMEZ MORENO, Ángel, «Notas al prólogo del *Libro de Alexandre*». *Revista de Literatura*, XLVI, 92, 1984, págs. 117-127.

Estudio de la segunda estrofa del *Libro de Alexandre* como prólogo tópico de la obra, creado sobre modelos franceses anteriores y de la época, en el que se señalan caracteres típicos de la escuela clerical.

KELLEY, Mary Jane, «The narrative structure of the *Libro de Alixandre*», *Dissertation Abstracts International*, 45, 5, 1984.

Citado en *La Corónica*, XIV, 2, 1986, pág. 335.

CACHO BLECUA, Juan Manuel, «Lactancia y comportamiento (del *Libro de Alexandre* a D. Juan Manuel)».

Comunicación presentada en el I Congreso de la Asociación Hispánica de Literatura Medieval (Santiago de Compostela, 2-6 de diciembre de 1985).

GARGANO, Antonio, «Entre el exceso y la falta de proeza: acerca de un episodio del *Libro de Alexandre*».

Comunicación presentada en el I Congreso de la Asociación Hispánica de Literatura Medieval (Santiago de Compostela, 2-6 de diciembre de 1985).

CATENA, Elena, «El episodio de la Reina de las Amazonas en el *Libro de Alexandre»*; en *Teoría del Discurso Poético,* Toulouse, Universidad, 1986, págs. 221-226.

GREENIA, George D., «Los discursos directos en el *Libro de Alixandre»,* en *Actas del VIII Congreso Internacional de Hispanistas,* Madrid, Istmo, I, 1986, págs. 653-660

KELLEY, Mary Jane, «Simultaneity in the *Libro de Alexandre's* Battle Scenes», *Romance Notes,* XXVI, 1986, págs. 273-278.

FRAKER, Charles F., «Aetiología in the *Libro de Alexandre»,* HR, 55, 1987, págs. 277-299.

> Demuestra Fraker la preocupación que siente el autor del *Alexandre* por proporcionar a su creación claridad expositiva y racionalidad, objetivo que alcanza mediante el uso de la «etiología», de la explicación de causas de sucesos o comportamientos, objetivo que se traduce generalmente en ampliaciones sobre el texto base que se hallaba manejando.

MARCOS MARÍN, Francisco, «El *Libro de Alexandre:* Notas a partir de la primera edición unificada por ordenador». Ponencia presentada en el I Congreso Internacional de Historia de la Lengua Española, celebrado en Cáceres, del 30 de marzo al 4 de abril de 1987. (En prensa en las *Actas.)*

> Resumen general de los diferentes problemas que se han investigado en torno al *Libro de Alexandre* (fecha de composición, manuscritos y texto, tratamiento del protagonista) y de la metodología seguida para la elaboración de una edición informatizada de la obra.

GARCÍA LÓPEZ, Jorge, «El *Libro de Alexandre* en la cuaderna vía».

> Comunicación, anunciada, para el II Congreso Internacional de Literatura Medieval, organizado por la Asociación Hispánica de Literatura Medieval en Segovia, los días 5 a 9 de octubre de 1987.

2.3.2.3. Influjo en la literatura posterior

G. SOLALINDE, Antonio, «El juicio de Paris en el *Alexandre* y en la *General Estoria»,* RFE, XV, 1928, págs. 1-51.

> Artículo de consulta necesaria para comprobar las relaciones entre el *Libro de Alexandre* y la *General Estoria* de Alfonso el Sabio. Utiliza el autor un método totalmente adecuado para conseguir los fines que pretende con su estudio. Sus conclusiones parecen totalmente válidas.

GIFFORD DAVIS, «The debt of the *Poema de Alfonso Onceno* to the *Libro de Alexandre»,* HR, XV, 4, 1947, págs. 436-452.

Demuestra el autor la relación existente entre el *Alexandre* y el *Poema de Alfonso Onceno* en diversos pasajes. Toma su comprobación como una prueba de la popularidad que nuestra obra alcanzó a lo largo del siglo XIV. Es una buena muestra de la pervivencia del *Alexandre* en la creación literaria posterior.

2.3.2.4. La leyenda de Alejandro

GARCÍA GÓMEZ, Emilio, *Un texto árabe occidental de la leyenda de Alejandro, según el manuscrito ar. XXVII de la Biblioteca de la Junta para la ampliación de Estudios,* Madrid, Instituto de Valencia de don Juan, 1929.

Publicación de un texto árabe sobre la leyenda de Alejandro precedida de un estudio sobre la evolución de la leyenda en el Islam. Considera a España un lugar importante para el desarrollo de la leyenda, debido a su característica de reunir diversas culturas en una misma época.

BENEYTO, Juan, «Una versión en prosa castellana de la leyenda de Alejandro Magno», *Ínsula*, 37, 15 de enero de 1949, pág. 2.

Da la noticia Beneyto en este artículo —citado de modo imcompleto por Simón Díaz en su *Bibliografía de las literaturas hispánicas* (tomo III, 1, 1963)— de la existencia de un texto prosificado sobre la leyenda de Alejandro en los siete capítulos últimos de la *Glosa castellana al Regimiento de príncipes de Egidio Romano,* atribuida a fray Juan García de Castrojeriz. Señala la no correspondencia de esta versión con la incluida en el *Alexandre,* a pesar de tratar muchos temas en común.

CARY, George, *The Medieval Alexander,* edited by D. J. A. Ross, Cambridge, 1956 (reimpreso en 1967).

Estudio de la leyenda de Alejandro Magno en la Edad Media europea (fuentes, difusión, textos que la recogen...).

LIDA DE MALKIEL, M.ª Rosa, «La leyenda de Alejandro en la literatura medieval *(The Medieval Alexander,* by Georges Cary, ed. D. J. A. Ross), *RPh,* XV, 1961-1962, págs. 311-318.

Reseña el libro de Cary, *The medieval Alexander.* Resume la autora las tesis fundamentales de Cary y alaba, pese a algunos reparos que señala, ampliamente la labor realizada por el joven y prontamente fallecido investigador. Se lamenta de que dicho investigador no se haya ocupado de las obras medievales españolas que abordan el tema de Alejandro, y para suplir el hueco hace ella misma un inventario que es dado a conocer en las páginas 412-423 del mismo número de esta revista.

— «Datos para la leyenda de Alejandro en la Edad Media Castellana», *RPh*, XV, 1961-1962, págs. 413-423.

> Artículo de erudición, recoge la relación de las obras literarias medievales, de los siglos XIII al XV, hasta *La Celestina*, en las que se pueden rastrear citas e influencias del *Alexandre* o en las que se hallan recuerdos de la figura del héroe.

RUBIO, Fernando, «Un texto castellano occidental de la leyenda de Alejandro Magno», *La ciudad de Dios*, CLXXVIII, 1965, páginas 311-336.

> Noticia y publicación de un texto manuscrito existente en la Biblioteca de El Escorial sobre la vida de Alejandro Magno.

— «Las leyendas sobre Alejandro Magno en la *General Estoria* de Alfonso el Sabio», La Ciudad de Dios, CLXXIX, 1966, páginas 431-462.

> Estudio de las fuentes que sirven de base a la *General Estoria* para la redacción de los capítulos dedicados a Alejandro Magno en la parte IV de la obra. Resume en la primera parte del artículo los orígenes de la leyenda de Alejandro, su plasmación en la obra alfonsí y compara diversas posibles fuentes (seudo Calístenes...) con la versión de la *Estoria*, concluyendo que ninguna de ellas fue utilizada por Alfonso el Sabio. Señala como posible fuente de la obra la *Gesta Alexandri Magni imperatoris*, contenida en el Códice 9783 de la Biblioteca Nacional de Madrid. Coteja ambas obras y llega a la conclusión de que, dadas las grandes coincidencias, una podría ser traducción de otra, o ambas proceder de un texto árabe común, solución ésta que le parece la más posible. Entre las páginas 450-452 se ocupa de las relaciones entre el *Alexandre* y la *General Estoria*. Con demasiada rapidez las examina, y concluye que entre ambas creaciones no existe ningún tipo de relación, en contra de lo demostrado con anterioridad por los más detenidos y documentados estudios de Solalinde *(RFE,* XV, 1928, págs. 1-51), que este investigador no tiene en cuenta.

GONZÁLEZ VELA, Leonor, *El Libre de Alexandre: versión catalana medieval*, Universidad Autónoma de Barcelona, 1975.

> Tesis doctoral dirigida por Martín de Riquer y citada en *La Corónica*, VI, 1, 1977, pág. 36.

SHARRER, H. L., «Evidence of a Fifteenth-Century *Libro del infante don Pedro de Portugal* and ist Relationship of the Alexander Cycle», *Journal of Hispanic Philology,* 1977, 1, págs. 85-98.

Vetterling, Mary Anne, «Juan Ruiz's version of Alexander the Great», *La Corónica*, VII, 1, 1978, págs. 23-28.

> Estudio del *Libro de Alexandre* como fuente del *Libro de Buen Amor* en episodios tales como los de las serranas y, sobre todo, Don Carnal y Doña Cuaresma.

Sherman Severin, D., y Sharrer, H.L. «Fifteenth-Century Spanish Fragment of a Lost Prose Alexander», *Medium Aevum*, XLVIII, 2, Oxford, 1979, págs. 205-212.

Bunt, G. H. V., «Alexander and the Universal Chronicle: Scholars and Translators», en *The Medieval Alexander Legend and Romance Epic. Essays in Honor of David J. A. Ross,* edited by Peter Noble, Lucia Polax and Claeve Isoz, Nueva York, Kraus, 1982, págs. 1-10.

> Estudio del *Speculum Historiale* de Vicente de Beauvois como medio de difusión de la leyenda de Alejandro Magno en la Edad Media europea.

Michael, Ian, «Typological Problems in Medieval Alexander Literature: The Enclosure of Gog and Magog», en *The Medieval Alexander Legend and Romance Epic. Essays in Honor of David J. A. Ross,* edited by Peter Noble, Lucia Polak and Claeve Isoz, Nueva York, Kraus, 1982, págs. 131-147.

> Análisis de la aparición de la leyenda de Gog y Magog en los diferentes textos medievales europeos que recogen la biografía literaria de Alejandro Magno. Al *Libro de Alexandre* le dedica las páginas 138-140.

Cañas Murillo, Jesús, «Un nuevo dato sobre la leyenda de Alejandro Magno en España: el manuscrito 3897 de la Biblioteca Nacional de Madrid», *Anuario de Estudios Filológicos*, VII, Cáceres, UNEX, 1984, págs. 57-60.

> Descripción y resumen del manuscrito del Siglo de Oro que contiene la *Vida de Alejandro Magno en octavas rimas,* de Andrés de Cepeda y Lira.

2.3.2.5. Otros problemas

Fradejas Lebrero, José, «Tres notas literarias», *Revista de Literatura*, XII, 1957, págs. 110-114.

> Nota que se ocupa de la explicación de una frase incluida en una estrofa del *Alexandre*.

Ross, David J. A., *Alexander Historiatus: A guide to medieval illustrated Alexander Literature*, Londres, 1963.

— «Alexander iconography in Spain: *El libro de Alexandre*», *Scriptorium*, XXI, 1967, págs. 83-86.

> Noticia y comentario a las representaciones pictóricas que se hallan en el manuscrito *O* del *Libro de Alexandre*. Afirma el autor que dichas representaciones pictóricas se basan y refieren a sucesos narrados en el texto. Contiene el artículo imprecisiones en la noticia preliminar sobre la transmisión de nuestra obra, al señalar que del *Libro de Alexandre* sólo conocemos dos manuscritos y *un* fragmento: el recogido por Gamés.

Libro de Alexandre

Señores, si queredes   mi serviçio prender,   1
querríavos de grado   servir de mi mester;
deve de lo que sabe   omne largo seer,
si non, podrié en culpa e en riebto caer.

---

1 El grave problema de iniciar la composición de una obra literaria fue, en parte, solucionado en la época medieval —y en ello coincide ésta con muchos otros momentos de la historia— mediante la utilización de una serie de fórmulas preestablecidas —en origen procedentes de la retórica, pero trasvasadas a la creación literaria ya en la antigüedad (Virgilio, *Geórgicas...*)—, que tenían como función esencial realizar la exposición general de los motivos que impulsaron al autor a abordar la redacción de la misma. Los versos c y d de esta estrofa encierran una de las variantes más vulgarizadas de tales clichés —variante ya empleada con anterioridad, entre otros, por Teognis y Séneca, y deducible de diversos pasajes de la *Biblia (Proverbios, Evangelio* de San Mateo...)—: la afirmación de que la posesión de conocimientos sobre una materia obliga al autor a su divulgación. La inclusión de tales formulismos no conlleva necesariamente la deducción de que existe una falta de autenticidad en los autores respectivos, ni autoriza a suponer que nos hallamos ante un puro tópico vacío de significación real: el cliché en sí es un *topos,* un lugar común, una fórmula procedente de la tradición anterior; pero puede llenarse de contenido desde el momento en que existe la posibilidad de que el autor se esté sirviendo de él para exponer su propio pensamiento sobre la cuestión. Lo que en sí es una pura fórmula se puede convertir con ello en vehículo para la exposición de una idea personal. El peligro de caer en inautenticidad se puede ver así soslayado. (Sobre la cuestión de los tópicos utilizados para iniciar la escritura de un texto, las diversas variantes con que se manifiestan y los distintos autores —algunos— en los que se hallan, véase Curtius, en *Literatura europea y Edad Media latina* —México FCE, 1955, 2 vols.— «Tópica del exordio» —vol. I, págs. 131-136—.)

1a *Señores.* El empleo de fórmulas del narrador útiles para dirigirse directamente a una audiencia hipotética —*Señores e amigos, si oir lo quisieredes, sepades, com'avedes oido...*— es una de las constantes más generalizadas dentro del conjunto de escritores que tradicionalmente han venido siendo incluidos bajo la denominación de «mester de clerecía», constante en la que se observa una coincidencia esencial con los escritos procedentes del segundo de los grandes grupos escindidos en la clasificación tradicional de la poesía medieval anterior al si-

Mester traigo fermoso,   non es de joglaría,   2
mester es sin pecado,   ca es de clerezía

glo xv: el «mester de juglaría». La aparición de tales clichés ha sido durante mucho tiempo considerada como una prueba, casi irrefutable, de la transmisión oral de los textos en los que se incluye (el principal defensor de tal hipótesis, contraria a las tesis anteriores de Amador de los Ríos —*Historia crítica de la literatura española,* tomo III, Madrid, Gredos, 1969, capítulos V (especialmente pág. 248), VI (*íd.,* págs. 279-280) y VII, «Primeros monumentos eruditos de la poesía vulgar»— y Menéndez Pelayo —*Antología de poetas líricos castellanos* (Ed. Nacional de Obras Completas, Madrid, CSIC, 1944, tomo XVII), tomo I, págs. 151-152—, fue Menéndez Pidal en su obra fundamental *Poesía juglaresca y orígenes de las literaturas románicas* —Madrid, Instituto de Estudios Políticos, 1957, páginas 275-276—, de su carácter esencial de ser obras pensadas y destinadas para un recitado en público. En consecuencia, con tal interpretación se atribuían a dichas fórmulas diversas finalidades, una de las cuales —y es lo que sucedería con el caso del *Alexandre* que estamos anotando— podría ser la intencionalidad de captar la atención del posible oyente al comienzo del relato que se iba a ofrecer. G. G. Gybbon-Monypenny, en su artículo «The Spanish *Mester de Clerecía* and its intended public: concerning the validity as evidence of passages of direct adress to the audience», publicado en *Medieval Miscellany presented to Eugène Vinaver* (Manchester University Press, 1965, páginas 230-244), reexamina esta cuestión, y tras clasificar en cuatro grupos las situaciones en las que tales apelaciones directas al auditorio se incluyen, pone de manifiesto la existencia, en el texto de los «libros» del Mester, de una serie de referencias al escrito mismo, que parecen estar directamente dirigidas a un lector individual de una obra copiada sobre un papel (así, en el *Libro de Alexandre,* los versos 723a, 2411d, 2423b, 2470d...). Tales referencias —junto con el carácter repetitivo y estereotipado del lenguaje en las susodichas apelaciones directas, utilizadas mecánicamente en muchas ocasiones con el primordial fin de rellenar un hemistiquio de un verso (en esto —prosigue Monypenny— encontraríamos un nuevo caso de semejanza con la creación literaria de los juglares, si bien existe la esencial diferencia de que el juglar —que realiza una composición oral—emplea esas frases como recurso formulario que le comunica con su público mientras va recordando la historia, y el clérigo las usa lejos del público y con la intención de rellenar huecos en los versos o facilitar la aparición de rimas adecuadas), le siven al articulista para plantear la sospecha de que la interpretación otorgada a los hechos por el mencionado libro de M. Pidal sea realmente correcta en su totalidad. La solución —continúa antes de sugerir dos posibles caminos por los que puede discurrir la investigación—debe buscarse en el examen detenido de cada uno de los textos en sí, independientemente de su relación con el conjunto. Sólo tras haber cumplido esta condición, podremos realizar la necesaria labor de síntesis que permita ofrecer unas conclusiones generales auténticamente documentales.

2   Durante mucho tiempo esta segunda estrofa del *Libro de Alexandre* pasó por ser el auténtico manifiesto de la nueva escuela clerical. En ella —se decía— se encuentran incluidos los ragos fundamentales que servirían para caracterizar el tipo de creación efectuada por los clérigos del Mester: menosprecio por los juglares, autor culto, rima regular, verso largo, cómputo de sílabas, cuartetas

fablar curso rimado   por la quaderna vía,
a sílabas contadas,   ca es grant maestría.

monorrimas. Tales rasgos, preconizados por el autor del *Alexandre,* serían trans-
mitidos al resto de los escritores de la misma tendencia y aceptados por ellos.
Con ello se formaría una auténtica conciencia de escuela que serviría para otorgar cohesión real a todo el grupo. No obstante, en los últimos tiempos, tal concepción generalizada ha comenzado a sufrir duros ataques. Ya en 1956 R. S.
Willis publicaba un artículo fundamental —«*Mester de Clerecía:* a definition of
the *Libro de Alexandre*» (*RPh,* X, 1956-57, págs. 212-224)—, en el que a la luz
de las palabras textuales del *Libro de Alexandre* trataba de comprobar la veracidad de los susodichos asertos. Sus conclusiones sobre el particular sirven para
realizar importantes puntualizaciones a la idea tradicional sobre la materia. Así,
sobre el punto concerniente a las relaciones que se establecen entre juglaría y
clerecía, Willis, tras examinar las diferentes alusiones contenidas en el *Alexandre*
sobre los juglares, termina por afirmar que no existe ningún tipo de desprecio
—en general— por su obra: el autor comprende que estos poseen su propio
mester, y tan sólo menosprecia —como probablemente hiciera con los clérigos—
a aquellos que no saben cumplir bien con sus respectivas obligaciones. (En
torno a las mencionadas relaciones de juglaría y clerecía, *vid.* José Caso González, «Mester de Juglaría / Mester de Clerecía. ¿Dos Mesteres o dos formas de
hacer literatura?» en *Berceo,* 94-95, 1978, págs. 255-263.) Sobre el propósito
fundamental del Mester, destaca su principal intención de instruir y señala cuál
es el tipo de enseñanza que imparte, el *trivium* y el *quadrivium,* bases esenciales
del saber de la época. Igualmente encontramos tratado en el artículo el problema del *curso rimado* (supone, para Willis, la utilización de unas cadencias rítmicas
y una serie de frases que sirven para remarcar los actos más importantes de la
acción), la *cuaderna vía, sin pecado* (por ser un arte hecho por clérigos) y *a sílabas
contadas.* Asimismo se mencionan las diferentes técnicas *(amplificatio, abreviatio...)*
empleadas en la composición general de la obra. Ahora bien, sobre la transmisión de estos caracteres al resto de las obras similares, Willis afirma que el autor
del *Alexandre* en esta estrofa 2 que nos ocupa tan sólo define los rasgos que
pueden caracterizar su propia clase de trabajo, no trata de proclamar la fundación de un nuevo movimiento poético, ni de sentar las bases para efectuar una
clasificación cerrada, en compartimentos estancos, de los poemas narrativos españoles de los siglos XIII y XIV. En esta misma línea se encuentra el trabajo de
A. D. Deyermond, «*Mester-es sen pecado» (Romanische Forschungen,* 77, 1/2, 1965,
págs. 111-116), que examina los diferentes textos tradicionalmente considerados como pertenecientes al Mester y afirma no hallar en ninguno de ellos ninguna declaración que pueda ser comparada con la contenida en la estrofa 2 del
Alexandre. Tan sólo en las famosas estrofas 422-433 del *Libro de Apolonio,* en las
que en boca de Tarsiana se sitúa una explicación de lo que supone el oficio de
juglaresa, encuentra vertidas, si bien aplicadas al otro Mester, las mismas ideas
transmitidas por el *Alexandre.* Ante esta situación, y ante la dificultad de saber
cuál de las dos obras es anterior a la otra cronológicamente (dato este que sería
importante conocer en este caso para poder dilucidar —dado que se trata de
una relación de influencia, pues no existe una fuente común a ambos textos—,
cuál de ellos proporciona los rasgos al otro), no caben, según Deyermond, sino

Qui oir lo quisiere,   a todo mi creer,   3
avrá de mí solaz,   en cabo grant plazer,
aprendrá buenas gestas   que sepa retraer,
averlo an por ello   muchos a connoçer.

---

dos únicas posibilidades: o que el *Alexandre* sea anterior y el *Apolonio,* en este pasaje concreto, esté realizando una burla irónica de los rasgos establecidos por aquél para caracterizar la creación de los clérigos —con lo cual la idea de la aceptación generalizada del pretendido manifiesto de la estrofa 2 caería por su base—, o que el *Apolonio* sea la obra que proporciona los rasgos al *Alexandre,* con lo cual éste habría utilizado para definir su creación unas características que en su época eran presentadas como cualidades típicas del arte de los juglares (la división tradicional entre juglaría y clerecía se vería con ello totalmente erradicada). Los problemas que analiza en este artículo lleva a Deyermond a avanzar un poco más en su propia concepción del Mester, y le mueve a, en general, rechazar en su *Edad Media* (tomo I de la *Historia de la literatura española,* dirigida por R. O. Jones, Barcelona, Ariel, 1973, páginas 108-109) que existiera realmente una escuela auténtica y homogénea de clérigos en la Edad Media que estuviese caracterizada por unos rasgos comunes. Tal afirmación sólo podría aplicarse con propiedad —dice— al conjunto de poemas escritos en *cuaderna vía* que ven la luz en el siglo XIII, pero no a los que en el XIV fueron compuestos. Es, hasta el momento, el último paso que se ha dado en el derrumbamiento de la concepción tradicional del tema. (Sobre los caracteres y problemas generales del Mester de Clerecía, véase también Pedro Luis Barcia, *El Mester de Clerecía* —Buenos Aires, Enciclopedia literaria, 1967—, que presenta una concepción intermedia entre la idea antigua y las nuevas posiciones; Antonio Prieto, «En el Mester fermoso de Berceo, en *Coherencia y relevancia textual* —Madrid, Alhambra, 1980, págs. 20-76—; Nicasio Salvador Miguel, «"Mester de Clerecía", marbete caracterizador de un género literario», en *Revista de Literatura,* XLI, 82, 1979, págs. 5-30; Isabel Uría Maqua, «Sobre la unidad del mester de Clerecía del siglo XIII. Hacia un replanteamiento de la cuestión», en *Actas de las III Jornadas de estudios bercéanos,* ed. Claudio García Turza, Logroño, Diputación Provincial, 1981; Francisco Rico, «La Clerecía del Mester», en *Hispanic Review,* 53, 1, invierno de 1985, págs. 1-23; Michel García, «La stropha de «Cuaderna vía» comme élément de structuration du discours», en *Cahiers de linguistique hispanique médiévale,* publié par le Seminaire d'Études Médievales Hispaniques de l'Université de Paris - XIII avec le concours du Centre National de la Recherche Scientifique, 1982, 7 bis; págs. 205-219; Ángel Gómez Moreno, «Notas al prólogo del *Libro de Alexandre»,* en *Revista de Literatura,* XLVI, 92, 1984, págs. 117-127; Francisco López Estrada, «Mester de Clerecía: las palabras y el contexto», en *Journal of Hispanic Philology,* 3, 1978, págs. 165-175).

2bc   Sigo la puntuación de Nicasio Salvador Miguel, en *op. cit.* (cfr. nota a 2), pág. 11.

3   Hallamos en esta estrofa otro de los tópicos más característicos de las introducciones a los textos medievales, utilizado con el concreto objetivo de captar el interés del lector, de elevar la materia tratada en la obra ante sus ojos, con

Non vos quiero grant prólogo   nin grandes nuevas fer,   4
luego a la materia   me vos quier' acoger;
el Crïador nos dexe   bien apresos seer,
si en algo pecarmos,   Él nos deñe valer.

---

el fin de animarle a continuar la lectura de la misma, a mantener su atención a
lo largo de toda ella: el autor promete al seguidor de su obra entretenimiento,
enseñanzas y fama. Es un auténtico móvil propagandístico el que encontramos
inmerso en tales afirmaciones.

4   Mediante los dos primeros versos de esta estrofa, el autor —a falta tan
sólo de la exposición de los grandes rasgos argumentales de su obra— da prácticamente por concluida la introducción general a su escrito. Los dos últimos
versos contienen una invocación —de carácter tópico— a Dios antes de co-
menzar la redacción de la materia, que podría ser parangonada con las invoca-
ciones a las Musas u otras divinidades, incluidas con carácter general en la
mayor parte de los textos de la antigüedad. El tópico a que responden ambos ti-
pos de invocación es el mismo. Lo que varía —y las causas concretas de tal
cambio están en la mente de todos (un dios, o diosa, pagano no podría ser interpelado como protector en el seno de una obra confeccionada dentro de una
cultura fuertemente cristianizada)— es su formulación determinada.

4b   *quier'.* Elisión introducida por Ruth-Ingerborg Moll *(Beiträge zu einer
kritische Ausgabe des altspanischen Libro de Alexandre,* Würzburg, Buchdruckerei
Richard Mayr, 1938, pág. 24).

5-6   Es frecuente que a lo largo de su obra el autor del *Alexandre* adelante
—como después comentaremos— en algún momento acontecimientos del relato que van a ser expuestos más pormenorizadamente en estrofas posteriores.
En similar situación —aunque con funcionalidad distinta— se hallan estas dos
últimas estrofas de la introducción general. En ellas condensa el escritor las líneas maestras del argumento de su texto con el fin de que su posible lector
—aquel al que le ha prometido entretenimiento, aprovechamiento y fama—
pueda hacerse una idea general clara de cuáles van a ser los acontecimientos
principales que a través de las páginas del libro se van a desarrollar. Tal esque-
matización argumental al principio de una obra no constituía, según la retórica
de la época, condición que debiera cumplir un escritor al abordar la composición de su texto (sí podía en algún caso recomendarse que se realizase al final
—véase Curtius, *op. cit.,* tomo I, pág. 136, «Tópica de la conclusión»—, aunque
no era considerado rasgo indispensable, y, de hecho, en la mayor parte de los
casos no se llevaba a la práctica, dado que era precepto aplicable a la retórica,
pero no estrictamente a la creación literaria en prosa o en verso). La idea de incluir este resumen pudo proporcionársela al autor del *Alexandre* la obra latina
que le sirve de fuente general: el *Alexandreis* de Gautier de Châtillon, que se inicia precisamente con una síntesis del argumento (ed. J. P. Migne, en su *Patrologiae cursus completus. Omnium s.s. patrum, doctorum scriptorumque ecclesiasticorum sive
latinorum sive graecorum,* Turnholti (Belgium), Tipographi Brepols editores Pontificii, 1969 (ed. facsímil), vol. 209, páginas 463-575; la mencionada síntesis argumental se halla en las páginas 463-464, versos 11-15).

Quiero leer un livro   d'un rey noble, pagano,   5
que fue de grant esfuerço,   de coraçón loçano,
conquiso tod'el mundo,   metiólo so su mano;
terném, si lo cumpliere,   por non mal escrivano.

Del prínçep' Alexandre   que fue rëy de Greçia,   6
que fue franc' e ardit,   e de grant sabïençia;
vençió Poro e Dario,   dos reys de grant potençia,
nunca con avol omne   ovo su atenençia.

5a   *leer.* El apego a un texto base al que se sigue con bastante fidelidad para
la composición de la obra, es uno de los rasgos más generalizados del conjunto
de poemas escritos en *cuaderna vía,* o, por recabar mayor exactitud, del conjunto de poemas escritos en *cuaderna vía* que en el siglo XIII vieron la luz. Los
autores de esos textos constantemente hacen gala de tal característica, resaltan
la «falta de originalidad» del asunto que se proponen tratar o que, de hecho, se
encuentran en esos momentos relatando (véase Pedro Luis Barcia, *op. cit.,* apartado 7, «Las fuentes», págs. 39-43). En realidad, el resaltar con insistencia un
hecho que aparentemente tiene un carácter negativo no constituye en absoluto
una acción extraordinaria si tenemos en cuenta cuál era el concepto de originalidad en la época medieval. Por originalidad no se entendía el planteamiento de
un tema nuevo, de un asunto que antes no hubiese recibido una plasmación literaria determinada. Original se consideraba un tratamiento «formal» determinado de un tema. Y si ese tema ya había sido abordado por un autor anterior al
que se pudiese tomar como autoridad —el asunto, por ello, gozaría ya de un
cierto prestigio—, era escogido antes que otros que no cumpliesen esa condición. La originalidad era más cuestión de formas, de configuración formal
—útil para demostrar la pericia técnica de un escritor—, e, incluso, en ocasiones, de recursos estilísticos que de contenidos (véase Carmelo Gariano, *El enfoque estilístico,* Madrid, Alcalá —Aula Magna—, 1968, págs. 47-48).

6c   *Poro e Dario.* Nótese que, tanto en este caso como en otros que a lo largo
de la obra irán apareciendo, el autor del *Alexandre* mantiene en la transcripción
de los nombres propios incluidos en la misma la acentuación que estos recibían
en la lengua —el latín— que sirve de vehículo de expresión a los textos utilizados como fuente. Tal hecho se halla plenamente probado —es el caso de *Dario*
en este verso— por el testimonio de la métrica, y es considerado por N. J. Ware
(«The testimony of Classical names in support of metrical regularity in the *Libro
de Alexandre»,* HR, XXXV, 1963, págs. 211-216) como una prueba irrefutable
del perfecto conocimiento del latín que poseía el autor de nuestro texto.

Poro. Rey de la India, contemporáneo de Alejandro Magno. Se negó a someterse a la soberanía del emperador macedonio cuando éste había conquistado la
mayoría de los territorios limítrofes con el suyo propio, y a pesar de que el resto
de los reyes vecinos se habían puesto a las órdenes del conquistador. Prefirió
reunir un gran ejército compuesto por 50.000 hombres y presentar batalla al
emperador que se disponía a ocupar sus reinos. Tras diversos combates, Poro
fue derrotado junto a las riberas del río Hidaspes, hecho prisionero y conducido

El infant Alexandre   luego en su niñez
enpeçó a mostrar   que serié de grant prez:
nunca quiso mamar   lech de muger rafez,
si non fues de linage   o de gran gentilez.

---

a la presencia de Alejandro. Interpelado por su vencedor y en respuesta a la pregunta de cómo deseaba que lo tratase, contestó: «Como rey.» Alejandro, admirado por el arrojo de su derrotado adversario, le dio su amistad y protección, y le concedió el nombramiento de gobernador de todos los territorios que en la India había logrado someter. Las circunstancias de su muerte no han sido suficientemente esclarecidas. Según unos, Eumenes, general de Alejandro, envidioso de su encumbramiento, lo asesinó. Según otros, el asesinato fue puesto en práctica por uno de los parientes de Poro. Su estatura, corpulencia y fuerza eran colosales.

Darío. Darío III, Codomano, hijo de Arsanes y pariente próximo de Artajerjes II, fue el último rey del imperio persa y con él terminó la dinastía de los aquemérides. Intervino, antes de ocupar el trono, en la guerra contra los cadusios. En ella dio pruebas palpables de su valor, motivo por el que Artajerjes II le nombró gobernador de Armenia. Tras un complot, que terminó con el asesinato de Artajerjes II y del sucesor legítimo, Arus, fraguado por Bangoas, un eunuco, y el propio Darío, fue coronado emperador de los persas. Bangoas quiso aprovechar la ayuda que había prestado a Darío para tenerlo totalmente dominado y enteramente a su servicio, pero el nuevo emperador de ningún modo estuvo dispuesto a favorecer estos planes. Bangoas trató de envenenar a Darío, pero el rey, advirtiendo esta conjura, le hizo beber al eunuco la copa que le había preparado, con lo cual quedó libre de su funesta presencia. Cuando se produjo la invasión de Alejandro, le fue aconsejado por su general Memnón que devastase el país y evitase los enfrentamientos directos, en campo de batalla, con el macedonio como táctica para conseguir la victoria. Pese a ello, el sátrapa de Frigia se negó a poner en práctica ese plan y defendió la idea de trasladar la guerra a Macedonia, plan que fue desbaratado por Alejandro en Gránico, batalla en la cual el héroe consiguió una completa victoria, y Memnón perdió la vida. A partir de ese momento se sucedieron los éxitos para el conquistador macedonio. En Isso logró una nueva victoria sobre las huestes de Darío. Sometió Tiro, Sidón, Gaza, Egipto, Asia Menor... El poder de los persas se vio cada vez más debilitado. En Arbelas intentó el emperador persa asestar el golpe definitivo al ejército de Alejandro. No logró ver cumplidos sus deseos: el macedonio de nuevo lo volvió a derrotar. Darío se vio obligado a escapar. Durante la huida se negó a ser protegido por las tropas mercenarias griegas que tenía incorporadas a su ejército, con el fin de no hacer objeto a los persas de una humillación. Con ello firmó prácticamente su sentencia de muerte, debido a que dejó totalmente libres las manos a Besso, ambicioso sátrapa de la Bactriana, para que lo apresase y asesinase después. En los últimos instantes de su vida, tras ser abandonado por Besso, fue localizado por uno de los macedonios que Alejandro había enviado en su busca, y fue socorrido por él. Sus últimas palabras fueron de agradecimiento para Alejandro por el buen trato que había dado a sus familiares —mujer e hijos— prisioneros de él. El héroe macedonio ordenó el trasla-

Grandes signos contieron   quand' est'infant naçió: 8
el aire fue cambiado,   el sol escureçió,
tod'el mar fue irado,   la tierra tremeçió,
por poco que el mundo   todo non pereçió.

Otros signos contieron   que son más generales: 9
cayeron de las nuves   unas piedras puñales;
aún veyeron otros   mayores o atales:
lidiaron un dia todo   dos aguilas cabdales.

---

do de los restos mortales del emperador persa al Panteón de Persépolis. Con la
muerte de Darío, Persia perdió su independencia, y no la recuperó hasta la época de los sasánidas.

8-11   El tema de los prodigios de la naturaleza indicativos de la producción
de un suceso extraordinario se halla bastante extendido en la literatura medieval
—recuérdese, como ejemplo, el famoso *Romance de Abenamar* (M. Pidal, *Flor
nueva de romances viejos,* Madrid, Espasa Calpe, Austral, 1969, 17 ed., páginas 222-224)—. Responde, en líneas generales, a la concepción armónica y organizada del universo existente en la época. El universo era considerado como
un todo compuesto por una serie de partes, perfectamente relacionadas entre sí,
que se reflejan unas a otras y que se organizan jerárquicamente a partir de la
idea de Dios. Dentro del universo se considera incluido al hombre y se considera incluido el mundo, la tierra, como dos de sus componentes. Dios es el creador del mundo y también el creador del hombre. El hombre fue formado a imagen y semejanza de Dios *(Génesis,* 1, 26-27, en *Biblia,* versión Eloino Nácar Fus-
ter y Alberto Colunga, Madrid, BAC, 1967, 23 ed., pág. 29). La constitución física del mundo refleja la constitución física del hombre (véanse, en nuestro texto, estrofas 2508-2513), luego, en última instancia, el mundo también ha sido
formado a imagen y semejanza de Dios. Dios, mundo y hombre forman parte,
pues, de ese todo completo, semejante, organizado y armónico al que antes nos
referíamos. Son tres de los peldaños principales —uno de ellos, Dios, el fundamental— que componen una misma escalera. Por ser todo semejante y hallarse
todo relacionado entre sí, en la cadena del universo cualquier anormalidad que
se produzca en uno de los eslabones tiende a repercutir en el resto de los otros.
Si en el plano del hombre se produce un suceso extraordinario, en el plano del
mundo se desencadenan una serie de prodigios que reflejan el acontecimiento
(acontecimiento que es también pregonado por hechos acaecidos en la propia y
exclusiva esfera del hombre —de ahí las afirmaciones incluidas en las estrofas 7,
12, 13—). La explicación, pues, del porqué de la difusión del tema parece, dentro de esta concepción, perfectamente evidente. (Véase sobre la visión del hombre como microcosmos el excelente trabajo de Francisco Rico, *El pequeño mundo
del hombre. Varia fortuna de una idea en las letras españolas,* Madrid, Castalia — España y los españoles—, 1970.)

En tierras de Egipto,   —en letras fue trobado—,   10
fabló un corderuelo   que era rezient nado,
parió una gallina   un culebro irado;
era por Alexandre   tod'esto demostrado.

Aún avino al   en el su naçimiento: 11
fijos de altos condes   nacieron más de ciento,
fueron pora servirle   todos de buen taliento,
—en escripto yaz' esto,   sepades, non vos miento—.

En mañas de grant preçio   fue luego entendiendo,   12
esfuerço e franqueza   fue luego decogiendo,
ívale con la edat   el coraçón creçiendo;
aün abes fablava,   ya lo ivan temiendo.

Los unos con los otros   fablavan entre dientes: 13
«Est niño conquerrá   las indïanas gentes.»
Phelipo e Olimpias,   que eran sus parientes,
avián grant alegría,   metién en todo mientes.

10a *en letras fue trobado*. Se refiere al *Alexandreis* de Châtillon que le proporciona las noticias incluidas en las estrofas 9 y 10 (ed. cit., pág. 570, libro X,
versos 5338-43).

11d *en escripto yaz' esto*. El *Roman d'Alexandre* es la fuente que utiliza nuestro
autor —salvo en las estrofas 9 y 10— para la información facilitada sobre el nacimiento y la niñez de Alejandro (estrofas 7-20). (Véase Willis, *The debt of the
Spanish Libro de Alexandre to the Franch Roman d'Alexandre*, New York, Kraus
Reprint Corporation, 1965, págs. 6-11.)

13c *Fhelipo*. Filipo II, hijo de Amintas y Eurídice, y rey de Macedonia. Sucedió en la corona a su hermano Pérdicas. Fue el auténtico artífice de la hegemonía macedónica sobre Grecia. Hubo de mantener diversos combates contra tres
hermanos suyos y contra Pausanias y Argeo —todos ellos pretendientes al trono de Macedonia y, por ello, contrarios a su consolidación en él—, antes de
quedar definitivamente afincado en el domino sobre su reino. Derrotados sus
adversarios, dedicó sus esfuerzos a impedir la invasión de Macedonia proyectada por tracios, ilirios y peonios, objetivo que cumplió en su totalidad (incluso
logró arrebatarles a todos ellos una serie de territorios). Aprovechó las luchas
internas y las disputas surgidas en el seno de las diversas comunidades helénicas
para dominar el país. Con el pretexto de librar a Tesalia de la tiranía del Lico-
fronte, se introdujo en esa región. Los tesalios, acaudillados por el general Ono-
mano, se aprestaron a defenderse, pero Filipo consiguió finalmente la victoria.
Intentó atravesar las Termópilas, mas fue detenido por los atenienses. Se dirigió
hacia el norte y sometió el Quersonerso tracio. Los atenienses no dieron, en un

principio, demasiada importancia a sus continuas victorias militares, pese a las constantes advertencias de Demóstenes. Filipó firmó un tratado de paz con Atenas con el solapado fin de atravesar libremente las Termópilas y lograr el dominio de la Fócida. Se sirvió de las disputas existentes entre las diversas ciudades del Quersonerso para ir conquistando el territorio. Tras la batalla de Queronea, quedó como auténtico dueño de Grecia. Su hegemonía fue reconocida por Atenas con posterioridad. Los griegos, en asamblea celebrada en Corinto, le ofrecieron el mando de los ejércitos que habían sido dispuestos para luchar contra Jerjes, mando que fue aceptado por el macedonio. Durante los preparativos de esta contienda, se casó con Cleopatra, hermana de Atalo, uno de sus generales, tras haber repudiado con anterioridad a su esposa Olimpias, madre de Alejandro. Tal hecho introdujo nuevas discordias en el seno de la familia. Olimpias y Alejandro, su hijo, abandonaron el palacio, salieron del reino y buscaron refugio junto a los ilirios, enemigos de Macedonia. Filipo trató de buscar la reconciliación y acordó desposar a su hija —y de Olimpias— Cleopatra con Alejandro de Epiro. En el transcurso de los festejos organizados con motivo de la celebración de este matrimonio, fue asesinado Filipo por Pausanias, oficial de su guardia, que intentaba con ello vengarse de su rey por haber desoído sus demandas por ultraje en contra de Atalo. Parece que Olimpias tuvo alguna intervención en la muerte de su esposo. Veinticuatro años duró el reinado de Filipo. Cuando su hijo Alejandro ocupó el trono, los dominios de Macedonia se extendían desde las costas de la Propóntide hasta el mar Jonio y los golfos de Salónica, Mesenía y Ambracia.

Olimpias. Hija de Neoptolemo, estuvo casada con Filipo II de Macedonia, por lo que fue reina de este país. De este matrimonio nacieron dos hijos: Alejandro Magno y Cleopatra. Poseía una belleza extraordinaria y la prudencia era una de sus más firmes cualidades. Sin embargo, era ambiciosa y ávida de poder. Logró que su hijo se rebelase contra Filipo cuando fue repudiada por éste con el propósito de contraer matrimonio con Cleopatra. Parece que no fue del todo ajena al asesinato de su marido. Cuando su hijo hubo ocupado el trono macedonio, tomó cruel venganza de Cleopatra, viuda de Filipo: hizo asesinar a Europa, hija de aquélla y del fallecido rey, y obligó a la propia Cleopatra a suicidarse, según unas versiones, o, según otras, ordenó que fuese asada a fuego lento. Trató por todos los medios de intervenir en la administración pública de Macedonia, deseos que se vieron obstaculizados por su hijo, quien, a su vez, se negó a dejar en sus manos la regencia cuando abandonó el país para tomar parte en la expedición a Asia. Nombrado regente Antipatro, Olimpias trató por todos los medios de menoscabar su autoridad. Consolidó su influencia sobre el Epiro con el fin de intervenir, a través de esa región, en los asuntos macedónicos. Muerto Alejandro, sus ansias de dominio se acrecentaron, lo que provocó que las disputas con Antipatro fuesen en aumento. Huyó al Epiro, pero regresó —a instancias de Polispercon— para hacerse cargo de la educación de su nieto Alejandro (o Hércules), hijo del gran conquistador y Roxana. No cedió, una vez en Macedonia, en sus deseos de poder. Buscó venganza de todos aquellos que se oponían a sus planes. Hizo asesinar a diversos miembros de la familia real, así como al propio Filipo Arrideo, hijo bastardo de Filipo II y sucesor de Alejandro Magno en el trono, y a su mujer Eurídice. Todos estos actos le atrajeron el odio de los macedonios, quienes buscaron a Casandro, hijo de Antipatro, para que acudiese

El infant, maguer niño,   avié grant coraçón,   14
yazié en cuerpo chico   braveza de león;
más destajar vos quiero   de la su crïazón,
ca convién que passemos   a la mejor razón.

A cab de pocos años   el infant fue crïado,   15
nunca omne non vio   niño tan arrabado;
ya cobdiçiava armas   e conquerir regnado,
semejava a Hércules,   itant' era esforçado!

El padre, de siet' años,   metiólo a leer,   16
diól maestros honrados,   de sen e de saber,
los mejores que pudo   en Greçia escoger,
quel en las siete artes   sopiessen enponer.

---

en su ayuda y los librase de tan funesta mujer. Declarada la guerra, Olimpias fue
sitiada en Pidna, ciudad en la que resistió hasta obtener la promesa formal de
Casandro de que, caso de entregarse, su vida sería respetada. Cumplido el requi-
sito, Olimpias decidió deponer sus armas, pero Casandro no cumplió su palabra, dado que la terrible reina fue asesinada por los propios emisarios del general que habían entrado en la ciudad para recibir su rendición.

14d   Fórmula tópica utilizada para dar por terminado un apartado de la
obra.

15d   *a.* Incluida por Ruth I. Moll *(op. cit.,* pág. 30) como conjetura personal.

16d   Conjetura de Ruth I. Moll *(ibídem).*

siete artes. Durante la Edad Media se continúa en líneas generales el sistema
de enseñanza implantado en Grecia, según la tradición antigua, por Hipias
—sofista de Elide y contemporáneo de Sócrates—, y basado en el estudio de las
siete artes liberales (así llamadas por no tender al lucro y ser dignas del hombre
libre). Todo el conjunto del saber se cifraba en ellas. Para su aprendizaje se estableció un orden de progresión: gramática, retórica, dialéctica *(trivium),* aritméti-
ca, geometría, música y astronomía *(quadrivium,* nombre otorgado por Boecio).
Arte significaba en la Edad Media «doctrina», «teoría». Las artes se concebían
como el orden fundamental del espíritu (véase Curtius, *op. cit.,* cap. III, «Literatura y enseñanza», tomo I, págs. 62-96). El hecho de que en el *Alexandre* el protagonista aparezca realizando su formación a base de las siete artes no supone
un acercamiento por parte del autor a la época histórica en la que se desenvolvió la vida real de Alejandro: aunque esas artes ya existieran en la antigüedad
griega, nos encontramos aquí con un nuevo caso de medievalización que se en-
cuadra junto a los otros muchos que aparecen en el texto. El autor no hace referencia a una época pretérita, ni sigue un criterio que podríamos llamar «arqueo-
lógico» en este punto. Está retratando su época, el momento histórico en el que
él llevaba a cabo su creación. Es, por ello, esta referencia —junto con la contenida en las estrofas 39-46— un testimonio más que nos permite conocer el tipo
de educación que recibían los príncipes en el siglo XIII español.

Aprendié de las artes   cada día liçión,   17
de todas cada día   fazié disputaçión;
tant' avié buen engeño   e sotil coraçón
que vençió los maestros   a poca de sazón.

Nada non olvidava   de cuanto que oyé,   18
non le cayé de mano   quanto que veyé;
si más le enseñassen,   él más aprenderié;
sabet que en las pajas   el cuer non tenïé.

17a   Ruth I. Moll *(op. cit.,* pág. 30) suprime el adjetivo *siete* que figura ante *artes* en O y P, con el fin de regularizar métricamente el verso.

17b   *disputaçión.* Metodológicamente, la enseñanza en la Edad Media estaba basada en el comentario de textos, llamado *lectio* por los escolásticos. La explicación partía de un análisis gramatical del texto en cuestión, al que sucedía un comentario desde un punto de vista lógico, con el que se pretendía obtener su sentido general, y culminaba con la «exégesis», con la determinación de los contenidos científicos y filósofos que el escrito ocultaba. Pero la realización de este comentario y los resultados obtenidos provocan la aparición de discusiones en torno al tema cuya existencia se hubiese logrado determinar. A través de la dialéctica se conseguía superar ese primer estadio de simple comprensión para llegar a uno segundo en el que se trataba de dilucidar si la «doctrina» que el escrito contenía estaba ajustada a la verdad, si sus afirmaciones eran ciertas. La *lectio* se ve convertida en *quaestio.* En ella el maestro discute el contenido del texto original y aporta nuevas soluciones. De simple comentarista pasa a ser un creador. La *quaestio* llega a adquirir tanta importancia en el siglo XIII que se desgaja de la *lectio,* que adquiere un valor en sí y por sí misma, y amplía su campo de actuación. Maestros y estudiantes participan en la discusión de un tema determinado. La *quaestio* se ha transformado en *disputatio.* A este tercer estadio, a esta *disputaçión* se hace referencia en el *Libro de Alexandre* (cfr. Jacques Le Goff, *Los intelectuales en la Edad Media,* Buenos Aires, Eudeba, 1971, 2.ª ed., págs. 122-126).

18d   No tenía su corazón, su mente, su pensamiento, en la paja, en lo accesorio, sino en lo principal.

19-20   *El Roman d' Alexandre* le proporciona al autor de nuestra obra las noticias necesarias para dejar constancia en su texto de la existencia de esta leyenda —transmitida por el Pseudo-Callistenes y sus derivados (una de las obras que proporcionaron a los medievales los conocimientos que poseían sobre la vida de Alejandro Magno)— sobre el posible carácter bastardo del nacimiento del gran conquistador. En el *Libro de Alexandre* la autenticidad o falsedad de tal leyenda no queda esclarecida en su totalidad, ya que, a pesar de que ésta se ve planteada como un simple rumor popular, las palabras pronunciadas por Nectanebo antes de morir tras ser despeñado por Alejandro y la «acotación» del autor (verso 20d) parecen querer confirmar tal rumor. No obstante, a lo largo de toda la obra no se vuelve —salvo en el verso 27d— a hacer especial hincapié en esta cuestión.

    Por su sotil engeño   que tant' apoderava   19
a maestre Nectánabo   dizién que semejava,
e que su fijo era   grant roído andava,
si lo era o non,   tod'el pueblo pecava.

    El infant el roído   nol pudo encobrir   20
pesól de coraçón,   non lo pudo sofrir;
despeñól d'una torre   ond'ovo a morir.
«Fijo» —dixo su padre—,   «Dios te dexe bevir».

    De los catorze años   aún los dos le menguavan,   21
en la barva los pelos   estonçe l'assomavan;
fue asmando las cosas   del siglo com' andavan,
entendió sus avuelos   cual cueïta passavan.

    Eran los reys de Greçia,   fasta essa sazón,   22
vassallos tributarios   del rey de Babilón;
avián a dar a Dario   sabida enforçión,
avién ge lo a dar   que quisiessen o non.

    El infant Alexandre,   quando lo fue asmando,   23
cambiósle la color,   fues todo demudando;
maguer que era blanco,   negro se fue tornando;
las tres partes del día   bien estido callando.

    Comiés todos los labros   con la gran follonía,   24
semejava enfermo   de fiera maletía;

19b *Nectánabo.* Nectanebo (pero *Nectanabo* en algunos manuscritos del *Alexandreis* —cfr. ed. cit., págs. 465-66, nota 7—, forma que concuerda más con
las lecturas transmitidas por los manuscritos O —*Natanao*— y P —*Nethana-
mo*—, si bien ambas están adulteradas), mago y último rey independiente de
Egipto —según la leyenda comentada en la nota anterior—, que hubo de abandonar su reino tras sufrir la conquista de éste, y la pérdida de su trono, como
consecuencia de una invasión persa. Se refugió —parece—, pasados los anteriores hechos, en Macedonia, donde fue acogido por Filipo. Enamorado de la reina Olimpias, logró, con sus artes mágicas, convencerla para que lo recibiese en
su habitación, con el consentimiento —parece— de su marido. Nectanebo acudió a la cita concertada adoptando la forma de un dragón. Los sucesos posteriores a este hecho y las circunstancias de su muerte son las transmitidas por el
Alexandre (véase George Gary, *The Medieval Alexander,* Cambridge University
Press, 1967, reimpresión, pág. 47).

dizía: «¡Ay, mesquino!,   ¿quándo veré el día
que pueda restaurar   esta sobrançanía?

»Si el mi buen maestro   non me lo devedar,   25
dexaré Eüropa   e passaré la mar,
iré conquerir Asia   e con Dario lidiar,
averm' a, como cuedo,   la mano a besar.

»Sobre mí non querría   tan grant honta veer   26
nin que con mi maestro   me sopiesse perder,
ca serié fiera onta   e grant mal pareçer,
por el rey Alexandre   omne obedeçer.

»Alçides de la cuna,   com solemos leer,   27
afogó las serpientes   que lo querién comer;
e yo ya bien devía   en algo pareçer,
que por fij de Nectánabo   non m'ayan a tener.»

27   Estrofa no recogida por el manuscrito O.

27a   *Alçides.* Se trata de Heracles —Hércules para los romanos— (en el
manuscrito P se lee *Arquiles,* por evidente errata del copista, tal y como lo ates-
tigua el *Alexandreis* de Châtillon, fuente para este pasaje, en el que figura *Alciden*
—ed. cit., pág. 465, verso 50—), hijo de Anfitrión y Alcmena, nacido en Tebas
(véase el verso 238a de nuestra obra), y denominado con este patronímico, que
deriva del nombre de su abuelo Alceo, antes de que Hera (Juno) le ordenase
cambiar ese su primer nombre por el de Heracles (literalmente, «la gloria de
Hera»), debido a que pensaba que su gloria personal se vería considerablemente
incrementada a causa de los siete trabajos que el héroe iba a emprender. La palabra *Alcides* en griego se halla relacionada con la noción de fuerza física
($\alpha\lambda\varkappa\acute{\eta}$). El episodio al que se hace referencia en los versos a y b de esta estrofa
es el siguiente: Hera, feroz enemiga de Heracles (el héroe era hijo «real» de
Zeus, quien lo engendró de Alcmena tras engañarla tomando la figura de Anfitrión en los momentos en que éste se hallaba apartado de su mujer por paticipar
en una expedición contra los telebeos), intentó, cuando aquél no tenía más que
ocho meses de edad, arrebatarle la vida. Un día, cuando Heracles y su hermano
gemelo, Ificles, yacían acostados, introdujo, alrededor de la medianoche, dos
grandes serpientes en la habitación de los infantes. Los reptiles rápidamente se
enroscaron en el cuerpo de los pequeños. Ificles rompió inmediatamente a llorar, a diferencia de Heracles, quien, lejos de amedrentarse, cogió a las serpientes
por el cuello y las ahogó a ambas. Anfitrión, que había escuchado el llanto de
Ificles, entró con la espada empuñada en la habitación, pero su ayuda fue ya in-
necesaria: en esos momentos todo estaba solucionado. En aquel mismo instante
advirtió Anfitrión que aquel a quien tenía por su hijo lo era en realidad de alguno de los dioses (cfr. Pierre Grimal, *Diccionario de la mitología griega y romana,* Barcelona, Labor, 1965, págs. 239-240).

Contendié el infante   en este pensamiento,   28
amolava los dientes   como león fanbriento;
tan bien moliá el fierro   como si fues sarmiento;
sabet que de dormir   nol prendía taliento.

Aviá en sí 'l infante   a tal comparaçión   29
como suele aver   el chiquiello león
quando yaz' en la cama   e vee venaçión:
non la puede prender,   bátele 'l coraçón.

Revolviés' a menudo   e retorçiés los dedos,   30
non podié con la quexa   los labros tener quedos;
ya andava preando   las tierras de los medos,
quemándoles las miesses,   cortando los viñedos.

El infant con la quexa   seyé descolorido,   31
triste e destenprado,   de tod sabor exido,
com si l' ovies' alguno   por ventura ferido
o algunas malas nuevas   oviesse entendido.

Maestro Aristótiles,   que lo avié críado,   32
seyé en est comedio   en su casa çerrado,
avié un silogismo   de lógica formado,
essa noch nin es día   nunca aviá folgado.

Más era medio día,   nona podrié seer,   33
ixió don Aristótiles   su críado veer,
quisquier ge lo podrié   por vista connoçer,
que veyél' al cresuelo,   que viniá de leer.

---

29   En el manuscrito P no se encuentra esta estrofa.

30d   *viñedos.* Palabra no transmitida por P.

31   Falta esta estrofa en el manuscrito O.

33a   *nona.* Se mantiene en la Edad Media la división horaria que habían establecido los romanos para todo el día.

33cd   La complicación sintáctica que encierran estos versos, producida por el hipérbaton desencadenado por la necesidad de adaptación a la rima, puede dificultar la comprensión de los mismos. No obstante, el sentido parece, en líneas generales, bastante evidente: «cualquiera que viese a la luz del candil a Aristóteles, advertiría a simple vista que venía de leer».

Los ojos teniá blancos   e la color mudada,   34
los cabellos en tuerto,   la maxilla delgada,
nos le tenié la çinta,   viso yaziá colgada,
podriá caer en tierra   de poca enpuxada.

Quando vió al diçiplo   seer tan sin color,   35
sabet que el maestro   ovo muy mal sabor;
nunca pesar le vino   quel semejas peor,
pero ovo el niño,   quandol vio, grant pavor.

Enpeçol' el maestro   al infant demandar: 36
«Fijo, vos ¿qué oviestes?,   ¿quién vos fizo pesar?;
si yo saberlo puedo,   nom lo podrá lograr;
e vos non me lo deves   a mí esto çelar.»

El infant al maestro   no l'osava catar;   37
daval grant reverençia   nol queriá refertar;
demandóle liçencia,   que le mandás fablar;
otorgóla de grado   e mandól' enpeçar.

«Maestro, tú m crïeste,   por ti sé clerezía;   38
mucho me as bien fecho,   graçir non tel sabría;
a ti me dio mi padre   quand siet' años avía,
porque de los maestros   aviés grant mejoría.

»Assaz sé clerezía   quanto m'es menester,   39
fuera tú non es omne   que me pudiés vençer;
connosco que a ti   lo devo gradeçer,
que m' enseñest las artes   todas a entender.

34c   *çinta*. Se refiere a la que solía utilizarse como adorno ceñida a la parte superior de la cabeza.

     viso. según Keller *(Contribución al vocabulario del Poema de Alexandre*, Madrid, Tipografía de archivos, 1932), se trata de una errata. La lectura correcta sería *yuso*, «abajo».

40c   *actores*. Sobre el problema de los autores clásicos que eran leídos en las escuelas medievales (Virgilio, *Ilias latina*, Horacio, Catón...) y la interpretación que los estudiosos de la época dieron a sus obras, véase Curtius, *op.cit.*, tomo I, págs. 79-87.

41-43   Estrofas no recogidas en el manuscrito O.

41c   Rectificación de Dana A. Nelson (ed. del *Libro de Aleixandre*, Madrid, Gredos, 1979, pág. 160. En P, *bien sé yo a la parada a mi contrario levar*.

»Entiendo bien gramática,   sé bien toda natura,   40
bien dicto e versífico,   connosco bien figura,
de cor sé los actores,   de livro non he cura;
mas todo lo olvido,   ¡tant'he fiera rencura!

»Bien sé los argumentos   de lógica formar,   41
los dobles silogismos   bien los sé yo falsar,
bien sé a la parada   mi contrario levar;
mas todo lo olvido,   ¡tanto he grant pesar!

»Retórico só fino,   sé fermoso fablar,   42
colorar mis palabras,   los omes bien pagar,
sobre mi adversario   la mi culpa echar;
mas por esto lo he   todo a olvidar.

»Aprís toda la física,   só mege natural,   43
connosco bien los pulsos,   bien judgo 'l orinal;
non ha, fuera de ti,   mejor nin ome tal;
mas todo non lo preçio   quant'un dinero val.

»Sé por arte de música   por natura cantar;   44
sé fer sabrosos puntos,   las vozes acordar,
los tonos com'empiezan   e com deven finar;
mas no m puede tod'esto   un punto confortar.

»Sé de las siete artes   todo su argumento;   45
bien sé las qualidades   de cad'un elemento;
de los signos del sol   siquier del fundamento,
nos me podriá çelar   quanto val' un açento.

»Grado a'ti maestro,   assaz sé sapïençia,   46
non temo de riqueza   aver nunca fallençia;
mas bivré con rencura,   morré con repentençia,
si de premia de Dario   non saco yo a Greçia.

»Non seriá pora rey   vida tan aontada,   47
terniáme por mejor   en morir muert' honrada;
mas, si tú lo vïeres   por cosa aguisada,
contra Poro e Dario   irié una vegada.»

Pagós don Aristótiles   mucho de la razón,   48
entendió que non era   en vano su missión.
«Oid» —dixo—, «infant,   un poco de sermón,
por que podedes más   valer toda sazón».

Respuso el infant,   —nunca viestes mejor—:   49
«yo só tu escolar,   tú eres mi doctor;
espero tu consejo   como del Salvador,
aprendrél que dixierdes   müy de buen amor».

El niño man'a mano   tolióse la capiella,   50
posól çerca 'l maestro,   a los pies de la siella,
dava grandes sospiros,   ca tenié grant manziella,
pareçiés la rencura   del cuer en la maxiella.

Començó Aristótiles   com' omne bien letrado: 51
«Fijo» —dixol—, «a buena   edat sodes llegado
de seer omne bueno,   tú lo as aguisado,
si levarlo quisierdes   com lo as compeçado.

51-84   Las estrofas 51-55,57-58, 61, 66-67, 73, 75-77, 80-82, 84 son las
transcritas en *El Victorial* de Gutierre Díez de Gámes (véase la edición de Juan de
Mata Carriazo, Madrid, Espasa Calpe —Crónicas Españolas—, 1940, páginas 13-15). En ellas —y en las no recogidas entre la 51 y la 84— se incluyen
los consejos que Aristóteles da a su pupilo antes de que comience su reinado
efectivo sobre sus vasallos y tierras. Contienen una auténtica guía de comportamiento —proyectada en los diversos frentes en que se había de mover en la
época la vida de un caudillo (el amor, la guerra, el reparto del botín, las conquistas, el trato proporcionado al enemigo, el gobierno, los juicios, las relaciones con los súbditos, el trato con las personas, el modo de obrar individual...)
—que podría llevar al que le siguiese a convertirse en un perfecto príncipe cristiano medieval; guía que en épocas próximas a aquellas en las que el *Libro* fue
compuesto todavía seguía siendo interpretada en el mismo sentido, como el
modelo básico del buen príncipe, y, en general, como la normativa esencial
cuyo cumplimiento conseguiría convertir a un hombre en un caballero cabal
(recordemos que Gámes en *El Victorial* afirma incluir tales «enseñamientos»
«por cuanto son de arte de cavallería» —ed. cit. pág. 15—). La aceptación por
parte del destinatario, y la puesta en práctica de tales consejos a lo largo de toda
la obra, constituye una de las claves esenciales de su éxito final y convierten al
Libro de Alexandre, a través de ese protagonista, en un auténtico *Speculum princi-*
pum, en un modelo de virtudes que el verdadero príncipe cristiano debía atreso-
rar, tal y como muy certeramente advirtió R. S. Willis en un importante artículo —*Mester de Clerecía:* a definition of the *Libro de Alexandre*— anteriormente
mencionado (cfr. nota a la estrofa 2).

»Fijo eres de rey,   tú has grant clerezía,   52
en ti veo aguçia   qual para mí querría,
de pequeño demuestras   muy grant cavallería,
de quantos höy biven   tú as grant mejoría.

»Siempre faz con consejo   quanto que fer hovieres,   53
fabla con tus vassallos   quanto fazer quisieres,
seránte más leales   si assí lo fizieres;
sobre todo te guarda   mucho d'amar mugeres.

»Después se buelve omne   en ellas una vez,   54
siempre más va arriedro   e más pierde su prez,
puede perder su alma   e Dios lo aborrez,
pued' en grant ocasión   caer muy de rafez.

»En poder de vil omne   no metas tu fazienda,   55
ca dart' a mala çaga,   nunca prendrás emienda,
falleçert' a la cueita   como la mala rienda,
echart' a en lugar   onde Dios te defienda.

»El vil omne, quand puja,   non se sabe seguir;   56
como s teme de todos,   a todos quier premir;
quien vergüença non tiene,   non dubda de fallir;
vémoslo muchas vezes   tod'esto abenir.

»Pero si tú le vees   que puja en bondat.   57
non mostrar que le amas   serié deslealtat,
que los omnes el seso   non l'han por heredat,
sinon en quien lo pone   Dios por su pïedat.

54a *omne.* En el manuscrito P aparece *el ome.* El artículo es suprimido por
Ruth I. Moll *(op. cit.,* pág. 37), basándose en la lectura transmitida por el manuscrito O.

56-85   Ruth I. Moll *(op. cit.,* págs. 35-44) modifica el orden de las estrofas
incluidas en este fragmento concreto de nuestra obra, en parte basándose en la
ordenación que el manuscrito O nos presenta de las mismas (cfr. *infra,* nota a
62-81). En su opinión, la sucesión de las estrofas ha de ser alterada con respecto a P de la siguiente manera: 48-55, 57-60, 62-64, 74, 73, 61, 67-69, 75, 80,
76-79, 81-85. Nosotros mantenemos el orden establecido en el manuscrito P.

56-57   En el manuscrito O no han sido incluidas estas dos estrofas.

»Nin seas embrïago   nin seas venternero,   58
mas sé en tu palabra   firme e verdadero;
nin ames nin escuches   al omne lisongero:
si aquesto non fazes,   non valdrás un dinero.

»Quando fueres alcal   siempre judga derecho.   59
non te vença cobdiçia,   nin amor nin despecho;
nunca mucho non quieras   gabarte de tu fecho,
que es grant liviandat   e non yaz' y provecho.

»Fijo, a tus vassallos   non les seas irado,   60
nunca comas sin ellos   en lugar apartado,
e nunca sobre vida   les seas denodado;
si tú esto fizieres,   serás dellos amado.

»Fijo, quando ovieres   tus huestes a sacar,   61
los viejos por los niños   non dexes de llevar,
ca dan firmes consejos   que valen en lidiar,
quand' entran en el campo   non se quieren rancar.

»Si quisieres por fuerça   tod'el mundo vençer,   62
non te prenda cobdiçia   de condesar aver;
quanto que Dios te diere   pártelo volenter;
quando dar non pudieres,   non lexes prometer.

»El prinçip' avariento   non sabe quel contez: 63
armas nin fortaleza   de muerte no l guarez,
el dar le vale más   que armas nin fortalez,
el dar fiende las peñas   e lieva todo prez.

62-81   Una considerable alteración en la ordenación de las estrofas se produce en el manuscrito O en este punto: la que en la numeración general de la
obra ocupa el lugar 66 ha sido antepuesta a las situadas en los puestos 62-65, y
todas ellas se colocan tras la que recibe el número 79; 73-74 son metatizadas
entre sí y con esa situación postpuestas a 65, que ya había sufrido el cambio re-
señado; 79 es situada tras 73. Por ello, la ordenación adoptada en O, hechas las
variaciones indicadas, es: 61, 67-70, 75-78, 66, 62-65, 74, 73, 79. El orden incluido en P es el adoptado para nuestra edición.

62d   *dexes*. Ruth I. Moll, *op. cit.*, pág. 40.

»Si bien quisieres dar,   Dios te dará que des;   64
si non ovieres oy,   avrás d' oy en un mes;
qui es franc' e ardit,   a es tienen por cortés;
qui pued'e non quier dar   non vale nulla res.

»Si de buena ventura   ovieres a seer,   65
o si en este siglo   algo as a valer,
en muchas grandes cueitas   te avrás a veer,
el seso e 'l esfuerço   te avrá menester.

»Qui los regnos agenos   cobdiçia conquerir,   66
menester l'es que sepa   d'espada bien ferir,
non deve por dos tantos   nin por demás foir
mas ir cab'adelante,   o vençer o morir.

»Quando tus enemigos   a ojo los ovieres,   67
asma su cabtenenza   cuanto mejor pudieres,
mas tú atrás not fagas   del logar que tovieres
e dile a los tuyos   que semejan mugeres.

»Si ellos muchos fueren,   tú di que pocos son;   68
di si son treinta millia   que son tres mill o non;
di que por todos ellos   non dariás un pepión;
sepas que a los tuyos   plazrá de coraçón.

»Entrant de la fazienda   muestra grant alegría;   69
diles: 'Oit, amigos,   siempre 'speré est día,
est'es nuestro mester,   nuestra merchantería,
ca tavlados ferir   non es barraganía.'

»Éctor e Dïomedes   por su cavallería   70
ganaron prez que fablan   dellos öy en día;
non farián de Achilles   tan luenga ledanía
si sopiessen en él   alguna covardía.

65a *Si de buena ventura.* Ruth I. Moll, *ibídem,* pág. 39 (en O y P, *Fijo, si de...*).
70a *Éctor.* Héctor, hijo de Príamo y Hécuba y famoso héroe troyano, cuyas
hazañas y muerte han sido grandemente divulgadas debido a que constituyen
parte esencial de los sucesos relatados en la *Ilíada* de Homero. (Cfr. Grimal,
op. cit., págs. 225-226.)

»Dizen que buen esfuerço   vençe mala ventura;   71
meten al que bien lidia   luego en escriptura;
un día gana omne   preçio que sienpre dura;
de fablar de covarde   ninguno non ha cura.

»Pues que de la muerte   omne non pued' estorçer,   72
el algo deste mundo   todo es a perder,
si prez non gana omne   por dezir o por fer,
valdriá más que fues muerto   o que fues por naçer.

»Los que tú entendieres   que derecho farán   73
di que fagan su debdo,   ca bien lo entendrán;
promet' a los logados   quanto ellos querrán,
ca muchos avrá y dellos   que nunca lo prendrán.

»A los unos castiga,   a los otros apaga,   74
que dar que prometer   a todos afalaga;

Diomedes. Famoso héroe etolio, hijo de Tideo y Dúpile, participante en la guerra de Troya. La tradición le atribuye, como primer hecho, la venganza contra los hijos de Agrio, a quienes mató con el fin de arrebatarles el reino que ellos, a su vez, habían quitado a su abuelo Eneo para entregarlo a su propio padre. Se casó con Egialesa, su tía, según unos, su prima para otros autores. En las historias referentes a la guerra troyana, Diomedes siempre es situado como compañero de Ulises en las misiones más delicadas que a éste le fueron encomendadas (embajada a Aquiles para suplicarle que regresase al combate...). Tomó parte en los juegos celebrados con motivo de las honras fúnebres que en honor de Patroclo se organizaron. Se le caracteriza como hábil orador y vigoroso combatiente. Uno de los hechos más famosos que se le atribuyen en la *Ilíada* dentro de su participación en las batallas es el haber herido a Afrodita (= Venus), motivo que le atrajo la ira de la diosa. Tras finalizar la guerra de Troya, vuelve, sin especiales incidencias, a su lugar de origen. Sus problemas comienzan cuando ya se encuentra en estas tierras, debido a que su esposa, Egialea, que le había sido infiel (Afrodita instigó este hecho, con el que quiso vengarse del héroe), le tendió una serie de asechanzas en las que estuvo a punto de caer. Se refugió como suplicante en el altar de Hera, y de allí huyó a Italia, en donde buscó la protección del rey Dauno, junto al cual luchó para defenderse de sus enemigos. Dauno se negó, tras vencer a estos últimos, a pagarle la recompensa prometida de antemano. Diomedes lanzó una serie de maldiciones contra las tierras italianas. Comenzó a conquistar el país, pero, parece, al fin Dauno consiguió vencer al héroe y acabar con su vida. A Diomedes le fueron atribuidas una serie de fundaciones en la región meridional de Italia. (Cfr. Grimal, *op. cit.,* págs. 138-139.)

71-72   Estrofas no recogidas en el manuscrito O.

72c   Rectificación de D. A. Nelson *(op. cit.,* pág. 168). En P, *si om̃e non gana pres.*

74   Ruth I. Moll *(op. cit.,* pág. 40) modifica el orden de los versos —de

afuerz' a los delant,   sí faz a los de çaga;
con esta medeçina   guarirás esta plaga.

  »Cabdilla bien tus hazes,   passo las manda ir;   75
qui derramar quisier,   fazlo tú referir;
diles que non se quieran   por nada desordir
fasta que venga l'hora   que los mandes ferir.

  »Quand' a ferir vinier,   tú se y el primero,   76
recabda el mensaje   como buen mensajero,
semejal bien fidalgo   al que sovier frontero,
los colpes lo dirán   quál es buen cavallero.

  »Vernán sobre ti todos,   bolvers' a la fazienda,   77
grande será el roído,   grant será la contienda;
al que ferir pudieres   nulla res nol defienda;
de todas las tus ontas   ay yaz la emienda.

  »Allí es el lugar   do es a pareçer   78
cad'un cómo se preçia   o qué deve valer;
y paresca tu fuerça   e todo tu poder,
si as a enflaqueçer   más te valdrié morrer.

  »Maguer colpado seas   non des por ello nada,   79
torna en la fazienda   e fier bien del espada;
miémbrete cómo peches   a Dario la soldada
de las ontas quet fizo   en la tu encontrada.

  A los de más alexos   tiren los ballesteros,   80
e a los de más çerca   fieran los cavalleros;
a los algareadores   e a los adargueros
déveslos todavía   meter más delanteros.

  »Fiérelos muy apriessa,   non les dedes vagar   81
tanto que les non vague   las espaldas tornar;

---

modo innecesario, en mi opinión— incluidos en esta estrofa. Su ordenación es
la siguiente: a, c, b, d.
  80-81 En el manuscrito O no figuran estas estrofas.

qui en fazienda quiere   a otro perdonar,
después mismo se quiere   con su mano matar.

»Quando, ¡que Dios quisier!,   la lit fuer' arrancada,   82
non te prenda cobdiçia   a ti de prender nada;
parte bien la ganançia   a la tu gent lazrada:
tú llevarás el prez   que val raçión doblada.

»Con esto otro día   vernán más encarnados,   83
por amor de ganar   serán más denodados;
los unos verás muertos   e los otros colpados;
non te cal, que, si vençes,   not menguarán vassallos.

»Si, lo que Dios non quiera,   los tuyos se movieren,   84
tú finca en el campo   maguer ellos fuyeren;
ternánse por fallidos   quando a ti non vieren,
tornarán sobre ti   maguer que non quisieren.

»Cambiars' ha la ventura   e mudaredes fado,   85
ganaredes el campo,   Dario será rancado;
saldrá Greçia de premia,   tú fincarás honrado,
e será el tu preçio   fasta la fin contado.»

El infant fue alegre,   tovos por consejado,   86
non olvidó un punto   de quantol fue mandado,
perdió el mal talento   e tornó tan pagado
como si ya oviesse   tod'esto acabado.

Ya echava las treguas   a Dario e a Poro,   87
ya partié a quarterones   la plata e el oro;
mayor tenié la gorga   que semejava toro,
non treguava en el siglo   a judío nin moro.

81c   P, *qui quiere a otro en fazienda...;* G y G' *quien a otro quiere en fazienda...*
Ruth I. Moll *(op. cit.,* pág. 46) rectifica la situación de las palabras en el verso en
la manera que nosotros incluimos en nuestra edición.

87d   *a judío nin moro.* Fórmula juglaresca cuya significación es: «a nadie».

Ya contava por suya   torre de Babilón,   88
Indïa e Egipto,   la tierra de Sión,
África e Marruecos,   quantos regnos y son,
quanto que Carlos ovo   bien do el sol se pon.

El diziembre exido,   entrante el janero,   89
en tal día naçiera   e era dia santero,
el infant venturado,   de don Mars compañero,
quiso çeñir espada   por seer cavallero.

Allí fueron aduchos   adobos de grant guisa: 90
bien valié tres mill marcos   o demás la camisa,
el brial non serié   bien comprado por Pisa,
non sé al manto dar   preçio por nulla guisa.

88a   *torre de Babilón.* Torre de Babel.

88b   *Sión.* Antiguo nombre de Jerusalén. Parece ser que en un primer momento tan sólo se designaba con tal denominación la colina occidental, la de mayor altura, de las dos sobre las cuales fue erigida la ciudad.

88d   *Carlos.* Se refiere a Carlomagno, hijo de Pipino el Breve, que reinó sobre los francos desde el año 768 al 814 y fue coronado emperador por el Papa León III en Roma, en la Nochebuena del año 800. El conjunto de los territorios que con sus conquistas logró reunir bajo su mando —(sus dominios llegaron a extenderse hasta el Eider por el norte, hasta el Elba, el Saale y el Raab por el este, por el sur hasta el Volturno y el Ebro, y en el resto de las fronteras hasta el Atlántico y el Mediterráneo)— fue conocido por el nombre de *Sacro Imperio Romano,* concebido como continuador del Imperio Romano antiguo, y tuvo una existencia un tanto efímera, dado que desapareció prontamente, hecho acaecido tras la muerte de Ludovico Pío, hijo de Carlomagno, en virtud del reparto establecido entre los hijos de aquel (Lotario, que recibió las tierras del antiguo reino lombardo —al norte de Italia—, y una amplia zona extendida hasta lo que es Holanda en la actualidad; Luis el Germánico, que heredó Germania; y Carlos el Calvo, que ocupó el trono de Francia) mediante el famoso *Tratado de Verdún.* Este *Sacro Imperio Romano* es el mencionado en este verso del *Libro del Alexandre.*

89b   En el año 356 a. de C. nació Alejandro. La fecha exacta en que ocurrió tal hecho es, hoy por hoy, difícil de precisar, pese a las afirmaciones de Plutarco de localizarse «en el mes hecatombeón, al que llaman los macedonios loo, en el día sexto, en el mismo día en que se abrasó el templo de Artemis Etesia» *(Vidas paralelas, Alejandro y César;* traducción de E. Valentí Fiol, Madrid, Salvat, 1970, página 29). Tan sólo se conoce la fecha aproximada: fines de septiembre y mediados de diciembre del susodicho año *(vid.* nota 7 de Valentí Fiol a la mencionada traducción del texto de Plutarco —*op. cit.,* pág. 29—).

89c   *Mars.* Evidentemente se trata de Marte, el dios de la guerra según la mitología clásica, llamado Ares por los griegos.

La çinta fue obrada   a muy grant maestría,   91
obróla con sus manos   doña Philosophía;
más valié la fiviella   que toda Lombardía,
—más vale, según creo,   un poco que la mía—.

Qualquier de los çapatos   valiá una cibdat;   92
las calças poco menos,   ¡tant' avián grant bondat!;
quisquier querriá las luas   más que grant heredat,
nunca qui las oviere   caeriá en mesquindat.

Est adobo toviera   su madre condesado,   93
al rey Phelipo fuera   en present'enbiado,
ca les fue muchas vezes   en sueños demostrado
que non fuesse nul omne   de vestirlo osado.

La espada era rica,   que fue muy bien obrada,   94
fízola don Vulcán,   óvola bien temprada;
avié grandes virtudes,   ca era encantada;
la part do ella fuesse   nunca serié rancada.

Non es nul mercador   nin clérigo d'escuela   95
que pudiés poner preçio   a la una espuela;
oviera Alexandre   d'allen mar una avuela,
a essa ge las dieron   quando fuera moçuela.

La obra del escudo   vos sabré bien contar: 96
y era debuxada   la tierra e la mar,
los regnos e las villas,   las aguas de prestar,
cascuno con sus títulos   por mejor devisar.

En medio de la tavla   estava un león   97
que tenié so la grafa   a toda Babilón,

91c   *fiviella,* hebilla. Rectificación de Nelson *(op. cit.,* pág. 173). En P, *fuella,* aragonesismo según Keller, que significa «hoja de la espada», aunque tal interpretación no resulta coherente dado que de las armas se habla más adelante (cfr. para la espada, la estrofa 94).

Lombardía. Región del norte de Italia.

94b   *Vulcán.* Se refiere a Vulcano (Hefesto para los griegos), hijo de Júpiter y Juno, dios del fuego y de la forja, que mantenía la actividad de los volcanes y poseía una fragua en las entrañas del Etna.

catava contra Dario,   semejava fellón,
ca vermeja e turvia   tenía la su visión,

Tant' echava de lumbre   e tanto relampava   98
que vençiá a la luna   e al sol refertava;
Apeles —que nul omne   mejor d'él non obrava—,
por mejor lo tenié   quanto más lo catava.

Que non diga que bafo,   aün quiero tornan,   99
la virtut de los paños   de cad'uno contar;
e si me quisîeren   a derechas judgar.
dirán aún que poco   las sope preçïar.

Fizieron la camisa   dos fadas so la mar   100
diéronle dos bondades   por bien la acabar:
quisquier que la vistiesse   nos pudies' enbebdar,
e nunca lo podiesse   luxuria retentar.

Fizo la otra fada   terçera el brial;   101
quando lo ovo fecho,   dióle muy grant señal:
quisquier que lo vistiesse   fuesse siempre leal,
frío nin calentura   nuncal fiziesse mal.

Quisquier que fizo 'l manto   era bien mesurado: 102
non era grant nin chico,   nin livian nin pesado;
tod' omne quel vistiesse   non serié tan cansado
que non fuesse lüego   en su virtut tornado.

98c *Apeles.* Apeles de Colofón, nacido en Grecia —posiblemente en la Jo-
nia—en el siglo IV, fue tal vez el pintor más famoso de toda la antigüedad, y,
desde luego, era considerado el mejor pintor griego que jamás había existido.
Realizó diversos retratos de Alejandro Magno —quien le juzgaba el único digno
de plasmar pictóricamente su efigie— y de varios personajes de su corte. La
obra que más renombre le dio fue el cuadro que representaba a *Afrodita Anadyo-
mene* (saliendo del mar). Trató otros asuntos mitológicos. Alcanzó altas cotas de
realismo (tanto es así que una de las anécdotas más divulgadas en torno a su
obra es la referente a una pintura suya en la que representaba a un caballo, y de
la que decían que los caballos reales al verla se ponían a relinchar al confundirlo
con un ser auténtico de su especie), y consiguió una técnica tan depurada que
logró transformar el arte de su época. No se ha conservado ni una sola muestra
de su producción, que únicamente es conocida a través de testimonios indirec-
tos —uno de los más destacados es el de su biógrafo Plinio.

Demás qui lo toviesse perdrié toda pavor,   103
siempre 'starié alegre, en todo su sabor;
manto de tan grant preçio · e de tan grant valor
bien conviníé que fuesse de tal emperador.

Óvol' el rey Philipo, como dizen, ganado   104
otro tiempo quand' ovo a Serses arrancado,
perdiólo él enant com' omne mal fadado,
si non, de tan mal guisa non serié aontado.

Quiero dessa correa un poco renunçiar,   105
en pocas de palavras lo cuedo destajar:
qui la toviesse çinta, segunt oí contar,
de postema nin gota non podrié peligrar.

Quiérovos esponer la bondat del escudo: 106
fecho fue de costilla d'un pescado corpudo,
nuncal passarié fierro, non serié tan agudo,
non serié cavallero, quel tovies, abatudo.

104a *como dizen*. Noticia tomada por nuestro autor del *Roman d' Alexandre* (véase Willis, *The debt...*, pág. 15).

104b *Seses*. Jerjes, hijo de Darío I, fue proclamado rey de Persia a la muerte de su padre. Uno de los primeros problemas con los que hubo de enfrentarse tras su subida al poder fue la sublevación que se produjo en Egipto contra el dominio de los persas sobre esas tierras, sublevación que finalmente logró reprimir. Con posterioridad a estos sucesos, dedicó gran parte de sus esfuerzos a organizar una gran expedición que tenía como objetivo primordial la dominación de Grecia. Salió de Capadocia al mando de un gran contingente de tropas. Entró en Lidia y flanqueó el Helesponto hasta llegar a Sesto, lugar en el que quedó detenido por haber destruido la tempestad dos puentes, con lo que su paso hacia delante quedó imposibilitado. No se desanimó por este percance. Construyó un puente de barcazas y cruzó el estrecho. En las Termópilas derrotó al espartano Leónidas. Venció a los atenienses e incendió su ciudad. Ante el desastre sufrido por la escuadra en Salamina, emprendió la retirada hacia Babilonia. Durante el regreso, se encontró con Samasarba, un caldeo que había usurpado su trono. Jerjes logró derrotarle y recuperar la corona. A su entrada en Babilonia se vengó de sus habitantes que habían secundado los planes de Samasarba y destruyó la ciudad. Asentado ya sin mayores impedimentos en Persépolis, y tras haber emprendido una serie de construcciones que trataban de engrandecer esa ciudad, fue asesinado, junto con Darío, su hijo mayor, por Arbatán, el jefe de su guardia. Su hijo y sucesor Artajerjes I no parece que fuera del todo ajeno a los hechos que llevaron a su muerte.

Si lo avié el braço   o lo avié l'espada,   107
era la maledita   de guisa adonada
que a quien ella colpava   sola una vegada
en escudo ajeno   nunca darié lançada.

La bondat del cavallo   vinçiá todo lo al,   108
nunca en este siglo   ovo mejor nin tal,
nunca fue enfrenado   nin preso de dogal,
mucho era más blanco   que nieve nin cristal.

En tres redes de fierro   estaba ençerrado,   109
y fuera con pan cocho   e con vino criado;
de part llegarse omne   a él sol non era osado,
que aviá grant pavor   e grant dubdo echado.

Avié rotos a dientes   muchos fuertes calnados,   110
muchos fuertes çerrojos   a cozes quebrantados;
avié muchos de omnes   comidos e dañados,
ond' eran fierament   todos escarmentados.

Un rey de Capadoçia,   —el nombre he olvidado—,   111
óvol al rey Philipo   en present enbiado;
domar nuncal pudieron,   ca assí fue adonado,
quisquier quel cavalgasse   serié rey venturado,

Fízol' un elefante,   como diz la scriptura,   112
en una dromedaria   por muy grant aventura;

109cd, 110, 111ab. Versos no recogidos en el manuscrito O.

110c   *de.* Adición de Nelson *(op. cit.,* pág. 178).

111a   *Un rey de Capadoçia.* La *Historia de Preliis* proporciona a nuestro autor esta noticia sin explicar el nombre del realizador de los hechos («In ipsis denique temporibus quidam princeps Capadocie attulit Philippo regi equum idomitum», citado por Willis, *The debt...,* pág. 16). De ahí la afirmación incluida —*el nombre he olvidado*— en el segundo hemistiquio del verso.

Capadoçia. Situada en Asia Menor —entre el Ponto, el oeste de Armenia, Cilicia, Frigia y Galacia—, constituia una región que formó un reino independiente durante tres siglos y medio, hasta que en el año 17 los romanos lograron someterlo. Entre sus ciudades más importantes estaban Cumanis, Mazaca, Nacianzo y Nisa.

112a   *como diz la 'scriptura.* Se refiere al *Roman d' Alexandre,* tomado como fuente para este dato *(vid.* Willis, *ibídem,* págs. 15-16).

viníel de la madre   ligerez por natura,
de la parte del padre,   fortalez e fechura.

Quando avié el rey   a justiçiar ladrón,   113
dávalo al cavallo   en lugar de prisión;
ant lo avié comido,   ¡tanto era glotón!,
que veint' e quatro lobos   comerién un motón.

De manos e de pies   ante él más yazién   114
que diez carros o más   llevar non los podrién;
avién muy grant pavor   quantos que lo oyén,
que sabién, si furtassen,   que por tal passarién.

El infant sopo nuevas   del cavallo tan fiero,   115
dixo: «Nol prendrá omne   si yo non lo prisiero,
creo que será manso   luego que yo l'oviero,
perdrá toda bravez   quando en él subiero.»

Priso maço de fierro,   quebrantó los berrojos;   116
Buçifal, quand lo vido,   enclinó los jenojos,
encorvó la cabeça   e abaxó los ojos;
catáronse los omnes   todos ojos a ojos.

Entendió el cavallo   que era su señor,   117
perdió toda braveza,   cogió todo sabor,
dexósle manear   todo aderredor;
todos dizién: «Aqueste   será emperador.»

Fue luego bien guarnido   de freno e de siella,   118
de fazquía de preçio,   de oro la feviella;
prísole las orejas   d'una cofia senziella;
valié, quand fue guarnido,   más que toda Castiella.

El infante con gozo   nol quiso cavalgar   119
ante que fues' armado   e besas' el altar;
grandiólo Buçifal   e fuese inclinar,
non le fuera mester   que l'oviesse por far.

_____

116b *Buçifat*. Bucéfalo, el famoso caballo de Alejandro.

El infant fue venido   por las armas prender,   120
mas, como fue de seso   e de buen connoçer,
antes quiso a Dios   una oración fer,
e, com'era costumbre,   sus donos ofreçer.

«Señor» —dixo—, «que tienes   el mundo en poder,   121
a qui çielo e tierra   deven obedeçer,
Tú guía mi fazienda,   sit cae en plazer,
que pueda lo que asmo   por mí acabeçer.

»Tú da en estas armas,   Señor, tu bendiçïón,   122
que pueda fer con ellas   atal defunçïón
qualque nunca fue fecha   en esta difinçïón,
por que saque a Greçia   de grant tribulación.»

Quand la oración ovo   el infant acabada,   123
enclinó los ynojos   e besó en la grada,
desent alçós un poco   e çiñós la espada;
es día dixo Greçia   que era arribada.

Ante que se moviesse   el infant del logar,   124
armó más de quinientos   de omnes de prestar;
a todos dio adobos   muy graves de preçiar,
ca todos eran tales   que lo querién pechar.

Cavalgó su cavallo   e salió al trebejo;   125
el cavallo con él   fazié gozo sobejo;
viniénlo sobre sí   veer cada conçejo,
dizién todos: «Criador   nos ha dado consejo.»

Tant corriá el cavallo   que dizián que bolava;   126
si un mes dayunasse   él nunca se quexava;
al señor en fazienda   muy bien le ayudava,
non tornava la rienda   qui a él s' allegava.

Non quiso essa vida   el caboso durar,   127
fue buscar aventuras,   su esfuerço provar;
non quiso cavalleros   sinon pocos llevar,
lo que valié con pocos   se querié ensayar.

Fízolo mayormientre   por las tierras veer,   128
los pasos e los puertos   de las sierras saber,
e por los cavalleros   noveles emponer,
ques fuessen abezando   guerra a mantener.

Falló en luengas tierras   un reÿ estrevudo,   129
que mandava grant regno   e era muy temudo;
quando vio estas gentes   y el rey tan argudo,
do nol comiá se iva   rascando a menudo.

Demandó al infant   de quáles tierras era,   130
qué andava buscando   o de qüál manera;
respuso Alexandre   luego de la primera,
mesturós de su nombre   e de su alcavera.

Dixo: «Yo so llamado   por nombre Alexandre,   131
Philipo, rey de Greçia,   aquel es el mi padre,
Olimpias, la reína,   sepas que es mi madre;
quien a mí con mal viene,   de mí con mal se parte.

»Andamos por las tierras   los corpos delectando,   132
por yermos e poblados   aventuras buscando,
a los unos parçiendo,   a los otros robando;
qui a nos trebejo busca,   nos va dello gabando.»

Dixo don Nicolao: «Andas con grant locura.»   133
Respusol' Alexandre: «Non ayas de nos cura;
mas consejar te quiero   a toda mi cordura:
si de nos non te partes,   avrás mala ventura.»

Fellón fue Nicolao,   derrancó a dezir: 134
«Entiéndote por loco,   non lo puedo sofrir;
sim fazes en tu rostro   a sañas escopir,
sin fierro e sin fuste   te faré yo morir.»

El infant Alexandre   un poco fue irado,   135
mas por esso non quiso   dezir desaguisado.
Dixo a Nicolao: «Eres mal razonado,
mas aún este dicho   te será calomiado.

»Treguas te do agora   fasta 'l otro mercado,   136
que escusas non ayas   porque estás desarmado;
mas not metrás es día   en tan chico forado
que destos moços locos   non seas bien buscado.»

El infant çierto vino   al día siñalado,   137
reçebiól Nicolao   non a guis de covardo;
las azes fueron fechas,   el torneo mezclado,
si pudiés Nicolao,   repentiriás de grado.

Los golpes eran grandes,   firmes los alaridos,   138
de cornos e de trompas   ivan grandes roídos;
della e della parte   avié muchos caídos,
exién a todas partes   los cavallos vazíos.

El infant a Nicólao   tant lo pudo buscar   139
d'aquí a que se ovo   con él a encontrar.
Dixo don Nicolao: «Pensat de vos guardar,
ca lo que me dixiestes   vos quiero demandar.»

Abaxaron las lanças   e fuéronse golpar;   140
errólo Nicolao,   non lo pudo tomar;
el infant fue artero,   sópolo bien sestar,
ayudól su ventura   e óvol' a matar.

Quand Nicolao fue muerto,   el campo fue rancado;   141
desbarató la hueste,   ganó tod'el regnado,
tornós pora su casa   rico e much'onrado,
fue desí adelant   Buçifal alabado.

Falló en cas del padre   messageros de Dario   142
que venián demandar   el çenso tributario;
quando ovo leídas   las cartas el notario,
dixo 'l infant: «Yo çesso   este aniversario.

»Ide dezir a Dario,   —esto sea aína—,   143
que quand non aviá fijo   Philipo en la reina,

135-148   El manuscrito P no recoge este fragmento.

poniále ovos d'oro   siempre una gallina;
quando naçió el fijo,   morióse la gallina.»

Fueron los messageros   fierament espantados,   144
faziánse deste dicho   todos maravillados,
que sólo por catarlo   non eran y osados;
ya querrián, si podiessen,   seer d'él alongados.

Ant que fuessen a Dario   las cartas allegadas,   145
fueron por toda India   las nuevas arramadas;
las gentes se fazién   todas maravilladas
de qüal fue quien dixo   atales palavradas.

Quando fueron llegados   messageros a Dario,   146
entendió del infante   que le era contrario;
dixo: «Yo non ternía   que so fijo d' Arsanio
sil non fago que prenda   de mí un mal escarnio.»

Non avía finada   el rey su palavrada,   147
dixéronle por nuevas   que aviá lit rancada,
a nul omne del sieglo   non preçiava en nada,
aún querriá sobre' él   venir en cavalgada.

Demandó del infante   qué fechuras aviá,   148
de qué sintido era   o qué mañas trayá;
dixo un escudero,   que bien lo conoçiá,
que fechuras e mañas   él ge las contariá.

«Non es grant cavallero,   mas ha buenas fechuras,   149
los miembros ha bien fechos,   fieras las cojunturas,
los braços ha muy luengos,   las presas muÿ duras,
non vi a cavallero   tales cambas yo nuncas.

»El un ojo ha verde   e el otro vermejo,   150
semeja osso viejo   quando echa' el çejo,
a un muy gran tablero   en el su pestorejo,
com fortigas majadas   atal es su pellejo.

146c   *Arsanio.* Arsanes (Cfr. nota 6a, *Darío).*

»Atales ha los pelos   como faz un león;   151
la voz como tronido,   quexoso 'l coraçón;
sabe de clerezía   quantas artes y son,
de franquez e d' esfuerço   más que otro varón.

»Quand' entra en fazienda   assí es adonado   152
que quien a él s' allega   luego es delivrado;
e qui es una vez   de su mano colpado,
sil pesa o sil plaze,   luego es aquedado.»

Fizo en una carta   Dario fer la figura,   153
por veer de quál cuerpo   ixié tal travessura;
pero fue muy quexoso   quand sopo la natura,
mas sopos' encobrir   com' omne de cordura.

Dixo: «Dezir vos he   verdat, isí Dios me vala!:   154
sodes caídos todos   en una razón mala:
mas quisquier que él diga   a mí poco m' encala,
ca yo aquí non veo   mata do 'l lobo sala.

»Siempre son orgullosos   los chicos por natura,   155
siempre traen sobervia   e andan con locura;
mas si con él me fallo,   por su mala ventura,
yo sabré tajar capa   de toda su mesura».

Enbiól' en sus letras   menazas con castigo   156
quel dava buen consejo   como a su amigo,
que traer non quisiesse   tal liviandat consigo,
e non quisiés buscar   mejor de pan de trigo.

---

152   Estrofa no copiada en el manuscrito O.

156-162   Fragmento no transmitido por el manuscrito O.

156d   *buscar mejor de pan de trigo*. Un dicho similar es recogido por Gonzalo
Correas en su *Vocabulario (Vocabulario de refranes y frases proverbiales* (1627). *Texte
établi, annoté et presenté par Louis Combet.* Institut d' éstudes ibériques et ibéro-
américaines de L' Université de Bordeaux, 1967, pág. 366): *Buskar pan de trasti-
go.* Su explicación para él, enteramente aplicable para nuestro caso, es: «buskar
okasión de enoxo kon demasías imposibles. El trigo es el mexor grano i pan
más subido, i es imposible hallarle mexor». Es decir, el sentido de nuestro verso
sería: no quieras buscar mejoras imposibles.

Dixol que recordasse   la cosas fazederas,   157
que las palavras viejas   siempre son verdaderas,
que nul omne a juegas   nin encara a veras
con su señor non quiera   nunca partirse peras.

Non preçió Alexandre   tod'esto un dinero;   158
dixo: «Yo nunca dubdo   de omne muy verbero,
qui por y gel llevas   assaz es el bozero,
mas non gel llevaré   por aquesse sendero.

»Non es pora varón   el mucho relevar,   159
puede quien muchos gaba   aína enpegar,
fasta que venga tiempo   quiero me yo callar,
más aún verná ora   quel veré ál cantar.»

El regno de Philipo,   com' avedes oído,   160
era müy mal puesto,   e todo destroído;
levantósle Armenia   en aqueste roído,
enpeçó guerrear   contra el rey Phelipo.

El rëy fue en cueita   qué farié o qué non,   161
que todo se le iva   poniendo en mal son,
ca si ellos lograssen   atan grant traïçión
irié por y el regno   todo a perdiçión.

Quando vio Alexandre   cóm' iva la fazienda,   162
dixo: «Non vos cuitedes   por tan poca emienda;
sól que Dios de ocasión   a mí solo defienda,
faré que non les valga   nin escudo nin rienda.

»Aún sobre tod'esto   al vos quiero dezir: 163
sólo que quinze años   me dexe Dios bevir,
faré que tod'el mundo   me aya a servir.»
«Fijo» —dixo su padre—,   «déxeldo Dios complir».

157d *partirse peras.* Tratar a uno con familiaridad o llaneza *(DRAE,* s. v. *peras).* Tomarse confianzas.

Despidiós de su padre,   saliés de la posada,   164
non lo metió por plazos,   moviós con su mesnada
fizol Dïos buen tiempo,   falló la mar pagada,
oviéronla aína   a l'otra part passada.

Armenia, maguer sopo   la nemiga asmar,   165
de su mala ventura   non se pudo guardar;
mas ella lo cuidó   sobre otro echar,
todo lo ovo ella   en cabo a lazrar.

Ante que part sopiessen   el infant fue con ellos,   166
alçar non se pudieron   e ovo a vençellos;
fizo tal escarmiento   e tal daño en ellos
que a los nietos oy   se alçan los cabellos.

Quand los ovo vençidos   a todo su taliento,   167
estorpó más de mill,   enforçó más de çiento;
juraron por jamás   todos su mandamiento
e que nunca farían   otro tal fallimiento.

El infant, quando ovo   su cosa acabada,   168
tornós pora su tierra   su barva much' honrada,

168b *su barva much' honrada.* En la Edad Media la barba era considerada
símbolo de la virilidad, representación «plástica» de las cualidades positivas de
un hombre en su faceta de guerrero. Esta situación se halla perfectamente plasmada en la época, y, desde luego, queda totalmente evidenciada tras la simple
lectura detenida del *Cantar de Mio Cid.* Los compositores de épica acuden a
referencias a la barba para poner de relieve el grado en que posee el personaje
correspondiente los caracteres que en ella se simbolizan (cfr. Edmund de Chasca, *El arte juglaresco en el «Cantar de Mio Cid»,* Madrid, Gredos 1972, 2.ª ed.,
págs. 119-120). Barba y honra están íntimamente relacionadas. Al relato de un
hecho que redunda en provecho o perjuicio de uno de los personajes, en aumento o disminución de su honor, sucede inmediatamente la casi inevitable
mención de la situación en que ha quedado su barba. Los héroes épicos gustan
de cuidar su barba con esmero, de dejarla crecer, de jactarse de que nadie ha
osado nunca poner su mano sobre ella. Sus antagonistas son a menudo afrenta-
dos mediante un procedimiento que al lector moderno quizá le pueda resultar
hasta totalmente infantil, mediante un simple —hoy, pero «terrible» en la época— tirón de barbas, símbolo de su deshonor (recuérdese, por ej., el verso 980
del *Cantar de las Mocedades de Rodrigo* —ed. Deyermond, *Epic Poetry and the clergy.*
Studies on the Mocedades de Rodrigo. «Apéndice V. Edición Paleográfica», Madrid,

falló de otra guisa   la cosa aparada
que él quando fue dent   non la aviá lexada.

    Un ric' omne, que pueda   mal siglo alcançar,   169
ovos de la reína   fuert' a enamorar;
pol nul seso del mundo   non la pudo ganar,
ca ella era buena   e sabiés bien guardar.

    Pausona le dizían   al que Dios dé mal poso;   170
ovol fecho Phelipo   rico e poderoso;
mas por su ocasión   enloqueçió 'l astroso,
e asmó un consejo   malo e peligroso.

    Asmó que si pudiesse   a Phelipo matar,   171
casarié con Olimpias   a todo su pesar;
avriálo tod'el regno   por señor a catar,
e non osarié 'l fijo   nunca y assomar.

    Bolvío con él guerra   por non seer reptado,   172
andava por el regno   a todo mal su grado;
tovos' el rey Phelipo   desso por desonrado,
fue a lidiar con él,   levol' y su pecado.

Tamesis books, 1969, pág. 268—, en el que el Cid sobre uno de sus enemigos
dice: «Prisse al Conde de Saboya / por la barba syn su grado». Toda esta serie
de contenidos y representaciones que giran en torno a la barba del varón gene-
ran la producción de una serie de fórmulas épicas que eran sistemáticamente
utilizadas por los compositores en aquellos contextos en que algunas de las ideas
a que anteriormente nos referíamos hacía su aparición (recordemos que para
Milman Parry la fórmula «es un grupo de palabras que se emplea con regularidad en las mismas condiciones métricas para expresar una esencial idea habitual» —citado por Chasca, *op. cit.*, pág. 167—). En este verso del *Libro de Alexandre* nos encontramos con una de esas fórmulas, similar a otras que con anterioridad habían sido utilizadas en el *Cantar de Mio Cid* (ej.«I venció esta batalla
por o ondró su barba», v. 1011, ed. Menéndez Pidal, Madrid, Espasa Calpe,
Clásicos Castellanos, 1971, pág. 162), y evidente prueba de la falacidad de la
estricta escisión entre juglaría y clerecía que hasta épocas bien recientes se había
venido manteniendo.

    168c   *aparada.* Enmienda de Nelson *(op. cit.,* pág. 192. En P, *apartada.* En
O, *parada.)*

    170a   *Pausona.* Pausanias. Cfr. nota a 6c, *Phelipo.*

Como sabiá el falso   que si fues' arrancado   173
nol valdrié tod'el mundo   que non fues justiçiado,
bastió toda nemiga   com' omne perjurado,
que Satanás andava   en él tod' encarnado,

Diól salto en un puerto,   un lugar apartado,   174
como lo teniá bien   d'ante 'l traidor asmado,
el lograr fue estrecho   e él apoderado,
fue el rëy Phelipo   muy mal desbaratado.

Golpes ovo de muerte,   fincóse espantado;   175
fue, quando esso vio,   Pausona esforçado,
el que mal siglo aya   fue tanto alegrado
como si lo oviessen   sus parientes ganado.

Dexó al rey por muerto,   que tanto se valié,   176
fuése pora la villa   do Olimpias yazié;
mas el malventurado   agrimar non sabié
la su mala ventura   que tan çercal vinié.

Si vino en las nuves   o lo aduxo 'l viento,   177
o l' aduxo la fada   por su encantamiento,
abes fue él entrado   con su pendón sangriento,
sobrevino 'l infante   lasso e soñoliento.

Quand lo sopo Pausona   tovos por afollado,   178
vío que lo avía   traído el pecado,
pero misos' en armas   e cavalgar privado,
ixió contra 'l infante   justa le demandando.

Assaz trayé compañas   todas bien aguisadas,   179
mas fueron con linfante   todas muy mal quexadas,
tajávanles los braços   e fuyán querelladas,
temían lo que les vino: que serián mal fadadas.

175c   *tanto*. Rectificación de Nelson *(op. cit.,* pág. 193. En P y O, *tan).*
176d   *que tan çercal*. Corrección de Nelson *(op. cit.,* pág. 194). En O, *tan cerca
le*. En O, *que tan çerca.*

El infant, quand los vio,   luego los fue ferir,   180
empeçólos a firmes   luego a desordir:
Pausona, si pudiés,   querríes referir,
mas lo que mereçió   óvolo a padir.

Óvol por su ventura   el infant a veer;   181
desque lo ovo visto   nos pudo retener,
aventurós con él,   óvolo a vençer,
lo que buscó el falso   óvolo a prender.

Assaz fizo Pausona   quanto que fazer pudo,   182
dío a Alexandre   grant colp' en el escudo,
rachas fizo la lança   que tenié en el puño,
cuidó el desleal   que l' avié abatudo.

Golpól' el infant bien,   a guisa de varón,   183
non l'açechó en al   sinon al coraçón,
nol prestó nin migaja   toda su guarniçión,
por medio las espaldas   echóle el pendón.

Mandól luego prender,   fízolo enforcar,   184
y lo comieron aves,   nol dexó enterrar,
desí fizo los huessos   en un fuego echar,
que non pudiés del falso   nunca señal trobar.

Murió el traïdor   como lo mereçié,   185
por y passaron todos   quantos que él trayé,
nada non acabó   de lo que él querié,
la tierra al infante   toda l' obedeçié.

Todos los traïdores   assí devién morir,   186
ningún aver del mundo   non los devié guarir,

---

186 Introdúcese en esta obra el subtema de la traición, uno de los más desarrollados a lo largo de todo el texto del *Alexandre*. (Para su relación con el tema principal y su función específica, véase en la Introducción, el apartado dedicado a la «Visión del mundo y significado» de la obra.) Del mismo modo, la constante tendencia a la moralización, con su técnica característica (de un hecho particular se extrae una conclusión aplicable con carácter general), inclúyese aquí por primera vez *(ibídem)*.

todos com'a merçed   devién a ellos ir,
nunca los devié çielo   nin tierra reçebir.

Quand esto fue livrado   com' avedes oído,   187
el infant com' estava   de sus armas guarnido
fue saber de su padre   qué l' avié conteçido,
e falló que yazié   fascas amorteçido.

Ya tornava los ojos   e passar se quería,   188
contendié con el alma,   ca transido yazía,
pero quand entendió   que su fijo venía,
recobró la memoria   que perdida avía.

Abrió luego los ojos,   começó a lorar,   189
cató contra 'l infante   e nol podié fablar,
signóle con los braços   que lo fues' abraçar,
odedeçiol' el fijo,   non lo quiso tardar,

Dióle Dios man a mano   ya quánta mejoría,   190
recobró la palavra   con la grant alegría,
dixol: «Yo, fijo, mucho   cobdiçié este día,
desaquí que yo muera   una nuez non daría.

»Fierament vos ondrastes,   en grant preçio soviestes,   191
quand Nicólao mataste,   Armenia conquisiestes;
mas todas las bondades   agora las cunpliestes
quando a nos acá   a acorrer viniestes.

»Gualardón d'est serviçio   el Criador vos lo rienda;   192
fijo, Él vos reçiba   en la su encomienda,
Él vos sea pagado,   e guie vuestra fazienda;
de mano de traidores,   fijo, Él vos defienda.

»Fijo, yo vos bendigo,   ísí faga el Criador!,   193
Él vos dé sobre Dario   victoria e onor,

187c   *conteçido.* Enmienda de Nelson *(op. cit.,* pág. 196). En P, *contenido.* En
O, *contido.*

Él vos faga del mundo   seer emperador,
en tanto me despido,   vom' a la cort mayor.»

El regno de Phelipo   fuera muy maltraído   194
si el infant non fuesse   por ventura venido;
mas quando a él vieron,   çesó tod'el ruído,
e todo el fervor   que era somovido.

Murió a poca d'ora   el su padre honrado,   195
fue con los otros reys   a Corinto llevado,
como él mereçié   assí fue soterrado,
en poder del infante   fincó tod'el regnado.

Era esta Corinto   atan noble çibdat   196
convirtióla Sant Pablo   después a la verdat,
sobre todas las otras   aviá grant potestat,
cabeça fue de todas   bien de antigüedat.

Quando avién en Greçia   rëy a ordenar,   197
allí l' avién a fer,   non en otro lugar;

195b   *Corinto.* Como puede suponerse, se trata de la famosa ciudad situada en el istmo de su nombre, dotada de dos puertos en la antigüedad, y uno de los más importantes centros comerciales de su época. San Pablo fundó en ella —tal y como el verso 196b del *Alexandre* afirma— una comunidad cristiana —a la que dirigió con posterioridad dos de sus cartas— en el transcurso del segundo de sus viajes (cfr. *Hechos de los Apóstoles,* 18, 1-17; en *Biblia* ed. cit., pág. 1326).

196   Pequeña digresión, motivada por la aparición de un nombre, Corinto, en la estrofa anterior, y que tiene por función comunicar al lector una serie de noticias con el fin de aumentarle sus conocimientos y ayudarle a comprender mejor el texto de la obra.

196b   San Pablo estuvo en Corinto, según los *Hechos de los Apóstoles* (18, 1-18; en *Biblia,* ed. cit., págs. 1326-1327), en una ocasión, en el transcurso de su segundo viaje, tras visitar Atenas y antes de partir hacia Siria. Allí permaneció un año y seis meses, tiempo durante el cual consiguió atraerse al cristianismo a una gran cantidad de personas —sobre todo de entre los llamados «gentiles»—, y sufrió diversos altercados con las comunidades hebreas residentes en la ciudad. A los corintios dirigió dos epístolas dedicadas a confirmarles en la doctrina recibida en momentos en que habían surgido disensiones entre ellos *(vid. Biblia,* ed. cit., págs. 1360-1386).

el infant non lo quiso   en sí desaforar,
y fuera cavallero   e fues' y coronar.

El rëy Alexandre   quando fue coronado,   198
pavor avié tod' omne   que l' oviesse irado;
su amo Aristótiles   estava bien pagado,
que tan grant alegría   veyé de su criado.

Fueron por tod' el regno   los pregones echados,   199
los unos con menazas,   los otros con falagos,
que a cab de tres meses   fuessen todos llegados,
peones, cavalleros,   todos bien aguisados.

Quand' oyeron las gentes   tan cuitados pregones,   200
esperar nos quisieron   merinos nin sayones;
venián los cavalleros,   sí fazién los peones,
—en Roma más apriessa   non van a los perdones—.

La corte fue llegada   como el rey mandara,   201
semejava que todos   vinién a fust' o a vara;
quando los vió el rey,   alegrósle la cara,
quisquier ge lo verié   que la tenié más clara.

Sedién çerca del rey   todos los ancïanos,   202
los de las barvas sarras,   de los cabellos canos;
estavan más alexos   los niños más livianos,
los de media edat   pusieron los medianos.

Los pueblos eran muchos,   grandes las peonadas;   203
non los cabién los campos,   sedién más alongadas;
tanto eran las órdenes   a razón assentadas
como si fuessen siempre   en aquello crïadas.

Maestre Aristótiles,   viejo e decaído,   204
con sus manos timblosas,   luenga capa vestido,

197d *y fuera cavallero.* En las estrofas 89-123 no se notificà dónde fue exactamente Alejandro investido caballero.

200d *van a los perdones.* Van a ganar las indulgencias.

sedié çerca del rey   leyendo en un livro;
¡nunca tan rica corte   vido omne naçido!

El rey sedié en medio   a cada part catando,   205
quanto más los catava,   más se iva pagando;
todos oreja escucha   estavan esperando
qué fablariá el rey   que estava callando,

Quando él vió su ora,   enpeçó su sermón: 206
«Oítme, fijosdalgo,   un poco de razón;
hevos yo que gradir   mucho toda sazón
porque obedeçistes   tan bien el mi pregón.

»Sabedes vuestros padres   en quál vida finaron,   207
ellos a sus avuelos   en tal se los fallaron;
en grant premia bivieron,   nunca dent se quitaron,
qual ellos la ovieron   a nos tal la lexaron.

»Avián al rey de Persia   por debdo a servir,   208
quanto él les mandava   aviénlo a complir,
aviénse cada año   todos a redemir;
del mal sabor que he   non lo puedo dezir.

»Los nietos non podemos   dessa rede exir,   209
si do ellos bivieron   queremos nos bevir;
mas si esto quisierdes   una vez aborrir,
faré venir a Dario   merçed a vos pedir.»

Calló el rey con tanto,   respuso el senado: 210
«Señor, nos prestos somos   por complir tu mandado,
do tú nunca quisieres   iremos nos de grado,
e pornemos los cuerpos   e quant' emos ganado.»

Atenas en tod'esto   un seso malo priso: 211
enfestóse al rey,   obedeçer nol quiso;
el conde don Demóstenes   que en esso los miso
fuera, si non por poco,   duramente repriso.

211c   *Demóstenes.* Famoso orador y estadista ateniense, nacido en Peania, y

172

Non ge lo llevó 'l rey   por plazo nin por maña,   212
mandó luego mover   la su bella compaña,
semejavan, quuand' ivan,   una fiera montaña,
ya queriá començar   a reverter su saña.

Fue, quando vio la seña,   represo el conçejo,   213
reptavan a Demóstenes   que les dio el consejo,
por poco le ovieran   fecho muy mal trebejo,
mas prisieron acuerdo   mejor un poquillejo.

Enbïaron al rey   omnes entremedianos: 214
ques conocían culpa,   metiénse en sus manos,
e que él non catasse   a los sus sesos vanos,
que siempre con aquesto   serién escarmentados.

---

uno de los que más se opuso a la consolidación de la hegemonía macedónica sobre toda Grecia. Tuvo por maestro a Iseo y fue instruido en el pensamiento fi-
losófico de Platón. En sus intervenciones en la vida pública se distinguió especialmente por sus ataques contra Filipo II de Macedonia, contra el cual compuso sus célebres *Filípicas*. Pretendió en todo momento mantener la independencia de Atenas, cabeza, para él, natural de Grecia, por lo que no consideraba digno que sufriese el sometimiento a ningún otro pueblo. Tras la derrota de Queronea, favoreció la consecución de la paz con Filipo, con el fin de lograr que
Atenas tuviese tiempo para volver a aprovisionarse de armamento. Formó por
ello parte del grupo de embajadores que firmaron la llamada «paz de Filócrates»
con el rey macedonio. No por eso capituló en su lucha contra Filipo: sus ataques se sucedieron ininterrumpidamente hasta que se produjo la muerte del rey
a manos de Pausanias. Acaecido este suceso, Demóstenes continuó su campaña
en favor de la liberación de Atenas. Incitó a los habitantes de esta ciudad a que
se rebelasen contra el yugo que Macedonia les había impuesto, y entabló nego-
ciaciones con el general que se hallaba al mando del ejército macedonio en Asia
con el fin de conseguir el apoyo que necesitaban. Alejandro Magno, ya instaura-
do en la corona, no se dejó, no obstante, arrebatar la iniciativa. Tomó el mando
de su ejército y se presentó en Tebas. Atenas se aprestó a negociar la paz con el
nuevo rey. Pero, debido a que se habían corrido rumores de la muerte de Alejandro, en Tebas se produjo una sublevación contra Macedonia. Demóstenes
logró que Atenas aprobase el envío de refuerzos a los tebanos. Los rápidos mo-
vimientos de Alejandro dejaron a los atenienses en una situación harto compro-
metida, situación de la que se dispusieron a salir a través de una nueva negocia-
ción con el macedonio. Alejandro aceptó la paz, pero pidió que ocho oradores
—entre ellos Demóstenes—, especialmente señalados por su campaña contra
Macedonia, le fueran entregados como rehenes. Gracias a las súplicas de Dema-
des, orador amigo de Alejandro, la vida de esos oradores fue respetada.

Quando los vio el rey   con tan grant umildat,   215
non les quiso mostrar   ninguna crüeldat,
perdonó al conçejo,   deçercó la çibdat,
dixieron: «¡Viva rey   de tan grant pïedat!»

En enfoto de Dario   las çibdades de Greçia   216
non querién a sus rëys,   dar nulla reverençia,
ont'aviá Alexandre   con Tebas malquerençia,
ca biviera su padre   con ellos en entençia.

Mas él non enduró   por y ge lo llevar,   217
cavalgó sobre Tebas   e fuela a çercar,
empeçóla lüego   a firmes a lidiar,
los de dentro e todo   non se davan vagar.

Llenos eran los muros   de omnes lorigados,   218
las puertas eran presas,   los postigos çerrados,
mas con tod'el esfuerço   much'eran desmayados,
ca los que tuerto tienen   non son tant esforçados.

Mandava el buen rey   a los embaïdores: 219
«Ferildos, non ayades   dubda de traïdores;
ellos son nuestros siervos,   nos somos sus señores,
non escapen los chicos,   nin fagan los mayores.»

Ya se iva veyendo   Tebas en estrechura,   220
ca el rey Alexandre   dávales grant pressura;
mostrávales a firme   que era con rencura
de la onta que avián   fecha en su natura.

216d   Tebas, en plena época de su decadencia, fue ayudada por Filipo II en
su lucha contra los focios, pero se revolvió contra el macedonio, a instancias de
Demóstenes, con posterioridad. Junto a Atenas se enfrentó a Filipo en Queronea y sufrió una grave derrota, consecuencia última de la cual fue la implantación en Tebas de un gobierno formado por trescientos partidarios de la hegemonía macedónica. Muerto Filipo, los tebanos se alzaron contra su sucesor,
pero fueron totalmente derrotados por éste, y su ciudad, arrasada completamente (salvo la casa de Píndaro, que Alejandro ordenó respetar). Tebas no volvió a ser reedificada hasta el año 315 a. de C., fecha en la que Casandro accedió
a permitir su repoblación. Sin embargo, nunca más volvió a tener poder políti-
co importante.

Era müy mal quista   Tebas de su frontera,   221
ca biviera con ellos   siempre en grant dentera;
como diz que mal debdo   a mal tiempo espera,
conteçióle a Tebas   dessa misma manera.

Las gentes de las tierras   todas al rey vinién   222
maldiziendo a Tebas   todas quanto podién;
de muy malas fazañas   muchas le retrayén,
ençendido era 'l rey,   mas más lo ençendién.

Diziénle luenga cántica   de muchas traïçiones   223
de muchas malas fembras,   muchos malos varones,
por do toda la villa   devié seer carvones,
que de tan malas vides   non saliessen murgones.

Fue contra los de Tebas   el reÿ muy fellón,   224
ca la palavra mala   metiél mal coraçón,
moviós pora lidiar   toda la crïazón,
com si oviessen todos   venidos a perdón.

Ya querián los de fuera   al adarve llegar,   225
mas bien ge lo sabién   los de dentro vedar,
que tan muchas podián   de las galgas echar
que los avién sin grado   un poco a quedar.

Esto dixo el rey: «Non valdrié un arveja,   226
non sabe esta liebre   con quál galgo trebeja,
ca me terniá por malo   e por fijo d' oveja
si yo non le despojo   otrament la pelleja.»

Fizo fer una capa   de muy fuertes maderos,   227
que bien cabrién yus ella   quinientos cavalleros,
tirávanla por torno   tres cavallos señeros,
allí non tenién galgas   nin tenián ballesteros.

Llegaron a la çerca   a todo su pesar,   228
socavaron el muro   pora ellos llegar,
ya temblava la tapia,   queriáse acostar,
querriá lo que fiziera   Tebas aver por far.

Fue en poca de ora   el muro trastornado,   229
ovieron a tollerse   del portillo sin grado,
dieron consigo dentro   los griegos muy privado,
a los que alcançavan ,   diziénles mal mandado.

Quando vieron que iva   su fazienda a mal,   230
acogiéronse todos,   metiérons' al real;
balavan com' ovejas   que yazen en corral,
dixo 'l rey: «Estos borros   cobdiça han de sal.»

Non les ovo provecho   esso más que lo al,   231
Tebas fue barreada,   ellos idos a mal,
mató entre sus piedes   más de mill Buçifal,
—devié aver tal cabo   siempre el desleal—.

Un juglar de grant guisa   —sabiá bien su mester—,   232
omne bien razonado   que sabiá bien leer,
su vïola tañiendo   vino al rey veer;
el rey, quando lo vió,   escuchól volenter.

«Señor» —dixo al rey—,   «eres de grant ventura,   233
semejas a los dios,   ca ende as natura,
tod'el siglo se teme   de la tu amargura,
que quand' estás irado   as fiera catadura.

»Oviste buen maestro,   sopot bien castigar,   234
tú bien lo decogiste   como buen escolar;
bendita fue la madre   quet pudo engendrar,
bien se puede tu padre   de buen fijo gabar.

»En ti son ajuntados   seso e clerezía,   235
esfuerço e franqueza   e grant palaçianía;
semeja la tu lengua   la de filosofía,
pareçe en tus mañas   que 'l Crïador te guía.

»Pero non t' engravesca   dezirte mi mandado: 236
si Tebas mal mereçe   veo que l' a lazrado;
nuncas gabara ella   de aqueste mercado,
¡Dios curie mis amigos   de prender tal mudado!

»Pero rëy bien deves   otra cosa asmar: 237
non deves por mal omne   desfer tan buen lugar;
ombres d' aquí salieron,   que te sabré contar,
por que al terretorio   deves tú perdonar.

»Alçides, tu avuelo,   d'aquí fue natural,   238
Dïomedes el noble,   Achiles otro tal;
villa do tales ixen   non devié ir a mal,
si las gentes destruyes,   non desueles lo al.

»Aquí nació don Bacus,   un cuerpo venturado,   239
que conquistó a India,   ond' es oy adorado;
e muchos otros buenos   de qui sabes mandado,
por que fue est lugar   siempre mucho dubdado.

»Aquí merçet te pido: si tú lo destruyeres,   240
nunca acabarás   todo lo que quisieres;

238a   *Alçides*. Cfr. nota a 27a.
238b   *Dïomedes*. Cfr. nota a 70a.
    Achiles. Evidentemente se trata del famoso y conocido héroe griego Aquiles, hijo de Tetis y Peleo, cuyas hazañas se hallan suficientemente divulgadas por formar parte esencial de los relatos incluidos en la *Ilíada* de Homero. (Cfr. Grimal, *op. cit.*, 39-43.)
    239ab *Bacus*. Se trata, como puede suponerse, del famoso dios del vino, de la viña y del delirio, llamado también Dionisos, hijo de Zeus y de Sémele (hija, a su vez, de Cadmo y Harmonía). Baco, tras haber descubierto ya la vid y su utilidad —hecho que acaeció cuando era ya adulto—, fue objeto de las asechanzas de Hera —como el resto de los hijos que Zeus tuvo con otras mujeres—, quien lo volvió loco, y en esta situación de locura anduvo el dios errante por Egipto, Siria y las costas de Asia hasta llegar a Frigia, en donde fue recibido por Cibeles, quien lo purificó y le enseñó los ritos constitutivos de su culto. Sobrepuesto de su locura, Baco se trasladó a Tracia, lugar en el que el rey Licurgo le hizo objeto de un pésimo recibimiento y trató de cogerlo prisionero, propósito que no vio culminado por el éxito debido a que el dios buscó refugio junto a Tetis. Licurgo fue castigado con la locura y sus gentes, con la esterilidad, mal del que tan sólo pudieron verse libres cuando dieron muerte a su rey (se sirvieron para ello de cuatro caballos, a los que Licurgo fue atado, y que lo descuartizaron). De Tracia se trasladó Baco a la India, cuyas tierras conquistó en el curso de una expedición en parte guerrera y en parte divina, y cuyas gentes sometió por la fuerza de las armas y sirviéndose de encantamientos y poder místico. (Cfr. Grimal, *op. cit.*, pág. 140.) A estos últimos sucesos hacen referencia los dos primeros versos de la estrofa 239 de nuestro texto.

mas si a los vençidos   tú mérçet les ovieres,
guirs' ha tu fazienda   sól como tú quisieres.

»Si los que rëys sodes   e los regnos mandades   241
por vos unos a otros   honra non vos portades,
desto seet seguros,   nunca en al creades:
que de los otros pueblos   tan dubdados seades.»

Cleor finó su cántica,   el rey fue su pagado,   242
dióle quanto él quiso   de aver monedado;
mas perdonar non quiso   a Tebas el pecado:
mandó que le pusiessen   fuego de cab'a cabo.

Tebas fue destroída   e fue toda cremada,   243
fizo luego el rey   a Corinto tornada;
un tebano y vino   por que fue restaurada,
por tres saltos que fizo   ge la dio en soldada.

Tanto avié el rey   echado grant pavor   244
que non osava nadi   entrarle fïador;
mató toda la guerra   e todo el fervor,
empeçó a mandarse   Greçia por un señor.

Quando todas las tierras   ovo en paz tornadas,   245
las naves fueron prestas,   de conducho cargadas;
el rëy Alexandre   ensembló sus mesnadas,
todas fasta diez años   ricament adobadas.

Non eran tanto muchas   com' eran bien guarnidas,   246
eran, lo que más vale,   por mano escogidas,
todas, un mejor d'otra,   en esfuerço complidas,
sabet, non semejava   que eran desmarridas.

---

242   *Cleor.* Cleades —cfr. *Alexandreis,* ed. cit., pág. 470, v. 336— o *Cleadas* —cfr. Willis, *The relationship of the Spanish Libro de Alexandre to the Alexandreis of Gautier de Châtillon,* Nueva York, Kraus Reprint Corporation, 1965, «Apendix B», pág. 85— parece ser el nombre real de este personaje.
243c   *un tebano.* Clitómaco (cfr. Willis, *ibídem).*

Quiérovos de las naves   quántas eran contar,   247
onde podades quánta   serié la gent'asmar:
como lo diz Galter   en su versificar,
de dos vegadas çiento   dieçioch podién menguar.

Ya podedes veer   de quál esfuerço era,   248
que con tan pocas gentes   iva en tal carrera,
ca el poder de Dario   era de tal manera
que llegarié diez tantos   a una boz señera.

Mas el rey Alexandre   sabié una costumbre: 249
que omne nunca puede   vençer por muchedumbre,
que más valen los pocos   que han la firmedumbre
e les vien por natura   de cuer la fortedumbre.

Mandó mover las naves   a los naveadores,   250
desbolvieron las velas   de diversas colores,
mandó cómo guïassen   a los gobernadores,
pora bogar aína   dió muchos remadores.

Andava por moverlas   el rey muy fazendado,   251
deziá a los maestros   que livrassen privado,
dixo: «Quanto tardades   prendo grant menoscabo,
ca m' está la victoria   ya al puerto llamando.»

Ya s'ivan del arena   las naves despegando,   252
ivan los remadores   los remos aguisando,

<hr />

247c *Galter.* Gautier de Châtillon, autor del *Alexandreis*, fuente esencial de
nuestro *Libro de Alexandre.* (Para algunas noticias sobre este escritor, véase el
breve prólogo. *Notitia*, situado por Migne al frente de su edición, anteriormente
citada, de sus obras —págs. 419-424—.)

247d Como ha señalado Willis *(The relationship...*, pág. 73, nota 2), el *Alexandre* difiere de las cifras incluidas en su fuente en las dos lecturas proporcio-
nadas por los dos manuscritos que nos transmiten su texto, pese a la afirmación
realizada en el verso anterior. Así, mientras el texto latino notifica: «Namque
quater ductus, nisi ter senarius obstet, / Navigii numerum quinquagenarius ae-
quat», el manuscrito O de nuestro *Libro* comunica «que de tres vegadas çiento XVI podían menguar», y P: «de dos vegadas. Cº. dose en podien menguar».
Ante esta divergencia de lecturas, corregimos el texto basándonos en la numeración incluida en el *Alexandreis.*

ívansel' a los griegos   los cueres demudando,
pocos avié de ellos   que non fuessen llorando.

Ellos lloravan dentro,   las mugeres al puerto   253
com si toviés cad'una   a su marido muerto;
el rëy Alexandre   dávales grant confuerto
diziéndoles: «Amigos,   tenédesme grant tuerto.

»Si nos d' aquí non imos,   en paz nunca bivremos,   254
de premia e de cueita   nunca escaparemos;
por tres meses o quatro   que nos y lazraremos
atamaña flaqueza   demostrar non devemos.

»Qui al sabor quisiere   de su tierra catar,   255
nunca fará bernaje   nin fecho de prestar;
mas es en una vez   todo a olvidar
si omne quisier preçio   que aya a prestar.

»Si non ovies' Alçides   a España passado,   256
maguer era valient,   non serié tan contado;
Bacus si non oviés   el su lugar lexado,
non oviera el regno   de Indïa ganado.

»Nos, por aquesto todo,   dos razones avemos: 257
la una que los regnos   de Dario ganaremos,
la otra que de cueita   por siempre más saldremos;
iesforçadvos, amigos,   ca alegres tornaremos!

»El sabor de la tierra   faze muchos mesquinos,   258
e que a grant repoyo   biven de sus vezinos;
Jasón si non oviesse   abiertos los caminos,
non avría ganado   tan ricos vellozinos.

256a   *Alçides.* Hércules (cfr. nota a 27a) se trasladó al extremo de occidente (el sur de España según unos, el monte Atlas para otros) con el fin de apoderarse de las manzanas de oro plantadas en el jardín custodiado por las tres Hespérides, hecho con cuya realización culminó los doce trabajos que su primo Euristeo le había impuesto. *(Vid.* Grimal, *op. cit.,* págs. 248-249.)

256c   *Bacus.* Cfr. nota a 239ab.

258c   *Jasón.* Oriundo de Yolco, fue hijo de Esón y Alcímeda, hija de Fílaco

»Yo lexo buena madre   e buenas dos hermanas,
muchas ricas çibdades   e muchas tierras planas;
mas tant en cor me yazen   las tierras persïanas
que tod'esto non preçio   quanto tres avellanas.

(según otros, de Polimede, hija de Antólico), y descendiente de Eolo. Fue educado por el centauro Quirón, quien le enseñó la medicina. Su padre, según versiones, fue despojado del poder por su hermanastro Pelias, hijo de Tiro y Posidón; si bien, otros afirman que fue aquel quien encargó a éste el poder hasta que Jasón cumpliese la mayoría de edad. Transcurridos los años, Jasón, ya adulto, regresó a Yolco y le reclamó a Pelias el poder que legítimamente le era propio. Pelias (algunas versiones difieren en este punto), con el fin de alejar a Jasón y conservar su puesto —pensaba que jamás sería capaz de regresar—, le pidió que fuera en busca de la piel de carnero que había llevado por los aires a Frixo y se la trajera. Se trataba de un vellocino de oro, consagrado a Ares por Eetes, rey de Yolco, y que un dragón se encargaba de custodiar. Jasón se dispuso a cumplir su misión, para lo cual pidió a Argo, hijo de Frixo, que le ayudase, súplica que fue atendida por éste, quien, por consejo de Atenea (Minerva) construyó la nave *Argo*, en la cual Jasón y sus acompañantes *(argonautas)* se trasladaron a la Cólquide. Al llegar a este lugar, solicita la entrega del vellocino de Eetes, quien le contesta que accederá a su petición si supera una serie de pruebas. Medea, hija de Eetes, enamorada de Jasón, le ayuda en sus trabajos con la condición —aceptada por él— de que se desposase con ella. Consiguen sus propósitos y huyen con el trofeo perseguidos por Eetes, que en el último momento no quiso cumplir con su parte correspondiente en lo pactado. Tras vencer una serie de dificultades en el viaje de regreso, llegan a Yolco y Jasón entrega a Pelias el vellocino. A partir de estos momentos existen diferencias en los relatos de los sucesos posteriores. Según unos, Jasón reinó en lugar de Pelias. Según otros, vivió tranquilamente en Yolco con Medea. Según otros, Medea dio muerte, para vengar a Jasón por haber sido desposeído de su trono durante tanto tiempo, a Pelias con sus brujerías: convenció a sus hijas de que lo cociesen vivo so pretexto de que con ello se vería rejuvenecido; Jasón y Medea huyeron a Corinto, con el fin de evitar las consecuencias que podían derivarse de la muerte de Pelias, y allí vivieron felices durante diez años, al cabo de los cuales Jasón se cansó de Medea y solicitó la mano de Glauce, hija del rey Creonte; Medea fraguó su venganza: envió a Glauce un vestido de bodas hechizado que la consumió, asesinó a los hijos que había tenido de Jasón y huyó por los aires en un carro maravilloso que el sol le había regalado; Jasón volvió a Yolco, donde reinaba Acasto, hijo de Pelias, se alió con Peleo y, ayudado por Dioscuros, saquearon la ciudad; tras esto, Jasón —o su hijo Tésalo, según versiones—, reinó en el lugar. (Cfr. Grimal, *op. cit.*, págs. 296-297, y 46-51.)

259a   *dos hermanas*. Alejandro tan sólo tuvo, en la realidad, una hermana, Cleopatra, hija de Filipo y Olimpias. Filipo, tras repudiar a Olimpias, tuvo un gran número de concubinas y diversas mujeres. Con ellas tuvo bastantes hijos, hermanos de padre de Alejandro. Tal vez los más famosos de ellos sean Karanos y Europa, hijo e hija respectivamente de Cleopatra, sobrina de Atalo, con la que Filipo contrajo matrimonio. Ambos recibieron la muerte tras el asesinato

»Si essas tierras supiéssedes   quántas han de bondades,
veriedes que perdedes   porque tanto tardades;   260
¡esforçadvos, amigos,   en vuestras voluntades!,
por poco non vos digo   que muger semejades.»

El rey non pudo tanta   retórica saber   261
que les podiés dolor   del coraçón toller;
quanto más ivan yendo   más se querián doler,
e non podían por nada   las lágremas tener.

Grant cosa fue del rey   e de su coraçón,   262
nunca tornó cabeça   nin dexó su razón;
o serié tan alegre   en su tierra o non,
non semejó en cosa   a nul otro barón.

Desque perdieron tierra   fueron más aquedando,   263
e fueron contra Asia   las cabeças tornando,
e fueron de los ojos   las lágremas mudando,
e fueron poc' a poco   las razones cambiando.

Maguer fazié tal viento   que las naves bolavan,   264
semejava al rey   que nada non andavan;
todos a maravilla   catando lo estavan,
mas por esso el duelo   aún non l' olvidavan.

De la mayor partida   del mar eran passados   265
e encara del puerto   estavan alongados;
sedién en sus lugares   cascunos assentados,
fueron apareçiendo   de Asia los collados.

Díxolo Alexandre   de todos más primero,   266
—antes lo vío él   que ningunt marinero—;

---

de Filipo y el regreso de Alejandro y su madre a Macedonia. Cleopatra había
tratado, inútilmente y en perjuicio de Alejandro, que Karanos heredase el trono
macedonio. Esta pretensión le atrajo, aún más, las iras de Olimpias —dolida antes por la suplantación de que había sido objeto por parte de Cleopatra—, lo
que motivó que aquélla ordenase la muerte de Europa y obligase a la madre de
ésta a suicidarse (cfr. nota a 13c, *Olimpias*). No mucho después Karanos perdía
la vida por orden de Alejandro.

dío salto de piedes   en un alto madero
por veer si eran ondas   o si era otero.

En pie se levantaron   todos los marineros,   267
subiénse a grant priessa   en los bancos someros,
que si era verdat   querién seer çerteros,
por veer más alexos   folliénse los sombreros.

Fue por todas las naves   el roído entrando,   268
en pie se fueron todos   apriessa levantando,
fuéronse poc' a poco   todos çertificando,
tenían que avía   ganado el su vando.

Plogó a Alexandre   con esta alegría,   269
ca nunca otra tal   ovo él en un día;
fizo luego remar   toda la mançebía
fazién correr las naves   con muy grant alegría.

Nos cuidava veer   de las naves exido,   270
dizié que si fues fuera   ques ternié por guarido,
dava con alegría   vozes e apellido,
nol cabié el pellejo,   ¡tant era ençendido!

Quando fueron al puerto,   a piedra d' echadura,   271
priso una ballesta   armada a tesura,
echó una saeta   tinta de amargura,
dió con ella en Asia   pora prender ventura.

Ovieron desto todos   los griegos muy grant grado   272
que todo su negoçio   serié bien acabado,
que ganarién a Persia,   Dario serié rancado
aünque le pesasse   a todo su fonsado.

Una cosa cuntió   ond les plogó derecho: 273
como dizen, un cuervo   mató en este trecho;

---

269   El manuscrito O no incluye esta estrofa.

270d   *nol cabié el pellejo.* «No caber en el pellejo. Phrase familiar, que vale estar mui gordo», *Diccionario de Autoridades.* Sentido figurado: estar rebosante de satisfacción.

assí dixieron todos: «Dios nos dará consejo
de Dario que nos fizo siempre mucho despecho.»

Tantas eran las bozes que al çielo bolavan, 274
allá sobre los çielos a los dios enojavan;
ferién palmas de gozo, reíen e sotavan,
las naves con las cozes quedar non las dexavan.

Fueron en arenal las áncoras echadas, 275
fueron por la ribera las tiendas assentadas,
posavan a anchura, a luengas e a ladas,
com' en su heredat assí prendién posadas.

La materia lo manda por fuerça de razón, 276
avemos nos a fer una desputación,
cómo se parte 'l mundo por triple partiçión
cómo faze la mar en todas división.

276-294   Se incluye en estas estrofas la primera de las grandes digresiones
contenidas en la obra: la descripción general del mundo y de Asia más en particular. Está basada en el *Alexandreis* de Châtillon (vs. 406-436, ed. cit., pág. 472).
Durante mucho tiempo se vino defendiendo que las abundantes digresiones insertadas en el *Alexandre* no hacían sino entorpecer la labor de seguir la sucesión
de episodios que componen el hilo argumental principal, que no tenía ningún
tio de fusión con el conjunto, que poseían un carácter superfluo. Nada más lejos
de la realidad. Las digresiones forman parte consustancial al resto del relato.
Como tal las concibió el autor, que era consciente de su utilidad —y prueba de
ello es la afirmación situada al comienzo de aquella que en estos momentos comentamos (verso 276a)—, y como tal las encontramos en el texto. El peligro
de romper la unidad de la obra ha sido cuidadosamente evitado mediante el es-
tablecimiento de nexos formales, y, más concretamente, funcionales, que unen
la digresión con el conjunto. Las digresiones tienen una doble funcionalidad:
una de carácter externo —de cara al lector—, otra de carácter interno
—independiente del relato. Por un lado sirven para comunicar al lector una serie de noticias útiles para aumentarle el caudal de conocimientos que pueda poseer —recordemos el verso 1c— (no existe, pues, un simple motivo superficial,
de puro alarde de erudición, como móvil fundamental que justifique su inserción en el texto). En esto todas ellas vienen a coincidir. Pero además —y en
ello encontramos las diferencias—, a cada una de ellas les ha sido asignada una
función dependiente del contexto en el que se incluye, una función estructural.
En nuestro caso concreto, podemos encontrar la siguiente justificación. Hemos
de observar que la descripción del mundo ha sido justamente incluida en el momento en que se va a iniciar el periodo de conquistas tendentes a proporcionar
a Alejandro la hegemonía sobre la tierra. Es, por tanto, razón —«da materia lo

El que partió el mundo   fízolo tres partidas,   277
son por braços de mar   todas tres divididas,
la una es mayor,   las otras son más chicas,
la mayor es calient   e las dos son más frías.

La una meatad   es contra orïente,   278
fízole una suerte   el Rey Omnipotente;
las otras dos alcançan   por medio occïdente,
fiende la mar por medio   a ambas igualmente.

Es llamada por nombre   Asïa la primera;   279
la segunda, Europa;   África, la terçera.
Tiene el Christianismo   a Europa señera;
moros tienen las otras   por nuestra grant dentera.

---

manda»—, mostrar cómo es ese mundo que el héroe va a dominar, y hacer mayor hincapié, resaltando bien sus grandezas, en la parte del mismo, Asia, en la que se van a desarrollar sus primeras aventuras importantes. El autor, pues, quiere presentar el campo de acción de las conquistas de Alejandro, adelantar la relación de lugares que, con el transcurso del tiempo, va a poseer. Mediante tal avance logra crear conciencia en el lector de la magnitud de la empresa que va a acometer el protagonista. Con ello su animosidad, y su figura toda, queda ensalzada ante los ojos de éste. La justificación del «excursus» parece, por todo, claramente evidenciada. Su inclusión ha sido realizada en función del ensalzamiento del héroe. Su presencia pone de relieve la existencia de esa técnica de adelantar acontecimientos a que en la anotación a las estrofas 5-6 hicimos referencia.

Ruth I. Moll (*op. cit.,* págs. 57-80) modifica el orden en que aparecen las estrofas de esta digresión dentro de los manuscritos O y P de la siguiente forma: 277-286, 289, 290, 288, 291, 292, 293, 294.

277a   *partió.* Ruth I. Moll, *parió (op. cit.,* pág. 75).

279cd   Evidentemente el autor al incluir estas palabras no se está refiriendo a la época histórica en que se desenvolvió la vida real de Alejandro Magno. Nos encontramos ante un caso claro de medievalización, cuya función, tal y como expusimos en el apartado correspondiente de la Introducción, es acercar la materia abordada al posible lector de la obra con el fin de soslayar el inevitable distanciamiento producido por el paso de los siglos, lograr que aquel se sienta identificado con ésta, y hacer mucho más eficaz, mucho más asimilable, la doctrina profunda, de carácter moral, que se esconde tras el puro argumento, tras el simple relato de unos hechos. Por otro lado, la puesta en relación de las partes del mundo con las religiones concretas que predominan sobre ellas, la especificación de esta circunstancia nos ponen de relieve varios datos que nos llevan a comprender mejor cuál era la mentalidad medieval por una parte, cuál era uno de los intereses fundamentales del autor del *Alexandre,* por otra. O, lo que es lo mismo, manifiesta de un lado la concepción orgánica y organizada del universo como un conjunto en el que todos sus componentes se hallan relacionados y

Qui asmar cómo yazen   los mares, de quál guisa,   280
el uno que comedia,   el otro que quartiza,
veriá que tien la cruz   essa figura misma,
ond devién los incrédulos   prender la mala çisma.

Dexemos de las otras,   de Asïa contemos,   281
a lo que començamos   en esso nos tornemos;
lo uno que leyemos,   el otro que oyemos,
de las mayores cosas   recabdo vos daremos.

Aún de sí misma ave   una bondat estraña: 282
ave mucho buen río,   mucha buena montaña,
de panes e de vinos   non ha tierra calaña;
el bien que della dizen   non es sinon fazaña.

Tanto tien' esta sola   como todo lo al,   283
aún un poquillejo   passa de la señal,
ond' asmó Alexandre,   un seso natural,
que si prisiesse essa   abrié todo lo al.

---

perfectamente trabados entre sí (religión, sociedad, naturaleza, división física de
la tierra... —véase, para más datos, la anotación a las estrofas 8-11—) —hecho
además evidenciado por las ideas incluidas en estrofas inmediatamente posteriores (280, 284-287)—; de otro, la tendencia a resaltar el autor aquellos puntos o
datos que recaen en la esfera concreta de la religión cristiana, o presentan relaciones con ella, lo cual indica que existe una sensibilidad especial en su persona,
un interés muy determinado por esos temas, y todo ello —unido a la afirmación
directa insertada en el verso 1824a— nos ayuda un tanto a esclarecer algún aspecto del conjunto confuso de problemas que giran en torno a la cuestión de
determinar cuál era la auténtica identidad del compositor de nuestra obra: al menos, podemos averiguar el grupo social al que pertenecía: el mundo de los clérigos.

281cd   En estos dos versos, tal y como ha señalado Willis *(The relationship...*;
pág. 41), se encuentra perfectamente expresado el sistema de composición
—adopción de un texto base al que se añaden noticias procedentes de otras
obras o historias leídas o conocidas por referencias— utilizado para la redacción
del *Libro de Alexandre*.

282a   *una.* Conjetura de Ruth I. Moll, *op. cit.,* pág. 76.

283-286   En el manuscrito O estas estrofas han sufrido un desplazamiento
que las ha llevado a ser situadas tras la 287.

283c   *un seso natural.* Epíteto épico mediante el cual se resalta ante el lector
un aspecto concreto del personaje al que se dirige, que en un momento determinado —generalmente dependiendo del contexto (así, en una situación en que el
protagonista ha comprendido el verdadero alcance de unos hechos o ha tomado

Es más rica de todas　　Asïa e mayor　　　　　　　　284
aún como es tan buena　　devié seer mejor;
deviénle reverençia　　todas dar e onor,
ca y naçió don Christus　　el nuestro redemptor.

　　Dent son los patrïarcas,　　omnes de santa vida,　　285
otrosí los profetas,　　una gent' escogida;
fue del fi de la Virgen　　la su sangre vertida,
por ond fue la fallençia　　de Adam redemida.

　　Toda Santa Iglesia　　d'allí priso 'l çimiento,　　　286
dent fueron los apóstolos,　　un honrado conviento;
pero a Europa Dios　　le dió grant alçamiento,
ca es Roma cabeça　　de tod' ordenamiento.

　　Ixen del paraíso　　las quatro aguas santas,　　　287
y son las buenas piedras,　　jaspes e dïamantas;

---

una decisión que se considera acertada, pone de relieve la bondad de su enten-
dimiento, como sucede en el caso que comentamos)—, se desea llevar a primer
plano por considerarlo en esos instantes pertinente. Tales epítetos son tomados
como préstamo de la épica de composición y transmisión orales (para el problema de su utilización en el *Cantar de Mio Cid*, por ej., véase Chasca, *El arte juglaresco en el «Cantar de Mío Cid»*, Madrid, Gredos, 1972, 2.ª ed., págs. 175-195), y
habían sido considerados como prueba —al igual que el resto de los clichés extraídos del llamado «estilo oral formulario»— de que las obras de la clerecía no
estaban destinadas a la lectura personal, sino al recitado en público. Ian Michael, en su artículo «A comparison of the use of Epic Epithets in the *Poema de
Mio Cid* and the *Libro de Alexandre*» (*BHS*, XXXVIII, 1961, 32-41), estudia los epítetos del *Alexandre* comparándolos con los incluidos en el *Cantar de
Mio Cid*. En él, tras analizar las diversas funciones que cumplen en ambos y determinar la existencia de una pluralidad de las mismas en el primero, cronológicamente, de ellos que contrasta con la menor entidad que poseen los insertados
en el segundo, llega a la conclusión —corroborada por la larga extensión de la
obra, la inclusión de moralizaciones, ampliaciones culturales...—, de que nuestro
Libro no fue concebido para la recitación, sino para la lectura individual, realizada por un público no popular sino culto, poseedor de unos conocimientos esenciales —dados por existentes—, útiles para ayudarle a comprender todas y cada
una de las noticias diseminadas a lo largo del relato.

284a　　*mayor.* Enmienda de Nelson (*op. cit.*, pág. 220). En P y O, *mejor.*

287a　　Según la *Biblia (Génesis,* 2, 10-14, ed. cit., pág. 30), cuatro eran los
ríos que regaban el Edén o Paraíso terrenal: el Pisón, «que rodea toda la tierra
de Evila, donde abunda el oro (...) y a más también bedelio y ágata»; el Guijón,
«es el que rodea toda la tierra de Cus»; el Tigris, «corre al oriente de Asiria»; y el

en India es do son   los grandes elefantas,
do sembran dos vegadas   e cogen otras tantas.

Cáucaso, un mont' alto,   l'y yaz' en un rencón,   288
como dizen, a parte   yaze de septentrión;
náçenle muchos ríos   cabdales en fondón,
mas Indos es más frío   de quantos que y son.

En Asia yaz Asiria,   tierra muy abondada,   289
Frigia e Panfilía   que non le deven nada;

Éufrates. La antigua Mesopotamia, pues, sería la zona en la que se situaría el Paraíso.

287b   *diamantas.* Rectificación de Nelson *(op. cit.,* pág. 221). En P y O, *diamantes*

287c   *elefantas.* Corrección de Nelson *(ibídem).* En P y O, *elefantes.*

288b   *a parte.* Ruth I. Moll, *ab arcto (op. cit.,* pág. 78). Nelson, *en parte (op. cit.,* pág. 221).

288d   *Indos.* El río Indo.

289a   *Asiria.* Antigua región de Asia que ocupaba inicialmente la parte central de la cuenca del Tigris —actual Kurdistán. Sus capitales fueron sucesivamente Asur, Calac y Nínive. Durante los siglos XIII-XVI a. de C. formó parte de la monarquía babilónica, si bien sus habitantes lograron después acabar con esa situación y alcanzar la independencia. Sus reyes, dirigentes de un pueblo esencialmente luchador y amante de la guerra —dado que moraban en un país no muy fértil, de clima duro y poco propiciador de una existencia principalmente abocada a más tranquilas actividades (agricultura...)—, consiguieron ensanchar constantemente sus fronteras, obtener el dominio sobre toda Asia occidental y Egipto, y tener constantemente atemorizados a todos los pueblos colindantes. La fundación del imperio medo supuso un fuerte golpe contra la hegemonía de los asirios, que dejó totalmente de existir sobre el año 606 a. de C., fecha en que Nínive, la capital, fue destruida y arrasada por completo por una coalición formada por los medos de Ciaxares y los babilonios de Nabopolasar.

289b   *Frigia.* Comarca situada en la antigüedad en la región central de Asia Menor, que limitaba con Bitinia, Galacia, Licaonia, Pisidia, Licia, Caria, Lidia, Misia, si bien su ubicación exacta sufrió modificaciones a lo largo de los tiempos debido a las diversas variaciones que se produjeron en la extensión de su territorio. Iconio, Cícico, Lampsaco, Abidos, Troya, Ancira, Gordio se contaron entre sus ciudades principales. Los ríos Mandro, Lico, Hermo y Timbris fertilizaron sus terrenos. Sus habitantes formaron parte de un reino independiente, de civilización avanzada, que a fines del siglo VII a de C. fue destruido por los cimerios, siendo Midas su último rey. Creso, rey de Lidia, la conquistó. Persas, mecedonios, gálatas y romanos dominaron sucesivamente sus territorios.

Panfilia. Región situada en la costa meridional de Asia Menor y limitada al norte por la cordillera del Tauro —que la separaba de Pisidia—, al sur por el

y son Persia e Media,   regnos de fuert' entrada,
merez Mesopotamia   non seer olvidada.

Babilonia la magna   que tod'el mundo val,   290
que val más que un regno   que es emperïal;
Caldea que es tierra   del todo comunal;
y son Saba e Siria,   buenos uno con al.

Arabia do a Christo   vinieron en pitança,   291
quand fizo en los niños   Herodes la matança;
Armenia que al çielo   tañe por demostrança
el arca de Noé   do fizo la folgança,

---

mar Egeo, al este por Cilicia y al oeste por Licia. Los aqueos fueron los habitantes que la poblaron en fechas anteriores a la conquista del Peloponeso por los
dorios. Cayó en poder de los persas, quienes mantuvieron su hegemonía sobre
ella hasta que Alejandro Magno logró incluirla en la relación de sus conquistas.
Los seléucidas fueron sus siguientes dominadores, tras lo cual fue anexionada al
reino de Pérgamo. En el año 102 a. de C. fue incorporada por los romanos al
Imperio. Entre sus ciudades más importantes se contaron: Perga, Sileum, As-
pendo, Sida y, su capital, Atalia.

289c   *Media*. Estaba situada esta antigua comarca de Asia entre Hircania,
Partia, Persia, Susiana, Asiria, Armenia y el mar Caspio. Ecbatana era su capital. En un principio estuvo dividida en pequeños principados. Con Ciaxares, en
el siglo VII a. de C., se produjo la unificación, como consecuencia de la cual se
formó un gran imperio, muy poderoso, que fue incorporado por Ciro al reino
de Persia. Alejandro Magno logró conquistarla con posterioridad. Partos y romanos ejercieron después su hegemonía sobre ella.

290   El copista del manuscrito ( ) no recoge esta estrofa.

290c   *Caldea*. Región antigua de Asia, regada por el Eufrates y situada al
noroeste del golpe Pérsico y oeste del Tigris. Sus primeros habitantes llevaron
una vida tranquila, dedicada al cultivo de los campos y la cría de ganado. El crecimiento constante de la población los obligó a expandirse por el norte y, remontando el Tigris, provocaron la fundación de Asiria. Los caldeos siempre
fueron amantes de la paz, cultivaron la ciencia y pasan por ser los inventores
del cálculo y la astronomía.

290d   *Saba*. Ciudad de Asia, sita en lo que era considerado Arabia en la antigüedad (hoy Yemen). Sus perfumes la hicieron famosa, al igual que su reina
Balkis, célebre por la suntuosidad con que supo rodear su corte y por sus relaciones con el bíblico rey Salomón, al que fue a visitar —atraída por su fama—
en Jerusalén y con el que tuvo un hijo, Melech, considerado como fundador de
la dinastía etíope que ostentó el poder en ese reino a lo largo de los siglos hasta
épocas muy recientes.

Egipto do los fijos   de Israel ixieron,   292
el monte de Sinai   do la lëy prisieron,
el desierto do muchos   años estovïeron,
do muchas sorrostradas   e porfaço ovieron.

La tierra de Judea   que es mejor de todas,   293
do con Santa Iglesia   Christo fizo las bodas;
ésta con Palestina   deve çercar las otras,
las otras con aquestas   deven seer devotas.

Otras y ave muchas   que contar non sabría,   294
aünque lo supiesse   nunca lo cumpliría,
ca serié grant estoria   e luenga ledanía;
mas tornemos al curso   mientra nos dura 'l día.

Alegre fue el rey   quando fue arribado,   295
rendía a Dios gracias   que l'avié aliñado,
confortava sus gentes,   andava esforçado,
dizié que su negocio   serié bien recabdado.

Adobavan cozinas,   fazién grandes missiones,   296
a guis de grandes omnes   estableçién razones,
aviánse ordenado   en los sus coraçones,
asmava cada uno   do farién poblaçiones.

Avién buenos agüeros   e buenos encontrados,
ovieron noche buena,   durmieron segurados,
aviénlo menester,   ca eran muy cansados,
ca los que del mar ixen   son cochos e assados.

294d   Tópico utilizado aquí para dar por concluido un asunto e iniciar el tratamiento del siguiente (véase Curtius, *op. cit.*, tomo I, págs. 137-139). Se trata de una variante del tradicionalmente llamado «terminat hora diem, terminat auctor opus», consistente en tomar como excusa la finalización del día para cerrar un capítulo de la obra, o toda en general, como sucede en la *Égloga I* de Garcilaso.

Ya iva aguisando   don Aurora sus claves,   298
tolliá a los cavallos   don Febus los dogales,
despertos' Alexandre   al canto de las aves,
que fazién por los árboles   los cantos muy süaves.

Tant' avié grant sabor   que nada nol membrava,   299
sól nol vinié en miente   en quál tierra estava,
nil membrava de Dario,   a qui él guerreava,
nin que en imperio ageno   essa noch' alvergava.

Quand' apuntó el sol,   cató contra la mar,   300
vío luzir las ondas   e las naves andar,
començó el buen omne   en su cuer a tornar,
fuera salió del lecho,   luego se fue armar.

Cavalgó man' a mano   su cavallo ligero,   301
furtós del almofalla,   non llamó compañero,
subió en una sierra,   en un alto otero,
pero Festino fue   con él, su escudero.

298a *Aurora*. Llamada *Eos* por los griegos, era considerada hija de Hiperión
y Tía, hermana de Helio y Selene, y perteneciente a la generación de los Titanes. De Astreo, hijo de Crio y Euribia y hermano del gigante Palante, concibió
a los vientos (Céfiro, Boreas, Noto), a la Estrella de la mañana (Eósforo) y los
Astros. Se la representaba como diosa cuyos «rosados» dedos abrían al carro del
sol las puertas del cielo todas las mañanas. A este atributo se hace referencia en
nuestro texto. (Cfr. Grimal, *op. cit.*, pág. 161.)

298b *Febus*. Febo («el brillante»), sobrenombre de Apolo que, en su carro
de fuego y en su calidad de divinidad solar, recorría todos los días el firmamento, y cuyos hechos y diferentes atributos son sobradamente conocidos por todos. (Cfr. Grimal, *íbidem*, págs. 55-58.)

300c *en su cuer a tornar*. volver en sí. Recobrar el estado de consciencia.

301d *Festino*. Hefestión, hijo de Amintas de Pella y amigo íntimo de Alejandro Magno, quien gustaba de llamarle «mi Patroclo», estableciendo una comparación entre sus relaciones con aquél y las existentes entre Aquiles y este héroe.
Fue uno de los pocos que estuvo de acuerdo con la política asiática seguida por
el conquistador. Sirvió a Alejandro de intermediario en sus relaciones con los
habitantes de Asia, pero también le fueron encomendados cargos militares importantes (la conducción de la flota a Egipto, el mando del cuerpo principal del
ejército en la retirada de India...). En Persia Alejandro le dio la mano de Dripe-
tis, hermana de Roxana, y, como ésta, hija de Darío, con lo cual fue convertido
en cuñado del emperador. Intervino en la marcha hacia Opis a lo largo del Tigris. Después, cayó enfermo en Ecbatana y murió a los siete días. Alejandro se

Quand fue somo el poyo,   en un alto lugar,   302
començó d' y las tierras   todas a mesurar;
quanto más las catava   más se podié pagar,
dixo: «En estas tierras   me quiero yo morar.»

Vío muchas çibdades,   todas bien assentadas,   303
montañas muy fermosas   e muy bien vallejadas,
muchas buenas riberas   e todas bien pobladas,
de fuentes e de prados   todas bien abastadas.

Semejól que de caças   nunca tan buenas vío,   304
nin tan buena de fruta,   nin de tanto buen río;
dixo entre su cuer: «Como creo e fío,
antes de pocos días   será tod'esto mío.»

Tornó al alvergada   contra ora de nona,   305
mató en la tornada   una fiera leona,
aduxo 'l coraçón   Festino en la azcona,
por mostrar a los griegos   que avián entrada bona.

Adiesso que llegó   dixo a sus fonsados: 306
«Dezir vos quiero nuevas   ond seredes pagados:
suéltovos Eüropa   con todos sus condados,
ca yo he muy mejores   emperios barruntados.

»Sabet que yo he visto   tanta buena ventura   307
que non ha la bondat   nin cabo nin mesura;
qui visto non l'oviesse   terniélo por locura,
el que aquí morasse   nunca verié rencura.»

Tanto avié grant feuza   e firme voluntat   308
que nos le defendié   castillo nin çibdat;
partió a sus varones   Greçia por heredat,
e fízoles lüego   cartas de salvedat.

---

vio profundamente afectado por su fallecimiento. Ordenó que su cuerpo fuera
trasladado hasta Babilonia, y en esta ciudad le fueron tributados solemnes funerales y se le erigió una pira que, según cuentan algunos, costó diez mil talentos.

308d   *cartas de salvedat.* Cfr. *Vocabulario,* s. v. *salvedat.*

Fizo otro esfuerço   que era más estraño;   309
dizía a sus gentes: «Non fagades nul daño,
ca el que lo fiziesse   verá bien que m' ensaño,
ca lo tengo por mío   a la fé, sin engaño.»

Las gentes de la tierra   , porque esto fazié   310
rendíensele todos   doquier que él vinié;
sabet que este seso   grant pro le aduzié,
ca si fuesse muy crudo   peores los avrié.

Dos vassallos del rey,   anbos sus naturales,   311
Clitus e Tolomeus,   dos varones leales,
apartaron al rey   fuera de los tendales,
fuéronlo cometiendo   con palavras atales.

311-320   El autor sigue para la narración de este episodio al *Roman d' Ale-*
xandre (vid. Willis, *The debt...,* págs. 18-24), si bien su situación concreta en la
sucesión de los hechos ha sido modificada con respecto a la fuente, tal vez
—dice Willis *(ibídem,* pág. 24)— porque el autor no creyó conveniente modificar en este punto el orden incluido en el texto que estaba utilizando como base
para el relato de los sucesos inmediatamente anteriores: la *Historia de Preliis.*

311b   *Clitus.* Clito, uno de los generales macedonios favoritos de Alejandro
Magno, hermano de la nodriza de este emperador. Gracias a la mencionada relación personal que tenía con el héroe ocupó puestos importantes en el ejército
y tomó parte en la expedición asiática. En Gránico salvó la vida a Alejandro,
hecho que le sirvió para ver considerablemente aumentada su influenia. Recibió
el nombramiento de sátrapa de Bactriana. Su muerte la encontró en las propias
manos de su emperador que tanto le había favorecido: en el transcurso de un
banquete nocturno, se atrevió a censurar a Alejandro la conducta que llevaba y
el lujo oriental con el que se había rodeado; el rey, vivamente irritado —después
se arrepintió de su furor—, le quitó la vida.

Tolomeus. Tolomeo I, llamado *Sóter* (Salvador), fue el fundador de la monarquía que gobernó en Egipto hasta la época del Imperio Romano. Nacido en
Macedonia, era hijo de Arsino, manceba de Filipo II, casada con Lago con posterioridad. Muy joven ingresó en el ejército de Filipo. Después, tuvo una destacada intervención en las campañas asiáticas de Alejandro, especialmente en la
toma de la India y en la conquista de Bactriana. Atrapó a Besso, asesino de Darío, lo que le propocionó gran estimación por parte de su emperador. Estuvo
casado con Artacama, hija del general Artabaces y hermana de Barsines, una de
las esposas del gran conquistador. Muerto Alejandro, propuso que fuese dividido el imperio entre sus generales, pero su idea fue rechazada. Nombrado rey
Arrideo y Pérdicas regente, le fue encargado el gobierno de Egipto, junto con
Cleómenes. Tolomeo logró pronto deshacerse de su colaborador, lo que motivó
la intervención de Pérdicas y su marcha a Egipto que terminó con su muerte.

Dizién: «Rëy, tú as   mucho de delivrar,   312
acabdellar tus hazes,   los judiçios judgar,
quándo han a mover,   cómo han de posar;
rëy, sufres grant pena,   non lo podrás durar.

»Grant es la tu fazienda,   as mucho de veer,   313
non lo podrás por tí   todo acabeçer;
podrié por aventura   tal falta conteçer
que a tí e a nos   podrié empeeçer.

»Mas, segunt nuestro seso,   si lo por bien toviesses,   314
una cosa de nuevo   querriemos que fiziesses:
que escogiesses doze,   quales tú más quisiesses,
alcaldes e cabdillos   a essos nos pusiesses.

»Después iriés seguro,   seriés más sin ardura,   315
avrié ante derecho   la gent de su rencura;
esto serié buen seso   e de todos cordura,
irié toda la cosa   en mejor derechura.»

Dixo el rëy: «Veo   que bien me consejades,   316
otorgo lealmente   que buen seso me dades;
los dos primeros quiero   que vos amos seades.»
Dixeron ellos: «Plaznos,   señor, pues lo mandades.»

Desent llamó el rey   Elier el su privado,   317
Parmenio fue el quarto,   en duro punto nado;

Encomendada la regencia a Antipatro, Tolomeo buscó un afianzamiento de su puesto mediante su matrimonio con Eurídice, hija del nuevo regente. Tomó parte en las posteriores luchas que se entablaron entre todos los diácodos, y, como muchos de ellos, se dio a sí mismo el título de rey una vez efectuada la partición definitiva del imperio. Logró formar en Egipto un gran foco de cultura, principalmente en torno a Alejandría. En el año 285 a. de C. abdicó en su hijo tercero Tolomeo —su madre era Berenice—, negándose a reconocer los derechos que tenía su hijo mayor Tolomeo Cerauno, fruto de su matrimonio con Eurídice, a la que había repudiado. A su muerte —muy sentida por sus súbditos—, fue enterrado en un mausoleo levantado por órdenes suyas en la ciudad de Alejandría.

315c *buen*. Conjetura de Ruth I. Moll *(op. cit.,* pág. 84).
317a *Elier*. La identifiación de este personaje está todavía sin realizar. La

maestre Aristótiles,　　que lo ovo crïado,
púsolo con los otros　　en esse mismo grado.

El sexto fue Euménides,　　e Samsón el seteno,　　　　318
Festino el octavo,　　Filotas el noveno,
el dezeno fue Nícanor,　　Antígonus onzeno,
Pérdicas fue metido　　en el lugar dozeno.

---

lectura de los dos manuscritos difiere en este punto (O transmite *Dior),* y ninguna de las dos versiones coincide con alguno de los nombres incluidos en la relación del *Roman d' Alexandre,* utilizado en este caso como fuente. Según Willis
(The debt..., página 24), tal vez pueda explicarse la divergencia suponiendo que
en ambos manuscritos se ha efectuado la sustituación de un nombre, *Toras,* que
sí figura en la lista del *Roman* que sigue nuestro autor, y que no ha sido mencionado en ningún otro verso —dentro de este fragmento— del *Libro de Alexandre.* Ruth I. Moll, sin embargo *(op. cit.,* pág. 84) rechaza las lecturas de O y P y
del *Roman d' Alexandre,* y en su lugar introduce otra versión diferente: *Craterus.*

317b　　En el manuscrito P este verso aparece en cuarta posición dentro de la
estrofa. Ruth I. Moll *(ibídem)* introduce la modificación con el fin de restituir el
nombre de Parmenión al lugar que le corresponde —el cuarto, como en el propio verso se notifica— dentro de la enumeración general de los «pares».

317d　　*Parmenio,* Parmenión, uno de los más famosos generales macedonios
que combatieron al lado de Alejandro Magno. Estuvo en primer lugar a las órdenes de Filipo, y con él combatió contra los griegos y bárbaros. Fue encargado, junto con Atalo, de trasladarse a Asia y preparar la campaña contra Persia.
Muerto Filipo, conservó su cargo militar con Alejandro, y llegó a convertirse en
el primero de sus generales. El gran conquistador gustaba consultarle en las situaciones apuradas, si bien no siempre se dejaba guiar por sus palabras. Intervino brillantemente en las batallas de Gránico, Isso y Arbelas. Contribuyó en
buena medida al engrandecimiento de Alejandro. Detenido Filotas, hijo de Parmenión, por su posible complicidad en una conjura tramada contra el emperador, fue sometido a tortura. Sus declaraciones hicieron recaer las sospechas sobre su padre, motivo por el cual Alejandro ordenó que éste fuese degollado.
Contaba con setenta años de edad.

318a　　*Euménides.* Eumenes, caudillo macedonio que nació en la ciudad de
Kardia, situada en Tracia. Se trasladó muy joven a Macedonia y ocupó pronto
el cargo de secretario de Filipo, cargo que desempeñó también con Alejandro
Magno. El emperador sentía gran aprecio por él y le dio como esposa a Arto-
nis, hermana de Barsinis, una de sus mujeres. Muerto el conquistador, recibió
de Pérdicas el cargo de gobernador de Capadocia y Paflagonia. En el mar derrotó a Crateros y Antipatro, dos de sus oponentes. Tras la muerte de Pérdicas
asesinado por sus oficiales, Eumenes no gozó, por ser su amigo, de las simpatías
del resto de los generales, por lo que se vio obligado a refugiarse en Capadocia
perseguido por Antígono. Muerto Antipatro y ocupada la regencia por Antígono, le fue ofrecida la administración del reino, cargo que se negó a aceptar.
Combatió al regente y logró arrebatarle Fenicia. Polispercon le dio el nombra-

miento de estratega de Asia. La envidia del resto de los generales provocó su caída definitiva. Consiguieron soliviantar al ejército contra él, que las tropas aclamasen a Antígono por su caudillo. El regente ordenó su encarcelamiento y su muerte con posterioridad.

Samsón. Cfr. Willis, *The debt...*, pág. 20-21.

318b *Filotas.* General macedonio, hijo de Parmenión, y uno de los lugartenientes y hombres de confianza de Alejandro Magno. Tomó parte junto al héroe macedonio en las guerras de Tracia e Iliria. En la expedición organizada contra Persia iba al mando de la caballería de la guardia real, y tuvo una destacada intervención en la batalla de Gránico y en los sitios de Mileto y Halicarnaso. Disgustó a Alejandro cuando abiertamente expresó su opinión, compartida por la nobleza de Macedonia, contraria al proceso de asimilación de los vencidos que el héroe deseaba poner en práctica. Descubierta una conjura que se tramaba contra el emperador y que tenía a un tal Dimno como principal instigador, Filotas fue acusado de encubridor, pues, decían, siendo conocedor de los hechos que se preparaban, no había tratado de advertir a su señor. Alejandro, dando oídos a los enemigos de Filotas, ordenó que fuese detenido y sometido a la tortura con el fin de hacerlo confesar. Obtenida, por estos procedimientos, la declaración «deseada», Filotas fue, por mandato del emperador, dilapidado por los soldados.

318c *Nicánor.* Nicanor, hijo de Parmenión y, como éste, uno de los generales que en la campaña de Asia se encontraba a las órdenes de Alejandro Magno. Participó en las batallas de Gránico, Isso y Arbelas. Intervino en la persecución de Besso, asesino de Darío II. Murió en el año 330 a. de C.

Antígonus. En los manuscritos O y P del *Alexandre* no figura en este verso el nombre de este personaje. Ambos ofrecen una lectura totalmente coincidente, *e Clitus el onzeno,* y evidentemente errónea, dada la repetición —Clitus y Tolomeus habían sido los primeros elegidos para formar parte del grupo de los pares (cfr. versos 311b y 316c)— que introduce en el texto. Ante esta situación, Willis *(The debt...,* página 22) sugiere que tal vez el nombre que podría figurar en el original es *Antígonus,* incluido en la lista del *Roman d' Alexandre* utilizada por nuestro autor pero no mencionado en ningún otro de los versos que componen este fragmento (estrofas 311-320) del *Alexandre.* Nosotros consideramos válida esta apreciación, y consecuentemente con ello, introducimos la corrección en nuestra edición del texto. (Ruth I. Moll, que en su tesis doctoral, como advertimos, también edita este fragmento, modifica en *Antigón —op. cit.,* pág. 84.)

Antígono, llamado *Monoftalmos* o el *Cíclope* por haber perdido un ojo en uno de los combates en que intervino, fue general de Alejandro Magno. Nació en el año 384 a. de C. y murió en el 301. Intervino con el héroe en las campañas contra Asia al mando de las tropas aliadas griegas. En el año 333 a. de C. fue nombrado gobernador de Frigia, puesto que ocupó hasta la muerte de Alejandro Magno. Acaecido este acontecimiento, incorporó a sus dominios los territorios de Licia y Panfilia. Adoptó una postura contraria a las órdenes del regente Pérdicas, por lo que se vio obligado a huir y a ponerse bajo la protección de Antípatro. Muerto Pérdicas y nombrado regente Antípatro, le fueron restituidos los territorios que ocupara con anterioridad y le fue entregado el mando de las tropas de Asia Occidental. Pretendió que le fuera reconocida su soberanía sobre todos los territorios asiáticos del imperio, lo cual le atrajo enemistades y guerras con el resto de los generales de Alejandro que aún vivían. Seleuco, Tolomeo, Lisímaco y Casandro, entre otros, se opusieron a sus planes y formaron una alianza contra él. Antígono logró, por fin, firmar la paz con todos ellos salvo con Seleuco. No tardaron en renacer los motivos de discordia debido a la obstinación de Antígono en hacer valer sus pretensiones, ahora considerablemente acrecentadas dado que deseó juntar todo el imperio reunido por Alejandro, bajo sus órdenes. En un primer momento le fue relativamente fácil conseguir la victoria sobre sus adversarios debido a la protección que sus hijos Demetrio y Filipo, buenos generales, le pudieron proporcionar. Después, se organizó una nueva alianza contra su persona —formada, una vez más, por Seleuco, Lisímaco, Casandro y Tolomeo—, que desembocó en la batalla de Ipso (Frigia) en la cual Antígono perdió la vida.

318d   *Pérdicas.* Fue uno de los generales macedonios más famosos de su época. Hijo de Orontes, formó parte de la guardia personal de Filipo, empleo que mantenía en los momentos en que fue asesinado ese rey por Pausanias. Se propuso vengar a su señor dando muerte al hombre que había puesto fin a su vida, hecho que consiguió culminar con éxito. Entró al servicio de Alejandro Magno, hijo del monarca anterior, con posterioridad. A sus órdenes tomó parte en las campañas que emprendió. Al mando de una de las falanges, intervino con gran éxito en la expedición a Asia. Como consecuencia de esto, recibió en recompensa una corona de oro y se le ofreció la mano de la hija de un sátrapa medo. Según algunos historiadores, Alejandro, en los últimos momentos de su vida, cuando yacía postrado por su enfermedad, entregó a Pérdicas el anillo que portaba el sello real, lo cual equivalía a otorgarle el nombramiento de sucesor suyo y regente del reino macedonio. Muerto el rey, se formó un consejo de generales, quienes, movidos por el prestigio alcanzado por Pérdicas como militar y considerando la madurez que le había proporcionado el paso de los años, le nombraron presidente del mismo y le encomendaron la tara de asegurar la sucesión y evitar que se produjera el desmembramiento del imperio. Se había establecido que los dominios de Alejandro deberían ser entregados a su hijo cuando el alumbramiento de Roxana —encinta en esos momentos— se produjese. Pérdicas y Leonato en Asis, Antipatro y Cratero en Europa serían los tutores del heredero. No obstante, no todos aceptaron este planteamiento. Meleagro —otro de los generales de Alejandro—, al frente de la guardia real y las falanges, se sublevó y exigió que la corona fuese entregada a Filipo Arrideo (o Arquideo), hijo bastardo de Filipo II. Eumenes de Cardia logró poner fin al litigio consiguiendo que todos aceptasen el arreglo mediante el cual el imperio sería gobernado por dos reyes: Filipo y el futuro hijo de Roxana; los principales cargos serían repartidos entre los generales que habían intervenido en la plasmación del pacto. No duró, no obstante, mucho la tranquilidad. Pérdicas se aprovechó de la paz a la que se había llegado y sentenció a muerte a los promotores del motín. Ordenó que muriesen aplastados por elefantes en presencia de sus compañeros. Meleagro intentó refugiarse en los altares. En ese lugar fue asesinado. Pérdicas supo ganarse las simpatías del resto de los generales, que eran sus rivales, efectuando un reparto de las provincias del imperio entre los mismos. Él mantuvo los poderes supremos civil y militar. Los principales gobernadores pronto se negaron a cumplir sus mandatos. Así, Antígono, al que quiso sustituir en el cargo por Eumenes, se negó a acceder al relevo. Pérdicas le atacó

Estos puso el rey   que fuessen mayorales,   319
non podrié escoger   a omnes más cabdales;
pusiéronles después   nombre los doze pares,
—en Roma otros tantos   avié de cardenales—.

Quando ovo el rey   sus cosas assentadas,   320
puestos sus doze pares,   sus leyes ordenadas,
mandó mover las huestes,   prender otras posadas,
ca querié contra Dario   meters' a denodadas.

---

y Antígono buscó la protección de Antípatro, quien se la concedió. Como venganza por este hecho, Pérdicas repudió a su prometida, Nicea, hija de Antípatro, y pidió la mano de Cleopatra, hermana de Alejandro. Tolomeo, que con Cleomeno de Naucratis gobernaba Egipto, se negó a obedecer las órdenes de Pérdicas relativas al traslado de los restos de Alejandro a Egipto. Ante tales hechos, Pérdicas no se desalentó confiando en la fuerza de su ejército, en la pericia de sus generales, como Eumenes, y en la potencia que le proporcionaban los elefantes que poseía. Envió a Eumenes a Asia para detener a Antípatro y Cratero que se disponían a marchar, con idea de conquista, a Europa. Él mismo se trasladó a Egipto con el fin de subyugar a Tolomeo. Llegó a las orillas del Nilo, pero no advirtió que estaban en la época de las inundaciones, y tal falta de previsión le costó la vida a gran parte de sus soldados, que sucumbieron ahogados por la crecida de las aguas, a la vez que otros morían devorados por los cocodrilos que infestaban el lugar. Tales sucesos provocaron una rebelión entre sus tropas que culminó con la muerte de Pérdicas a manos de sus oficiales (entre ellos se encontraba Seleuco). Los soldados supervivientes se pusieron a las órdenes de Tolomeo.

319b   *a.* Conjetura de Ruth I. Moll *(op. cit.,* pág. 85).

319c   *doze pares.* Como es bien conocido, los «doce pares» forman una institución que va directamente unida al nombre del emperador Carlomagno. Su creación no es un hecho que se produjera en la realidad. Es una simple leyenda que surge en el siglo XII, debido fundamentalmente a la enorme popularidad que adquirió la figura de ese rey, y debido también a que juglares y trovadores —principales artífices de esta historia—, juzgaron necesario que un séquito formado por doce aguerridos caballeros acompañasen siempre —lo contrario, pensaban, no sería propio de un gran monarca— a tan importante personaje. Culminando el proceso de génesis de la institución, se quiso buscar a ésta, con el fin de prestigiarla y presentarla ante el auditorio como un hecho totalmente usual, los antecedentes más remotos. Los nombres concretos de los personajes que formaron —insistimos, en la ficción literaria— parte de los doce pares varían constantemente. Cada autor se reserva el derecho de modificarlos según sus conveniencias, goza de una total libertad para su creación. Tal circunstancia explica el porqué mientras en unos textos un personaje puede ser incluido entre los enemigos de Carlomagno, en otros puede ser nombrado como uno de sus pares. No obstante, suele existir una cierta unanimidad en la mención de los siguientes caballeros: Roldán, Oliveros, Ogier el Danés, Reinaldos, Gerardo de

Fizo por media Frigia   la primera entrada,   321
nin castillo nin villa   non se le tovo nada,
óvola much' aína   conquista e ganada,
fue cogiendo esfuerço   la greçisca mesnada.

Desent vino a Troya,   la mal aventurada,   322
la que los sus parientes   ovieron assolada;
veyé fiera lavor   todas desbaratada,
faziés maravillado   de cosa tan granada.

Maguer que yerma era,   desfecha e quemada,   323
pareçién los çimientos   por do fuera poblada;
veyé que don Omero   non mintiera en nada,
todo quanto dixiera   era verdat provada.

Mostráronle el soto   do parava sus redes   324
quando robó el águila   al niño Ganimedes,
vertiólo ante Júpiter   sobre unos tapedes,
dió a la cort del çielo   tal honra qual veedes.

Rosellón y Gerardo de Viana. Las hazañas de los doce pares fueron recogidas, cantadas y divulgadas en los poemas del ciclo carolingio, ejercieron una gran influencia en toda la literatura medieval, y en la literatura medieval castellana especialmente. Tal circunstancia nos puede ayudar a comprender fácilmente qué motivos pudieron llevar al autor del *Alexandre* a incluir este recuerdo de la comentada institución dentro de su obra.

321-773   El largo pasaje de la obra dedicado a la narración de la historia de Troya ha sido editado por Alarcos como parte integrante del trabajo realizado para la obtención del grado de doctor, y posteriormente publicado por el CSIC (Madrid, RFE, Anejo XIV, 1948) con el título de *Investigaciones sobre el Libro de Alexandre*. Dicha edición se halla precedida de un breve estudio (págs. 79-93) en el que se analizan diversos aspectos externos del fragmento recogido —contenido, fuentes, influencias, relaciones con el *Píndarus Thebanus*...—, cuya consulta puede resultar de utilidad.

323c   *don Omero.* Evidentemente se refiere al famoso poeta griego Homero, autor de la *Ilíada* y la *Odisea,* que relata la epopeya troyana en la primera de esas obras.

324b   *Ganimedes.* Joven héroe, descendiente de Dárdano y perteneciente a la familia real troyana. Era, según unos, hijo de Tros y Calírroe; según otros, de Laomedonte. Su belleza extraordinaria provocó que Zeus se enamorase de él, cuando éste era tan sólo un adolescente, y lo hiciese raptar y llevar a su lado, en el monte Olimpo, lugar en el que desempeñó la función de copero de los dioses y se encargó de escanciar el néctar en la copa del padre de los dioses. Sobre los

Tanto pudo el rey   la cosa acuçiar   325
fasta que lo oviera   el árbol a fallar,
do escrivió Oenone   de viersos un buen par,
quando dizen que Paris   la ovo a dexar.

Aprés falló un val,   un lugar apartado,   326
do Paris el juïzio   malo ovo judgado,

---

pormenores del rapto existen también variaciones según los autores. Todos
coinciden en afirmar que fue puesto en práctica mientras Ganimedes se ocupaba de cuidar los rebaños de su padre en las montañas situadas en los alrededores de la ciudad de Troya. Pero, para unos, fue el propio Zeus, transformado en
águila o sin transformar, el que se encargó por sí mismo de llevar a cabo la misión. En cambio, para otros, ésta fue ejecutada por un águila real, animal favorito del dios, o por Eos (Aurora), Minos o Tántalo, por mandato de Zeus. Para
compensarle por la pérdida, Zeus regaló al padre de Ganimedes unos caballos
divinos o una copa de oro fabricada por Hefesto (Vulcano). (Cfr. Grimal, *op. cit.*,
págs. 210-211.)

325c   *Oenone.* Modificación efectuada por Alarcos *(op. cit.,* página 98), contraria a las lecturas corruptas de P *(Çenodes)* y O *(Diomedes).*

Enone, ninfa hija del dios-río Cebrén, a la que Paris conoció durante la juventud, en los momentos de su existencia en que vivió refugiado en la montaña, y con la que mantuvo relaciones amorosas. Paris deseó abandonarla —tras
haber emitido el fallo sobre la disputa entre las diosas originada con motivo de
la manzana de la discordia—, al sentirse atraído por la promesa que Afrodita le
hizo de entregarle el amor de Helena. Enone, capaz de conocer el futuro, trató
de convencerlo para que no llevara a la práctica su propósito utilizando como
argumento la afirmación de que sólo ella podría curarle en el caso de que fuera
herido, dado que Apolo, para premiar su virginidad, le había concedido como
gracia la facultad de conocer las sustancias elementales. Paris no se dejó convencer y la abandonó por Helena, pese a la cual, Enone le prometió hacer uso
de sus conocimientos en él, cuando lo necesitase, si regresaba junto a ella. Paris,
tiempo después, fue herido por Filoctetes con una flecha. Recordó la promesa
de Enone, fue en su búsqueda —o le envió mensajeros— para que le propor-
cionase los medios necesarios para lograr su curación. Enone, todavía enojada,
denegó su petición y Paris murió. La ninfa terminó por arrepentirse de su primer impulso y fue a buscar al príncipe troyano con el fin de aplicarle sus reme-
dios y con la esperanza de hallarle vivo aún. Conocida la noticia de su muerte,
no pudo resistir el dolor y se suicidó, bien por medio de la horca —según versiones—, bien arrojándose a una pira funeraria. (Cfr. Grimal, *op. cit.,* pág. 159.)

325d   *la bovo.* Alarcos corrige las lecturas de O —*a Elena ovo*— y P —*lo avie
de*—, con lo que facilita totalmente la labor de comprender el significado del
verso: Enone escribió dos versos en un árbol cuando Paris la abandonó tras
quedar enamorado de Helena.

quand' avién las tres dueñas   el pleito afincado
sobre una mançana   que les dió el pecado.

Falló en un bel campo   una grant sepultura   327
do yazié soterrada   la gent de su natura;
tenié cada sepulcro   suso su escriptura,
e dizié, cada uno   qui fuera, su mestura.

Falló entre los otros   un sepulcro honrado,   328
todo de buenos viersos   en derredor orlado;
qui lo versificó   fue omne bien letrado,
ca puso grant razón   en poco de dictado.

«Achiles so, que yago   so est mármol çerrado,   329
el que ovo a Éctor   el troyano rancado;
matóme por la planta   Paris el perjurado,
a furto, sin sospecha,   yaziendo desarmado».

Quando ovo el rey   el pitafio catado.   330
dizié que de dos viersos   nunca fue tan pagado;
tovo que fue Achiles   omne aventurado,
que ovo de su gesta   dictado tan honrado.

326cd   Se refiere al episodio de la manzana de la discordia, relatado con
posterioridad en las estrofas 335-345, 362-387.
327b   Este verso figura en el manuscrito P —no en O— situado como tercero de la estrofa. Alarcos *(op. cit.,* pág. 99) modifica tal ordenación, con el fin
de restituir al texto su significación correcta.
327c   *sepulcro.* Conjetura de Alarcos *(op. cit.,* pág. 99) —aceptada por nosotros—contraria a las lecturas de O *(tenié cada uno)* y P *(sepultorio),* y que restable-
ce la regularidad métrica en el hemistiquio.
329c   Véanse, para entender mejor este verso, las estrofas 723-725 en las
que se relata este episodio.
330b   *de dos viersos.* Parece contener en este punto el verso o una mala lectura o un error de su autor, dado que no son *dos* sino *cuatro* los versos que en
nuestra obra recogen el texto concreto de la incripción grabada sobre la tumba
de Aquiles. No es así. Nuestro escritor no se está refiriendo aquí a su propia
composición, sino a aquella que en estos instantes está utilizando como fuente
—el *Alexandreis* de Gautier de Châtillon—, en el cual el texto exacto del susodicho *«pitafio»* («Hectoris Aeacides domitor, clam, incautus, inermis/ occubui Pa-
ridis traiectus arundine plantas», ed. cit., pág. 473, v. 483-484) sí se ajusta a la
afirmación incluida en el *Libro de Alexandre.*

Echaron grant ofrenda,   dieron grant oblaçión,   331
ençensaron las fuessas,   fizieron proçessión,
orava cada uno   con grant devoçión
por aquellos que fueron   de su generación.

La proçessión andada,   fizo el rey sermón   332
por alegrar sus gentes,   ferles buen coraçón;
enpeçó la estoria   de Troya de fondón,
cómo fue destroída   e sobre quál razón.

332-772   Inclúyese en estas estrofas la digresión real de la guerra de Troya,
el mayor de todos los «excursus» introducidos por el autor en el *Libro de Alexandre*. Ha sido durante mucho tiempo una de las partes más debatidas de nuestro texto, considerada como prueba evidente de su carencia de unidad, de esa
falta de una coherencia interna mínima, juzgado como exento de cualquier funcionalidad. Ninguna de tales afirmaciones se aproxima, tan sólo, a la realidad de
los hechos. El autor ha tenido buen cuidado de evitar que se produzca cualquier
tipo de quiebra estructural en la obra. En nuestro caso lo ha conseguido de diversas maneras. Por un lado, otorgando un valor real, una función relevante al
episodio, que sirve para unirlo al conjunto, que lo hace directamente depender
de él, que en parte declara abiertamente en su obra (verso 332b) y que Ian Michael, en su magnífica tesis doctoral sobre la obra *(The treatment of the Classical
Material in the Libro de Alexandre,* Manchester University Press, 1970, páginas 260-261), se encarga por completo de explicitar:

> «the real artistic function of the Troy digression: the deeds at Troy set a
> standard by which Alexander's achievements can be judged and which
> they can seem to surpass. This is why Aristotle is made to refer to Troy
> before Alexander begins his career and why Troy is not mentioned la-
> ter until Alexander's military deeds are complete. The desciption of the
> tent later reinforces the conection: the decoration on its second wall in-
> cludes the story of Troy (...) and the fourth wall despicts Alexander's
> own achievements».
> «The Trojan digression works, therefore, on a number of levels. On the
> first, it offers the bonus of a classical military tale for reader interest-
> ed in the deeds of antiquity; on the second, it is a secular sermon in
> which Alexander inspires his men to valorous deeds, emphasizing the
> importance of the recording of deeds for the achievements of fame; on the
> third, it is an example, suggested first by Aristotle, by which Alexan-
> der can judge his own deeds; on the fourth, it is a standard by which the
> reader can perceive Alexander's superiority».

Por otro, confiriendo a la digresión el carácter de discurso pronunciado por
uno de los personajes —el principal, el protagonista del relato—, y, por ello, paralelo —con la única diferencia de su mayor extensión— al resto de los discursos que, con diferentes funciones —según los diversos contextos—, se hallan

Contóles a los suyos   cómo fue destroída,   333
cómo oviera Paris   a Elena rabida,
cómo ovo Diomedes   a Venus mal ferida,
cómo murió don Éctor,   una lança ardida.

---

abundantemente repartidos a lo largo de todo el relato. La trabazón formal y funcional —polifuncional diríamos para ser más exactos (precisamente el que las funciones asignadas sean múltiples es consecuencia de su gran extensión y muestran la preocupación existente en el compositor por no dejar cabos sueltos)— constituyen una prueba palpable de la unidad esencial que posee nuestro texto, de la falta de autenticidad de las interpretaciones tradicionales.

Es de resaltar que toda la digresión sobre la guerra de Troya ha recibido una estructuración similar a la que posee el conjunto de la obra —tal y como Michael indica *(ibíd.,* págs. 256-257), si bien no llega a exponer tal hecho en su totalidad, no lleva la cuestión hasta sus últimas consecuencias. Michael afirma que, al igual que el relato base, la digresión posee una introducción general, tras la cual se incluye la narración de los sucesos. Es cierto, pero no constituye toda la verdad. El paralelismo es mucho más general aún. Veíamos en nuestro estudio introductorio que el *Libro de Alexandre* posee una introducción —en la que se recoge un resumen del argumento–, un núcleo narrativo y una despedida, en la que se inserta una moralización. Tal es la estructuración conferida a la narración de Troya (introducción, estrofas 332-334); relato, estrofas 335-762; despedida en la que se extrae una conclusión de carácter didáctico, estrofas 763-772. Con ello la digresión queda convertida en una especie de espejo que en forma reducida refleja el conjunto en el que se incluye. Mediante ello se establece un nuevo nexo de unión entre todo y parte, un nuevo sistema de relación entre ellos. La unidad total de la obra queda, tras ser asegurada en diversos frentes, totalmente salvada.

333-334 En los manuscritos O y P estas dos estrofas han sido intercaladas entre las que figuran con los números 324 y 325 en nuestra edición. Alarcos *(op. cit.,* pág. 98, nota final a la estrofa 324) advierte que su significado específico contrasta con el del contexto inmediato en el que se incluyen y propone la realización de este cambio de orden. Nosotros, tras comprobar que en el *Alexandreis* —fuente para el pasaje concreto que antecede a la estrofa 332—, no aparece ningún verso que les pueda haber dado origen (de la mención del episodio de Ganimedes pasa directamente a la constatación del hallazgo del árbol de Enone —ed. cit., pág. 473, versos 462-475), aceptamos la conjetura.

333b   *Paris.* Se trata, como puede suponerse, del famoso hijo de Príamo y Hécuba, cuyos conocidos amores con la mujer de Menelao, a la que raptó, dieron origen a la guerra de Troya.

Helena. Hija de Zeus y de Leda (si bien como padre «humano» tuvo a Tindáreo), y esposa de Menelao, cuyo rapto, ejecutado por Paris, provocó que los griegos asediaran Troya durante diez años y lucharan contra sus habitantes hasta lograr una completa victoria y asolar finalmente la ciudad. (Sobre los aspectos conocidos y menos conocidos de su historia, véase Grimal, *op. cit.,* páginas 229-233.)

333c   Cfr. nota a 70a.

Dixo cóm fue Ulixes   sossacador d' engaños,   334
cómo vistió Achiles   en la orden los paños,
cómo avián yazido   en la çerca diez años,
cómo ellos e ellos   prisieron grandes daños.

Consagraron dos reys,   como diz la leyenda,   335
fizieron, como ricos,   bodas de grant fazienda;
todos avién abondo   en paz e sin contienda,
quiquiere en palaçio,   quiquiere en su tienda.

Fueron allí llamados   los dios e las deessas,   336
rëys muchos e condes,   reínas e condessas,

334a   *Ulixes.* Evidentemente, se trata del famoso *Odiseo* homérico, uno de
los personajes principales de la *Iliada* y protagonista de los sucesos narrados en
la *Odisea,* cuya inteligencia y astucia son ampliamente alabadas y destacadas dentro de esas dos grandes epopeyas griegas. (Cfr. Grimal, *op. cit.,* págs. 527-534).

334b   Véanse las estrofas 410-416 que esclarecen totalmente el sentido de
este verso.

335-416   Se introduce aquí una —o, más exactamente, varias— digresión
dentro de la digresión, en la cual se resumen todos los hechos que anteceden inmediatamente a la guerra de Troya. En ello vemos un nuevo caso de coincidencia entre la estructuración de la digresión de Troya y la general a la obra. Con
ello pretende el autor ser exhaustivo, explicar peldaño a peldaño todas las circunstancias y pasos de los hechos, no dejar sin constatar la existencia de ningún
eslabón, sin explicar ni una sola de las causas. La concepción que subyace a esta
intencionalidad se halla muy en la línea de la que marcó las directrices de Alfonso el Sabio y sus colaboradores para la confección de la *General Estoria* (véase
Francisco Rico, *Alfonso el Sabio y la General Estoria,* Barcelona, Ariel —letras e
ideas, serie Minor—, 1972, págs. 39-41).

335a   *dos reys.* El episodio de la manzana de la discordia, que en esta estrofa
y las siguientes se narra, tiene lugar durante la celebración de las bodas entre
Tetis y Peleo.

como diz la leyenda. Según Solalinde, que estudia las fuentes de este pasaje concreto —el juicio de Paris— de nuestra obra («El juicio de Paris en el *Alexandre* y
la *General Estoria»*, *RFE,* XV, 1928, páginas 1-51), el autor no se basaría para la
confección de este episodio en un texto único determinado, sino que realizaría
una mezcla de datos acopiados de diversas procedencias, principalmente de Hi-
ginio —*Fábula 92*—, del Mitógrafo I, y de Apuleyo —*Metamorfosis*—, si bien
ciertos detalles son extraídos también de Ovidio —*Heroidas*—, pero no directamente, sino como recuerdos de una lectura ya, en esos momentos, lejana en el
tiempo.

336b   Verso cuya ubicación real en la estrofa ha sido modificada en el manuscrito P, en el que ocupa la tercera posición. Alarcos *(op. cit.,* pág. 101) introduce la corrección. Con ella queda respetada la jerarquización establecida en la

dueñas e cavalleros,   e duques e duquessas,
avié y un grant pueblo   sólo de juglaressas.

Avié muchos conçejos   muchas gentes balderas   337
—juglar es tod'el mundo   de diversas maneras—,
aún, por más buscar,   ixién a las carreras,
ca non podién dar cabo   a vaziar las calderas.

Sedié, com' es derecho,   cad' uno con su igual,   338
assí seyén la tavla,   mantenién el ostal;
duraron essas bodas   un mes en tal señal
que nunca y sintieron   escándalo nin mal.

El pecado, que siempre   andido en follía,   339
cogió en essa paz   una malenconía:
asmava, si pudiesse,   sembrar su zizañía,
meter algún estorvo   en essa cofradía.

Comién por aventura   tres deessas en uno,   340
por nombre les dizién   Venus, Pallas e Juno;
todas eran cabdales   e de linaje uno:
nunca tan rica tavla   vío omne ninguno.

El pecado, que siempre   sossaca travessura,   341
buscó una mançana   fermosa sin mesura;
escrivióla el malo   de mala escriptura,
echógela en medio   atán en ora dura.

---

enumeración de personajes procedentes de los diversos estamentos y grupos so-
ciales medievales, que exigía —y así aparece en los textos (la *Danza de la muerte*
castellana puede ser considerada como máximo exponente de tal hecho —véase
la edición incluida en *Poesía de protesta en la Edad Media castellana* de Julio Rodríguez Puértolas, Madrid, Gredos, 1968, páginas 102-125—) anteponer la mención de los reyes —como vértice de la pirámide social humana—, a la de
cualquier otro mortal.
   340b   *Palas.* Epíteto ritual de Atenea, llamada Minerva por los romanos,
diosa de las armas y de las letras, nacida de la cabeza de Zeus. (Cfr. Grimal,
op. cit., págs. 400 y 59-61.)
   340c   *de linaje uno.* Las tres diosas eran, según la mitología, parientes entre
sí: Venus y Palas eran hijas de Zeus y, por tanto, hermanas de padre; Juno
(Hera para los griegos) era hermana de Zeus y su esposa, y, por lo tanto, tía y
«madrastra» de las dos anteriores.

Esta fue la materia,   —es verdadera cosa—:   342
«Prenda esta mançana   de vos la más fermosa.»
Ellas quando vidieron   fazienda tan preçiosa,
estava cada una   por ganarla golosa.

Dixo end doña Juno: «Yo la devo aver.»   343
Respuso doña Pallas: «Non lo puedo creer.»
«A la fe», —dixo Venus—,   «non pued' esso seer,
ca so la más fermosa,   yo la devo aver».

Entró entre las dueñas   baraja e entençia,   344
non las podié nul omne   meter en abenençia;
en cabo abiniéronse,   diéronse atenençia
que Paris, el de Troya,   diesse esta sentençia.

Quando plogó a Dios   que fueron abenidas,   345
fueron delante Paris   a juïçio venidas;
fueron de cada parte   las razones oídas,
semejavan las dueñas   unas fieras legistas.

Quiérovos un poquiello   sobre Paris fablar,   346
ond podades creer   e podades firmar
que lo que Dios ordena   cómo ave d'estar
por nul seso del mundo   nos puede estorvar.

Príamo era rey   de Troya la çibdat,   347
—a como dizen era   una grant heredat—;

343a *end*. Adverbio introducido por Alarcos *(op. cit.*, pág. 102) con el fin de regularizar métricamente el hemistiquio.

343d *la*. Introducido por Alarcos *(ibídem)* con el mismo fin expuesto en el comentario insertado en la anotación anterior.

346-361 Nueva digresión dentro de la digresión, que tiene idénticos caracteres y función a la reseñada en la anotación a las estrofas 335-416.

347a *Príamo*. El más joven de los hijos de Laomedonte, célebre por su intervención en la guerra de Troya, ciudad de la que era rey —su edad era ya avanzada— cuando se desarrollaron los sucesos que se narran en la *Ilíada*. Siendo niño se llamaba Podarces y fue hecho prisionero por Heracles, junto con su hermana Hesíone, cuando el héroe tomó la ciudad de Troya. Heracles dio a su amigo Telamón por esposa a Hesíone, quien solicitó del héroe como regalo —se lo había prometido— a su hermano Podarces. Accedió a ello Heracles y el

su muger era Écuba,   fembra de grant bondat;
eran muy buenos reys   entrambos por verdat.

Écuba la reína   fue de Paris preñada,   348
soñó un fuerte sueño   ante que fues livrada:
que ixié de su cuerpo   una flama irada,
quemava toda Troya,   tornávala en nada.

---

futuro rey de Troya fue vendido a su hermana de manera simbólica. Podarces cambió su nombre por el de Príamo («el que ha sido vendido») y se ocupó, por encargo de Heracles y como único superviviente de los hijos de Laomedonte, del gobierno de Troya. Tuvo varias esposas, numerosas concubinas y gran cantidad de hijos. Su papel en la guerra de Troya es oscuro: no toma parte en los combates, no siempre prevalece su opinión en los consejos —más atentos a la voz de Héctor—... Los detalles de su muerte tampoco aparecen con suficiente claridad. Parece ser que fue Neoptólemo el que, tras ser ocupada la ciudad troyana por los griegos, se encargó de poner fin a su vida, bien cuando había, al lado de su esposa Hécuba, acudido junto al altar de los dioses a ponerse bajo su protección en su palacio, bien arrastrándolo hasta la tumba de Áquiles, fuera de la ciudad, y degollándolo en ese lugar. (Cfr. Grimal, *op. cit.,* págs. 451-453.)

347c   *Écuba.* Hécuba es la segunda, y más famosa, de las esposas de Príamo, hija de Dimante, rey de Frigia, según unos, o de Ciseo de Tracia, para otros. Fue extraordinariamente fecunda. Dio a luz a los hijos más conocidos de Príamo: Héctor, Paris, Creusa, Laodicea, Polixena, Casandra, Deífobo, Héleno, Pamón, Polites, Antifo, Hipónoo, Polidoro, Troilo y Polidamante. Debido a la leyenda del sueño que tuvo antes de dar a luz a Paris (relatada en la estrofa 348 de nuestro texto), y cuyas advertencias no quiso tener en cuenta (se negó a segar la vida de su hijo, pese al riesgo que ello suponía para la ciudad), se la considera causante última de la desgracia de Troya. Tras la destrucción de la ciudad fue cautivada por los griegos y llevada con ellos como prisionera. Yendo en la barca en que era conducida hacia Grecia, encontró en el mar el cadáver de su hijo Polidoro, que había sido encomendado por Príamo a Polimestor, rey del Quersoneso, el cual custodiaba también valiosos tesoros entregados por el rey troyano para aquél. Conocedor Polimestor de la muerte de Príamo, se vio cegado por la codicia y decidió matar a Polidoro para quedarse con las riquezas. Hécuba, al ver el cadáver de su hijo, comprendió la situación y se propuso firmemente vengarse. Envió a una de sus criadas a buscar a Polimestor con un pretexto falso: el descubrirle el lugar en donde se hallaba oculto un fabuloso tesoro guardado por los troyanos antes de su partida. Polimestor, cegado por la codicia, acudió a la cita y al verlo Hécuba se avalanzó sobre él y le arrancó los ojos, no sin antes haberle hecho presenciar la muerte de los dos hijos suyos que le acompañaban, ejecutada por varias cautivas troyanas. Los griegos, para castigar tal asesinato, decidieron dilapidar a la anciana reina, propósito que llevaron a la práctica, pero, al levantar el montón de piedras que habían lanzado sobre ella, hallaron bajo él una perra con ojos de fuego. Otros autores cuentan estos últimos sucesos de diferente manera. (Cfr. Grimal, *op. cit.,* páginas 227-228.)

Despertó con el sueño   Écuba espantada,   349
non cuidava que era   del fuego escapada;
luego que assomó   la luz del alvorada,
dixo al rëy Príamo   quál noch' avié passada.

Quando ovo el rey   el sueño entendido,   350
perdió toda la sangre   e parós' estordido;
vío que era signo   müy malo complido,
dixo: «Sea aquello   que Dios ha establido.»

Alçó a Dios sus manos   e fizo un pedido: 351
«Rëy», —dixo—, «e padre,   Señor, merçet te pido,
si este lugar ha   de seer destroído,
que mates a mí ante,   ca assaz he bevido.

»Por caridat, reína,   quem fagades un ruego: 352
quequiere que vos nasca   que lo matedes luego;
podredes por ventura   amatar este fuego
si quisierdes fazer   esto que vos yo ruego.

»Menos de mal será   que un fijo perdades   353
que de tan grant peligro   vos carrera seades».
Respuso la reína: «Rëy, bien lo sepades,
faré muy volenter   lo que vos me mandades.»

Quando vino el tiempo   que ovo de parir,   354
Écuba fue en tal cuita   ques cuidava morir;
mandó a las parteras,   quel' avién de servir,
quequiere quel naçiesse   nol dexassen bevir.

Naçióle por pecado   e por mala ventura   355
un infant muy cariello,   apuesta críatura;
furtáronlo las amas   por su grant fermosura,
mintiéronle a Ecuba,   ¡que les de Dios rencura!

Como ant vos dixiemos,   lo que Dios ha parado   356
non pued seer por seso   de omne estorvado;

356b *pued*. Conjetura de Alarcos *(op. cit.,* pág. 104), contraria a la lectura —*podié*— de P (Ο no recoge este último verso de la estrofa).

mintiéronle a Écuba,   falsaron su mandado,
diéronlo a pastores   que curiavan ganado.

Dávanle muy grant viçio,   fue aína crïado;   357
luego que andar sopo   vinos pora 'l poblado;
tanto era fermoso   el que non fuesse nado
que se faziá el pueblo   mucho maravillado.

Niño era traviesso   e müy sabidor,   358
encara palaçiano   e muy doñeador;
non ha rëy en mundo   nin tal emperador
que si oviés tal fijo   nos toviés por mejor.

Fue aína sabida   toda la poridat,   359
al rëy con su fijo   plogól de voluntat;
heredól' en su mueble   e en su heredat,
cambiól' encara 'l nombre   con grant propïedat.

Soliénlo Alexandre   de primero llamar,   360
más óvole el padre   el nombre a mudar;
Paris le puso nombre,   si l'oyestes contar,
ca igual lo fazié   de los otros e par.

Apriso de retórica,   era bien razonado,   361
encara de sus armas   era muy esforçado;
porque les semejava   omne tan acabado,
lo prisieron las dueñas   por su adelantado.

Quand fueron ante Paris,   dixieron sus razones;   362
afincavan sus bozes   com si fuessen varones;
fazién, maguer mugeres,   fuertes alegaçiones;
maravillosas eran   las sus conclusïones.

Començó doña Juno,   fabló la más primera,   363
—diéronle avantaja   porque reína era—;
entró en su razón   como buena bozera,
cuidóles a las otras   tomar la delantera.

Semejava que era   reína muy sabrosa,   364
tenié en su cabeça   corona muy fermosa,

luzié en derredor   mucha piedra preçiosa,
començó su razón   a guisa de cabosa.

«Oyasme», —dixo—, «Paris,   qué te quiero dezir;   365
plogóme quando ove   ante tí a venir,
ca sé yo bien que amas   derecho departir,
e sé que non querrás   en judiçio fallir.

»Muger so e hermana   del grant emperador,   366
de Júpiter, que es   de los rëys señor;
si él oviés fallada   más genta o mejor,
a mí non escogiera   por seer su uxor.

»De mi beldat non quiero   luengamente contar,   367
lo que parez por ojo   non ha mester provar;
la mi beldat a muchos   fizo e faz lazrar,
desto puedo, si mandas   muchos testigos dar.

»Porque es tan fermosa   la rueda del pavón,   368
a mí aparejada   fue por atal razón:
esto yaz' en el livro   que escrivió Nasón;
devo con la mançana   ir a toda sazón.

»Si tú lo otorgares   que esto es derecho,   369
fallart' as bien en ello   e avrás end provecho:
nunca te verás pobre   nin te verás maltrecho,
si tú al fizïeres,   farás a mí despecho».

Quand' ovo doña Juno   su razón acabada,   370
Pallas se levantó,   çinta la su espada.

368b *a mí aparejada fue.* Alarcos *(op. cit.,* pág. 107), basándose en la versión recogida por O *(fue a mi apareiada)* y en contra de la transmitida por P *(fue a mi apreçiada),* modifica la situación de las palabras en el verso que se desprende de ambos manuscritos y la lectura de una de ellas —*apreçiada*— contenida en el más moderno de ellos. Con eso, consigue facilitar la comprensión del texto en este punto concreto y mejorar su métrica proporcionándole regularidad.

368c *Nasón.* Evidentemente se refiere al famosísimo escritor latino Publio Ovidio Nasón, en cuyos *Fasti* nos transmite esta noticia.

«Oyasme» —dixo—, «Paris   diré mi dinarada;
assaz ha dicho Juno,   escuche su vegada.

»De grant linaje viene,   assí com'ella diz;   371
otrosí me so yo   dessa misma raíz;
so más genta que amas   d'ojos e de nariz;
çiertas nom preçio menos   d'una emperadriz.

»So ligera de pies   e sé bien cavalgar,   372
sé bien tener mis armas,   de ballesta tirar;
quando de correr monte   vengo o de caçar,
estas non serién dignas   ante mí se parar.

»Proserpina me dizen   de Phebus so hermana;   373
sin éste he dos nombres: Minerva e Dïana;
yo alunbro la noche,   enfrío la mañana;
sólo por esto devo   ir yo con la mançana.

»Aún ay otra cosa   que deves tú asmar: 374
tú por cavallería   as preçio de ganar,
e yo so la maestra   que te he de guiar;
e puédesme tú oy   por siempre adebdar.

»Aún sobre tod'esto   al te quiero dezir;   375
si yo esta vegada   en tí he de fallir,
avert' has duramente,   Paris, a repentir,
e si tú as orejas,   deves esto oír».

Venus dio luego salto,   ixió del diversorio,   376
paróse ante Paris   en medio 'l parlatorio;
más genta non ixió   de todo 'l confesorio,
que quanto de linaje   eran d'un avolorio.

373ab Dos errores encontramos en los nombres que en estos dos versos se
adjudicaban a Palas Atenea: la denominación de Proserpina (en realidad era una
divinidad diferente, diosa de los infiernos, asimilable a la Perséfone de los griegos —cfr. Grimal, *op. cit.,* pág. 456), y la denominación de Diana (Artemisa
para los griegos, deidad de la caza, hermana gemela de Febo Apolo, vengativa,
protectora de las Amazonas, e interpretada como personificación de la luna
—cfr. Grimal, *ibídem,* págs. 53-54—). Las restantes noticias son correctas.

Dueña era de preçio,   de cuerpo bien tajada,   377
quanto tañié de mañas   era bien enseñada,
sobre todas las otras   era bien razonada,
non devié a ninguna   por fermosura nada.

Por mostrar que non eran   las otras sus parejas,   378
alcofoló los ojos,   tiñós las sobreçejas,
cubrióse de colores   blancas e de bermejas,
cargó sotijas d' oro   en amas sus orejas.

Descubrióse la faz   quand' ovo de fablar,   379
catava contra Paris,   començó de çeñar.
Dixo: «Si quieres, Paris,   el derecho judgar,
ya lo vees por ojo   qui la deve levar.

»De un linaje somos,   como ellas dixieron,   380
quanto tañe en esso,   en nada non mintieron;
mas de todo lo al   dixieron que pudieron,
falsaron de la regla   que donas prometieron.

»En las ondas del mar   füi yo engendrada,   381
quando dió a su padre   Júpiter la colpada,
non ove otra madre,   por que so más honrada,
tovos don Mars por rico   quando m' ovo ganada.

»Quanto en el juïcio   sé que non falsarás,   382
más quiérote dezir   el pro que ganarás:
si tú esta mançana,   Paris, a mí la das,
tal don avrás de mí   que siempre gozarás.

381b   Dos tradiciones distintas existen en torno a la cuestión del nacimiento de Venus. Según la primera, es hija de Zeus (Júpiter) y Dione. Según la segunda es hija de Urano, engendrada por los órganos sexuales de este dios cuando cayeron al mar tras ser cortados por Cronos. (Cfr. Grimal, *op. cit.,* pág. 11.)
En nuestro texto se recoge esta última modificada.
381d   Venus, aunque casada con Hefesto (Vulcano), amaba a Ares (Marte)
y tuvo con él relaciones sexuales, fruto de las cuales fueron numerosos hijos,
entre ellos el famoso Eros (Amor). (Cfr. Grimal, *ibídem.)*

»Quit promete riqueza   non te faz nul amor,   383
ca tú as assaz della,   merçed al Crïador;
e por cavallería,   Éctor non es mejor,
ond pareçe que Pallas   es bien baratador.

»De lo que non as mengua   ellas assaz prometen;   384
non lo fazen por al,   si non que te abeten;
qualque les es contrario,   ellas aquesso temen;
si lo bien entendiesses,   mucho te escarneçen.

»Lo que pora ti es,   ond' as tú de pujar,   385
lo que fijo de rey   ha siempre de buscar,
todo yaz' en mi mano   el toller e el dar,
ca, si por mí non fuere,   non podrás bien casar.

»Dart' e yo casamiento,   muger qual tú quisieres,   386
por casar o casada,   quiquier que me pidieres;
yo non te falleçré,   si tú non me falleres.»
A esto dixo Paris: «Judgo que tú la lieves.»

Venus fue con el preçio,   las otras con rencura,   387
desfïaron a Paris   con toda su natura;
toviéronlo por falso   e por sin derechura,
e que devrié aver   toda mala ventura.

Avié oído Paris   d'una dueña famada,   388
muger de Menalao,   en fuerte punto nada,
era por tod'el mundo   la su beldat contada;
demandógela Paris   a Venus por soldada.

383d   *bien.* Introducido por Alarcos *(op. cit.,* pág. 110) con el fin de regularizar la medida del segundo hemistiquio.

388b   *muger de Menalao.* Helena (cfr. nota a 333b).

Menelao. Hermano de Agamenón e hijo de Atreo, rey de Micenas, y de la
cretense Aríope, perteneciente a la raza de Pélope, según la tradición que Homero recoge en su *Ilíada.* Atreo envió, cuando eran jóvenes, a ambos hermanos
en busca de Tiestes, al que encontraron en Delfos y condujeron a Micenas.
Atreo trató de que Egisto matase a Tiestes, pero aquel reconoció a su padre,
acabó con la vida del rey de Micenas y ocupó su lugar. Como consecuencia de
estos hechos, Menelao y Agamenón hubieron de abandonar Micenas y refugiar-

Dixo Venus a Paris: «Grant cosa as pedida;   389
essa que tú demandas   otra vez fue rabida;
tiénenla por es miedo   agora escondida;
mas sepas que en sieglo   non sé yo tan vellida.

»Pero lo que demandas   es a mí a complir,   390
non te puedo, que quiera,   Paris, contradezir,
podremos en la cosa   a duro abenir,
mas avremos a ella   como quiera a ir.

»Quiérote demostrar   cómo ha de seer,   391
que vayas aguisando   lo que avrás de fer;
piensa de aguisar   abtezas e aver.
métete en las naves   e vela a veer.

»Fazte camiar el nombre,   ve como mercadero,   392
non t'entienda ninguno   que eres cavallero;
el prínçip Menalao   non será tan artero
que a entrar non ayas   tú en el su çillero.

»En la cort poc' a poco   ferte as conoçer;   393
a chicos e a grandes   a todos faz plazer;
avrás como que sea   la dueña a veer;
yo le metré en cuer,   avert' ha a querer.

---

se en Esparta. En esta ciudad fueron protegidos por Tindáreo, quien casó a ambos hermanos con sus dos hijas: a Agamenón con Clitemnestra, a Menelao con
Helena. Tindáreo dejó, tras la muerte de los Dioscuros, su reino a Menelao.
Con Helena tuvo Menelao una hija, Hermíone. Estando los hechos en este estadio de evolución, se produjeron los sucesos narrados en la *Ilíada* de Homero y
recogidos en nuestro *Libro de Alexandre*. En los últimos momentos del asedio a
que los griegos sometían a Troya, Menelao, muerto Paris, por una flecha de Filoctetes, ultrajó los restos del raptor de su mujer, y rescató a ésta —tras un violento combate realizado en casa de Deifobo, quien, después de la desaparición
de Paris, se había casado con ella— del poder de los troyanos. Tras la victoria
Menelao se dispuso a regresar. Después de superar diversos incidentes y tras
ocho años de viaje marítimo, llegó con Helena a Esparta. Aquí pasó largos años
con su mujer, y, al final de su vida, fue transportado, sin que tuviese que pasar
por la muerte, a los Campos Elíseos, gracia que le fue concedida por Zeus por el
hecho de haber sido yerno suyo. (Cfr. Grimal, *op. cit.*, págs. 349-351.)

393d   Alarcos (*op. cit.*, pág. 112) corrige las lecturas corruptas de este verso
transmitidas por los manuscritos O y P (véase también su anotación al mismo

»Dale de tus abtezas   como omne granado;   394
avrás de la reína   algún solaz privado;
como tú bien pareçes,   eres bien razonado,
podrás como que sea   recabdar tu mandado.

»Pero a la reína   dile tu poridat,   395
fazle entender bien   toda tu voluntat;
las mugeres son febles,   olvidan la lealtat,
avrá de tí cordojo,   fazert' a caridat.

»Yol traeré consejo,   darl' e mis medeçinas,   396
las que yo suelgo dar   a las otras reínas;
todas nos entendemos,   como somos vezinas;
creo que te querrá   meter so sus cortinas.»

Paris con la cobdiçia   de la dueña ganar,   397
entró luego en barcas   e travessó la mar;
fasta que fue en Greçia   non se dio a vagar,
ovo a la reína   el su prez a llevar.

Óvolo en privança   el rëy a coger,   398
non le mandava puerta   ninguna retener;
ovo todos los pleitos   la dueña a saber,
en cabo otorgósle   a todo su plazer.

Ovo el rey a ir   en una cavalgada;   399
fizo el mercadero   arriedro la tornada,
tant' ovo a bollir   quel robó la posada;
tornóse pora Troya   con su dueña ganada.

Fueron al rey las nuevas   e sopiéronle mal,   400
tovo al mercadero   por falso desleal,
tornóse pora Greçia,   dexó todo lo al,
falló de mala guisa   barrido su ostal.

---

en la página mencionada), con lo que facilita la comprensión de su significado y
regulariza el cómputo silábico de sus hemistiquios. Aceptamos en nuestra edición sus modificaciones.

Llegó sus ricos omnes   e toda su natura,   401
llorando de los ojos   díxole su rencura:
«Oítme, mis amigos,   nací en ora dura;
terném, si non me vengo,   por de mala ventura.

»Parientes e amigos,   por el nuestro Señor,   402
de tamaño quebranto   que ayades dolor;
vayámonos vengar   d' aquel falso traidor.»
Respusiéronle todos: «De müy buen amor.»

»Todos por una boca,   com si fuessen hermanos,   403
juráronle al rey   en amas las sus manos
que nunca le faldrién   nin enfermos nin sanos,
fasta que destruxiessen   los adarves troyanos.

Con esta segurança   creçiól' el coraçón,   404
vertié fuegos e flamas   como puerco verrón;
llegó huestes sobejas   de su generación,
por amor de vengarse   nol dolié fer missión.

Cataron por agüeros,   ovieron a veer   405
que ante de diez años   non la podrién prender,
e fasta el onzeno   y avrién a yazer,
mas serié mucha sangre   primero a verter.

Calcas, un agorero   que sabié bien catar,   406
vío una serpiente   con dos aves lidiar;

401b *llorando de los ojos*. Fórmula épica estudiada por Menéndez Pidal en el
prólogo a su edición del *Cantar de Mío Cid* (Madrid, Espasa Calpe —Clásicos
Castellanos—, 1971, págs. 37-38) y considerada originaria de Francia, procedente de los cantares de gesta franceses, fruto de la influencia de estos sobre los
españoles.
406a *Calcas*. Adivino de Micenas (su nombre también es traducido en español por Calcante), especialmente dotado para la interpretación del vuelo de las
aves. Hijo de Testor y descendiente, por ello, de Apolo, recibió el don de la
profecía por este último dios. Fue el vate «oficial» en la expedición que monta-
ron los griegos contra la ciudad de Troya. Finalizada la guerra contra los troyanos, se negó a embarcar con los griegos para efectuar el regreso, dado que conocía que serían pasto de las iras de Atenea, furiosa por la injusticia que habían
cometido con Ayax Telamón; y —aunque la historia no es en este punto contada igual por todos los autores— se trasladó a pie, junto con Leonteo, Polidario

avién ocho fijuelos,   queriéngelos matar,
mas non ge los pudieron   en cabo amparar.

Desque mató los fijos,   tornó en los parientes: 407
óvolos a entrambos   a degollar a dientes;
estonçe dixo Calcas   a las greçiscas gentes:
«Avedes grant agüero,   meted en todo mientes.

»A los griegos demuestra   la sierpe ravïosa;   408
las aves, los troyanos,   que son gent deliçiosa;
la cuenta son los años   de la çerca lazrosa;
provaredes que esto   es verdadera cosa.»

Fízoles otro fado,   sin este, entender: 409
que Achiles havrié   a Éctor a vençer,
en cabo él avrié   y a remaneçer,
ca a menos de tanto   non la podrién prender.

La madre de Achiles   era muger artera,   410
ca era adevina   e encara sortera;
sopo que si su fijo   fues' en esta carrera,
avrié y a morir   por alguna manera.

Quando era chiquiello   fízolo encantar,   411
que non pudiesse fierro   en él nunca entrar;

---

y Polipetes, hasta su patria. Al llegar a Colofón, en Asia Menor, se encontró
con el adivino Mopso. Existía una profecía con anterioridad en la que se anun-
ciaba que Calcas moriría cuando otro vate fuera capaz de superarlo. Mopso lo
logró y Calcas murió, según unos, de abatimiento, según otros se suicidó. (Véase
Grimal, *op. cit.*, págs. 81-82.)

    406c   *ocho*. Corrección de Alarcos (*op. cit.*, pág. 115) a las lecturas de O
—*VII*— y P —*dos*—, justificada en su anotación a este verso.

    410a   *La madre de Aquiles*. Tetis, hija de Nereo, ninfa del mar. Fue criada
por Hera, con la que la unieron fuertes lazos. Se casó con Peleo, protegido del
centauro Quirón. De la unión de ambos nació Aquiles, al que Tetis protegió
durante todo el tiempo que duró la vida del héroe. Muerto Aquiles, cuidó especialmente de su nieto Neoptólemo, al que aconsejó que no regresase a Grecia
junto con los demás aqueos y permaneciese unos días en Ténedos. Neoptólemo
escuchó la advertencia y salvó con ello su vida. (Cfr. Grimal, *op. cit.*, páginas
511-512.)

    411ab   Según una de las varias leyendas mitológicas que confluyen en la fi-

e fízolo en orden   de sorores entrar,
que, maguer lo buscassen,   nol pudiessen fallar.

Fue por todas las órdenes   don Achiles buscado;   412
nunca fincó rincón   que non fues demandado;
mas, como cubrié tocas   e era demudado,
fallar non lo pudieron,   que non era guisado.

Y sossacó Ulixes   una grant maestría   413
por saber si Achiles   era en la mongía;
dizen que si non fuesse   por la su artería,
non saliera Achiles   estonç de la freiría.

Priso çintas e tocas,   camisas e çapatas,   414
espejos e sortijas,   otras tales baratas;
en la buelta ballestas,   e escudos e astas.
Diógelas en presente   a las toquinegradas.

Escogié cada una   de lo que le plazié;   415
Achiles de las armas   los ojos non tollié,
meneava las astas,   los escudos prendié;
luego dixo Ulixes   que aquel seer podrié.

Travaron luego d' él,   diéronle otros paños;   416
pensaron mucho d'él,   metiéronlo en baños;
su madre de Achiles   dava grandes sossaños,
mas nol volieron nada   todos los sus engaños.

---

gura de Aquiles, su madre, Tetis, cuando estaba recién nacido lo sumergió en
las aguas de la laguna Estigia con el fin de hacerlo invulnerable. Tan sólo el ta-
lón por el que el infante era sostenido quedó sin mojar, y, por ello, privado de
las virtudes con que el resto del cuerpo había sido revestido. (Cfr. Grimal,
op. cit., págs. 39-40.)

411cd   Tetis, según la mitología, conocedora de que si Aquiles participaba
en la guerra de Troya no había de sobrevivir a la destrucción de la ciudad, ocul-
tó a su hijo, disfrazado de mujer, en Esciros, entre las hijas del rey Licomedes
—no, evidentemente, en un «convento de monjas», tal y como nuestro texto
quiere afirmar (nos hallamos, pues, ante otro caso claro de medievalización).
Ulises, valiéndose de una treta, logró descubrirlo y llevarlo junto a los demás
griegos. (Cfr. Grimal, *ibídem.*)

Avié una amiga   que él mucho querié   417
teniéla por fermosa   quiquier que la veyé;
el rey Agamenón,   porque bien pareçié.
tollióla a Achiles,   que mal non mereçié.

Pesól de voluntad,   tovos por desonrado,   418
ca lo avié el rey   malament' aontado;
non lo quiso sofrir,   partióse d'él irado,
començó darle guerra   com' omne despojado.

Tan denodadament   lo pudo guerrear,   419
tantos muchos le pudo   de vassallos matar,
que, como diz' Omero   —non quiero yo bafar—,
quántos eran los muertos   non los podién contar.

Assí yazién los muertos   com' en restrojo paja,   420
non los podrién cobrir   nin meter en mortaja;
levávanlos com lieva   los pelos la navaja,
ermarse yé la hueste   si durás la baraja.

417a *amiga.* Briseida, llamada así por el nombre de su padre, Brises, sacerdote de Lirneso, ciudad que fue conquistada y saqueada por Aquiles. Su nombre auténtico era Hipodamía. Estaba casada con Mines, al que Aquiles mató. El héroe se llevó cautiva a Briseida, y Patroclo, con el fin de consolarla, le prometió que Aquiles se casaría con ella. Fue, en efecto, la esclava favorita del héroe. Su rapto, ejecutado por Agamenón, dio origen a la «cólera de Aquiles», tema principal de la *Ilíada.* A ella se atribuye el haber tributado las honras fúnebres al cadáver de Aquiles. (Cfr. Grimal, *op. cit.,* pág. 73.)

417c *Agamenón.* Hermano de Menelao e hijo de Atreo, es presentado en la *Ilíada* como rey de Argos y encargado del mando supremo de las tropas aqueas. Estaba casado con Clitemnestra, hermana de Helena (cfr. nota a 388b), mujer que arrebató a su anterior esposo, el hijo de Tiestes, Tántalo, al que Agamenón quitó la vida. Tuvo una destacada intervención en la guerra de Troya, tal y como se recoge en el *Alexandre.* Al regresar a su casa, finalizada la contienda, fue asesinado por Egisto, amante de Clitemnestra —si bien otras versiones difieren en este punto—, en el transcurso de un gran banquete que aquel había organizado en su honor. (Cfr. Grimal, *op. cit,* págs. 13 y 15.)

419c *como diz' Omero.* A partir de la estrofa 417 inicia nuestro autor la narración de los hechos que el célebre poeta griego relata en su famosísima *Ilíada.* No obstante, nuestro escritor no ha manejado esta obra en su versión original escrita en lengua griega. Utiliza como base el compendio conocido con el nombre de *Ilias latina,* realizado por Pindarus Thebanus, que se convirtió en fuente principal de los conocimientos que de la *Ilíada* tenían los hombres del medievo,

Fizieron los varones   conçejo general,   421
dixiéronle al rey: «Señor, estáte mal:
la huest' es malandante   e a tí non t' encal,
si la dueña non riendes,   tornaremos en al.»

Rindió el rey la dueña   a todo su mal grado;   422
quand la ovo Achiles,   fue todo amansado;
tornó en paz la guerra,   que pesó al pecado;
fue desí adelant   don Achiles dubdado.

Avié y un mal omne,   avol e mal lenguado,   423
desleal e sobervio,   vil e desmesurado;
Tersites avié nombre   el que aya mal fado;
dixo una palavra   que non l' ovieron grado.

«Varones» —dixo él—,   «¿en qué nos contendemos? 424
Otri avrá el pro   e nos y lazraremos;
en cabo galardón   ninguno non avremos.
Si creer me quisierdes,   quiero que nos tornemos».

Como diz la palavra   que suelen retraer,   425
que más pued' en conçejo   un malo cofonder
que non pueden diez buenos   assentar nin poner,
oviera y por poco   assí a conteçer.

Creyeron a Tersites   la más mayor partida;   426
era pora tornarse   toda la gent movida;

---

no sólo en España sino en toda Europa en general, y al que este verso se refiere. (Véase Morel-Fatio, «Recherches sur le texte et les sources du *Libro de Alexandre*» —*Romania*, IV, 1875, págs. 7-90—; y Alarcos, *op. cit.*, págs. 84-88.)

423c   *Tersites*. Es nieto de Portaón y Eurite, e hijo de Agrio. Expulsó, con
sus hermanos (Onquesto, Prótoo, Celeuton, Licopeo y Melanipo), a su tío Eneo
del trono de Calidón, cuando aquél era ya un anciano incapaz de defenderse. Su
mayor celebridad reside en el papel poco brillante que representa en la contienda troyana, tal y como se recoge en el *Libro de Alexandre*. Su muerte parece debida a su propia malignidad: cuando Aquiles mató a la amazona Pentesilea, se
enamoró de ella al verla en ese trance; Tersites se burló del héroe y arrancó los
ojos a la amazona; Aquiles, indignado, mató a Tersites a puñetazos. (Cfr. Grimal, *op. cit.*, págs. 504-505).

Ulixes fue irado,   diól' una grant ferida;
la gent de su natura   tovos por escarnida.

Partiéronse los vandos,   quisiéronse matar;   427
grand era la rebuelta,   non los podién quedar;
todos llamavan armas,   todos querién lidiar;
querié la su simiente   el diablo sembrar.

Avié y un buen ombre,   viejo e de grant seso,   428
—era de grandes días,   tan blanco como queso—;
doquier que uvíava   siempre fue bien apreso,
era en los juïzios   tan igual com' el peso.

Néstor era su nombre,   avié mucho bevido,   429
escuchávanlo todos   e era bien oído;
pesól de voluntad   quando vió el roído.
metióseles en medio   con un bastón broñido.

Maltrayélos a firmes,   dávales bastonadas;   430
todos por su vergüença   escondién las espadas;
diziéles a las gentes   que soviessen quedadas,
que fazién desguisado,   eran mal acordadas.

Maltrayé a Tersites   que dixiera locura,   431
rebtava a los otros   que fazién desmesura;
diziéles: «¡Ay, amigos,   mal vos miembra la jura
que jurastes al rey   quand vos dix su rencura!

»Calcas el agorero   sabié bien terminado;   432
avemos, *Deo gratias*,   a Achiles fallado;

429a   *Néstor*. Es el más joven de los hijos de Neleo y Cloris, y el único que logró sobrevivir a la matanza que hizo Hércules en ellos. Apolo le concedió la gracia de llegar a una edad muy avanzada, para reparar, en lo posible, la muerte que él y su hermana Diana habían dado a sus tíos y tías, hijos de Niobe al igual que su madre Cloris. En la *Ilíada* aparece como prototipo del anciano valeroso y prudente. Tras la guerra de Troya regresó sin especiales incidencias a Pilos, lugar de donde era rey. No se ha conservado ninguna tradición que hable de su muerte. (Cfr. Grimal, *op. cit.*, págs. 378-379.)

432b   *Deo gratias*. «A Dios gracias», expresión tomada del latín eclesiástico.

de vengar nuestra onta   era bien aguisado,
mas quiere estorvarnos   agora el pecado.»

   El dicho de don Néstor   fue tan bien adonado   433
que el fervor del pueblo   fue todo amansado;
fue tenido por ombre   de seso acabado,
fue d'allí adelant   temido e amado.

   Otro día mañana,   apres de los alvores,   434
el rëy por la hueste   mandó ferir pregones:
que rancassen las tiendas,   moviessen los peones,
entrassen en la mar   con naves e pontones.

   Si me el Crïador   quisiere ayudar,   435
los nombres de los prínçipes   vos querría contar,
los que con Menalao   fueron Troya çercar,
e cada uno quántas   naves pudo llevar.

   El prínçipe Penéleus   e el varón Laeretes,   436
Archesilao el fuerte,   Protenor e Boetes,
todos eran parientes   e de grandes averes,
trayén çincuenta naves   llenas de sus poderes.

436a *Peneleus.* Héroe boecio e hijo de Hipálcimo, es contado entre los pretendientes de Helena. Acudió al mando de tropas beocias, transportadas en un total de doce naves, a la guerra de Troya. En la *Iliada* no es mencionada su muerte, pero en otras fuentes se cuenta que cayó a manos de Eurípilo. Los griegos, reconociendo públicamente su valor, le hicieron el honor de enterrarle en una sepultura particular, cuando el resto de los caídos en los combates eran inhumados en una sepultura común. Otras fuentes, en clara contradicción con esta versión, lo mencionan como uno de los hombres que penetraron dentro del caballo de madera. (Cfr. Grimal, *op. cit.,* págs. 418-419.)

Laertes. Leitus en el texto original (Alarcos, *op. cit.,* pág. 121, nota) de la *Ilias,* pero *Laertius* en sus ediciones vulgares, forma que recoge, algo modificada para adaptarla a la rima, el *Libro de Alexandre.*

Leito era uno de los jefes tebareos, hijo de Alectrión, que figura al mando de un destacamento en la guerra de Troya. En la *Iliada* aparece herido por Héctor. Se llevó las cenizas de Arcesilao al partir de Troya. Es nombrado entre los argonautas. (Cfr. Grimal, *op. cit.,* página 313.)

436b *Boetes.* Se trata de Clonio, que con Peneleo, Leito, Arquesilao (o Arcesilao) y Protenor figura en la *Iliada* (II, 494 y ss.) como caudillo de los beocios que llegan a Troya para combatir al lado de Menelao, y cuyo gentilicio

Otro rëy de Greçia   por nombre Agamenón   437
llevaba dos atantas   llenas de grant missión;
porque de todas era   prinçip Menalaón,
trayé sesenta naves;   tantas Agapenón.

Néstor el ançïano   de los cabellos canos,   438
—el que, como vos dixe,   dava consejos sanos—,
con dos fijos que bien   semejavan hermanos,
trayén seis vezes quinze   por fer mal a troyanos.

Ascadius e Epístropus,   dos cuerpos muy honrados,   439
en treguas muy leales,   en guerras muy dubdados,
levavan treinta naves   de omnes adobados,
—non avié entre todos   omnes más denodados—.

Plipetes e Leontas,   ambos buenos braçeros,   440
trayén quarenta naves   de buenos cavalleros;
Esténelus, Eurípilus,   Dïomedes con ellos,
otras tantas trayén   estos solos señeros.

—Boeotas—, ha sido erróneamente tomado por el autor de nuestro texto como nombre de otro de los dirigentes griegos participantes en las batallas. (Cfr. Alarcos, *op. cit.*, página 121, anotación a este verso.)

437c   *Menelaón*. Menelao *(vid.* nota al verso 388b).

437d   *tantas*. Conjetura de Alarcos *(op. cit.,* pág. 121).

Agapenón. Agapenor, hijo de Anceo y de Io, y nieto de Licurgo, aparece en la *Ilíada* como jefe de la expedición procedente de la Arcadia. Participa en la guerra de Troya como pretendiente antiguo de Helena y llevado por el juramento que había dado a Tindáreo. Vivía en Tegea. A su regreso tras la destrucción de la ciudad troyana, naufragó junto a la isla de Chipre. En ella fundó Pafos, ciudad en la que hizo edificar un templo en honor a Afrodita. (Cfr. Grimal, *op. cit.,* pág. 10.)

438c   *dos fijos*. Antíloco y Trasimedes.

438d   *seis vezes quinze*. Rectificación de Alarcos, basado en el texto de la *Ilias latina (op. cit.,* pág. 121).

439a   *Ascadius e Epístropus*. Esquedio y Epístrofo, según la *Ilíada* (II, 517) —pero *Arcadius y Epistropus* en algunos manuscritos vulgares de la *Ilias* (cfr. Alarcos, *op. cit.,* págs. 121-122, nota—), eran hijos de Ifito Naubólida, y participaron en la guerra troyana al mando de los focenses. Esquedio (cfr. Grimal, *op. cit,* pág. 175) era uno de los pretendientes de Helena. Fue muerto por Héctor en uno de los combates. Sus cenizas fueron trasladadas por sus hombres, al final de la contienda, a Antícira, localidad de la Fócide.

440a   *Plipetes*. Polipetes (cfr. *Ilíada,* II, 738 y ss.), hijo de Piritoo e Hipoda-

Ascálaphus con Télamon,   su leal compañero,   441
estos trayén treïnta,   como lo diz' Omero;
Ayaz cargó quarenta,   éste sólo señero;
levava otras tantas   el fi del Ulixero.

---

mia, nació el día en que su padre expulsó del monte Pelión a los centauros. Su madre murió poco tiempo después de su nacimiento, y su padre se trasladó con él a Atenas, al lado de Teseo. Sucedió en el trono a Piritoo. Con Leonteo aparece entre los pretendientes de Helena. Como tal, participó en la guerra de Troya junto a Menelao. Tomó parte en los funerales celebrados en honor de Patroclo. Junto a Ulises entró en Troya escondido en el caballo de madera. Fue, tras el final de la guerra, uno de los que acompañó a Calcas en el viaje de regreso por tierra hacia Colofón —vid. nota a 406a. (Cfr. Grimal, op. cit., pág 444.)

Leontas. Leonteus (Iliada, pero Leontes en algunas versiones del Pindarus —Alarcos, op. cit., pág. 122, nota—), hijo de Corono y nieto de Ceneo, participó junto a Polipetes en la campaña contra Troya. Fue uno de los pretendientes de Helena y uno de los que penetraron en Troya dentro del caballo de madera. Como Polipetes, acompañó a Calcas en su viaje de regreso por tierra. Muerto Calcas, regresó a Troya, lugar desde el que se dirigió a su patria. (Cfr. Grimal, op. cit., pág. 314.)

440b   quarenta. Corrección de Alarcos —basada en el Pindarus— a las lecturas de O —trayen mannas de b.c.— y P —treynta— (op. cit., pág. 122).

440c   Esténelus. Esténelo, hijo de Capaneo y Evadne, fue uno de los Epígonos que realizó la conquista de Tebas. De Ifis, su abuelo o tío, heredó la tercera parte del reino de Argos. Fue pretendiente a la mano de Helena, y, debido a ello, tomó parte en las luchas contra Troya. Antes de estos sucesos había trabado amistad con Diomedes, hecho que queda bien plasmado en la Iliada, en cuyos relatos es presentado frecuentemente luchando al servicio de este héroe. En el regreso acompañó a Diomedes hasta Etolia para ayudar al rey Eneo. (Cfr. Grimal, op. cit., pág. 177.)

Eurípilus. En realidad se trata de Euríalo, hijo de Mecisteo, participante en la expedición de los Argonautas y de los Epígonos, y en la lucha contra Troya al lado de Diomedes. (Cfr. Grimal, op. cit., pág. 184). Nos hallamos, pues, ante una confusión de hombres que afecta a dos de los héroes que intevinieron en los sucesos troyanos, confusión que no es directamente imputable a nuestro autor, sino que se halla en algunas de las versiones conservadas de la Ilias latina. (Véase Alarcos, op. cit., pág. 122, nota.)

Diomedes. Vid. nota al verso 238b.

441a   Ascálaphus. Ascálafo y Yálmeno son ambos hijos de Ares y Astíoque, hija de Actor. Reinaron en Orcómeno (Beocia) y como reyes de ese lugar participaron en la guerra de Troya. Tras la caída de Troya Yálmeno no regresó a su patria, sino que se dirigió al Ponto Euxino, en cuya costa fundó una colonia aquea. Ambos aparecen entre los componentes de la expedición de los Argonautas. Yálmeno fue, además, uno de los pretendientes de Helena, motivo por el que hubo de unirse al resto de los griegos (todos los pretendientes habían acordado, antes de que se diese el resultado, defender al vencedor) para lavar el honor de Menelao. (Cfr. Grimal, op. cit., pág. 539.)

Inchió çincuenta naves   Achiles el claustral,   442
—en todos non avié   uno mejor nin tal—;
éste fue de las aguas   crïado natural,
non la fazién los vientos   nin contrario nin mal.

Antiphus e Phidipus,   dos niños de Tesalia,   443
ivan con treinta naves   contra la gent d' Italia;

Télamon. Se trata de *Ialmenus* (Alarcos, *op. cit.*, pág. 122, nota), mencionado en el segundo canto de la *Ilías* y que en las versiones vulgares de ésta figura como *Telamus*, tal y como aparece en el *Alexandre.*

441c   *Ayaz.* Ayax, hijo de Oileo, es el jefe de los locrios que combatieron en Troya. En las batallas aparece siempre junto a Ayax Telamón. Su carácter es malo, al igual que su comportamiento moral: arrogante, despiadado con los enemigos, impío... Su falta más grave fue el asesinato de Casandra, que, huyendo de él, se había refugiado junto al altar de Atenea. Los griegos trataron de matarlo por haber transgredido los principios religiosos, pero él, a su vez, se refugió junto al altar de Atenea y escapó con vida. Durante el viaje de regreso la diosa, que aún permanecía airada, le envió una tormenta que lo hizo naufragar. Poseidón lo libró de perecer ahogado poniéndole en una roca. Ayax se jactó de haber podido escapar de la furia de Atenea y ésta rogó a Poseidón que castigase su arrogancia. El dios accedió a su súplica y, de un golpe de tridente, destrozó la roca, por lo que Ayax se precipitó al mar y murió ahogado. (Cfr. Grimal, *op. cit.*, págs. 65-66).

441d   *el fi del Ulixero.* Según Alarcos, el pasaje de Pindarus correspondiente a éste no es en absoluto claro y el nombre incluido en él varía según las versiones. Así, mientras unas ediciones leen *Abantore natus,* en otra figura *Evaemone natus,* variante ésta que puede explicarse —dice— por el deseo de subsanar la .ausencia de Eurypylus, hijo de Evemón, según Homero, y participante en el asedio de Troya, al que acudió acompañado de cuarenta naves y en el que fue herido por Paris y ayudado por Patroclo. Ante la imposibilidad de saber cuál sería en este caso el texto original que pudo proporcionar al compositor del *Alexandre* la noticia aquí recogida, y, por ello, la imposibilidad también de poder presentar otra lectura más clara y que permita conocer a qué héroe homérico se está refiriendo en este caso concreto, mantiene nuestro ilustre investigador las lecturas transmitidas por los dos manuscritos de nuestra obra, criterio que nosotros aceptamos y adoptamos para nuestra edición (Cfr. Alarcos, *op. cit.*, página 122, nota).

442a   *Aquiles el claustral.* El epíteto aplicado a Aquiles en este caso hace referencia a la historia de su enclaustramiento en un «convento de monjas» narrada en las estrofas 410-416.

442c   Alusión al nacimiento de Aquiles como hijo de Tetis, hija de Peleo y ninfa de los mares.

443a   *Antifus e Phidipus.* Antifo y Fidipo eran hermanos, hijos de Tésalo y nietos de Heracles. Fidipo aparece entre los pretendientes de Helena, y, como tal, asistió a la guerra de Troya. Entró en la ciudad en el interior del caballo de

Teuçer e Triptolemus   enbiavan doz' en paria,
querién a los de Troya   buscar toda contraria.

Rodius e Eumelenus,   dos vassallos leales,   444
llenas de cavalleros   levavan onze naves;
Ayaz el Telamón,   un de los mayorales,
non trayé más de doze,   estas bien comunales.

---

madera. Terminada la guerra, se estableció en la isla de Andros con los soldados de Cos, de los que él era jefe. Su hermano Antifo se introdujo en el país de
los pelasgos, lugar que llamó Tesalia y en el que se instaló. (Cfr. Grimal, *op. cit.*,
pág. 198.)

Tesalia. Región de la antigua Grecia, situada entre Macedonia, el mar Egeo,
Fócida, y el Pindo, y dividida en dos valles, el del Peneo y el del Esperquio, por
el monte Othris. Constituyó una zona prácticamente independiente del dominio
y la influencia griegas. Sus habitantes tenían el pastoreo como fundamental ocupación.

443c   *Teuçer.* Se trata de Nireo, cuyo nombre ha sido cambiado por el de
Teucer en los manuscritos y versiones vulgares de la *Ilias,* tal y como aparece en
el *Alexandre* (cfr. Alarcos, *op. cit.*, pág. 123, nota). Fue hijo de Cáropo y Aglaya,
una ninfa, y uno de los pretendientes de Helena. Fue muerto ante Troya por
Eurípilo, hijo de Télefo, al que había dado muerte Aquiles, en una expedición
anterior a los sucesos de la *Ilíada,* ayudado por el propio Nireo, quien se encargó de quitar la vida a Híera, mujer de Télefo, que combatía junto a su esposo.
(Cfr. Grimal, *op. cit.*, pág. 282.)

Triptolemus. Tlepólemus en realidad, pero Triptolemus en algunas versiones
de la Ilias (cfr. Alarcos, *ibídem),* era hijo de Heracles y Astioque, hija del rey Fi-
lante. Tras la muerte de Heracles, obtuvo permiso de los argivos para establecerse en Argos. Mató, en el transcurso de una discusión, a su tío-abuelo de un
bastonazo. Debido a ello, sus parientes le obligaron a abandonar Argos. Se estableció en Rodas con su mujer Polixo. En esta isla fundó tres ciudades: Lindos,
Yáliso y Camiro. Fue pretendiente de Helena y, como tal, participó en la guerra
de Troya tras dejar a Polixo como regente de Rodas. Fue muerto por Sarpedón.
(Cfr. Grimal, *op. cit.*, pág. 522.)

doz' en. Corrección de Alarcos, basada en el Pindarus Thebanus *(op. cit.,* página 123).

444a   *Rodius.* El autor del *Alexandre,* al igual que en el verso 436b, convierte en nombre propio un gentilicio, transforma en caudillo griego un apelativo
de origen. El verdadero nombre de *Rodius,* el que figura en el texto utilizado
como fuente, es Tlepolemus (cfr. Alarcos, *op. cit.*, pág. 123, nota), anteriormente
citado en el verso 443c. A partir de un gentilicio se ha producido, pues, la creación de un nuevo personaje.

Eumelenus. Eumelus —el error de transcripción no es del *Alexandre,* sino que
se halla ya en las versiones vulgares del Pindarus Thebanus (cfr. Alarcos, *ibídem)*—, hijo de Admeto y Alcestis y combatiente en la contienda troyana.
Transportó a Troya los caballos que Apolo había cuidado cuando estuvo como

Astrophus e un otro   que fue fi de Testor,   445
Eubeus e Dulichius,   Mejes e Elpenor,
Télamus e Ascálaphus,   Toas fi d'Antenor,
estos trayén diez naves   bien guisadas d' onor.

---

servidor en casa de Admeto. Sirviéndose de ellos ganó los juegos celebrados durante los funerales de Patroclo. (Cfr. Grimal, *op. cit.,* pág. 182.)

444c   *Ayaz el Telamón.* Repetición (cfr. verso 446b), incluida ya en la *Ilias latina,* que es traducida por nuestro autor sin advertir —o sin querer tener en cuenta— su carácter reiterativo. (Cfr. Alarcos, *ibídem.)*

445a   *Astrophus e un otro.* Contiene este verso un error que no es exactamente imputable al autor de nuestra obra, sino que se encuentra ya incluido en las versiones vulgares del Pindarus Thebanus, portadoras de un texto corrupto. La lección real de la *Ilias latina* —«At Prothous Magnes, Tenthredone natus»— deja claramente establecida la identidad de este personaje: se trata de Protoo, «hijo de Tentredón», que, procedente de Tesalia, participó en la guerra de Troya y murió durante el regreso, ya finalizada la contienda, en el naufragio del Cabo Cefareo. (Cfr. Grimal, op. cit., pág. 458.) No son dos, pues, sino uno solo los individuos mencionados en este pasaje del texto original. La confusión surge a partir de los códices del Pindarus, portadores de lecturas incorrectas, que contienen en sí mismos la geminación incluida en el *Alexandre:* así, «Ascropus et magno Thesrotide». A base de esta u otras versiones similares se produce la creación de un nuevo personaje —en origen inexistente— y la alteración del nombre real del individuo auténticamente mencionado en el texto primitivo, alteración efectuada en principio mediante la fusión de la conjunción *At* con el nombre propiamente dicho, *Phothous,* en una sola palabra. Una de esas versiones corruptas de la obra latina sería la utilizada por el autor del Alexandre como base para la redacción de este fragmento concreto de su propia creación. (Cfr. Alarcos, *op. cit.,* pág. 123, nota.)

445b   *Eubeus.* De nuevo un gentilicio es confundido con el nombre de uno de los participantes en el asedio de Troya, con la diferencia con respecto a uno de los casos anteriores (verso 436b) y semejanza con respecto al otro (verso 444a), de que en esta ocasión no se produce la mera sustitución de un nombre propio por el gentilicio que lo acompaña en el texto original, sino que se realiza la creación de un nuevo personaje a base de ese gentilicio, dado que el nombre propio —Elpenor— también es incluido en la relación —y separado de aquél por dos nuevas menciones, con lo que no se deja lugar a ninguna duda sobre la alteración efectuada— como individuo independiente. En idéntica situación se hallan *Dulichius* (gentilicio) y *Mejes.* (Cfr. Alarcos, *op. cit.,* págs. 123-124, nota.)

Elpenor. Elephenor (el nombre figura ya alterado en las versiones vulgares de la *Ilias latina)* es hijo de Calcodonte y nieto de Abante, al que había sucedido como rey de Eubea. Mató involuntariamente a su abuelo cuando quería castigar a un criado que estaba maltratando a éste. Debido a este homicidio tuvo que abandonar Eubea. Fue pretendiente de Helena, por lo que asistió a la guerra de Troya. En ésta combate al lado de Acamante y Demofonte. Homero afirma que fue muerto por Agenor ante Troya, pero otros autores relatan los hechos de manera diferente. (Cfr. Grimal, *op. cit.,* páginas 154-155.)

Levava doze naves   Ulixes el artero;
iva con otras tantas   Ayaz el Telamero;
Ordifineus, un cuerpo   de fuerça sobrançero,
aguisó veint' e dos,   —est' era fuert guerrero—.

Mejes. Meges, hijo de Fileo y Ctímene, hija de Laertes y hermana de Ulises, fue pretendiente a la mano de Helena, y, debido a ello, tomó parte en la lucha contra Troya. Parece ser que perdió la vida en la campaña troyana, si bien la *Iliada* nada dice sobre el particular. (Cfr. Grimal, *op. cit.,* pág. 340.)

445c *Télamus e Ascálafus.* Nueva mención de estos dos personajes (véase el verso 441a) que se halla presente en las versiones conservadas de la *Ilias latina* Tal vez el ejemplar utilizado por el autor del *Alexandre* —supone Alarcos *(ibídem)*— se encontrase corrupto en este punto determinado, y contaminado con los versos traducidos en la estrofa 441 de nuestra obra, dado que el *Antenor* incluido en el segundo hemistiquio del verso que comentamos parece tener relación con el *totidemque Anthenore natus* del manuscrito G. 2 del *Pindarus,* introducido en este pasaje.

Toas. Toante, hijo de Andremón (no de Antenor, como puede desprenderse de lo expuesto con anterioridad) y de Gorge, hermana de Meleagro, era, uno de los pretendientes de Helena, participante, pues, en la guerra de Troya, y uno de los hombres que con Ulises dentro del caballo de madera se introdujo en la ciudad. Tras partir de Troya se instaló —según unos— en Italia o en Etolia —para otros—, lugar en el que recibió a Ulises cuando Neoptólemo lo expulsó de Itaca. (Cfr. Grimal, *op. cit.,* pág. 523.)

446b *Ayaz el Telamero.* Ayax Telamonio *(Telamero* es una modificación de las lecturas de O y P —el terçero— realizada por Alarcos —*op. cit.,* pág. 124, y nota—), también llamado «el Gran Ayax», es hijo de Telamón. Su comportamiento moral es totalmente opuesto al del «Pequeño Ayax», o Ayax Oileo: poco hablador, temeroso de los dioses, bondadoso con todos... Fue el elegido para luchar en combate singular contra Héctor con el fin de aligerar lo más posible la contienda troyana. Igualmente, formó parte de la embajada enviada a Aquiles para pedirle que regresase a la batalla. Luchó contra Héctor en diversas ocasiones. En los juegos fúnebres organizados por Aquiles compite contra Ulises, si bien ninguno de los dos héroes resulta vencedor. Tras la muerte de Aquiles protegió y cuidó a Neoptólemo, hijo de éste, como si fuera el suyo propio. Conquistada Troya pide que se quite la vida a Helena como castigo a su adulterio, hecho al que se oponen los dos Atridas, Menelao y Agamenón, quienes, al fin, consiguen ver cumplidos sus deseos ayudados por Ulises. Ayax pide entonces el Paladio como parte del botín que le correspondía. Ulises logra, movido por los Atridas, que le sea denegada su petición. Ayax, irritado, jura vengarse de Menelao y Agamenón. A la mañana siguiente los griegos descubrieron el cadáver de Ayax atravesado por una lanza (otras versiones difieren en este desenlace). Su cuerpo, en contra de la costumbre, fue inhumado dentro de un ataúd, no incinerado. (Cfr. Grimal, *op. cit.,* págs. 66-67.)

446c *Orfidineus.* Guneus, que bajo la forma de *Phineus* aparece en algunas ediciones y manuscritos de la *Ilias latina.* La variante que encontramos en el *Alexandre,* según Alarcos *(op. cit.,* pág. 124, nota), debió hallarla nuestro autor

Idoméneus e Merion,   ambos eran de Creta,   447
trayén en su quiñón   estos solos sesenta;
iva con otras tantas   el fijo de Meneta,
—de Atenas fue éste,   como lo diz la letra—.

Anphimacus, Alpinus,   Polixenus e Dioras,   448
estos avíen treinta   bien adobadas todas;

---

formada ya en la versión del Pindarus que manejó para confeccionar su obra y
evidentemente es el resultado de la fusión del nombre real con la palabra
—*Ondine*— que en el texto latino le antecede inmediatamente. Guneus era hijo
de Ocito y uno de los pretendientes a la mano de Helena, carácter con el que
intervino en la guerra de Troya al mando de los enianes. Finalizada la contienda
intentó regresar a su país, pero naufragó en la costa de Libia y se instaló en las
riberas del río Cínipe. (Cfr. Grimal, *op. cit.*, pág. 219.)

447a *Idoméneus.* Rey de Creta, hijo de Deucalión y nieto de Minos, fue uno
de los pretendientes de Helena, y, como tal, intervino en la contienda troyana al
mando de los cretenses. Sobresalió en los combates y fue uno de los que se
ofrecieron a luchar contra Héctor con el fin de acabar más rápidamente con la
disputa. Obtuvo la victoria en uno de los lugares fúnebres celebrados con motivo de la muerte de Aquiles. Entró en Troya oculto en el caballo de madera. Finalizada la guerra fue uno de los hombres cuyo regreso no contó con especiales
incidencias, según la Odisea, si bien otros autores difieren en este punto y ofrecen versiones distintas. (Cfr. Grimal, *op. cit.*, pág. 281.)

Mérion. Meriones, hijo de Molo, cretense, e hijo bastardo de Deucalión de
Creta, es compañero inseparable de Idomeneo, con quien comparte el mando
de los cretenses que combaten frente a Troya. Era uno de los pretendientes de
Helena, y con ese carácter toma parte en la contienda. Tiene una destacada participación en las batallas contra los troyanos. Interviene en los combates celebrados en torno al cadáver de Patroclo, y en los juegos funerarios organizados
en honor de este héroe vence en el tiro con arco. Derrotada Troya acompañó a
Idomeneo y retorna a Knosos. Posteriormente es presentado en Sicilia, lugar
donde fue acogido por los colonos cretenses establecidos allí. Se le atribuía la
fundación, en Paflagonia, de Cresa. (Cfr. Grimal, *op. cit.*, pág. 353.)

447c *fijo de Meneta.* Se trata de Menesteo (o Menestio), cuyo nombre posiblemente fue interpretado como patronímico por el autor del *Alexandre*, de ahí
la traducción efectuada (Alarcos, *ibídem*). Hijo del dios-río Esperqueo, fue uno
de los jefes que lucharon en Troya a las órdenes directas de Aquiles. Su madre,
Polidora, era hija de Peleo, padre de Aquiles y, por tanto, él era sobrino de este
héroe, si bien otra tradición convierte a Peleo en esposo de Polidora y padre
«humano» de Menesteo, reservando el papel de padre «divino» para el dios-río
anteriormente mencionado. No obstante, existen otras versiones. (Cfr. Grimal,
op. cit., pág. 352.)

447d *como lo diz la letra.* Se refiere a la *Ilias latina*, en la que se incluye esta
noticia.

448a *Anphimacus, Alpinus.* Anfímaco y Talpio (la modificación de este últi-

229

trayé Protesilao   con Podarces siet solas;
otras tantas levava   el fijo de Ferontas.

Maguer todos dixiemos,   aún Ayaz fincava,   449
que de cavallerías   quatro naves llevava;

---

mo nombre en *Alpinus* aparece ya en algunos manuscritos y ediciones del Pindarus —cfr. Alarcos, *op. cit.*, pág. 124, nota— eran descendientes de Actor, hijo
de Forbante, y acuden a la contienda troyana en calidad de pretendientes de
Helena y al mando de dos divisiones de los epeos. Anfímaco es hijo de Ctéato.
Talpio, de Eurito y Teréfone, hija de Dexámeno. Figuraron entre los héroes
que penetraron en Troya ocultos en el caballo de madera. La tumba de ambos
se hallaba en Elide. (Cfr. Grimal, *op. cit.*, pág. 490.)

Polixenus e Dioras. Polixeno y Díores (este nombre es modificado en el *Alexandre* para hacerlo coincidir con la rima —Alarcos, *ibídem*—) Amarincida, figuran en el catálogo de las naves como caudillos de dos divisiones de los epeos
(cfr. *Iliada*, II, 615-624). Polixeno es hijo de Agástenes y nieto de Augías. Participó en la guerra de Troya por haber sido pretendiente a la mano de Helena.
Parece ser que Ulises, tras haber quitado la vida a los pretendientes de Penélo-
pe, se trasladó a su casa y Polixeno lo acogió como huésped y le regaló una crá-
tera en la que estaba representada la historia de Trofonio, Agamedes y Augías.
Su tumba se situaba en Elide. (Cfr Grimal, *op. cit.*, pág. 445.)

448c   *Protesilao.* Hijo de Ificlo y Astíoca, y descendiente de Minia, rey de
Orcómeno, y, debido a ello, de Poseidón. Su patria era Fílacas, ciudad de Tesalia. Intervino en la guerra de Troya en calidad de antiguo pretendiente a la
mano de Helena. Perdió la vida a manos de Héctor nada más efectuado el de-
sembarco. (Cfr. Grimal, *op. cit.*, pág. 457.)

Podarces. Hermano de Protesilao y sucesor de éste en el mando de las tropas
de Fílacas una vez que hubo sido muerto por Héctor. Arrebató la vida a la amazona Clonia y él mismo la perdió a manos de Pentesilea. Honores especiales le
fueron tributados por los griegos, quienes lo enterraron en una sepultura individual. (Cfr. Grimal, *op cit.*, pág. 437.)

448d   *fijo de Ferontas.* Filoctetes, hijo de Peante (pero *Pheronte* en el códice
G.2 de la *Ilias latina* —Alarcos, *op. cit.*, págs. 124-125, nota—) y Demonasa, fue
uno de los pretendientes a la mano de Helena, razón por la que participó en la
guerra de Troya. No arribó a este lugar con el resto de los jefes griegos, dado
que, en el viaje de ida y durante la escala en Ténedos fue mordido en el pie por
una serpiente, la cual le produjo una herida que despedía tal hedor que obligó a
los demás jefes a abandonarlo en la isla de Lemnos (otras fuentes ofrecen una
versión diferente de estos sucesos). Allí fue buscado y encontrado por Ulises
cuando los griegos, tras diez años de luchas contra los troyanos, conocieron un
oráculo en el que se declaraba que tan sólo con las flechas de Hércules
—guardadas, junto con su arco, por Filoctetes— podrían conquistar la ciudad.
Tras una serie de negativas, Filoctetes accede a incorporarse a los combates. Se
le atribuye la muerte de Paris. Finalizada la guerra regresó a su patria sin especiales incidencias. Se le atribuyeron fundaciones de ciudades de Italia. Murió en
una batalla en la cual prestaba su ayuda a los rodios mandados por Tlepólemo,

Polidarius, el mege   que enfermos sanava
con Macaón a bueltas   con treinta naveava.

Estos fueron los prínçipes   que de Greçia ixieron,   450
mas otros ovo y   que nombre non ovieron;
ca, qui una qui dos,   tantas naves truxieron
que de mill e dozientas,   catorçe falleçieron.

Arribaron al puerto   bien alegres e sanos,   451
ancoraron las naves,   posaron por los llanos;
rindién graçias a Dios   e alçavan sus manos;
pensaron de folgar,   ca eran quebrantados.

Aún ellos non eran   del puerto levantados,   452
al buen rëy de Troya   llegaron los mandados:
que avién grandes pueblos   de Greçia arribados,
que vinién sobre Troya   sañosos e irados.

---

que habían llegado a esos lugares italianos y eran atacados por los indígenas. (Cfr. Grimal, *op. cit.*, pág. 201.)

449c *Polidarius*. Podalirio (pero *Polidarius* en el códice G.2 de la *Ilías* —Alarcos, *op. cit.*, pág. 125, nota—), hijo de Asclepio y Epíone. Fue hermano de Macaón y, como éste, médico y pretendiente de Helena, de ahí su participación en la guerra de Troya. Intervino en los combates como soldado y como médico. Se le atribuyeron gran número de curaciones. Sobrevivió a su hermano Macaón y lo vengó. Concluida la guerra tras la toma de la ciudad fue uno de los que acompañaron a Calcas en su viaje terrestre hasta Colofón. Muerto Calcas se dirigió hasta la ciudad de Delfos (hay otras versiones sobre este suceso) y consultó al oráculo el lugar en donde debía establecerse. De la respuesta dedujo que el sitio perfecto era el Quersoneso Cario, por lo que fijó en él su residencia. (Cfr. Grimal, *op. cit.*, pág. 437.)

449d *Macaón*. Médico como su hermano Podalirio, se distinguió especialmente por su labor como cirujano. Era, como su hermano, rey de tres ciudades —Trica, Itome y Ecalia— de Tesalia. Con Anciclea, mujer con la que estaba casado, tuvo dos hijos, Nicómano y Górgaso. Por los mismos motivos que Podalirio intervino en la guerra de Troya. Sus servicios como cirujano llegaron a hacerse tan imprescindibles, dado el número de curaciones que consiguió, que fue relevado de participar en las batallas. Fue herido por Paris y curado por Hacamede, cautiva de Aquiles. Fue uno de los guerreros que se introdujeron en Tropa ocultos en el caballo de madera. Parece que la vida le fue arrebatada por la amazona Pentesilea o por Eurípilo. Sus cenizas fueron llevadas por Néstor a Gerenia. (Cfr. Grimal, *op. cit.*, pág. 329.)

Membról' al rey el sueño,   ovo miedo sobejo,   453
el grant cuer que avía   fizosle poquillejo;
mandó ferir pregones   que fiziessen conçejo,
sobre tan grant fazienda   que prisiessen consejo.

Dixo Éctor al padre: «Vos fincadvos en paz;   454
avedes buenos fijos   e vassallos assaz;
nos iremos a ellos,   ferrémoslos de faz;
nunca se encontraron   con tan crudo agraz.»

Armóse el buen cuerpo,   ardid' e muy leal,   455
vistiós' a la carona   un gambax de çendal,
de suso la loriga   blanca como cristal.
«Fijo» —dixo su padre—,   «¡Dios te curie de mal!».

Calçó sus brafoneras,   que eran bien obradas,   456
de sortijas d' acero   sobra bien enlaçadas;
assí eran bien presas   e tan bien assentadas
que semejavan calças   de la tienda sacadas.

Pués fincó los ynojos   e ciñós la espada,   457
qui tollerla quisiesse   avriála bien comprada;
cubrióse un almofre,   una cofia delgada,
de suso puso 'l yelmo   de obra esmerada.

Cavalgó su cavallo   fermoso e ligero,   458
sobra bien enfrenado,   de fuerça sobrançero;
priso lança en mano,   en braço el tavlero;
qui dubda non l'oviesse,   serié buen cavallero.

El buen pueblo de Troya   fue luego aguisado;   459
ixieron con don Éctor   de amor e de grado;
assentaron las tiendas   de fuera, en un prado,
fasta que fue el pueblo   todo y allegado.

453a *sueño*. Se refiere a la pesadilla que padeció Hécuba mientras se hallaba embarazada de Paris, narrada en la estrofa 348.

458 En el manuscrito () esta estrofa sufre un cambio de situación y es situada a continuación de la 463.

Con él ixió don Paris   de la grant fermosura,   460
el que pora sus gentes   nació en ora dura;
otros ovo y muchos,   como diz la 'scriptura,
prínçipes acabados,   todos de grant natura.

Tanta de buena gente   y era allegada   461
que, si non porque era   contra ellos la fada,
ovieran de los griegos   a Troya amparada
e non fuera su cosa   atan mal acabada.

El pecado, que nunca   en paz pudo seer,   462
tanto pudo el malo   bollir e rebolver
que ovo de tal guisa   las huestes a poner
que bien podién los unos   a los otros veer.

Paris por demostrarse   de quál esfuerço era,   463
e por fer pagamiento   a la su compañera,
partióse de los suyos,   priso la delantera,
como si él oviesse   a tener la frontera.

Viólo por aventura   —mostrógelo 'l pecado—,   464
a Menalao el biudo   al que ovo robado;
tornó el malastrugo   tan mal escarmentado
com si fierro caliente   lo oviesse quemado.

Quando lo vío Éctor   venir cabez tornando,   465
cuidó que lo vinién   los griegos segudando;
ixió a reçebirlo   apriessa aguijando,
fuese un grant roído   por huest levantando.

Mas quando entendió   de quál guisa vinié,   466
que por la vista sola   de Menalao fuyé,
airós de fiera guisa,   ca piedat lo avié;
por poco con la ira   a él nos remetié.

_____

464cd   Aparece en estos versos una vez más la técnica de adelantar acontecimientos —aunque sin explicitarlos por completo— que posteriormente van a
ser objeto de un más amplio desarrollo. La función de tal recurso parece enteramente evidente: mediante él consigue el autor mantener a sus posibles lectores

Començól maltraer   con palavras iradas,   467
díxole: «Tus bondades   aslas bien acabadas;
busqueste la nemiga,   fuyes de las lançadas,
as a todas tus gentes   malament' aontadas.

»Quand corriés la palestra,   a todos nos vençiés,   468
bien cuidavas que nunca   tu igual fallariés;
quand robeste la dueña   'esso non comediés,
estonçes delant'ella   grandes nuevas faziés.

»Non se faz la fazienda   por cabellos peinados,   469
nin por ojos fermosos   nin çapatos dorados;
mester ha puños duros,   carrillos denodados,
ca lanças nin espadas   non saben de falagos.

»Non lo querié nul omne   por derecho judgar: 470
por tú dormir con ella   nos aquí lo lidiar;
mas lidiatlo vos amos,   pensadlo de livrar:
esse lieve la dueña   que la deve levar.»

Dixo Paris a Éctor: «Mucho m' as porfaçiado;   471
creo que assaz deves   de mí seer vengado;
non quiero al dezir,   de tu dicho me pago,
reçibo el judiçio   que tú aves judgado.»

Embïó a los griegos   Éctor este mandado,   472
plaçiól' a Menalao,   tóvose por pagado;
fue de ambas las partes   el pleito otorgado,
fue luego el logar   e el día tajado.

A todos plogó mucho   con esta abenençia,   473
tovieron que avién   livrada su entençia;
dieron unos a otros   verdat e atenençia
que non fuesse falsada   por nada la sentençia.

Seyén ambas las huestes   sobre sendos collados,   474
nin mucho açercados,   nin mucho alongados;
cada uno por fer   los sus santos pagados,
por fazer olocaustos   matavan los ganados.

Yaziéles entre medio   un fermoso vallejo,   475
rico de mucha liebre   e de mucho conejo;
otorgáronlo todos   que era buen consejo,
que Menalao e Paris   y fiziessen trebejo.

Antuvióse el griego   com' omne sabidor,   476
ca vergüença e ira   le tollié el pavor;
bien guarnido de armas   de mucho grant valor,
dió salto en el campo   como buen campeador.

Ixió del otro cabo   Paris galopeando,   477
con unas armas nuevas,   su pendón aleando;
iva a Menalao   justa le demandando,
seyén todas las dueñas   de los muros mirando.

Quando lo vio el griego,   dixol' a altas bozes: 478
«Aquí eres mal huéspet,   plaga de tus alfoçes;
bien rides de los dientes   e lanças malas coçes;
de lo que me feziste   non creo que te gozes.

»Reçebít' en mi casa   e fizte grant onor,   479
tal gualardón me diste   que non pudist peor;
mas bien creo e fío   en el Nuestro Señor
que me dará derecho,   don falso traïdor.»

Encubrióse del escudo,   enderçó la lança,   480
cuidó aver de Paris   derecho e vengança;
fue ferirse con él   sin ninguna dubdança,
querrié, sis le fiziesse,   darle mala pitança.

Quando lo vío Paris   venir tan denodado,   481
sabié que, si pudiesse,   quel matarié de grado;
endereçó por darle   del pendón señalado,
mas non lo quiso Dios,   ca non era guisado.

---

pendientes del relato, formar en ellos un pequeño núcleo de tensión, procurar
que en ningún momento decaiga su interés por la narración, animarles, obligar-
les casi a continuar constantemente la lectura.

477d   *todas*. Conjetura de Alarcos *(op. cit.,* pág. 130).

Diéronse tales colpes   en medio los escudos,   482
quebrantaron las lanças   que tenién en los puños;
amas cayeron rachas   e pedaços menudos;
dieron las alvergadas   alaridos agudos.

Como avié a Paris   Pallas desafiado,   483
a Menalao andaval   siempre cab' al costado;
mager non l' ovo dono,   Venus del otro cabo
querrié, quanto pudiesse,   valer a su crïado.

Qualquier de los escudos   fincó pedaços fecho;   484
vistién buenas lorigas,   que les tovo provecho;
ixieron a dos partes   cad'un en su derecho;
pareçié en los colpes   que se avién despecho.

Membról' a Menalao,   —quel dieron pescoçada—,   485
si perdiesse la lança   ques tornás' al espada;
prísola sobre mano   e fizo la tornada;
Paris tenié la suya,   quand' él vino, sacada.

Fue por darle con ella   por somo del almofre,   486
non lo priso en pleno   e deslayó el colpe;
como firió en vago,   engañós' el buen ombre,
ixiósle de la mano   e fincó él muy pobre.

El pueblo de los griegos   tovos por afollado,   487
metieron todos bozes   llorando su mal fado;
Paris con el roído   paróse desarrado,
non le sopo dar priessa   el mal aventurado.

Non sopo con la cueita   Menalao qué fer,   488
pero asmó un seso   quel quiso Dios valer,
que sil pudiés la mano   so el yelmo meter
con ayuda de Dios   lo cuidarié vençer.

Aguijó contra él,   entról so la espada,   489
echól por aventura   mano en la laçada,

———
485a   *quel dieron pescoçada.* «Dar pescoçada, ultrajar, ofender» (Keller). Alarcos, *op. cit.,* pág. 131, nota.

enbargól fiera guisa,   tanto que le pesava;
Paris, maguer querié,   non le podié fer nada.

Com lo tenié en pleno,   fuélo luego tirando,   490
ívale poc' a poco   los laços sossacando;
quanto más lo tirava   más se iva quexando,
ques l'ivan todavía   los laços apretando.

Oviera Menalao   buen derecho tomado,   491
que lo oviera muerto   o l'oviera llevado;
mas acorrióle otro,   sacógelo de mano,
tornáronlo a Troya   maltrecho e lazrado.

Quando lo vio Elena,   sossañólo un poco;   492
dixol que lo tenié   fieramente por loco,
e que fue engañado   e ella non lo sopo,
si non, non lidiarié   con él uno por otro.

Dixol: «Si tú supiesses   com' es buen cavallero,   493
mucho te dubdariés   de ir a él façero;
mas devriésle en medio   poner un grant otero,
ca es de grant esfuerço   e sobra buen cabero.»

Dixo Paris a Elena: «Yo te juro, hermana,   494
que él non me vençiera   por fuerça nin por maña,
mas Pallas me vençió,   que me tenié grant saña
porque dixe que Venus   mereçié la mançana.

»Pero como yo fío   en Venus la leal,   495
a la que yo bien sé   quel pesa de mi mal,
yo faré en su cuerpo   un exemplo atal
que siempre fablen dello   en Greçia por señal.»

---

489   En el manuscrito P esta estrofa ha sido situada tras la que figura con el
número 490 en nuestra edición. Alarcos, basándose en O *(op. cit.,* pág. 132),
restituye el orden que la sucesión de los hechos exige en el relato. Su modificación es aceptada por nosotros e incluida en nuestro texto.
495a   *Pero.* Alarcos *(op. cit.,* pág. 133) sustituye la conjunción *mas* que figura
en ambos manuscritos por esta que incluimos en nuestro texto con el fin de regularizar la medida del primer hemistiquio.

Andava en tod' esto   Menalao irado,   496
ca era por verdat   malament soberviado;
dizié que le toviessen   lo que fuera parado,
si non, les caerié   en mal desaguisado.

Salieron los troyanos,   metiéronlo en razón,   497
los unos dizién «sí»,   los otros dizién «non»;
quando Dïos non quiere   non val composiçión,
pudo más el diablo   metié y dissensión.

Ante que fues' el pleito   de sí o non livrado,   498
—ellos faziendo tuerto,   él seyendo forçado—,
Pandarus, un arquero   a qui dé Dios mal fado,
oviéralo por poco   a Menalao matado.

Tiról' una saeta,   fincógela 'l costado;   499
dixo don Menalao: «Esto es mal mandado»;
tornó pora los griegos   durament' espantado;
non cuidavan los suyos   que lo avién cobrado.

Toviéronse los griegos   todos por mortiguados,   500
tenién que los avién   troyanos aviltados;
«¡Vía!» —dixieron todos—,   «más vale que muramos
que atantas de vezes   seamos aontados».

Movieron pora ellos   todos a denodadas,   501
todos señas arechas   e las haçes paradas;
grandes eran los polvos   e las bozes tamañas
que oyén el roído   a cab' de dos jornadas.

498c *Pandarus*. Hijo de Licaón y oriundo de la ciudad de Celea, acudió a Troya al mando de las tropas enviadas por los licios de Tróade en auxilio de Príamo. Había recibido de Apolo las enseñanzas necesarias para manejar perfectamente el arco. Hirió, instigado por Atenea con el fin de romper la tregua acordada entre griegos y troyanos, a Menelao, lo que dio origen a la continuación de los combates. Fue muerto en una lucha contra Diomedes. (Cfr. Grimal, *op. cit.,* pág. 404.)

500d *de*. Incluido por Alarcos (*op. cit.,* pág. 134) para regularizar el cómputo silábico del verso.

Vinién a denodadas   pora Troya entrar,   502
por enforcar a Paris,   a Elena quemar,
prender todos los otros   e la villa ermar,
que nunca y pudiessen   ningunos abitar.

Dixieron los de Troya: «Esto non pued seer,   503
allá somos de fuera   primero a veer.»
Ixió Éctor a ellos   con todo su poder;
óvose el torneo   por y a rebolver.

De cada part' avié   mucha seña cabdal,   504
bolvieron un torneo   que valié lit campal;
assí manava sangre   todo el arenal
como si prado fuesse   o fuente perenal.

Qui muertos, qui colpados,   cayén a bolodrones,   505
a piedes de cavallo   murién muchos peones.
Bien lidiava don Éctor   e bien las sus criazones;
semejavan y todos   los griegos bien varones.

Avié en los troyanos   un omne de linaje,   506
fue fijo de Alfión,   omne de grant paraje;
éste entre los griegos   fazié muy grant domaje,
e querié recabdar   a firmes su mensaje.

Ajuntóse con él   Ayaz el Telamón;   507
travessóle la lança   por medio 'l coraçón;
non le prestó migaja   toda su guarnición,
ixiól luego el alma   a poca de sazón.

Esto pesó a Ántiphus   e cuidólo vengar;   508
echó de cuer la lança   pora Ayaz matar;

505a *Qui*. Alarcos introduce esta rectificación —P y O, *que*— *(op. cit.,* página 135).

506b *fijo d'Alfión*. Se trata de Simoísios, hijo de Antemión, al que, según la *Iliada*, mató Ayax en el combate. El cambio de *Antemión* a *Alfión* no es imputable a nuestro autor ni a la impericia de los copistas de su obra. Se encuentra ya en las versiones vulgares de la *Ilias latina*, tal y como Alarcos *(op. cit.,* pág. 136) se encarga de resaltar.

508a *Antiphus*. Antifo. Uno de los hijos de Príamo, cuyo nombre aparece

guardósele el otro, nol pudo açertar,
firió aún a Leucón e fízolo quedar.

 El prínçip Menalao, como fuera colpado,   509
andava tan ravioso com' un león irado;
trayé en su cabeça un yelmo señalado,
el que ovo a Paris en el campo robado.

 Membról cómo avié presa mucha grant honta, 510
cómo se avié visto en müy grant afronta;
dió de man' a la lança, mató a Demofonta,
un valient cavallero e omne de grant conta.

 Demofonta yazié sobre sus armas muerto,   511
tenié como cayera las çervizes en tuerto;
allegóse Umbrásides por despojarle 'l cuerpo,
mas al malastrugado ixióle a mal puerto.

 Estava cabezcorvo por toller la loriga,   512
vinol sobr' él un asta tamaña como viga,
echóla por amor Toas de su amiga,
cosiólo con la tierra al fijo d' enemiga.

 De los pueblos de Troya muchos avié caídos, 513
de los griegos con todo muchos avié perdidos;

---

corrupto en ambos manuscritos del *Alexandre* y ha sido restaurado en su forma
original por Alarcos, basándose en la *Ilias latina* (Alarcos, *op. cit.,* pág. 136).

 508d *Leucón.* Es, según la *Ilíada* (IV, v. 491), uno de los compañeros de
Ulises.

 510c *Demofonta.* Democoonta, hijo bastardo de Príamo, que, procedente de
Abido, «país de corredoras yeguas», según la *Ilíada* (IV, 4), se sumó a los troyanos en la defensa de su ciudad, que en el texto griego recibe la muerte a manos
de Ulises —no Menelao—, y cuyo nombre se encuentra alterado ya en las versiones vulgares de la *Ilias* (Alarcos, *op. cit.,* pág. 137, nota).

 511c *Umbrásides.* Piroo Imbrasida, cuyo nombre aparece modificado en las
versiones vulgares de la *Ilias* en la forma que se recoge en el *Alexandre.* En la
Iliada y el *Pindarus* (*vid.* Alarcos, *op. cit.,* pág. 137, nota) no halla la muerte
cuando se dispone a despojar a Democoonta, sino a Diores Amarincida, que
acababa de ser muerto por él.

 512c *Toas. Toantee.* Cfr. nota a 445c.

los ríos de la sangre   bien aluén eran idos;
non dubdavan morir,   itant' eran ençendidos!

   Los unos e los otros,   por amor de vençer,   514
tant cuidavan fer cabo   que avién a caer;
pero tanto ovieron   los troyanos a fer
que ovieron los griegos   las riendas a bolver.

   Qùando vío Diomedes   fuir sus compañeros,   515
firió en los troyanos   e mató muchos dellos;
si les plogó o non,   fízolos seer quedos,
assí los delivrava   como lobo corderos.

   Rebolvié bien los braços,   dava colpes mortales,   516
mató una partida   de prínçipes cabdales;
si oviesse ayuda,   com' él era, de tales,
oviera en troyanos   fecho malas señales.

   Andava tan ravioso   com' un león d'ayuno   517
quand lo cuita la fambre,   si falla brusc' alguno,
destruye e degüella   sin cosiment ninguno;
fazié gozo sobejo   Pallas e doña Juno.

   Ovieron los troyanos   a bolver las espaldas,   518
siguiélos Dïomedes   dando grandes colpadas;
dizién que avién visto   en mal punto a Pallas,
las nuevas de Elena   que non fuessen sonadas.

   Toas que a Umbrásides   mató como sabedes,   519
avié tales dos fijos   que valién dos paredes;
por su mala ventura   víolos Dïomedes,
aguijó contra ellos   diziéndoles: «Morredes.»

519b   *dos fijos*. En la *Iliada* no es Toante, sino Dares —sacerdote de Vulcano, dado como consejero a Héctor (por indicación de Apolo Timbreo, para que
evitase que luchase contra Patroclo, dado que, de hacerlo así y matarle, él mismo moriría a manos de Aquiles), y que terminó huyendo al campamento de los
griegos, en donde perdió la vida a manos de Ulises (cfr. Grimal, *op. cit.,* página 129)— el mencionado en este episodio. La confusión (Alarcos, *op. cit.,* pág. 139,
nota) no se produce en nuestro texto, se encuentra ya en las versiones vulgares

Endereçó la lança,   firmóse en la siella,   520
dió al mayor hermano   por medio la tetiella,
por medio las espaldas   echóle la cuchiella;
en Grecia oy en día   lo traen por fabliella.

Quando vío aquesto   el hermano menor,   521
tirósele delante   al toro lidiador;
si un poco quisiesse   refertar al señor,
fizieral' esso mismo   que fizo al mayor.

Fazié como corneja   quandol roban el nido: 522
defender non lo puede,   da boz e apellido;
assí estava Ideus,   que era esmarrido,
con ravia del hermano   andaba enloquido.

Veyélo mal prender,   non le pudo prestar,   523
que, aunque lo quisiesse,   non le podié uviar;
Toas, que a Umbrásides   fizo quedo estar,
toda su alegría   tornósle en pesar.

El rey Agamenón,   maguer tan alto era,   524
nin quiso tener çaga   nin ir en costanera,
metióse en la priessa,   en la muebda primera,
a qual parte que iva,   dávanle la carrera.

Rodeus, un troyano   que fue mal avorado,   525
por ferirse con él,   vino muy denodado;
dióle el rey tal colpe   por el diestro costado,
echólo muerto frío   en la yerba del prado.

---

del Pindarus y en uno de sus códices —el A. Los dos hijos de Dares a que en
este verso se hace referencia son Fegeo e Ideo. El primero de ellos fue muerto
por Diomedes. El segundo fue salvado por Vulcano, quien lo sacó del campo
de batalla, evitándole la muerte con el fin de que su padre no padeciese un dolor aún mayor *(Iliada,* V, 9-29).

522   No es copiada esta estrofa en el manuscrito O.
522b   *boz.* Corrección de Alarcos *(op. cit.,* pág. 139) sobre *bozes* de P.
522c   *Ideus. Vid.* nota al verso 519b.
era, andava en P. La corrección es de Alarcos *(ibídem).*
525a   *Rodeus.* Hodius —en la *Iliada,* pero *Rodius* en algunas versiones del

Sin éste mató çinco   todos omnes valientes,   526
todos de grant poder   e de nobles parientes;
en cabo a Eurípilo   diól por medio los dientes.
Fazién tales trebejos   en las troyanas gentes.

Pándarus, el que ovo   a Menalao colpado,   527
andava el maliello   con su arco parado;
iva a Dïomedes   por las hazes buscando,
ca fazié fiera guisa   grant mal en el su vando.

Óvolo a veer   el que dé Dios rencura,   528
do estava lidiando   a una grant pressura;
tiról' a la tetilla,   mas erról por ventura,
fincógela en el ombro,   mas por su amargura.

Quando sintió Diomedes   que lo avién ferido,   529
com non sopo quién era   tovos por escarnido;
ovo tan fiera ira   e fue tan ençendido
como osso ravioso   que anda desfanbrido.

Buscando el arquero   quel tiró el quadriello,   530
fazié mucha carniça   e mucho mal manziello;
el que por su pecado   cayé en su portiello
nunca iva jamás   tornar a su castiello.

Pindarus (Alarcos, *op. cit.*, pág. 140, nota)— era el caudillo de los halizones que luchaban al lado de los troyanos. Agamenón le dio muerte cuando se disponía a huir, ensartándole la espalda, entre los hombros, con su pica.

526a   En el texto latino y en la *Ilíada* no es Agamenón, sino varios caudillos griegos diferentes los que matan a cinco hombres: Idomeneo, a Festo, hijo de Boro el meonio: Menelao, a Escamandrio, hijo de Estrofio; Meriones, a Fereclo, hijo de Tectón Harmónida; Meges, a Pedeo, hijo bastardo de Antenor, y Eurípilo Evemónida, a Hipsenor, hijo de Dolopión. Nuestro autor, pues, como señala Alarcos *(op. cit.,* pág. 140, nota), debió comprender erróneamente en este punto el escrito que estaba utilizando como fuente.

526c   *Eurípilo.* Nuestro autor vuelve a comprender mal el relato de la *Ilías* e interpreta que Eurípilo, caudillo griego y uno de los que salen victoriosos en el combate, es uno de los troyanos supuestamente vencidos y muertos por Agamenón (Alarcos, *ibídem).* Sobre la identidad de este personaje véase la nota al verso 440c.

Mató çinco viscondes, todos omnes granados, 531
todos los diz' Omero por nombres señalados,
en cabo a Toás, de qui ante fablamos;
creo que en comedio otros ovo colpados.

Fincó ojo a Pándarus, violo en un corral; 532
aguijó contra él, dexó todo lo al;
diól' una espadada por medio 'l çervigal,
fízole dos toçinos partidos por igual.

Avié el maledito tal escarmiento fecho, 533
pareçer non osava ningún en su derecho;
non era bien vengado aún de su despecho,
non avié olvidado el mal sabor del trecho.

Por lo que avié fecho non se querié alçar, 534
—non era bien çevado, aún querié caçar—;
buscava día malo, si ge l' oviés quien dar,
mas non osava nadi ante él se parar.

Óvose con Eneas en cabo a fallar, 535
fijo del rey Anchises, un cuerpo de honrar;
cuidólo muy aína o vençer o matar;
respúsole Eneas: «Mucho a y que far.»

531a *çinco viscondes.* Según la *Ilíada* (V, 144-158), Diomedes, tras ser herido por el hijo de Licaón y ayudado por Palas a reponerse, dio muerte a cinco troyanos antes que a Toón: Astínoo e Hipirón; Abante y Políido, hijos de Euridamante; y Janto, hijo de Fénope y hermano de Toón.

531c *Toás.* Se trata de Toón, hijo de Fénope, cuyo nombre aparece sustituido por el de *Toas* ya en el códice G. 2 y en las ediciones vulgares del Pindarus.

535a *Eneas.* Famoso héroe troyano, hijo de Anquises y Afrodita, que tuvo una destacada intervención en las luchas de los griegos contra la ciudad, que escapó de Troya —una vez que los griegos la habían ocupado— con su padre, su hijo Ascanio y un grupo de troyanos, y cuyas hazañas posteriores son suficientemente conocidas por haber constituido el asunto fundamental de la *Eneida,* de Virgilio. (Cfr. Grimal, *op. cit.,* págs. 156-157.)

535b *Anchises.* Anquises, hijo de Capis y Temiste, famoso por haber sido padre de Eneas. Afrodita lo conoció en el Ida, cuando él se dedicaba a cuidar su rebaño, y se enamoró de él. Se le presentó fingiéndose la hija del rey de Frigia y se unió con él. Después le reveló quién era y le pidió que nada dijera sobre los sucesos que habían vivido juntos ni descubriera que el hijo que habría de nacer

Diéronse de las lanças   mas non sintieron nada,   536
esso mismo fizieron   a la quartá vegada;
Diomedes, quando ovo   la lança quebrantada,
tiró de la vaína   la su mortal espada.

Eneas por tod' esto   non quiso enflaquir,   537
espada sobre mano   pensó contra él ir;
sabiénse ricament   guardar e encobrir,
por ninguna manera   non se podién ferir.

Semejaban entrambos   pecados maleditos,   538
que estavan refaçios,   un contra otro fitos;
todos de cada parte   davan bozes e gritos,
nariz de los cavallos   semejavan solvitos.

Quando vío Diomedes   que nol podié colpar,   539
nin por ninguna guisa   a él podié passar,
víose embargado   asmó qué podrié far,
quel semejava onta   pora sí lo dexar.

Vío cab' un ribaço   un grant canto yazer,   540
que doze cavalleros   non lo podrién erzer;
deçendió del cavallo   e fuélo a prender;
bien cuidava Eneas   que nol podrié mover.

Alçólo Dïomedes   mucho ligeramiente,   541
dió con él a Eneas   un palmo sobre 'l vientre,
echólo de la silla   tan ahontadamiente,
oviéralo por poco   quedado pora siempre.

---

de su unión lo era de una diosa para evitar las iras de Zeus. Anquises, en el
transcurso de una fiesta en la que había bebido con exceso, descubrió el secreto
y Zeus lo castigó arrojándole un rayo que lo dejó cojo. Tras la caída de Troya
fue sacado por Eneas de la ciudad montado sobre sus propios hombros y lo llevó consigo en el resto de sus viajes. Contaba ochenta años entonces. El lugar en
el que murió no coincide en todos los autores. Según unos falleció en el monte
Ida; según otros, en Macedonia, en Arcadia, Epiro, Italia, Sicilia... Con motivo
de su muerte Eneas organizó unos juegos, los juegos troyanos, que todavía se
celebraban en Roma en la época del Imperio. (Cfr. Grimal, *op. cit.*, pág. 32.)

540d   *cuidava. se cuivada*, en O y P. Alarcos *(op. cit.*, pág. 143) suprime *se*.

Luego que fue Eneas   caído en el campo,   542
dió salto Dïomedes   por recobrar el canto;
erçiólo tan rafez   como erçrié un manto,
si ferido l'oviesse   nol valiera escanto.

Su madre doña Venus   sabié encantamientos,   543
—que turbava las nuves   e rebolvié los vientos—;
vío los pestorejos   de su fijo sangrientos,
e andar sus cabellos   por tierra polvorientos.

Ante que lo uviasse   Dïomedes colpar,   544
óvolo la diabla   de Venus a encantar;
ovol con una niebla   los ojos a çegar;
Eneas por atanto   ovo de escapar.

Maguer que non veyé   —itant' era de liviano!—,   545
palpava si pudiesse.   ferir algunt troyano:
firió por aventura   a Venus en la mano,
aquel colpe aduxo   a muchos a grant daño.

Venus por la ferida   tovos por aontada,   546
rencoróse a Júpiter   e mostróle la llaga.
Si non fuesse por Juno   la greçisca mesnada
oviera sines dubda   tomado mala çaga.

Fue a pocos de días   Eneas bien guarido,   547
non echó el quebranto   que priso en olvido;
más irado que nunca   tornó el apellido,
rebolvié la fazienda   com' omne desfaçido.

Todos como de nuevo   movieron a lidiar,   548
ovieron de los griegos   muchos y a fincar;
recudién las espadas   que non podién tajar,
pero, quales que eran,   non se davan vagar.

Eneas con la saña   del colpe que prisiera   549
tan ravioso andava   com' una sierpe fiera,

542c   *erçrié.* Corrección de Alarcos (*op. cit.,* pág. 144).

buscando por el campo   el griego quel firiera:
tovo que, sil fallasse,   vengado en soviera.

     Todos estavan firmes,   grant era la refierta,   550
de los muertos la tierra   toda yazié cubierta;
andavan en la sangre   bien fascas media pierna;
nunca fue en un día   Belona más espierta.

     Andava entre todos   Éctor flamas vertiendo,   551
los suyos cabdellando,   a los otros firiendo;
quantos que lo veyén   ivan ant' él fuyendo,
el que prender podié   no l' iva bendiziendo.

     Andava tan ravioso   com' una sierpe brava,   552
el que delant prendié   de liev non escapava;
la su bella mesnada,   que él acabdellava,
todos cogién esfuerço   sólo que él fablava.

     Mal andavan los griegos   non lo podién durar,   553
ovieron sin su grado   las cuestas a tornar;
firié Éctor en ellos,   non les dava vagar,
querrié una jornada   luen de Troya estar.

     El rëy de los griegos,   maguer era cansado,   554
quando vío aquesto   fue muy desaborado;
dixo: «Non pued seer,   que pese al pecado,
que, maguer que lazremos,   nos vençremos el campo.»

     Entró esto diziendo   por medio de las hazes,   555
llamando Dios ayuda,   firiendo colpes grandes;
a los que non tornavan   confondiéles las faces
diziéndoles: «Amigos,   ¿por qué me desonrades?»

549d   *soviera.* Rectificación efectuada por Alarcos *(op. cit.,* página 145).

550d   *Belona.* Diosa romana de la guerra que terminó siendo identificada con la divinidad griega Enio. Es a veces considerada esposa del dios Marte, y su representación plástica es similar a la que dieron a las Furias. (Cfr. Grimal, *op. cit.,* pág. 70.)

554a   *El rëy de los griegos.* Menelao *(Ilíada,* V, 561).

Pesó a los troyanos   con el su encontrado,   556
que los fizo quedar   a todo su mal grado;
aforçaron los griegos,   tornaron y de cabo;
era de fiera guisa   rebuelto el mercado.

Andava el buen rey   las emiendas cogiendo,   557
a los unos matando,   a los otros firiendo;
ivan com de pecado   todos ant' él fuyendo,
al que él alcançava   non iva muy riendo.

Éctor del otro cabo   firié con los troyanos,   558
non tenié toda ora   enbargadas las manos;
éste con don Eneas,   dos cuerpos adïanos,
tan bien se ayudavan   como unos hermanos.

Todos, unos e otros,   fiera priessa se davan;   559
pero ellos e ellos   rancar non se dexavan;
las aguas e los prados   todos sangre manavan,
recudién los vallejos   a los colpes que davan.

Sedié de cada parte   la fazienda en peso,   560
ningunos non podién   rancarse por nul seso;
y ovo Menalao   a don Adastro preso,
que avié la cabeça   tan blanca como queso.

Sarpedón, un troyano   cavallero novel   561
—fijo era de Júpiter,   semejava a él—,
abatió a Triptólemus,   firió por el budel;
Ulixes por vengarlo   firió luego sobr' él.

557d   *él.* Incluido por Alarcos *(op. cit.,* pág. 146) para regularizar la métrica del hemistiquio.

558c   *este.* Introducido por Alarcos *(ibídem).*

560c   *Adastro.* Adrasto, caudillo troyano a quien Menelao hizo prisionero y perdonó la vida —movido por la súplica que en este sentido le dirigió— en un primer momento, pero mató después animado por las palabras de su hermano Agamenón (cfr. *Ilíada,* VI, 37-66).

561a   *Sarpedón.* Caudillo de un grupo de tropas licias que luchan en defensa de los troyanos. Parece ser hijo de Zeus y Laodamia, hija de Belerofonte. Murió a manos de Patroclo, y alrededor de su cadáver se entabló un violento combate. (Cfr. Grimal, *op. cit.,* páginas 475-475.)

Sarpedón fue colpado,   fuese pora su tienda.   562
Ulixes el artero   rebolvió la fazienda;
mató çinco mançebos,   todos de grant contienda,
non fue el peor éste,   como diz la leyenda.

Éctor e Dïomedes,   entranbos porfaçados,   563
estavan en el campo   firmes e denodados;
esforçavan sus gentes   como omnes senados;
dezir quál fue mejor   seriemos embargados.

Sedién como verrones   que están porfidiosos,   564
colmillos amolados,   los labros espumosos,
las sedas levantadas   e parados los ombros,
dándose grandes colpes   los unos a los otros.

Como diz la palavra   que corre más el fado   565
que nin viento, nin pluma,   nin roçín ensellado,
aforçaron los griegos,   fizieron un remango;
ovieron los troyanos   a dexarles el campo.

Allí entendió Éctor   que era engañado,   566
que eran a los griegos   todos los dios passados,
ellos, como que era,   aviénlos despagados;
non serién, si por esso   non fues, tan afollados.

Entró pora la villa,   fizo conçejo fer,   567
fízoles cómo era   la cosa entender;
mandó por las iglesias   las vigilias tener,
e que diessen ofrenda,   ca era menester.

Las madronas de Troya   fizieron luego çirios,   568
vistieron todas sacos   e ásperos çiliçios;

562c *çinco mançebos.* No fueron cinco, sino siete los troyanos abatidos, según
la *Ilíada,* por Ulises en estos momentos de la batalla: Cérano, Alástor, Cromio,
Alcandro, Halio, Noemón y Prítanis. Sin embargo, la coincidencia de ambos
manuscritos en este punto hacen desaconsejable la modificación de la lectura.
566c Verso modificado y corregido por Alarcos a partir de las lecturas divergentes de O y P *(op. cit.,* pág. 148).

ornaron los altares   de rosas e de lirios;
pora pagar los santos   todos cantavan quirios.

La muger de don Éctor,   Andrómacal dizién,   569
—todos bien dizién della   quantos que la veyén—,
temiés de su marido   que ge lo matarién,
que unos malos sueños   siempre la persiguién.

Priso Astÿanacta   en braços, su fijuelo,   570
adúxol' ant' el padre   e lloró él de duelo;
quísolo saludar,   refusó el moçuelo,
tovieron, tales y ovo,   que era mal agüero.

Esto pesó a Éctor,   ovo muy mal sabor: 571
alçáronsel los pelos   pero non por pavor;
díxole la muger,   que era sabidor,
que oviera el niño   de las armas pavor.

Tolliós luego el yelmo   e descubriós la faz;   572
conoçiólo el niño,   fuéle ya a dar paz,
assí dixo don Éctor: «Fijo, esto me plaz,
Dios te faga buen omne   ca yo vome al haz.»

568d   La *a* final ha sido añadida por Alarcos a *por* que figura como lectura en O y P *(ibídem)*.

569a   *Andrómaca.* (Alarcos, *op. cit.,* pág. 149.) Hija del rey de Tebas de Misia, Eetión, cuya capital Aquiles, con anterioridad al comienzo del noveno año de la contienda troyana, saqueó. En este epidosio su padre y hermanos hallaron la muerte a manos del Pélida. Casada con Héctor, tan sólo tuvo un hijo de él: Astianacte. Finalizada la guerra, fue entregada a Neoptólemo, hijo de Aquiles, como parte de su botín de guerra. Neoptólemo, tras matar a Astianacte —o sin matarlo, según otros—, la llevó consigo a Epiro, lugar de donde era rey. Andrómaca le dio tres hijos —Moloso, Píelo y Pérgamo— en esa localidad. Asesinado Neoptólemo en Delfos, a donde se dirigió para consultar el oráculo, legó su mujer y su reino a Héleno, hermano de Héctor, que también había sido llevado al Epiro. Muerto Héleno, Andrómaca parece que acompañó a su hijo Pérgamo a Misia, donde realizó la fundación de la ciudad que fue bautizada con su nombre. (Cfr. Grimal, *op. cit.,* pág. 27.)

570a   *Astïanacta.* (Alarcos, *ibídem.)* Astianacte, hijo de Héctor y Andrómaca, llamado Escamandrio por su padre (nombre procedente del que era propio del río que pasaba junto a Troya), pero conocido por los troyanos con aquella denominación, cuyo significado es «príncipe de la ciudad». Muerto su padre y

250

Glaucus, en est comedio,   buscó abze tan mala,   573
fallós con Dïomedes   en medio la batalla;
cuidó que lo podrié   derrocar sines falla,
e dióle un grant colpe   en medio de la tavla.

Dïomedes fue bueno   e müy mesurado,   574
nin dio por ello nada   e estido pagado;
dixo: «Creo, amigo,   que fueste engañado,
que, si me conoçiesses,   non m' ovieras colpado.

»Mas perdónote ésta   e fagot grant amor,   575
porque de mí non fuestes   quién era sabidor;
si jamás te conteçe,   prendrás mala sabor.»
Dixol Glaucus: «Non plega   esso al Crïador.»

Despidióse don Éctor   de toda su compaña,   576
esto tovieron todos   non por buena fazaña;
su hermano con él,   Paris de la montaña,
tornaron a las hazes   lidiando muy a saña.

---

conquistada Troya, fue reclamado por los caudillos griegos (Ulises especialmente) y muerto, según algunos, por estos, quienes, dicen, lo arrojaron desde la parte superior de una torre. Otros afirman que Astianacte logró escapar con vida y fundar una nueva Troya. (Cfr. Grimal, *op. cit.*, pág. 57.)

573a   *Glaucus*. Glauco, hijo de Hipóloco, jefe, con su primo Sarpedón, de un grupo de tropas licias (su nombre, tal y como Alarcos advierte —*ibídem*—, fue corregido por Morel-Fatio sobre las lecturas de O y P). En una de las batallas se enfrenta a Diomedes, y ambos héroes reconocen que sus respectivas familias se hallaban unidas por lazos de hospitalidad, dado que Belerofonte, abuelo de Glauco, había sido recibido en su casa por Eneo, abuelo de Diomedes, y ambos se habían intercambiado presentes tal y como marcaba la tradición. Glauco y Diomedes cambiaron entre sí sus espadas en recuerdo de aquel hecho. Tras esto, regresaron al combate. Glauco trató de salvar a Sarpedón cuando cayó herido en uno de los enfrentamientos con los griegos, pero Teucro se lo impidió y le produjo una herida. Apolo lo curó, pero no pudo evitar que los griegos se llevasen las armas de Sarpedón. Junto a Héctor luchó para conseguir el cadáver de Patroclo, pero fue muerto por Ayax Telamonio. Los vientos, cumpliendo órdenes de Apolo, trasladaron sus restos a Licia. (Cfr. Grimal, *op. cit.*, págs. 215-216.)

tan. Adición de Alarcos (*op. cit.*, pág. 149).

576c   *Paris de la montaña*. El epíteto hace referencia a la crianza de este personaje en las montañas, lugar en el que pasó también gran parte de su juventud, tal y como fue relatado en las estrofas 355-359 de nuestro *Libro*.

Començó ferir luego   Éctor como solié,   577
derrocar de las sillas   quantos fallar podié,
el que de la su punta   una vez estorçié,
quanto más de su grado,   ant' él non pareçié.

Afrontóse con él   Ayaz el Telamón,   578
del que fiziemos ante   de suso la mençión;
cavallero de preçio   e de grant coraçón;
fuese ferir con él   sobrepuesta missión.

Entendiógelo Éctor   e fuele atendiendo,   579
quiquier ge lo verié   que él non avié miedo;
a poder de cavallo   vino Ayaz corriendo,
firió' en el escudo   tod su poder metiendo.

Quedo estido Éctor,   cuidólo travessar;   580
entendiógelo Ayaz,   súpose bien guardar;
quando vio esto Éctor   nol quiso dar vagar,
derrancó pora él,   cuidól descabeçar.

Tornó contra él Ayaz,   nol quiso refuir,   581
espada sobre mano   pora Éctor ferir;
tan bien se sabién amos   guardar e encobrir,
por ninguna manera   non se podién nozir.

Lo que Éctor asmava   Ayaz bien lo sabié,   582
nin Ayaz podié más   nin don Éctor fazié;
a Ayaz su engaño   nada non le valié,
non podrié ningún dellos   complir lo que querié.

Ayaz era artero   e de mala raíz,   583
cuidóle dar a Éctor   por medio la çerviz,
mas encubrióse Éctor,   como Omero diz,
pero rompió' un poco   la loriga terliz.

577a *ferir*. En el manuscrito P figura *a ferir* (O incluye otra lectura). La corrección es de Alarcos *(op. cit.,* pág. 150).

Diól en somo del ombro   una poca ferida,   584
pero quatro sortijas   rompiól de la loriga,
llególe a la carne,   sacól la sangre biva;
dixo Éctor: «Aquesta   de sangre fue vertida.»

Condesó el espada   dentro de su vasera,   585
dexó correr un canto   grant de fiera manera,
cuidóle dar a Ayaz   en medio la mollera,
mas pusol' el escudo   Ayaz en la carrera.

Luego fue presto Éctor,   prísolo otra vez;   586
como era valiente,   tomólo muy rafez;
diól' en somo del yelmo   do la calba fallez,
cayó Ayaz en tierra   más negro que la pez.

Fue a prender el canto   Éctor otra vegada,   587
por aquedar a Ayaz,   una barva honrada;
fuera, si lo fiziesse,   la cosa delivrada,
que dava atal virto   com' una algarrada.

Ya quería don Éctor   el canto ajobar,   588
Ayaz alçó los ojos,   vío quel querié dar;
como dizen que cuita   faze vieja trotar,
esforçó con el miedo,   fue del canto travar.

Començaron entrambos   a firmes a luchar,   589
Ayaz non se dexava   con el miedo echar;
plogó a Dios e ovo   la noche a uviar,
mandaron las justiçias   que quedás' el lidiar.

Ovieron a quedar   los toros lidiadores,   590
corriénles fil' a filo   a anbos las sudores;
toviéronlos a anbos   siempre por más mejores,
mas la lucha a Ayaz   membról todas sazones.

587d-602   Fragmento no recogido en el manuscrito O.
588c   *dizen*. Corrección de Alarcos *(op. cit.,* pág. 153).
590c   *a*. Introducido por Alarcos *(op. cit.,* pág. 153).

Preguntóle a Ayaz   Éctor a la partida: 591
«Dígasme, cavallero,   sí Dïos te bendiga,
de quál linaje vienes;   sí ayas buena vida,
querría tu fazienda   aver bien entendida.»

Dixo Ayaz: «D'aquesto   te daré yo razón;   592
parientes ove nobles,   maguer que muertos son;
mi madre fue Esiona,   mi padre Telamón;
las tierras do naçí   en medio Greçia son.»

Falláronse que eran   parientes muy carnales,   593
camiaron las espadas,   tajaron amistades,
firiéronse las diestras   por seer más leales,
partiéronse un d' otro,   fuerons' a sus lugares.

Otro día mañana,   a misa maitinal,   594
mandó pregonar Éctor   conçejo general;
fiziéronse los omnes   todos muy grant corral,
las armas non dexavan   por uno o por al.

592b   *que*. Adición de Alarcos *(ibídem)*.

592c   *Hesiona*. Hesíone, hija del rey de Troya Laomedonte, cuya mano fue concedida por Hércules a Telamón en recompensa por haber sido el primero en entrar en Troya cuando el héroe la atacó y conquistó para vengarse contra Laomedonte por no haber querido satisfacerle el precio estipulado —los caballos que él poseía— por haberle librado del monstruo marino que Poseidón le había enviado como castigo del impago del salario que le había prometido, a él y a Apolo, por haberle construido el muro de su ciudad. No fue madre de Ayax, pese a lo que se afirma en nuestro texto —que recoge en este punto la noticia incluida en la *Ilíada latina*—, sino de Teucro, también participante en la guerra de Troya. (Cfr. Grimal, *op. cit.*, pág. 264.)

Telamón. Hijo de Acteo y Glauce, según unos, o de Eaco y Endeis, para otros, es famoso por haber sido el padre del «Gran Ayax». Fue hermano de Peleo y compartió con él el destierro tras el asesinato de su hermanastro Foco. Su padre no le permitió regresar a Egina, su ciudad. En Salamina se casó con Glauce, hija del rey Cicreo, a quien heredó tras su muerte. Se quedó viudo y se casó con Peribea, hija de Alcátoo. Con ésta tuvo a Ayax. Se le relaciona con la expedición de los Argonautas y otros sucesos famosos. Tomó parte, como más arriba advertimos, en la conquista de Troya realizada por Heracles. Todavía estaba vivo cuando finalizó la guerra troyana. No hay noticias claras sobre las circunstancias de su muerte. (Cfr. Grimal, *op. cit.*, pág. 496.)

594a   *a*. Rectificación de Alarcos a la lectura —*ora de*— de P *(op. cit.*, página 153).

254

Dixo Éctor: «Varones,   por seso lo vería   595
que diéssemos la dueña,   irs' yén estos su vía;
que non siempre biviéssemos   en esta açedía,
que peor se nos pone   la cosa todavía.»

«Veemoslo» —dixieron   todos—, «por aguisado;   596
tenémoslo a vos   a merçed e a grado».
Enbiaron con esto   a los griegos mandado,
que el pueblo de Troya   que era acordado.

Respondieron los griegos   que non podié seer,   597
que ora ya non era   por abenençia fer;
si non que mensajeros   non devién mal prender,
pudiérase Idaeus   en gran cuita veer.

Los griegos en tod' esto   estavan desarrados,   598
que avién muchos menos   de los omnes honrados;
pero juraron todos,   —¡tant' eran esforçados!—,
que se non fuessen dende   fasta seer vengados.

Tornó el mensajero   que fue con el mandado,   599
díxoles cóm' avié   muy poco recabdado;
estonçe dixo Éctor: «Tengom por afollado,
pero, como yo creo,   dezía aguisado.

»Por todas las sus bafas   non perdré el dormir;   600
el mal que me farán   bien lo cuido sofrir;
e si Dïos me dexa   algún día bevir,
avrán destas grandías   pesar a reçebir.»

Mandó todas sus gentes,   otro día, guarnir,   601
a prenderles el campo   e irlos a ferir;
desque avié la cosa   toda a mal a ir,
ellos que non s' echassen   a luengas a dormir.

_____

595c *siempre.* En el manuscrito P figura este adverbio pospuesto al verbo
en el verso. Alarcos introduce la modificación adoptada aquí *(ibídem).*

597b *ya.* Adición de Alarcos, *op. cit.*, pág. 154.

597d *Idaeus.* Alarcos *(ibídem)* rectifica la lección de P —*seyer ydos*—,
basándose en el texto de la *Ilías.*

Si bien lo mandó Éctor,   ellos bien lo fizieron,   602
quand' apuntó el sol,   en el campo sovieron.
Las huestes de los griegos,   quando esto vidieron,
por meterse en armas   ningún vagar nos dieron.

Los troyanos, com' eran   fellones e irados,   603
pensaron de ferir,   com' eran castigados;
yazién ante don Éctor   muchos descabeçados,
los griegos en un rato   fueron desbaratados.

El pros de Dïomedes,   firm' en todo lugar,   604
ovo, quando lo vió,   ira e grant pesar;
aforzó a los griegos   e fízolos tornar,
y ovo, como dizen,   Ageo a matar.

Tan grant fue la fazienda   que nunca fue mayor,   605
mas cayén los de Greçia   todavía peor;
don Éctor sobre todos   semejava señor,
avié de fiera guisa   echado grant pavor.

Avién los griegos fecho   un firme valladar,   606
ques pudiessen a ora   de cuita amparar;
ovieron los de Troya   essa vez a rancar,
fizieron los de dentro   sines grado entrar.

Faziénlos seer quedos,   assí non les vagava;   607
exir a la batalla   ninguno non osava;
tod' el poder de Greçia   embargado estava,
ya maldizién a Achiles   que tan mal les uviava.

Los varones de Greçia   seyén acorralados;   608
los troyanos de fuera   fuerte encarniçados,
matávanles los omnes,   faziénles grandes daños,
porque non pleitearon   teniénse por errados.

604d   *Ageo. Agelao* según la *Ilíada,* pero *Ageo* en algunos manuscritos del
Píndaro. (Cfr. Alarcos, *op. cit.,* pág. 155, nota.)

606d   *sines.* Rectificación de Alarcos —O y P, *sin*— que proporciona regularidad métrica al hemistiquio *(op. cit.,* pág. 155).

La cerca en tod' esto   avié mucho durado,   609
avié, que empeçara,   bien un lustro passado;
más non avién aún   más d' esto recabdado,
ca el término puesto   non era allegado.

Achiles en comedio,   como fuera irado,   610
—el despecho que priso   non avié olvidado—.
sediés con su amiga   en los montes alçado,
por todas estas nuevas   non avía cuidado.

Enbïaron los griegos   cartas e mensajeros,   611
los unos tras las otros,   encara los terçeros,
dizién: «Si tú non uvias,   por todos los braçeros
non se tomará Troya,   segund los agoreros.

»Los unos son ya muertos,   e los otros cansados,   612
ávennos los de Troya   muy sobracavalgados,
tiénennos fiera guisa   de la villa redrados,
por campear con ellos   sol non somos osados.

»Tiempo serié e ora   que nos vengas valer,   613
que todos, ¡mal pecado!,   avremos y qué fer;
non dexes a tus gentes   tan grant daño prender,
desque esta fazienda   por tí s' ha a vençer.»

Achiles con las nuevas   ovo grant alegría,   614
plogól quel conoçiessen   los griegos mejoría;
luego se vino, d'essa,   de la ermitanía
por acabar el preçio   de su cavallería.

Los griegos con Achiles   fueron todos guaridos,   615
cogieron coraçones   e fueron más ardidos;
fueron del viento malo   los troyanos feridos,
fuéronse acogiendo   con sus braços caídos.

612b   *avennos*. Alarcos *(op. cit.,* pág. 156) modifica las lecturas —*hannos*— de
O y P con el fin de lograr regularizar la medida del verso.

Dïomedes el bueno,   un valient cavallero,   616
firme e de buen seso   e leal consejero,
do se querié dormir   en el sueño primero,
asmó fer una cosa   él solo e señero.

Asmó ir prender lengua   o palavra çertera   617
de las huestes de Troya   que les tenién frontera;
fablólo con Ulixes,   díxole que bien era,
metiéronse entrambos   solos a la carrera.

El adalid de Troya   avié nombre Dolón,   618
sabidor e argudo,   bivo de coraçón,
ixiera otrossí,   solo como ladrón,
por saber de los griegos   qué fazién o que non.

Abes podié en medio   la carrera seer,   619
al cabo d'una cuesta   que querié deçender,
oviéronlo los griegos   primero a veer,
ambos a sendas partes   fuéronse esconder.

Dolón passa non passa,   echaron en él mano,   620
estorçer nos les pudo,   non era tan liviano;
supieron por él todo   el esfuerço troyano,
pero non le quisieron   en cabo dar de mano.

Desque la verdat toda   ovo manifestada,   621
rogóles quel dexassen,   mas non le valió nada;
ovo luego la tiesta   de los ombros tajada,
que nunca más pudiesse   descobrir tal çelada.

Maguer que avién lengua,   nos quisieron tornar   622
d'aquí a que pudiessen   a las gentes llegar;

616d   *e.* Conjetura de Alarcos *(op. cit.,* pág. 157).
618a   *Dolón.* (Alarcos, *op. cit.,* pág. 157, nota.) Troyano, hijo del heraldo Eu-
medes. Es enviado como espía por Héctor al campamento de los aqueos, pero
es descubierto por Ulises y Diomedes, quienes le obligan a declarar cuál era la
disposición que poseían las tropas troyanas. Es muerto al final por Diomedes.
(Cfr. Grimal, *op. cit.,* pág. 142.)
621a   *la verdat toda hovo.* P, *ovo la verdat toda;* O, *ovo toda la verdat.* La corrección es de Alarcos *(op. cit.,* pág. 158).

ovieron en la tienda   de Reso a entrar,
assí que los non pudo   can nin omne ventar.

Cortáronle la tiesta   luego en las primeras,   623
alçóla Dïomedes   luego en las troxeras;
prisieron dos cavallos,   dos bestias tan ligeras
que, fuera Buçifal,   non avién compañeras.

Tornaron con grant preda   e con fiera ganançia;   624
más plogó a los griegos   que ganar toda Françia;
fízoles Dios en ello   merçed e muy grant graçia;
pero los fazedores   non cogieron jactançia.

Desque sonó la cosa   como eran exidos,   625
sovieron en grant miedo   fasta fueron venidos;
fueron con alegría   sobeja reçebidos.
Dixo Néstor: «Agora   son troyanos vençidos.»

«Desto» —dixo Achiles—,   «non vos maravilledes: 626
Ulixes fer tal cosa,   siquiere Dïomedes;
que mayor cosa fizo   éste que vos veedes
quando sacó a mí   dentro de las paredes».

Éctor e los de Troya   fueron mal quebrantados,   627
tovieron que Achiles   los avié estrenados;
maguer se encubrién,   eran mal desbalçados;
dizién: «Naçió est' omne   por los nuestros pecados.»

_____

622c   *Reso.* (Alarcos, *op. cit.,* pág. 158, nota.) Héroe tracio que participó en la contienda de Troya al lado de los habitantes de esta ciudad. Fue hijo de Eyoneo, o de Estrimón, dios-río, y la musa Clío. Fue muerto por Ulises y Diomedes cuando lo hallaron dormido durante la noche en la expedición que juntos hicieron al campamento de los troyanos. (Cfr. Grimal, *op. cit.,* pág. 467.)

626d   Nueva referencia a la historia del enclaustramiento de Aquiles en la comunidad religiosa, narrada en las estrofas 410-416.

627b   *estrenados.* Alarcos modifica las lecturas de O y P —*estrevados*— adoptando el criterio de Julia Keller, que en su *Vocabulario* de nuestra obra las considera como erratas *(op. cit.,* pág. 159, nota).

627c   *desbalçados.* Corrección de Alarcos *(ibídem)* sobre la forma aragonesa *(esbalçados)* que P —O difiere en esta lectura *(desmajados)*— nos transmite.

Las trompas otro día   fueron luego tocadas   628
della e della parte   las hazes assentadas,
el torneo rebuelto,   las feridas mescladas;
de la sangre las aguas   todas ivan quajadas.

El rey Agamenón   firié en los troyanos,   629
luego de las primeras   derrancó dos hermanos,
amos valientes omnes,   braçeros adïanos;
otros y ovo muchos,   todos primos cormanos.

Ya ivan su fazienda   los griegos bien poniendo,   630
ca ivan los troyanos   fierament' enflaquiendo;
ívanles poc' a poco   la mudada rindiendo;
sedié man' a maxiella   Venus duelo faziendo.

Uviaron en tod'esto   Éctor e su hermano,   631
escudos embraçados,   lanças a sobremano;
el que delant fallavan   non veyé el verano,
ofreçién muchas almas   al infierno yusano.

Fiziéronles tornar   las cuestas sin gradiello,   632
fiziéronlos entrar   sin grado al castiello;
non ayuda al clérigo   mejor el monaziello
que ayuda a Éctor   Paris su hermaniello.

Fueron de fiera guisa   los griegos embaídos,   633
las puertas quebrantadas,   los sotos ençendidos;
si non porque serién   los fados desmentidos,
fueran en mala ora   de sus tierras exidos.

629b *dos hermanos.* Se trata de Iso y Antifo (Alarcos, *ibídem),* hijos bastardo y
legítimo, respectivamente, de Príamo, que combatían juntos montados en un
mismo carro —el primero lo guiaba, el segundo se encargaba de combatir.
Agamenón atravesó a Iso con su lanza, y con su espada hirió en la oreja a Antifo y lo derribo del carro. Cuando se disponía a arrebatarles sus armas, los reconoció —dado que Aquiles los había mantenido prisioneros en las naves (a donde los llevó procedentes del monte Ida, lugar en el que los había sorprendido
mientras apacentaban ovejas) hasta que su padre pagó rescate por ellos—
y acabó de rematarlos sin que ninguno de sus compañeros pudiesen prestarles
—estaban ocupados en huir— la menor ayuda. *(Vid. Ilíada,* XI, 101-121.)

Los días e las noches   non les davan vagar,   634
fiziéronles sin grado   en las naves entrar;
tanto les pudo Éctor   de guerra afincar
quel' ovo, como dizen,   Ayaz a derrocar.

Mas por essa caída   fue después más espierto,   635
lidiava más a firmes   e firié más en çierto;
al que por aventura   firié en descubierto,
tan rafez lo levava   como a un enxierto.

Un alfierze d' Achiles,   Patroclo lo llamavan,   636
quando vió sus parientes   que laídos andavan,
pesól de coraçón,   ca por verdat lazravan,
maldizié a los fados   que tan mal los guiavan.

Armóse de las armas   de su señor dubdado,   637
ixió a los troyanos   e fuelos rodeando,
conoçieron las armas   e fuerons' asenblando,
dizién: «Este diablo   nuestro mal va buscando.»

Éctor el estrevudo   ixió luego a él.   638
«Torna a mí si quieres»   —dixo—, «justar, donzel;
si demandas a Éctor,   sepas que yo so él;
el campo solo sea   a entranbos por fiel».

634d   *que l' ovo*. Corrección de las lecturas de O y P —*que ovo*—, introducida ya por Morel Fatio *(El Libro de Alexandre,* Dresden, 1906), recogida por
Alarcos *(op. cit.,* pág. 160, nota), y que adecúa el contenido de nuestro texto con
el relato del episodio que transmite la *Ilias latina,* según la cual no fue Ayax el
derrocado por Héctor, como parece desprenderse de la lección insertada en ambos manuscritos de nuestra obra, sino Héctor el derrocado por Ayax.

636a   *Patroclo*. Evidentemente se trata del famoso amigo de Aquiles, hijo de
Menecio, que tuvo una destacada intervención en la guerra de Troya y cuya
muerte a manos de Héctor movió al Pélida a regresar a las batallas con el fin de
vengarse y pese a saber que con ello estaba trabajando en su propia destrucción.
(Cfr. Grimal, *op. cit.,* págs. 412-413.)

638b   *dixo*. Figura en el manuscrito P este verbo —O no lo recoge—
situado en la posición inicial del verso. Alarcos modifica su situación *(op. cit.,*
pág. 161) con el fin de regularizar el cómputo de sílabas en ambos hemistiquios.

Patroclo fue a Éctor   en dubda lo meter,   639
nil tornó la cabeça   nil quiso responder.
«A la fe» —dixo Éctor—,   «esso non pued seer,
que en otro recabdo   es esto a poner».

Endereçó la lança   e fuelo a colpar,   640
súpole bien Patroclo   el colpe desechar;
nol pudo de la punta   en derecho tomar,
Patroclo por atanto   ovo a escapar.

Entendiélo Patroclo   en la espolonada,   641
que, si a él tornasse   Éctor otra vegada,
tantol valdrié loriga   quanto queça delgada,
quísose defuir,   mas non le valió nada.

Pero que desmayado,   con miedo e con quexa,   642
por ferirse con él   fizo una remessa.
Nol dio vagar don Éctor,   fuelo a ferir d' essa;
atendiólo Patroclo,   fue buelta la contessa.

Lidiaron un grant día,   non se podién vençer,   643
non podién un a otro   en carnes se prender;
pero dubdava Éctor   de bien se demeter,
si non, ovieral dado   venino a bever.

Membról que le dixieran   que encantado era,   644
que nol farié mal fierro   por ninguna manera;
aliñó contra él,   a rienda muy soltera,
por darle grant porrada   en somo la mollera.

Nol valió a Patroclo   todo su algazar,   645
conoçiólo el otro,   ovol' a derrocar;
sil pesó o sil plogo,   óvolas a baldar;
óvose el troyano   las armas a llevar.

639a *fue*. Rectifica Alarcos su colocación en el verso (P lo sitúa en el segundo hemistiquio, en penúltima posición; O no lo recoge) con idénticos fines a los
reseñados en la nota anterior *(ibídem)*.

640d *atanto*. Conjetura de Alarcos (O y P, *tanto), op. cit.,* pág. 161.

642a *que*. Introducido por Alarcos *(op. cit.,* pág. 162).

Achiles e los griegos   fueron todos pesantes,   646
que ya de tod' en todo   se veyén malandantes.
Éctor e los troyanos   fazién depuertos grandes,
fueron muy más alegres   que nunca fueron antes.

Achiles por Patroclo   fazié sobejo duelo,   647
como si fues su padre   o fuesse su avuelo;
los ríos de las lágremas   corrían por el suelo;
dizién que avié Éctor   plantado mal majuelo.

Tirava de sus pelos,   rompiése las mexiellas,   648
con ambos los sus puños   batié las mançaniellas;
los griegos en sus caras   fazién malas manziellas,
afilavan las capas,   descosién las capiellas.

Firié en su cabeça   Achiles con su mano,   649
llamando: «Compañero,   amigo e hermano:
si yo algunos días   duro e bivo sano,
lo que fizo en ti   faré yo al troyano.»

Fizieron a Patroclo   todos su complimiento,   650
balsamaron el cuerpo   d'un fermoso ungüento;
metieron grant missión   en el soterramiento,
—querién fer a Achiles   sabor e pagamiento—.

Fue con grandes obsequios   el cuerpo soterrado,   651
de los rëys de Greçia   plañido e honrado,
los setenarios fechos,   el clamor acabado;
fue en este comedio   el sepulcro obrado.

Maguer era el planto   e el duelo quedado,   652
Achiles non avié   el pesar olvidado;
fizo fer otras armas   a maestre ortado;
nunca durmió buen sueño   fasta que fue vengado.

_____

648   Esta estrofa ha sido situada en el manuscrito O con posterioridad a
la 650.
650d   _fer_. En O y P, _fazer_. Alarcos corrige en _fer (op. cit._, pág. 163).
652c   _fer_. Corrección de Alarcos (O y P, _fazer_), _op. cit._, pág. 163.

En pocas de palavras   vos quiero destajar   653
la obra de las armas   que Achiles mandó far;
que si por orden todo   lo quisiesse notar,
serié un brevïario   que prendrié grant logar.

Omne que por espaçio   lo quiesse asmar   654
y verié los pescados   quantos son en la mar,
las unas naves ir   e las otras tornar,
las unas parecer,   las otras arribar.

Y estavan las tierras   por poblar e pobladas,   655
los montes e las aguas   e las villas çercadas,
la torre que fizieron   las gentes perjuradas,
las aves e las bestias   por domar e domadas.

Y estavan contrarios   los vientos prinçipales,   656
cad'uno cómo corren,   en quáles temporales;
cómo naçen los truenos   e los rayos mortales;
cómo son en el año   quatro tiempos cabdales.

Estaba don Ivierno   con vientos e heladas;   657
el Verano con flores   e dulçes mañanadas;
el Estío con soles   e miesses espigadas;
Autunpno vendimiando   e faziendo pomadas.

Eran y los siet signos   del sol bien compassados,   658
los unos de los otros   igualmente tajados,

---

maestre ortado. Según la *Iliada* (XVIII, 136-147, 368-617), Vulcano fue el encargado de forjar las armas de Aquiles en su fragua, por petición de la propia madre del héroe, la ninfa Tetis, hija de Nereo.

656d   *quatro tiempos*. Evidentemente se refiere a las cuatro estaciones.

657   Como indica Alarcos *(op. cit.*, pág. 164, nota), esta estrofa no se halla en la fuente seguida por el autor en estos momentos *(Ilías latina)*. Es una amplificación, basada, tal vez, en el recuerdo del pasaje en el que se describe la tienda de Alejandro.

657b   *Verano. Vid.* «Vocabulario», s.v.

658   Estrofa no recogida por P. Incluimos las modificaciones introducidas por Alarcos *(op. cit.*, pág. 165), que mejoran algunas de las lecturas transmitidas por O.

658a   *Siet.* Nelson enmienda *doze (op. cit.*, pág. 307).

e las siete planetas   cómo tienen sus grados,
quáles son más raviosos   o quáles más pagados.

Non es omne tan neçio   que vidiés' el escudo,   659
que non fuesse buen clérigo   sobra bien entendudo;
el maestro quel fizo   fue tan mientes metudo
que metió en las armas   granado e menudo.

Maguer nol fazié mengua,   ca era encantado,   660
vistiós' una loriga   de azero colado,
terliz e bien texida,   el almofre doblado,
que del maço de Éctor   non oviesse cuidado.

Por defender las canbas   calçó las brafoneras,   661
fízolas enlaçar   con firmes trabugueras;
calçóse las espuelas   del cavallo guerreras,
quando fues' en alcançe   por livrar las carreras.

Pusiéronle un yelmo   firme e bien obrado,   662
que por oro nin plata   non sería comprado;
fue a grant maestría   preso e enlaçado;
com' estava fellón,   semejava pecado.

Después de todo esto,   çiñós' una espada,   663
que diez vezes fue fecha   e diez vezes quebrada;
el que la ovo fecha,   quand la ovo temprada,
dixo que nunca vió   cosa tan esmerada.

Cavalgó el fidalgo,   luego que fue armado,   664
uno de los cavallos   que ovieron furtado;
provólo por veer   si era bien mandado,
mas nunca en sus días   fue tan escarmentado.

Embraçó el escudo   que oyestes contar,   665
endereçó la lança,   començó de fablar:
«Creo que si los fados   non quisieren falsar,
Éctor esta vegada   non me pued' escapar.»

Echó la lança 'l cuello   como buen cavallero,   666
fue yendo pas' a paso   de fuera del sendero;
vió lo la atalaya   que sedié en otero,
enbió a la hueste   luego el mensajero

Ante que el mensaje   a Éctor fues venido,   667
ante llegó el miedo   que non el apellido,
ante ovo a todos   el mal viento ferido;
fue entre los troyanos   el furor ençendido.

Quand' assomó Achiles   a unos campos planos,   668
conoçiéronlo luego   en los gestos loçanos;
assí se rebataron   Éctor e los troyanos
como fazen los pollos   quando sienten milanos.

Quando los vió Achiles,   enfestó el pendón;   669
quando lo vío Éctor,   quebról' el coraçón,
pero miso en medio   luego otra razón:
dixo que nol preçiava   quanto un gorrión.

Ovo y cavalleros   ques quisieron provar,   670
ixieron a Achiles   por torneo le dar,
mas assí él los sopo   referir e redrar
que todos de su mano   ovieron a finar.

Éctor nin los troyanos   nol pudieron durar,   671
oviéronle sin grado   el campo a dexar;
firiéndolos a firmes   óvolos a rancar,
óvolos en la villa   todos a enbarrar.

Fue comediendo Éctor,   ant que fuesse entrado;   672
asmó de tod' en todo   que era engañado,
dixo entre su cuer: «Yo so amortiguado,
más me valdrié seer   muerto e soterrado.

670c *él.* Recogemos la modificación que Alarcos *(op. cit.,* pág. 166) introduce en el orden de P, según el cual *él* figura en la última posición del primer hemistiquio.

»Señor, si de los fados   es assí ordenado   673
que yo por la su mano   sea desbaratado,
nin me defendrá Troya   nin castillo çerrado,
que assí es a ir   como es destinado.

»Firme seré en esto,   nunca al creería,   674
nunca escusa muerte   omne por covardía;
non morrá por Achiles   Éctor ante del día;
Paris fue qui por miedo   falsó cavallería.

»Desqe omne bien sabe   que ave de morir,   675
—todo está escripto   cómo es de complir—,
por miedo de la muerte   nunca deve fuir,
ca gana preçio malo   e non puede guarir.

»En que assí fuyamos   mayor preçio le damos   676
que si fuessemos todos   muertos a las sus manos;
mejor es que en campo   ranquemos o muramos
que por nuestro porfaçio   tan grant onta prendamos.

»Quizá por aventura   Dios mejor lo fará: 677
a nos dará victoria   a él quebrantará.
Dios nunca lo defiende,   qui en Él dubda ha;
faga de mí aquello   que Él por bien verá.»

Éctor, asmando esto,   perdió el mal espanto;   678
por lo que avié fecho   teniélo por quebranto;
acomendó su alma   a Dios, el Padre Santo;
tornó contra Achiles   esforçado ya quanto.

Pallas contendié siempre,   —nunca en al andava—,   679
por fer matar a Éctor,   mas non se le guisava;
ca entendié que Troya   por él se enparava,
si non, que serién todos   caídos en la trava.

674a *al.* En los manuscritos O y P este indefinido se halla precedido de la
preposición *en.* Alarcos la suprime *(op. cit.,* pág. 157) para regularizar la medida
del verso.
675b *está.* Rectificación de Alarcos —O y P, *es— (ibídem).*

Asmó la maledita   una grant travessura: 680
priso forma de Paris,   essa misma figura,
armas quales las suyas   e tal cavalgadura.
e vino contra Éctor   a muy grand pressura.

Cuidó Éctor que era   Paris el su hermano,   681
dio con grand alegría   a la lança de mano,
cuidó sobre Achiles   enplear bien la mano,
mas nunca en sus días   aguijó tan en vano.

Fue ferir a Achiles   a poder de cavallo,   682
asmó, sis le fiziesse,   de voluntad matallo;
firm' estovo Achiles,   non dubdó esperallo,
non dio por ello más   que sil picas' un gallo.

Cuidó que ferrié luego   Paris del otro cabo,   683
quel farién con la priessa   cuestas tornar privado;
cató e non lo vio,   tovos por engañado,
quebról' el coraçón   e parós desarrado.

Entendió de su vida   que era acabada,   684
la rueda de su fado   que era trastornada;
sopo que nol valdrié   nin lança nin espada,
—que, quando Dios non quiere,   todo non vale nada—.

Alçó a Dios las manos,   premió el coraçón,   685
vertiendo bivas lágremas   fizo su oración.
«Señor», —dixo—, «que sabes   quantas cosas y son,
Tú non me desampares   a tan mala sazón.

»Mas, si esta sentençia   de ti es ordenada,   686
que escapar non pueda   Ector esta vegada,
Señor, piensa en Troya   la mal aventurada:
si es de mí non sea   de tí desamparada.

»Bien sé yo que Achiles   por su barraganía,   687
nin me vençrié por armas   nin por cavallería;
mas desde Tú as puesto   el ora e el día,
contra lo que Tú fazes   venir yo non podría.

»Por todo su esfuerço   nin por todo su seso,   688
non serié sobre sí   öy tan bien apreso;
mas Tú eres señor   e Tú tienes el peso,
el tu poder me ha   embargado e preso».

Achiles en comedio   pensó por lo que vino,   689
membról cómo muriera   Patroclo su vezino;
endereçó la lança   de nervio e de pino,
assí fue pora él   com' a vaso de vino.

Éctor, maguer veyé   que non podié guarir,   690
el su grant coraçón,   nol sabié enflaquir;
ixiól a la carrera   quando lo vió venir,
quál fue mejor colpado   non lo sabriá dezir.

Cad' un en su derecho   estos colpes passados,   691
ixieron a dos partes   anbos escarmentados;
maguer entrambos eran   firmes e aforçados,
eran uno con otro   fierament' enbargados.

Éctor con el sabor   que avié de lidiar,   692
nol membrava la muerte   que avié de llevar;
tan a firmes quería   la fazienda buscar
como si fuesse çierto   que l' avié a rancar.

Faziés ende Achiles   mucho maravillado,   693
por un omne mortal   seer tan esforçado
dizié entre su cuer: «Est' omne, mal pecado,
ante fará nemiga   que non sea rancado.»

Dixo Éctor: «Agora   viene la nuestra vez;   694
vayámoslo ferir,   nol tengamos belmez;
si él me acomete,   él se lleva la prez,
ternién todos que fui   de coraçón rafez.»

Aún abes avié   la cosa bien asmada,   695
fizo contra Achiles   una espolonada;

689d *com' a vaso*. Alarcos suprime *buen* que en P (O difere en la lectura de
este hemistiquio) figura intercalado entre *a* y *vaso (op. cit.*, pág. 170).

tornól todas las oras   ricament la mudada,
mas el otro diablo   non dio por ello nada.

Achiles todavía   iva escalentando   696
ívalo poc' a poco   Pallas encorajando,
ívansle con la ira   las narizes finchando;
diz: «Semejamos moços   que andan trebejando.

»Semeja que viniemos   aquí por trebejar,   697
ir e revenir como   qui juega al azar;
mas, por la mi cabeza,   esso non pued' estar,
que yol mostraré 'l gato   cómos deve assar.»

Assí fue pora Éctor   el pendón aleando   698
como rayo que viene   grandes fuegos echando;
fues' Éctor un poquillo   a diestro acostando,
dio passada al griego   que vinié flameando.

Achiles por el yerro   tovos por ahontado,   699
tovos por mal apreso,   fue fieramente irado;
dixo a altas bozes: «Que pese al pecado,
non se gabará Éctor   öy deste mercado.

»Bien sé e bien entiendo   toda su joglaría: 700
anda por lo fer maña,   sólo que passe 'l día;
mas pora mí non era   tan fiera bavequía,
si non a las mis gentes   oy nunca tornaría.»

Dio tornada con ira,   la lança sobre mano,   701
cuitando el cavallo,   maguer era liviano;
tornósele y luego   de cara el troyano,
nol dava avantaja   quanto seriá un grano.

Començól' a dar priessa   dandol grandes feridas,   702
aviéle del escudo   quatro tavlas tollidas,
aviél de la loriga   quatro manchas rompidas,
pero non tenié Éctor   las manos adormidas.

696d   *andan*. O y P, *andamos*. La corrección es de Alarcos *(op. cit.,* pág. 171).

Firmes eran los colpes   e grandes los roídos,   703
como quando los vientos   andan desabenidos,
fazen bolver las naves   e echan los tronidos;
los cavallos y todos   eran fuert' ençendidos.

Firm' era e sobeja   e dura la fazienda;   704
amos eran cansados   e fartos de contienda;
bien prendié uno d' otro   entrega e emienda;
non tomarié a Éctor   tod'omne por la rienda.

Fazién de todas partes   los niños e los viejos   705
candelas e limosnas,   oraçiones e priegos,
los troyanos por Éctor,   por Achiles los griegos;
veyén que los caídos   serién por jamás çiegos.

Comos l'iva la ora   a Éctor allegando,   706
ival' el cuer fallendo,   los brazos apesando;
fue perdiendo la fuerça,   los colpes apocando;
el otro, cosa mala,   ívagelo ventando.

Entendiólo Achiles   que era desmayado;   707
dixo entre su cuer: «Esto es delivrado.»
Llamó a altas bozes: «Don toro madrigado,
öy será el día   que vos veré domado.»

Firmóse el caboso   sobre las estriberas,   708
dexó correr la lança   que lo avié a veras,
Éctor como aviá   çerradas las carreras,
nol valieron sus armas   quanto tres cañaveras.

Escudo nin loriga   non le prestaron nada;   709
metióle la cuchiella   por medio la corada,
saliól del otra parte   más de una braçada:
iovo a caer Éctor,   essa barva onrada!

707a   *que.* Conjetura de Alarcos —O, *cuemo;* P, *commo*— *(op. cit.,* pág. 173).

Los varones de Troya   quand' aquesto vidieron,   710
todos por do estavan   amortidos cayeron.
Los griegos con el gozo   todos palmas firieron,
todos a una boz   *«Deo gratias»* dixieron.

El buen muro de Troya   yazié mal trastornado;   711
el que lo trastornara   andava muy pagado,
echando el bofordo,   firiendo al tavlado,
ca avié su negoçio   ricament' acabado.

Achiles desque fue   pagado del depuerto,   712
vino veer si era   Éctor bivo o muerto;
falló el alma ida   e finado el cuerpo,
el escud' enbraçado,   las çervices en tuerto.

Fizo con el despecho   una grant crüeldat,   713
por vengarse de ira   olvidó pïedat;
veyéndolo por ojo   toda su hermandat,
arrastólo tres vezes   redor de la çibdat.

Non se tovo por esto   Achiles por pagado,   714
levólo do yazía   Patroclo soterrado;
fue de todos los griegos   altament correado,
que veyén que su pleito   era ya acabado.

Los unos tenién armas,   quebrantavan tavlados;   715
los otros trebejavan   açedrejes e dados;
los otros fazién juegos   menudos e granados:
non preçiavan un figo   los lazerios passados.

Príamo el mesquino,   en duro punto nado,   716
yazié amorteçido,   todo desacordado,
la barva polvorienta   e el rostro rascado;
yazié el pecador   a guis de mal fadado.

Andrómaca, que nunca   recobró su sentido,   717
nol menbró de su fijo   tan dulç' e tan querido.
Destajárvoslo quiero: quand' Éctor fue caído,
el buen pueblo de Troya   fue luego abatido.

Maldixieron a Paris   e al día que nasco,   718
maldixieron al vientre   que a Elena trasco,
maldixieron las tetas   e la leche que pasco,
maldixieron a Venus   que los fizo por asco.

Éctor murió, amigos,   com' avedes oído;   719
nunca finó en siglo   fidalgo más complido;
el su nombre non fiede,   maguer él es podrido:
mientres omes oviere   non caerá en olvido.

La fazienda de Troya   tant' era de granada,   720
la çerca fuert' e alta,   de gentes bien poblada,
que, maguer que tenién   que la avién ganada,
non podién y los griegos   aver nula entrada.

Nunca tanto pudieron   bollir nin trebejar;   721
porque de nula guisa   la pudiessen entrar,
estaban en gran cuita   e en fiero pesar;
si non por el porfaçio   ya se querién tornar.

Paris andava muerto   pora Éctor vengar,   722
mas nunca lo podié   complir nin aguisar;
pero ovo en cabo   un seso a fallar,
—mostrógelo 'l pecado,   que non sabe bien far—.

De suso, si vos miembra,   lo oviemos contado;   723
cómo avié Achiles   el cuerpo encantado;
que non l' entrarié fierro   andava segurado,
—vino en contra Éctor   ende tan denodado—.

Por su mala ventura   non quisieron la fadas   724
las plantas de los piedes   que fuessen encantadas.
Oyera estas nuevas   Paris muchas vegadas,
mas con el grant desarro   aviélas olvidadas.

---

719   Con el relato de la muerte de Héctor y la mención del rescate de su cadáver por parte de Príamo y los funerales que en su honor organizaron los
troyanos, concluye la *Ilias latina* (al igual que la *Iliada)*. A partir, pues, de este
punto nuestro autor utiliza otras fuentes *(vid.* Alarcos, *op. cit.,* pág. 175).
723a   Versos 411ab.

Asmó quel non podrié   d'otra guisa matar   725
si non por aventura   pora aquel lugar.
Quando yazié a prezes   óvol' a desechar:
tiról d'una saeta   ond' ovo a finar.

Vínoles a los griegos   grant pesar sin sospecha,   726
andavan aüllando   todos con la contrecha;
muchos dizién que Paris   fizo cosa derecha
e nunca en sus días   fizo tan buena trecha.

Eran de tod' en todo   los griegos desarrados,   727
de conquerir a Troya   eran desfiuçados;
los gozos en tristeza   eran todos tornados,
dizién que los de Troya   éranse bien vengados.

Néstor el ançïano   fízoles buen sermón,   728
ond le ovieron siempre   en Greçia oración;
dixo pocas palavras   e mucha grant razón,
nunca les dio consejo   a tan buena sazón.

«Varones» —dixo Néstor—,   «sodes mal acordados;   729
veo que los agüeros   avedes olvidados:
de diez años los nueve   aún non son passados,
e vos ante con ante   sodes desfiuçados.

»Si ventura oviermos,   en poco lo tenemos;   730
los mayores lazerios   passados los avemos;
por un año que finca,   flaqueza non mostremos,
si non, mientre biviermos,   siempre nos repintremos.

»Dirán que semejamos   al que nada en mar: 731
afógase en cabo   en un rafez lugar;
más valdrié que la cosa   fuesse por enpeçar
que non por nuestra onta   en cabo la dexar.

725b *pora.* Rectificación —O y P, *por*— de Alarcos *(op. cit.,* pág. 176).
730b *lazerios.* Corrección de Alarcos (O, *negoçios;* P, *lançeros)* —*op. cit.,* página 177).
731a *en mar.* P, *en la mar.* O, *en el mar.* Alarcos *(ibídem)* suprime el artículo.

»Si nos perdiemos uno,   ellos otros perdieron;   732
ellos con este canbio   ganançia non ovieron;
si nos fizieron mal,   ellos peor prisieron;
dirán, si nos tornamos,   que ellos nos vençieron.

»Pesará a los fados   por esto que dubdamos;   733
si dubdamos en ellos,   duramente pecamos;
yo vos fago seguros   que con Troya vayamos,
sólo que fasta 'l plazo   de Calcas atendamos.

»Dios en poca de ora   faze grandes merçedes: 734
estonç' acorrerá   quando non cuidaredes;
varones, seet firmes   por la fe que devedes:
Dios vos fará merçed   sólo que aturedes».

Del consejo de Néstor   fueron todos pagados,   735
toviéronse sin dubda   por bien aconsejados;
todos, chicos e grandes,   fueron asaborgados
por esperar el plazo   que pusieron los fados.

Andavan los diez años   en cabo de passar,   736
nin la podién prender,   nin la podién dexar;
ovo, quando les quiso   el Crïador prestar,
Ulixes el artero   un seso a asmar.

Asmó fer un cavallo   de muy fuertes maderos,   737
que copiessen so él   quinientos cavalleros;
en somo fer castiello   e en medio çilleros,
e ençerrar y dentro   los mejores braçeros.

Asmava de poner   en somo batalleros   738
que lidiassen la villa   quatro días señeros;
entrarién en comedio   de yus los cavalleros
e pegarién el arca   de fuera los ferreros.

Asmava, en pues esto,   ques dexassen vençer,   739
desamparar las tiendas   e todo el aver,
todos, por do podiessen,   foïr a grant poder
e de toda la villa   de Troya trasponer.

Con sabor del encalço   derramarién troyanos,   740
por encalçar, los viejos   se tornarién livianos,
por amor que sangrienten   en los griegos las manos,
non fincarié en Troya   ninguno de los sanos.

«Sólo que los puediéssemos   un poco sossacar,   741
encarnars' yán en nos,   persarién de robar,
cuidarién el cavallo,   que era castellar:
non se catarién d'él   e darle yén vagar.

»Desque fuessen un poco   de Troya apartados,   742
ixirién del cavallo   los que serién çerrados,
fallarién los postigos   todos desamparados,
serién, cuandos catassen,   en la villa entrados.

»Tornarién en comedio   los que irién fuyendo,   743
irs' yén a la çibdat   los otros acogiendo;
irlos yén los de dentro   afuera refiriendo;
quando esto vidiessen,   perdrién sabor e tiento.»

Quando ovo Ulixes   este seso asmado,   744
fablólo con don Néstor,   un omne muy senado;
asmaron que serié   consejo aguisado,
e que Dios les avié   este seso mostrado.

Metieron en consejo   los prínçipes cabdales,   745
vidiéronlo por seso   todos los mayorales;
dieron todos a Néstor   las fees por señales;
los que se retraxiessen   que fuessen desleales.

Fueron luego sacados   e en cartas metidos   746
quáles serién por nombre   en l'arca encloídos;
en cabo quando fueron   en todo abenidos,
fizieron encubierta   ques partién desmarridos.

742b   *çerrados*. Rectificación de Alarcos —O y P, *ençerrados*— *(op. cit.,* página 179).
745d   *retraxiessen*. Alarcos, *op. cit.,* pág. 179, nota.

Fue luego la madera   aducha e labrada,   747
fue el engeño fecho   e el arca çerrada,
el castillo en somo   con mucha algarrada,
que asmavan con esso   encobrir la çelada.

Pusiéronlo en ruedas   por rafez lo traer,   748
ca non lo podién omes   otra guisa mover;
tanto pudo Ulises   andar e contender
fasta que l' ovo çerca   del muro a poner.

Pesó a los troyanos   mucho con el castiello: 749
tajávanles las tejas   com farié un cuchiello;
dizién entre sus cueres: «Mal aya tal potriello
que non quiere por bozes   tollerse del portiello.»

Diéronle muy grant priessa   en el día primero,   750
en el otro non menos,   mayor en el terçero;
fízose cada uno   al quarto más ligero,
que era bien a firmes   bastido el çillero.

Fuéronles poc' a poco   las pajuelas echando,
faziendo torna-fuye   fuéronlos sossacando,
fuéronles los averes   e las tiendas dexando;
troyanos, mal fadados,   fuéronse encarnando.

Derramaron los giegos,   diéronse a guarir,   752
como si non pudiessen   esperar nin sofrir.
Los troyanos astrosos,   com' avién a perir,
todo lo olvidavan   por en pues ellos ir.

Los unos por robar,   los otros por ferir,   753
ovieron los troyanos   de Troya a exir.

_____

750   Estrofa solamente transmitida por el manuscrito O. Recogemos las
rectificaciones introducidas por Alarcos *(op. cit.,* pág. 180), que mejoran considerablemente su texto.
    752b   *si non.* En el manuscrito P ha sido intercalado el pronombre *ellos* entre
estas dos palabras. Alarcos lo suprime *(op. cit.,* página 180) para regularizar la
métrica del hemistiquio (O no recoge este verso).

Aquellos del castiello   pensaron de salir,
ovieron sin batalla   Troya a conquerir.

Quand vidieron su ora   los que ivan fuyendo,   754
tornaron las cabeças   fuerte los refiriendo;
tornaron pora Troya   los troyanos corriendo,
mas fuésles la entrada   en dos e as poniendo.

Dávanles los de fuera   de cuesta e de lado,   755
ívanles sacudiendo   lo que avién tomado;
quand' a las puertas fueron,   oyeron mal mandado,
que avié el potriello   leones abortado.

Huéspedes non rogados   mandavan las posadas,   756
que fazién mal mercado   e malas dinaradas;
dizién: «¿Quién vío nunca   rencuras tan dobladas
por todas nuestras cosas   seer tan anebladas?»

Los varones de Troya   fueron mal engañados,   757
por el seso d' Ulixes   fueron desbaratados;
fueron en la çibdat   griegos apoderados:
otorgaron que fueron   verdaderos los fados.

Todos murién de buelta,   mugeres e varones,   758
retrayénles los griegos   las muchas traïçiones;
pusiéronle en cabo   de cada part tiçones,
tornó Troya la magna   çeniça e carbones.

Dizen una fazaña   pesada de creer: 759
que diez años duró   la villa en arder
que conteçió d'Elena   non podemos saber,
non lo quiso Omero   en su livro poner.

_____

754d   *dos e as.* Alarcos: «Expresión del juego de dados; no encuentro ejemplo de su uso figurado, semejante al del texto. Su sentido será tal vez: la entrada se les hizo a los troyanos tan dificultosa como conseguir en los dados la suerte de dos y as. Hay también una especie de juego de dados que se llama "par con as"» (Steiger, *Libro de Açedrez,* pág. 296), *op. cit.,* pág. 181, nota.

759d   *non lo quiso Omero.* Tal y como advertimos con anterioridad, la *Ilíada* finaliza con la narración de la muerte y los funerales de Héctor. En la *Odisea* se

Desque fue tod' ardida,   ante que dend partiessen,   760
destruxieron los muros,   que nunca pro toviessen,
que quanto 'l mundo dure,   quantos que lo oyessen,
de guerrear con Greçia   nunca sabor oviessen.

Pero, com' eran muchos,   todos non pereçieron,   761
por qual guisa que fue,   muchos end' estorçieron;
essos poblaron Roma,   los que ende ixieron,
a qual parte que fueron   porfidia mantovieron.

Quando ovo el rey   complido su sermón,   762
más plogó a los griegos   que si les dies grant don;
fueron todos alegres,   que siguié bien razón
e que tenié los nombres   todos de coraçón.

Pero com' es costumbre   de los predicadores   763
en cabo del sermón   adobar sus razones,
fue aduziendo él   unos estraños motes,
con que les maduró   todos los coraçones.

---

incluye el relato de la destrucción de Troya y la estratagema de Ulises que la
precedió. Pero, como afirma nuestro autor, nada se dice sobre cuál fue la suerte
de Helena con posterioridad a tales sucesos.

761c   *essos poblaron Roma.* No narra el autor del *Alexandre* en esta estrofa un
suceso auténticamente histórico. Hace alusión a la historia de la fundación de
Roma por parte de Eneas —que logró escapar con vida de la detrucción de
Troya, junto con su padre Anquises (a quien sacó de la ciudad cargándolo sobre
sus propios hombros), y su hijo Ascanio, tal y como en la misma *Odisea* se cuenta—, relatada en la famosa obra —*La Eneida*— de Virgilio sobre ese tema.

763a   Se encuentra en este verso el carácter real de discurso que posee toda
la digresión perfectamente explicitado. Un discurso que no es incluido de modo
gratuito, que tiene una clara función (véase la anotación a las estrofas 332-772),
de la que nuestro autor es perfectamente consciente. Un discurso, en fin, que
nos ayuda a hacernos una idea clara —precisamente gracias a este final que se le
ha otorgado— de cuál era la concepción que existía de la creación literaria, y,
más concretamente, del relatar una historia, en gran parte de la época medieval.
La obra no era escrita porque sí —no existía una concepción cuasi idealista del
arte por el arte. El relato era compuesto y presentado ante el lector porque de
él podían derivarse unas enseñanzas, extraerse unas conclusiones que podían
ayudarle a aprender algo, porque podía tener una utilidad práctica. Literatura y
vida estaban íntimamente relacionadas. En la primera se narran hechos que
pueden erigirse en modelos de comportamiento para la segunda, o en los que el
lector —u oyente— puede realizar un aprendizaje. La extracción de la enseñan-

«Amigos» —diz—, «las gestas   que los buenos fizieron,   764
cascunos quáles fueron   e qué preçio ovieron,
los que tan de femençia   en livro las metieron
algún pro entendién   por que lo escrivieron.

»Los maestros antiguos   fueron de grant cordura,   765
trayén en sus faziendas   seso e grant mesura,
por esso lo metieron   todo en escriptura,
pora los que viniessen   meter en calentura.

»Ulixes e los otros,   que fueron tan lazrados,   766
si tanto non lazrassen,   non sovieran vengados;
mas, porque fueron firmes   e fueron denodados,
fizieron tales fechos   por que son oy contados.

---

za no es de ningún modo encomendada a la libre interpretación del lector: el
autor se encarga de comunicar a éste, de dejarle bien explicitado, qué es lo que
en el relato debe observar. Tal circunstancia queda patente en su totalidad en
esta digresión: Alejandro, tras narrar su historia, les dice a sus soldados qué es
lo que deben ver en ella. Si decíamos que existía un paralelismo de estructuración externa del relato de Troya con la general a todo el Alexandre y veíamos
en ello la manifestación de un tipo de relación entre aquel componente y el
todo que es la obra, tenemos ahora que añadir un nuevo nexo de unión: la actitud de Alejandro en este caso está directamente conectada con la del autor,
dado que éste —al igual que aquél con sus soldados— se encarga, al concluir su
narración, de explicitar a sus lectores cuáles son las enseñanzas que deben extraer de aquellos hechos cuya naturaleza y desarrollo acaban de conocer. En
realidad —y aquí está la gran importancia que este verso, junto con el b, posee—, todo este sistema de presentar unas conclusiones de carácter didáctico
con posterioridad al relato de unos sucesos, no es sino un calco del sistema que
se utilizaba en la Iglesia para predicar, tal y como en esta estrofa se afirma. Hemos de tener en cuenta que la creación literaria culta estuvo durante casi toda la
Edad Media unida a la vida monacal. Eran los clérigos —y utilizamos esta palabra en el sentido que posee en la actualidad y no con la significación medieval
de «hombre de letras»— los que se encargaban —en gran parte— de realizarla.
No es extraño, pues, que reflejen en sus composiciones técnicas que empleaban
en sus predicaciones religiosas, máxime cuando, como decíamos, la obra era
concebida como fuente de enseñanzas. Ese trasvase del mundo de la religión
o de la vida de los religiosos, a la literatura no es patrimonio exclusivo del *Alexandre*. Se da en otras obras escritas en la época medieval. Baste citar los nombres de Berceo y don Juan Manuel (véase el estudio de M.ª Rosa Lida, «Tres
notas sobre D. Juan Manuel» —en *Estudios de literatura española y comparada*,
Buenos Aires, Eudeba, 1969, 2.ª ed., págs. 92-133—, en el que se determina la
influencia que ejercen la predicación y la moral de los dominicos en la composición de *El Conde Lucanor)* para ejemplificar esta afirmación.
    766b   *sovieran.* Rectificación de Alarcos —*op., cit.,* pág. 183 *(vid.* nota).

»Siempre qui la grant cosa   quisier' acabeçer,   767
por pérdida quel venga   non deve recreer;
el omne que es firme   todo lo pued vençer,
podemos desta cosa   pro d'exemplos veer.

»Los nuestros bisavuelos   por solo un pesar,   768
—por una mala fembra   que se dexó forçar—,
por vengar su despecho   e por preçio ganar
sufrieron tal lazerio   qual oyestes contar.

»Parientes e amigos,   si vos preçio amades.   769
sólo que vos entienda   firmes las voluntades,
esto será verdat,   bien seguros seades:
ganaredes tal preçio   qual nunca lo perdades.

»Tan grant será el preçio   que vos alcançaredes   770
que quant' estos fizieron   por poco lo ternedes:
salvaredes a Greçia,   el mundo conquerredes,
orarvos han buen siglo   los que vos dexaredes.

»Desque omne de muerte   non puede estorçer,   771
el bien d'aqueste mundo   todo es a perder;
si non ganare preçio   por dezir o por fer,
valdriéles mucho más   que fuessen por naçer».

«Señor»—dixieron todos—,   «asnos bien confortados;   772
de quanto tú as dicho   somos mucho pagados;
de fer quanto mandares   somos aparejados,
nunca deste propósito   non nos verás camiados».

Quand' entendió el rey   que estavan ardientes,   773
los cueres saborgados,   ençendidas las mientes,
fizo rancar las tiendas,   mandó mover las gentes
por ir buscar a Dario   a las tierras calientes.

Echaron las algaras   a todas las partidas;   774
quand las unas tornavan,   las otras eran idas;
conquirién los castiellos,   las villas enfortidas,
non fallavan contrasto   ond fuessen enbaídas.

Todo lo conquerién   quanto delant trobavan;   775
quanto más ivan yendo,   ellos más s' encarnavan;
mas la justa de Dario   tanto la cobdiçiavan
que toda la conquista   nada non la preçiavan.

Tanto pudo la fama   por las tierras correr   776
fasta que ovo Dario   las nuevas a saber;
empeçós' el buen omne   todo a contorçer,
pero dixo en cabo: «Non lo puedo creer.»

Dario era de días   de guerra desusado,   777
avié con la grant paz   el lidiar olvidado,
ca desque fuera rey   non avié guerreado,
—si entonçes fues muerto,   serié bien venturado—.

Si cuando era rico   e era poderoso,   778
—sis quiere de vasallos,   sis quiere de thesoro—,
assí fuesse ligero   e fuesse venturoso,
non fuera Alexandre   tan aína gozoso.

Pero que non toviessen   que era recreyente,   779
enpeçó desbaldir   menazas altamente;
jurava con la ira   al Rey Omnipotente
que lo farié colgar   a él e la su gente.

Mandó fer unas letras   que avién tal tenor: 780
«Dario, rey de los rëys,   igual del Crïador,
diz' a ti, Alexandre,   nuevo guerreador,
que si non te tornares,   prendrás mala onor.

»Eres niño de días,   de seso bien menguado,   781
andas con grant locura,   serás y mal fallado;
si te fueres tu vía,   seriés bien acordado,
si te guías por otro,   eres mal consejado.

»El árbol que temprano   comiença floreçer,   782
quémalo la elada,   non lo dexa creçer;
avert' a otrosí   a ti a conteçer,
si en esta follía   quisieres contender.

282

»Enbíote pitança   bien qual tú la mereçes,   783
correuela que çiñas,   pello con que trebejes,
bolsa en que los tus   dineros los condeses;
tiente por de ventura,   que tan bien me guareçes.

»Mas si en tu porfidia   quisieres aturar,   784
non porná en ti mano   nul omne de prestar,
fert' he a mis rapazes   prender e enforcar,
como mal ladronçillo   que anda a furtar.

»Non sé con qué esfuerço   buelves tú tal baraja,   785
que más he yo de oro   que tú non aves paja,
de armas e de gentes   e mayor avantaja,
que non es marco d' oro   contra una meaja.»

Quando fueron las letras   ant' el rëy rezadas,   786
quexáronse las gentes   fueron mal espantadas;
por poco con el miedo   nos firién las quexadas,
querrián seer en Greçia   todos en sus posadas.

Entendió Alexandre   luego las voluntades,   787
díxoles: «Ya, varones,   quiero que me oyades:
muchas veces vos dix,   si bien vos acordades,
de can que mucho ladra   nunca vos d'él temades.

»Una cosa que dixo   devedes bien creer: 788
que ave rica tierra   e sobra grant aver,
ca nunca fizo al   sinon sobreponer,
ca nunca se cuidó   en aquesto veer.

»Mucho más vos devedes,   por esto alegrar,   789
como omnes que aven   tal cosa a ganar,
ca puesto an los fados   todo a vos lo dar,
sólo que vos querades   un poco aturar.

787-793   Estas estrofas forman uno de los fragmentos de nuestra obra que Francisco de Bivar copió en su libro.

789-790   En el manuscrito P el orden de estas estrofas ha sido cambiado (figura 790-789). Adoptamos, siguiendo a Ruth I Moll (*op. cit.*, pág. 50) la ordenación de O.

»Todo esto avremos;   maguer es cosa puesta,   790
Dios non vos lo dará   yaziendo vos en cuesta;
esforçad, fijosdalgo,   tornemos la respuesta,
en quanto que él dixo   a sí mismo denuesta.

»Muchas ave de gentes,   más de las que él diz,   791
mas todos son gallinas   e de flaca raíz;
tant' osarién alçar   contra nos la çerviz
quanto contra açor   podrié fer la perdiz.

»Más trae una biespa   de cruda vedegame   792
que non faze de moscas   una luenga exame;
tant' avrién ante vos   esfuerço nin estame
quant bruscos ante lobos   quando aven grant fame.»

«Señor» —dixieron todos—,   «en todo te creemos;   793
desaquí adelante   nunca más dubdaremos;
sólo que tú nos bivas,   por ricos nos tenemos;
por las bafas de Dario   un figo non daremos».

Mandó luego el rey   prender los mensageros,   794
mandólos enforcar   sobre sendos oteros.
«Señor» —dixieron todos—,   «por tuerto lo avemos,
ca nunca deven mal   prender los mandaderos».

Dixo el rey: «Bien veo   que esto es razón,   795
mas desque su señor,   dixo que so ladrón,
quiero salvar su dicho   como de tal barón:
quiquier que ladrón faga   nol cae a traición.»

«Señor» —dixieron ellos—,   «si Dario falleçié,   796
non era maravilla,   ca non te conoçié;
mas, si tú lo mandares,   en preçio te caerié
que non prisiesse mal   qui non lo mereçié».

Segurólos el rey   e mandólos dexar,   797
dióles de su aver   quant quisieron levar;
rindién graçias a Dios   que les quiso prestar;
dizién: «Rey Alexandre,   ¡Dios te faga durar!»

Mandó luego fer letras   escriptas de tal son: 798
«El rëy Alexandre,   fijo del dios Amón,
enbía a ti, Dario,   atal responsïón,
lo que as de veer   que quieras o que non.

»A todas tus palavras   te quiero recodir: 799
dixiste grant blasfemia,   avert' ha a nozir,
contirt' a com' a Lúçifer,   que tant quiso sobir,
desamparólo Dios   e ovo a perir.

»Los donos que me diste   te quiero esponer,   800
—maguer loco me fazes,   sé los bien entender—:
la bolsa sinifica   todo el tu aver,
que todo en mi mano   es aún a caer.

»La pella que es redonda   tod' el mundo figura: 801
sepas que será mío,   est' es cosa segura;
faré de la correa   una açota dura
con que prendré derecho   de toda tu natura.»

Quando fueron las letras   escriptas e dictadas   802
con atales palavras   e otras más pesadas,
fueron presas en çera,   con filo ençerradas,
fueron al rëy Dario   de Persia enbïadas.

Dario en est comedio,   com' omne perçebido,   803
mandó por toda Persia   andar el apellido:
el omne que non fuesse   a cab d'un mes exido,
del aver e del cuerpo   sería encorrido.

El rëy era omne   complido de bondat,   804
ledo e de justiçia   e de grant caridat.
Las gentes eran buenas   e de grant lealtat,
vinién al mandamiento   de buena voluntat.

798b *fijo del dios Amón.* Sobre el tema de la deificación de Alejandro,
cfr. Gary, *The Medieval Alexander,* Cambridge University Press, 1967, pág. 270,
nota 33.

A cab de pocos días   fueron todos llegados,   805
una enfinidat   de pueblos devisados,
de diversas maneras   todos muy bien guisados;
los que vinién más tarde   teniénse por errados.

Vinién de luengas tierras   de diversas fronteras,   806
fablavan los lenguajes   de diversas maneras,
vinién noches e días   quajadas las carreras,
vinién como a bodas   las gentes plazenteras.

Grandes eran las gentes,   los adobos mayores,   807
señas e coberturas   de diversas colores;
semejavan las tiendas   arboladas e flores,
quiriénse demostrar   por buenos defensores.

Quando fue el poder   en uno ajuntado,   808
fue el emperador   alegre e pagado;
rindié a todos graçias,   ca les avié grant grado,
porque obedeçieron   tan bien el su mandado.

En medio de la hueste   seyé un grant otero,   809
subió el rëy Dario   allí con su terçero,
cató a todas partes,   vio pueblo sobejero,
dixo: «Darm' ha las parias   el infant refertero.»

Mandó una grant manga   de lienço aduzir,   810
de simient de budefas   fízola bien fenchir,
mandó al chanceller   las letras escrevir,
enbïó a los griegos   tales cosas dezir:

«Meted, varones, mientes,   quiérovos consejar;   811
este vuestro señor   veed qué quiere far:
tanto podrié nul omne   el mi poder asmar
quanto esta simiente   podriedes vos contar.

»Oyemos por fazaña   que varones de Grecia   812
de aver fueron pobres   ricos de sapïençia;

810d   *chanceller. Vid.* «Vocabulario», s.v.

mas vos sodes caídos   en loca estrevençia,
ond sé que vos veredes   en mala repentençia.

»Varones que andades   en tan fiera locura: 813
escuchades un moço   loco e sin mesura;
caeredes vos todos   en grant mala ventura;
como vos preçia poco,   él non avrá end cura.»

Reçibieron los griegos   los mensajes de Dario;   814
entró luego en ellos   un roído contrario.
Díxoles Alexandre: «¿Quién vío tal escarnio
qual faze de vos todos   aquel fi de Arsanio?»

Priso luego la manga   e sacó de los granos,   815
metiólos en su boca,   enpeçó de mascarlos.
«Dulçes son e müelles,   e de comer livianos:
sabet que tales son   los pueblos persïanos.»

Desent priso la manga,   finchóla de pimienta;   816
escrivió unas letras   con tinta sangrïenta.
Dixo: «Aquel parlero   que tanto nos refierta
persarm' ha si non fago   que sobre sí lo sienta.

»Quiero que lo sepades   la materia quál era,   817
a ti lo digo, Dario,   de la lengua parlera;
enbiésteme grant cuenta   de menuda çivera,
nunca para comer   vi cosa tan ligera.

»Un grano de pimienta   tiene más amargura   818
que non toda la quilma   d'aquella tu orrura;
assí fazen los griegos   que son gent fuert' e dura,
que más val de nos uno   que mill de tu natura.»

Pagó bien los troteros,   enbïólos su vía,   819
vedó que non viniessen   más con mensajería,
ca el que y viniesse   tornarié con mal día,
ca non avié que fer   de tal alegoría.

_____

819d *alegoría*. Lectura de O. En el manuscrito P figura *algomería*, palabra,

Quando entendió Dario   que nol prestava maña,   820
mintrié quien vos dixiesse   que non avié grant saña;
como Sersis fiziera,   requirió su compaña,
e mandó que moviessen   otro día mañana.

Sobr' Eufrates el río   los mandó ir posar,   821
—un agua de grant guisa,   fascas semeja mar—;
allí prendié consejo   cómo avié de far,
si irién adelant   o querrién esperar.

Mas ante que moviessen   vínoles mal mandado: 822
que avié Alexandre   a Memnona matado,
de quantos que llevava   non avié ren fincado.
«El juego» —dixo Dario—,   «en veras es tornado».

Memnona era de Media   un noble cavallero,   823
non avié en su corte   Dario mejor braçero;
gabós que a los griegos   él querié ir frontero,
e que cuidava dar   treinta por un dinero.

según Julia Keller *(Contribución al Vocabulario del Poema de Alexandre,* Madrid, Tipografía de Archivos, 1932, pág. 23), desconocida.

821a   *Éufrates.* Famoso río de Asia occidental que nace en las montañas de
Armenia y, al unirse con el Tigris, forma el llamado Chat-el-Arab y desemboca
en el Golfo Pérsico. La llanura situada entre el Tigris y el Éufrates, al norte de
ambos, era denominada Mesopotamia, nombre con el que todavía se la conoce
en la actualidad. Al sur y en las orillas del Éufrates estaba situada la célebre Babilonia, capital de Caldea.

822b   *Memnona.* Memnón. Cfr. nota 6c, *Dario.*

823d   José Fradejas Lebrero («Tres notas literarias», *Revista de Literatura,* XII, 1957, pág. 111-114) esclarece el sentido de este verso basándose en
una frase de los *Evangelios Apócrifos:* «Vendierunt Christum triginta argentis, et
nos vendamus triginta exipsis pro uno denario», recogida con posterioridad en
La destrucción de Jerusalem: «assí como lo vendieron por treynta dineros, nos queremos vender treynta judíos por un dinero». Esta expresión y esta idea —añadimos— mantuvo su vigencia en momentos posteriores a la época medieval. Así, la encontramos insertada en algunos textos de nuestro Siglo de Oro,
como *La gitana melancólica* de Gaspar Aguilar —dramaturgo valenciano contemporáneo de Lope—, en cuyo acto tercero podemos leer los siguientes versos (citamos por la edición de Eduardo Juliá Martínez, *Poetas dramáticos valencianos,* Madrid, Tipografía de la «Revista de Archivos», RAE —Biblioteca Selecta—,
1929, vol. 2, págs. 34 —columna segunda— y 35 —columna primera—),
incluidos dentro de una «escena menor» en la que se sitúa una conversación

Díole el rey Dario   quantas quiso de gentes,   824
seisçientas vezes mil   de nobles combatientes,
todos de grant esfuerço,   todos omnes valientes,
devrién vençer el mundo   solamente a dientes.

Maguer que tantos eran   e tan bien adobados,   825
vençiólos Alexandre,   fueron desbaratados;
el cabdiello fue muerto,   los otros desbalçados.
«Par Dios» —dizen los bárbaros—,   «mal somos en-
                                    [primados».
_____

mantenida por uno de los protagonistas de la comedia, Numa, con dos soldados
romanos y que gira en torno a una posible venta de judíos hechos cautivos en la
toma de Jerusalem por las tropas de Tito:

NUMA.   Soldados, ¿en qué se entiende?
        .   ¿Agora os habéis parado
             que más el fuego se enciende?
ROM. 2.°   Sí, señor; queste soldado
             unos cautivos me vende.
NUMA.   Por poco precio se den,
             que pues fue una gente tal
             que por envidia y desdén
             a su dios vendió tan mal,
             no han de ser vendidos bien.
ROM. 2.°   ¿A Dios vendieron?
NUMA.   Un día
             leí un libro que trataba
             de su antigua profecía,
             y de cómo se esperaba
             la venida del Mesías;
                donde vi que le trataron
             como lobos carniceros,
             pues a Judas le dejaron
             vender por treinta dineros,
             y por treinta lo compraron.
ROM. 1.°   ¿Posible es que tal hicieron?
NUMA.   Sí.
ROM. 1.°   Quiero vengar su afrenta;
             y pues tan malditos fueron,
             que treinta por uno dieron,
             quiero dar por uno treinta.
                Treinta judíos daré
             por un dinero no más.
ROM. 2.°   Pues yo te los compraré,
             si tan barato los das.

    824b   *seisçientas vezes mil.* P, *seis mil cavalleros.* O, *sesenta vezes mil.* Pero *Millia*
nobilium tenuit sexcenta virorum en *Alexandreis* (v. 639, ed. cit., pág. 476).

Semeja fiera cosa,   mas dizlo la leyenda,   826
que tres días complidos   duró esta fazienda:
el sol por el grant daño   perdió de su luzençia,
de la luz cutïana   más perdió de la terçia.

Dario por esto todo   non quiso desmayar,   827
como que mejor pudo   encubrió su pesar;
dixo: «Rafez se suele   la ventura camiar,
ca por los omnes suelen   tales cosas passar.»

El rëy Alexandre   de la barva onrada,   828
quand' ovo la fazienda   de Memnona rancada,
çercó una çibdat,   Sardis era llamada,
entráronla por fuerça   con mucha sorrostrada.

Y es angosta Asia,   fázese un rencón,   829
dos mares la ençierran   quel yazen envirón,
de frente va Sagarius   que nol saben fondón,
nos le podrié nul omne   llegar sin un pontón.

Todas aquellas fuerças   non le valieron nada,   830
óvola Alexandre   aína quebrantada;

828c *Sardis.* Sardes, antigua ciudad situada en Asia Menor, en el camino de
Esmirna, al pie del Tmolo y a orillas del río Pactolo, fue capital de la Lidia y
tuvo gran fama debido a su lujo, sus riquezas y su pujante comercio. Tras sufrir
una destrucción realizada por los cimerios, fue reconstruida por Creso en el siglo VI a. de C. Ciro el Grande la conquistó para los persas, y la convirtió en capital de la satrapía de Asia Menor. En esta época se registran sus momentos de
mayor esplendor. Su nombre no está de ningún modo ligado a la leyenda del
nudo gordiano que se relata en estas estrofas del *Libro de Alexandre*. La auténtica ciudad de la historia era *Gordium*, situada también en Asia Menor, pero en
Galacia y a orillas del río Sangario —como afirma nuestro texto—, y que fue
utilizada como capital de los territorios por los reyes de Frigia. La confusión
de nombres no es en absoluto imputable directamente a nuestro autor. Surge de
una afirmación incluida en el verso 643 del *Alexandre* de Châtillon (ed. cit., página 477) —*Gordium veteres, Sardis dixere minores*—, según la cual ambos nombres
eran aplicados a un mismo lugar.
829c *Sagarius.* Sangario (hoy Sakaria), río de Asia Menor, que nace en el
monte Adoreus, situado en los límites entre Frigia y Galacia, atraviesa Bitinia
(de esta región fue frontera oriental en la época de la dominación romana) y desemboca en el Ponto Euxino (Mar Negro). Dos afluentes, el Thymbris y el Ba-
thys, vierten sus aguas en él.

ovo y padre Midas   una rica posada,
por ond casa de Midas   era toda llamada.

    Estava en un templo   un laço enredado,   831
fuera bien en el tiempo   de Midas enlaçado,
era de fiera guisa   buelto e encantado,
el imperio de Asia   y era figurado.

    Assí eran los ramos   entre sí enbraçados,   832
non podié saber omne   do fueran ajuntados;

830c   En la acrópolis de Gordio estaba situado el palacio real, cuya construcción le era atribuida al rey Gordio, padre de Midas.

Midas. Famoso y legendario rey de Frigia al que Baco concedió la facultad de
convertir en oro todo cuanto tocase y que estuvo a punto de morir de inanición
al no poder ingerir alimentos dado que se transformaban, cuando trataba de co-
gerlos, en el mismo preciado metal. Ante esta situación rogó al dios que lo librase de tan funesto poder, don que le fue concedido tras cumplir la condición
de sumergirse en las aguas del río Pactolo. Fue en otra ocasión designado como
juez de un concurso musical en el que participaban Apolo, como tañedor de la
lira, y Pan, tocador de flauta. Proclamó vencedor al segundo, y Apolo, enojado,
tomó venganza de él transformándole sus orejas en las de un asno. Midas trató
de ocultar con cuidado esta deformidad, pero fue descubierta por su barbero,
hecho que le costó la vida. Fue éste enterrado en un hoyo, junto al cual crecie-
ron unas cañas que al ser zarandeadas por el viento gritaban sin cesar el secreto
del fabuloso rey.

831a   *laço enredado.* Se refiere a la conocida historia del nudo gordiano, que
ataba la lanza del carro del antiguo rey de Frigia Gordio con el yugo, y del que
se decía que estaba de tal manera hecho que era imposible descubrir la situación
exacta de sus dos cabos. El oráculo había prometido el imperio de Asia al hombre que fuese capaz de desatar el nudo, condición que fue cumplida por Alejandro, tal y como en nuestra obra se recoge. El carro había sido consagrado por
Gordio a Júpiter en agradecimiento por haber hecho que los frigios lo eligiesen
como rey. De ahí que se conservase en la ciudad de Gordium. Los hechos que,
en líneas generales, antecedieron a este último suceso mencionado son los siguientes: Gordio era primero un humilde labrador que un día se vio sorprendido por un águila cuando relizaba sus tareas agrícolas, que se posó sobre su arado. Consultó al oráculo sobre el significado del suceso y una profetisa le aseguró
que era preludio de grandes venturas para él y lo llevó a que agradeciese a Júpiter que se hubiese fijado en su persona. Se casó con la profetisa y tuvo con ella
un hijo, el que sería famoso rey Midas. Hallándose el reino de Frigia sumido en
una lucha fratricida, en una contienda civil, preguntaron sus habitantes al
oráculo a quién debían elegir como rey. La respuesta fue que su rey vendría a
ellos montado en una carreta. En esos instantes vieron aparecer a Gordio sobre
el célebre carro en torno al cual giran los sucesos relatados en esta parte de
nuestra obra.

semejava que eran los filos adonados,
mas era fiera cosa como eran travados.

 Assí era fadado, —en escrito yazié—, 833
qui soltar lo pudiesse emperador serié,
los emperios de Asia todos los mandarié,
omne en tod' el mundo contrastar nol podrié.

 Alexandre con gana de tal preçio ganar, 834
contendió quanto pudo por el nudo soltar;
mas tanto non se pudo el señor esforçar
que pudiesse la puerta de los nudos fallar,

 Paráronse los griegos todos mal desarrados, 835
de conquerir a Asia eran desfiuçados;
dizién entre sus cueres: «Mal somos engañados,
por ojo lo vemos que somos aojados.»

El rëy Alexandre, com' era perçebudo, 836
díxoles: «Ya, varones, que yo vos tolré 'l dubdo.»
Sacó la su espada, fízol todo menudo,
dixo: «Como yo creo, soltado es el nudo.

 »Yo otra maestría non sabría que far, 837
como quiere que fuesse óvelo a soltar.»
«Señor» —dixieron todos—, «¡Dios te faga durar!,
ca nunca lo podriés más mejor aguisar».

 Desque, con Dios a una, esto fue delivrado, 838
mandó el rey mover el su real fonsado;
çercaron a Anchira, un castiello ortado,
mas fue en poca ora el pleito destajado.

838c *Ancira*. Antigua ciudad de Asia Menor, capital de los tectosages y de
la propia Galacia en tiempo de Augusto. Se hallaba situada en el centro del camino militar que comunicaba Bizancio con Siria, y era un punto de parada importante para las caravanas comerciales.

Enbïó end poderes de gentes escogidas,   839
conquerir Capadoçia, unas gentes ardidas;
mas todo su esfuerço non les valió tres figas,
fueron, si les pesó, aína conqueridas.

De las huestes de Dario salió luenga çertera: 840
que en Eufrates yazién çerca de la ribera;
ya se querién con ellos ver en un era,
por provar cada uno qué valié o quién era.

Las sierras eran altas e las cuestas enfiestas, 841
las carreras angostas, las passadas aviessas,
pobladas de serranos, unas gentes traviessas,
temién que les darién algunas malas priessas.

Por miedo quel farién contraria en la vía, 842
que non podrién llegar a la gent barbaría;
fizo tal trasnochada que fue sobrançaría:
sesenta e tres millas cavalgó en un día.

839b *Capadoçia*. Situada en Asia Menor, entre el Ponto, Armenia, Cilicia, Frigia y Galacia, y entre los ríos Halys y Éufrates, fue una región que durante tres siglos y medio estuvo constituida como reino independiente. Estaba formada por numerosos pueblos, pero todos ellos se hallaban unidos por la posesión de una lengua común. Sufrió modificaciones, a lo largo de la historia, en su extensión y divisiones. Fue sucesivamente conquistada por los medos y por los persas (Ciro el Grande la anexionó a su imperio), quienes pusieron a un sátrapa a su frente. En el siglo IV fue dividida en dos mitades: la Capadocia propiamente dicha, o Gran Capadocia, y la Capadocia del Ponto. Esta última se hace independiente cuando se produce la invasión y conquista macedónica. La primera se vio sucesivamente gobernada por Eumenes, Antígono y, tras la batalla de Ipso, por los seleúcidas. Unida a Armenia, recuperó su independencia bajo el mando de Ariarates. En el año 17 fue sometida por los romanos. Sus principales ciudades fueron Mazaca o Cesarea, la capital, Nacianzo, Nisa y Cumanis o Comana.

842d *sesenta e tres millas*. Las lecturas de O y P son en este punto divergentes: mientras O afirma que fueron *sesenta y tres leguas* las recorridas por Alejandro y sus huestes en un solo día, P escribe que fueron *sesenta e tres millas*. En el *Alexandreis* de Châtillon, al que nuestro autor sigue en estos momentos, hallamos: «Mane iter accelerat Macedo, spatioque diei / unius, stadia rapidis quingenta peregit / gressibus» (ed. cit., pág. 477, vv. 466-468). Son, pues, «quinientos estadios» los que se afirma en el texto base que el héroe macedonio avanzó en esa jornada. Por ello, encontramos que la lectura que con toda probabilidad

Cuitávanse los griegos,   ca barruntes avién,   843
que las huestes de Dario   otro día movrién,
por end' ivan apriessa   quanto más se podién,
que en al non dubdavan   sinon ques les irién.

Súpolo luego Dario   cómo eran passados,   844
nol pudieran venir   mensajes más pesados,
fízolo saber luego   a sus adelantados:
quisquier que al vos diga,   fueron mal aquexados.

«Pero» —dixo el rey—,   «quexar non nos devemos;   845
somos más e mejores   e rafez los vençremos;
encara, sin tod' esto,   otra razón avemos:
que sabe tod' el mundo   qué derecho tenemos.

»Porque venció a Memnona   es assí enflotado,   846
cuídase que será   siempre en tal estado;
si supiesse el loco   cómo es engañado,
fers' yé de su locura   mucho maravillado».

---

figuraba en la versión original del *Alexandre* es intermedia a las de los dos únicos manuscritos conservados en la actualidad, y que la de P es la que más cerca
se halla de la posible redacción primitiva, dado que si tenemos en cuenta que
una milla medía unos ocho estadios en la antigüedad y efectuamos la división
entre el quinientos del *Alexandreis* y el susodicho número que marca la equivalencia en millas, obtenemos un resultado —62,50 (que el autor redondearía por
evidentes razones de métrica)— muy aproximado al incluido en la primera parte del verso de O, pero apartado de la segunda, que transcribe *leguas,* por lo que
en este punto hemos de aceptar la lección de P. Por el contrario, si buscamos el
valor en leguas de la cifra recogida en el *Alexandreis,* mediante la división de
quinientos entre treinta y dos —equivalencia aproximada del estadio con respecto a la legua—, obtenemos una cifra totalmente dispar (15,625) con el resultado presentado por nuestro escritor. Por todo ello adoptamos la lectura que figura en nuestra edición. El error de P es fácilmente explicable por confusión
del copista, que pudo leer *t* en lugar de «s longa» que posiblemente figuraría
en la versión que estaba utilizando como base para su labor. El error de O quizá
pueda deberse a una alteración introducida por el copista respectivo con el fin
de aumentar mucho más la proeza realizada por el protagonista. El cambio sobre la lectura de la fuente pudo deberse muy probablemente a un intento de
aclarar ante los ojos del lector de la época cuáles fueron las distancias reales recorridas por el héroe macedonio en esos momentos, de explicarle su proeza con
unas referencias que le podían resultar más familiares, dado que el estadio como
medida lineal en esos momentos había caído ya en desuso.

Ya querié, en tod' esto,   apuntar el alvor,   847
querié tornar el çielo   en bermeja color;
mandó mover las huestes   el buen emperador,
ca non podié de sí   partir el baticor.

Las trompas e los cuernos   allí fueron tañidos,   848
fueron los atambores   de cada part feridos;
tanto eran de grandes   e fieros los roídos,
semejavan las tierras   e los çielos movidos.

Ordenó su fazienda   por ir más acordados,   849
que si les aviniesse,   fuesen aparejados;
mandó que de tal guisa   fuessen todos armados
como si de fazienda   fuessen asegurados.

Levavan por reliquias   un fuego consagrado,   850
—siempre estava bivo,   nunca fue amatado—;
esse iva delante,   en un carro dorado,
sobre altar de plata   e bien encortinado.

Y estava don Júpiter   con otros çelestiales,   851
iva aprés del fuego   con muchos capellanes;
andava es conviento   en diez carros cabdales,
que eran de fin oro   e de piedras cristales.

Doze pueblos que eran   de sendas regïones,   852
de diversos vestidos,   de diversos sermones,
que serién a lo menos   bien doze legïones;
estos dio que guardassen   a essas religiones.

Bien avié diez mill carros   de los sabios señeros,   853
que eran por escripto   del rëy consejeros;
los unos eran clérigos,   los otros cavalleros,
quiquier los conosçrié   que eran compañeros.

852d Ruth I. Moll *(op. cit.,* pág. 56) ofrece la siguiente lectura para el verso:
estos mandó guardassen Dario las religiones.

Ivan en pues aquellos   quinze mill escogidos,   854
todos eran de Dario   parientes e amigos,
todos vistién presetes,   unos nobles vestidos,
semejavan que fueran   en un día naçidos.

En medio iva Dario,   un cuerpo tan preçioso,   855
semejava prophan   —itant' era de sabroso!—;
el carro en que iva   tant' era de fermoso
que quil podié veer,   teniés por venturoso.

Los rayos eran d' oro   fechos a grant lavor;   856
las ruedas esso mismo,   davan grant resplandor;
el ex de fina plata,   que cantasse mejor;
el ventril de çiprés   por dar buena olor.

El cabeçón del carro   nol tengades por vil: 857
era todo ondado   de muy buen amarfil,
todo era lavrado   de obra de grafil,
de piedras de grant preçio   avié y más de mill.

Las puntas de los rayos   eran bien cabeadas,   858
de bestiones bien fechos   e de piedras preçiadas,
eran tan sotilment   todas engastonadas,
semejavan que eran   en uno ajuntadas.

Digámosvos del yugo,   siquier de la laçada: 859
obra era greçisca   nuevamente fallada,
toda una serpiente   la tenié embraçada,
pero cadena era   de oro muy delgada.

El escaño de Dario   era de grant barata,   860
los piedes de fin' oro   e los braços de plata;
más valién los anillos   en que omne los ata
que non farié la renta   de toda Damïata.

855b   *prophan*. Ruth I. Moll *(op. cit.,* pág. 57) sustituye esta palabra por *profeta*.
860d   *Damïata*. Damieta, ciudad —y provincia— llamada Thamiatis en la
época romana, situada en el bajo Egipto, en la ribera izquierda del brazo oriental del Nilo, a quince kilómetros de su desembocadura. En el siglo xi estuvo

Viene puestos los piedes   sobre quatro leones   861
que semejavan bivos,   itanto eran lydones!,
tenién en las cabeças   otros tantos grifones,
e tenién so las manos   todos sendos bestiones.

Vinié sobre el rey,   por templar la calor,   862
un aguila bien fecha,   de preçiosa lavor;
las alas espandidas   por fer sombra mayor,
siempre tenié al rey   en temprada sabor.

Eran en la carreta   todos los dios pintados,   863
e cómo son tres çielos   e cómo son poblados:
el somero muy claro,   lleno de blanqueados,
los otros más de yuso   de color más delgados.

Ivan, sin todo esto,   de cuesta e delante   864
diez mill aguardadores   çerca el emperante;
todos avíen astas   de argent blanqueante,
e cuchillas bruñidas   de oro flameante.

Levara más de çerca   doçientos lorigados,   865
todos fijos de reys   e a ley engendrados,
todos eran mançebos,   todos rezient barvados,
de pareçer fermosos   e de cuerpos granados.

Aún fizo al Dario   por las huestes salvar,   866
e que las non pudiessen   los griegos desbalçar:
sacó treinta mill otros   varones de prestar,
por governar la çaga   e las huestes guardar.

Vinié çerca del rey   su muger la reína,   867
en preçiosa carreta,   so preçiosa cortina,
un fijo e dos fijas,   mucha rica vezina,
más cabera la madre   con müy grant cozina.

---

emplazado en ella el puerto principal del delta. Sobre el sentido de todo el verso
y la interpretación que se le ha dado, véase el apartado segundo de la «Introducción», dedicado al problema de la fecha de composición del *Alexandre*.
    861   Esta estrofa no figura en el manuscrito O.

Avié y çincuenta carros   todos bien adobados,   868
de mugeres de reyes   todos vinién cargados;
por guardar estas donas   avié y dos mil castrados,
—quando eran chiquiellos,   fueron todos cortados—.

Los rëys de oriente   avién tódos tal maña   869
de ir en apellido   con toda su compaña;
bien de antigüedat   tenién essa fazaña,
mas pora Dario fue   más negra que la graja.

Levavan de tesoros   tres vezes çient camellos,   870
e seisçientas azémilas   cargadas en pos ellos;
demás ivan cargados   assí todos aquellos,
que salién las sudores   por somo los cabellos.

Más avié de çient mill   de omnes lorigados,   871
que eran de ballestas   e de fondas usados;
de otra gent menuda   de pueblos aledanos
non vos podrién dar cuenta   tales diez escrivanos.

Assí llevava Dario   sus hazes ordenadas,   872
cómo avién de fer   eran bien castigadas;
todas de buenos omnes   eran bien cabdelladas,
eran de todas armas   todas bien arreadas.

Tan grant era la cosa,   los pueblos tan largueros,   873
que a la part que ivan   tenién quinze migeros;
las nuves de los pueblos   encobrién los oteros,
ensordién las orejas   al son de los tromperos.

Con todas estas nuevas   e todo el ruïdo   874
iva el rëy Dario   fierament' esmarrido,
ca la muert de Memnona   le avié desmaído,
ca avié por verdat   straño braço perdido.

873a   *cosa*. O, *fazienda*. Ruth I. Moll *(op. cit.,* pág. 61), *hueste*.
873c   *encobrién*. Corrección de Moll, *ibídem*.

Que sin miedo non era,   quiquier lo podrié asmar,   875
ca fazié a los suyos   las fronteras robar,
fazié las fortalezas   destroïr e quemar,
ca se les non trevié   creo a manparar.

El rëy Alexandre,   que non sabié foïr,   876
nin se querié echar   a luengas a dormir,
nol membrava de cosa   ninguna conquerir,
ca por lidiar a Dario   querié todo morir.

Pero como tenié   por suyas las çibdades   877
castillos e aldeas   e otras heredades,
nulla ren non robava   en ningunos lugares,
dávales por do ivan   firmes seguridades.

Oyó cómo avién   a Tarso ençendida,   878
—una villa real,   de todo bien conplida,
ond' ixió el apóstol   de la lengua fardida—,
enbïó amatarla   ante que fues' ardida.

Fue aína Parmenio   por en todo argudo,   879
metióse por la villa,   amató quanto pudo;
desent llegó el rey,   un cuerpo estrevudo,
sí que non le vagó,   fue el fuego vençudo.

El rëy con la priessa   era escalentado,   880
era de la calor   del fuego destemprado,
e provó una cosa   que non avié provado:
que la salut non dura   siempre en un estado.

878a *Tarso*. Ciudad de Asia Menor, situada en las proximidades del río Cydno —hoy llamado Tarsus-Chai—, y fundada, según unos, por los fenicios, aunque también a los griegos y a Sardanápalo se les ha atribuido tal hecho. Estuvo incluida en Cilicia y fue uno de los mayores centros comerciales de la antigüedad, que incluso a Alejandría llegó a hacerle competencia. Sus escuelas fueron consideradas superiores a las de Atenas. En ella se realizó el encuentro entre Marco Antonio y Cleopatra, y allí quiso instalar el primero la capital de un imperio asiático. Con anterioridad, Alejandro Magno estuvo a punto de perecer en esa ciudad como consecuencia de una enfermedad que le sobrevino tras bañarse en las aguas del Cydno (*vid.* estrofas 880-913 de nuestro texto). Su fama

El mes era de julio,   un tiempo escalentado,   881
quando en el león   ave el sol su grado;
aviá a lo de menos   quinze días andado:
segunt esto, pareçe   que era bien mediado.

El tiempo era fuerte   e el sol muy ferviente,   882
querié de calentura   morir toda la gente;
Çiliçia sobre todas   ave aire caliente,
ca el ardor del sol   l'aquexa fieramente,

Va por medio la villa   una agua cabdal,   883
que es segunt la tierra   buena uno con al;
naçié en una sierra,   desçendié por un val,
pareçe so el agua   crespo el arenal.

Priso el rey sabor   de bañarse en ella,   884
—ca corrié tan fermosa   que era maraviella—,
oviera y por poco   contido tal manziella
que oviera del río   tod' el mundo querella.

Fízose desarmar   e tollerse los paños,   885
teniéngelo a mal   los sos e los estraños;
dio salto en el río   con ambos sus calcaños,
pareçié bien que yogo   pocas veces en baños.

---

mayor se debe a que fue el lugar en el que nació San Pablo —tal y como se afirma en los versos b y c de esta misma estrofa—, el apóstol de los gentiles, en recuerdo del cual existe hoy en día allí una mezquita que, según la tradición, fue erigida sobre los cimientos de lo que fue su casa natal.

881b   Se refiere a la época en que el sol pasa por la constelación de *Leo*, es decir, que la datación de los sucesos se realiza en los últimos de días de julio, dada la explicitación del mes efectuada en el verso anterior y las explicaciones contenidas en los dos siguientes (c y d).

882c   *Çiliçia*. Cilicia, antigua comarca situada al sur de Asia Menor, entre Capadocia, Licaonia, Pisidia —con las que limitaba al norte—, Siria —al este—, Panfilia —al oeste— y el mar Mediterráno —al súr. Tarso, su capital, Seleucia, Selimonte y Batna se contaban entre sus principales ciudades. País montañoso, era famosa por sus caballos y cabras. Estuvo dedicada a la piratería durante el siglo i a. de C. hasta que Pompeyo logró dominarla. Cicerón se contó entre los hombres que la gobernaron.

883a   *una agua cabdal*. Se trata del río Cydno —el Kara-su o Tarsus-Chai actual—, que nace en el Tauro y desemboca en el Mediterráneo.

Com' estava el cuerpo   calient' e sudoriento,   886
el agua era fría   e contrario el viento,
priso en aquel baño   un tal destempramiento
que cayó fascas muerto,   sin seso e sin tiento.

Los varones de Greçia   quando esto vidieron,   887
todos en sus cabeças,   con sus manos firieron:
sacáronlo del río   quanto ante pudieron,
nunca quantos y eran   tan mal día ovieron.

Como muerte de rey   de lieve non se calla,   888
sopo luego las nuevas   toda la almofalla;
allís fueron veyendo   los griegos en grant falla,
que tenién mal consejo   por ir a la batalla.

Fueron en fiera cueita   e fue grand el espanto,   889
nunca quantos y eran   prisieron tal quebranto;
todos, chicos e grandes,   fazién duelo e planto,
bozes e alaridos   ivan de cada canto.

Davan a sus cabeças   diziendo su rencura: 890
«Mesquinos, ¿cómo somos   de tan mala ventura?;
fuemos de nuestras madres   nados en ora dura,
viniemos a perdernos   un año d' andadura.»

Dizién: «Señor, ¿quién vio   omnes tan desarrados?,   891
somos en razón mala   de ti desamparados,
somos de tod' el mundo   por ti desafiados,
e nos por defendernos   somos mal aguisados.

»Dario nos yaze çerca,   escapar non podremos;   892
sin ti en la batalla   entrar non osaremos,
las sierras nos han presas,   tornada non avemos,
por malos de pecados   aquí las baldaremos.

»Aún maguer pudiéssemos   a la tierra tornar,   893
sin ti non osaremos   en ella assomar;
vassallos sin señor   sábense mal guardar,
señor, ¿a quáles tierras   iremos nos poblar?

»Señor, la tu ventura   que te solié guïar   894
tóvote mala fe,   dexót' en mal lugar;
nunca devié en ella   omne bueno fïar,
sabe a sus amigos   guarlardón malo dar.»

Tovos doña Fortuna   mucho por denostada,   895
vío que eran neçios,   non dio por ello nada;
fue tornando la rueda   que yazié trastornada,
fue abriendo los ojos   el rey una vegada.

Fuel viniendo el seso,   recobró su sentido,   896
fue del mal mejorando   pero non bien guarido;
díxoles: «Ya, varones,   pueblo tan escogido,
non vi tan grant conçejo   sin feridas vençido.

»Aún seyendo bivo   judgádesme por muerto,   897
de buena gent que sodes   traedes mal confuerto,
veo que mal sabedes   abenir en depuerto,
por verdat vos dezir,   tenédesme grant tuerto.

»Nuestro vezino Dario,   si fuesse buen guerrero,   898
levárseme podrié   como a un cordero,
en las tierras agenas   lazraría señero,
todo vuestro lazerio   non valdrié un dinero.

»Mas si algunos meges   me pudiessen guarir,   899
aún esta vegada   non querría morir;
e non lo fago tanto   por amor de bevir
mas porque me querría   con Dario conbatir.

»Sólo sobre 'l cavallo   me pudiesse tener,   900
e ante mis vassallos   en el campo seer,
avriénse los de Persia   sin grado a vençer,
e fariedes los míos   lo que soliedes fer.»

895a   *doña Fortuna*. Sobre el tema de la fortuna en la literatura medieval y su personificación alegórica, veáse el magnífico resumen realizado por Pedro Salinas en su estudio *Jorge Manrique o tradición y originalidad*, Buenos Aires, Editorial Sudamericana, 1962, 3.ª ed., págs. 96-111.

Andava por las huestes   una grant' alegría,   901
porque en el señor   entendién mejoría;
pero dubdavan muchos   que con la osadía
farié por aventura   de cabo recadía.

Felipo, un su mege   que lo avié en cura,   902
—físico delantero,   conoçié bien natura—,
prometié quel darié   una tal purgadura
que lo darié guarido,   esto cosa segura.

Fue en este comedio   el mege acusado   903
que lo avié el rey   Dario mal engañado,
que le darié su fija   con müy grant condado
sólo que por él fuesse   deste omne vengado.

Mintié el mesturero   en quanto que dizié,   904
—abiél muy grant enbidia,   por esso lo fazié—,
non lo creyó el rey,   ca bien lo conoçié,
siempre lo quiso bien,   ca él lo mereçié.

Quál fue el mesturero,   non lo quiero dezir,   905
—omne fue de grant preçio,   quiérolo encobrir—,
sopo en otras cosas   al rëy bien servir,
pero ovo en cabo   mala muert' a morir.

Sacó sus melezinas   el mege del almario,   906
de todas las más finas   tenpró su letüario;
non y mescló un punto   del gingibre de Dario,
ca non fuera vezado   de prender tal salario.

Quando ovo el rey   la yerva a bever,   907
ovo un poco dubdo,   quísose recreer;
entendiólo Phelipo,   fízolo descreer,
ovo su medeçina   el rëy a prender.

905a   Pese a la afirmación contenida en este verso, en la estrofa 912 (v. c)
parece sugerirse —es más, se da prácticamente como seguro— que el inventor
de la injuria fue Parmenión.

El rëy quando ovo   la espeçia tomada,   908
dio al mege la carta   quel' avién enbïada;
Phelipo, quand la vio,   non dio por ello nada
echóla en el fuego   toda despedaçada.

«Señor» —dixo—, «non dubdes   en esta medezina,   909
nunca en este siglo   bevrás otra más fina;
si sovieres quedado,   serás sano aína,
mas el mesturador   es de mala farina.

»Señor, aquel quet quiso   tu salut estorvar,   910
queriéte, si pudiesse,   de buen grado matar;
esto que yo te digo   as aún a provar,
que algunt mal serviçio   te ave a buscar.

»O de mí ha enbidia,   o la tu muert querrié,   911
si non tan grant nemiga   nunca sossacarié;
señor, en él non fíes,   ca fe non te ternié;
o por sí o por otro   la muert te buscarié».

El dicho de Phelipo   non lo levó el viento,   912
entró al rey en cuer,   ovo grant pagamiento;
tóvole a Parmenio   siempre muy mal taliento,
e bien ge lo mostró   en el acabamiento.

A cab de pocos días   el rëy fue guarido,   913
ixió que lo vidiessen   de sus armas guarnido;
todos le rindién graçias   al maestro Phelipo,
dizién todos que fuera   en buen tienpo naçido.

Fueron a pocos días   las comarcas corridas,   914
las que se non rindieron   fueron todas ardidas;
enbió a Issón   muchas gentes guarnidas,
falláronla vazía   e las gentes fuídas.

_____

914c   *Issón.* Isso, ciudad de la antigua Cilicia, en Asia Menor, situada a orillas del golfo Isico, en cuyas cercanías Darío III fue derrotado por Alejandro
Magno tras una famosa batalla conocida por el nombre de ese lugar. Tenía una
gran importancia estratégica, dado que constituía paso obligado para la comunicación entre Siria y Cilicia y dominaba toda la zona.

Ya estavan los rëys   fascas en un tavlero,   915
avié del un al otro   assaz poco migero;
el rëy Alexandre,   un natural guerrero,
quiso poner su cosa   en recabdo çertero.

Fabló con sus vassallos   cómo s' acordarién,   916
si irién contra ellos   o si los atendrién;
escusólo Parmenio,   que por bien lo veyén,
de ir acometerlos   bien allá do seyén.

Sisene, un ric' omne,   porque non dixo nada,   917
tovieron que de Dario   avié preso soldada;
fue luego la sentençia   por conçejo judgada,
que por al non passás   si non por la espada.

Otro un alto prínçipe   de los reyes de Greçia   918
con el rey Alexandre   ovo desabenençia
con aquellos que eran   de la su atenençia
passóse pora Dario,   mas non por su fallençia.

Plogó con él a Dario   que fazié grant derecho,   919
prometiól, si vençiesse,   quel farié grant provecho;
mas por quanto al rey   consejó de su fecho,
oviéronle los medos   saña e grant despecho.

«Señor», —dixo el griego—,   «tengom por tu pagado,   920
de la merçed que dizes   riendot graçias e grado;
pero quando vassallo   tuyo me so tornado
dezirt' e un consejo   que yo tengo asmado.

»Del rëy Alexandre   dezirt' e yo sus mañas: 921
es firme cavallero,   trae firmes compañas,
non son tanto de muchas   como son de estrañas,
bien creo que en siglo   non ave sus calañas.

918a   En el *Alexandreis* de Châtillon (ed. cit., pág. 480, v. 846) figura Thy-
modes como nombre de este personaje, nombre, por otra parte, especificado en
el verso 929a de nuestra obra.

»Como son segurados   que non han de fuïr,   922
en uno lo han puesto   de vençer o morir;
demás son parïentes,   non se quieren partir,
es una fiera cosa   a tales omnes ir.

»Demás son en fazienda   omnes aventurados,   923
que andan con agüeros   e guíanlos los fados;
e si fueren los tuyos   por ventura rancados,
tienen que son en Asia   todos apoderados,

»Por end lo veería   por cosa aguisada   924
que finques la batalla   fasta otra vegada,
ca tomarás grant daño   ant que sea rancada,
e si al te contiere,   será mala plomada.

»Rëy, de mi consejo   bien lieve non te pagas,   925
o tienes que non era   seso que te retragas;
aún consejart' ya   otra cosa que fagas:
escusa muchas vezes   que se guardan las plagas.

»Traes grandes averes   en uno ajuntados,   926
azémilas e carros   e camellos cargados:
non lo tengo por seso   averes tan granados
meterlo a ventura,   a un echo de dados.

»Si tú fer lo quisieres,   yo por bien lo vería   927
que de tantos tesoros   toda la mejoría,
con una grant partida   de esta mançebía,
fincasse en Damasco   fasta un otro día.

»Si, lo que Dios non quiera,   se torçiere el viento,   928
en esto, si al non,   avrás arribamiento;
señor, lieva tu cosa   a maña e a tiento:
lo al non será seso   por mi conoçimiento».

Seso fabló Tymoda,   mas non fue escuchado;   929
fue de tales y ovo   por desleal rebtado;
pero quando el pleito   fue todo acabado,
vidieron que dixera   el griego aguisado.

Quisieron a los griegos   a firmes malmeter,   930
dizién que con las almas   non devién estorçer,
que davan mal consejo,   devían mal prender;
mas al emperador   non pudieron mover.

Diz Dario: «Ya, varones,   fablemos ya en al,   931
los que en mí fïaron   por mí non prendan mal;
quando logro non lievan,   non pierdan el cabdal,
non estó ya en tiempo   por seer desleal.»

Partiéronse los griegos,   fuéronse su carrera,   932
veyén que la fincança   muy sana non les era,
que todos los de Dario   les tenién grant dentera;
pesól mucho a Dario,   cosa fue verdadera.

Pero en es consejo   ovieron a tornar,   933
fizieron los tesoros   a Damasco llevar,
mas ovieron las dueñas   con el rey a fincar,
non quisieron la ley   antigua quebrantar.

Çertero era Dario   que dend' a otro día   934
avrién el medianedo   sobre tuya e mía,
pagarién el escote,   farién la cofradía,
verién quáles a quáles   conoçrién mejoría.

En medio de las huestes   avié un colladiello,   935
de la otra planeza   más alto un poquiello,
era en la cabeça   llano e verdeziello,
era un logarejo   por verdat apostiello.

Estávale en medio   un laurel muy ançiano,   936
las ramas muy espessas   e el tronco muy sano;
cubrié toda la tierra   un vergel muy loçano,
siempre estava verde   ivierno e verano.

934b *sobre tuya e mía.* Sobre el litigio en cuestión. El significado, pues, de todo el verso es: Darío pensaba que al día siguiente se entablaría el combate entre él y Alejandro.

Manával de siniestro   una fuent perenal,   937
nunca se mengüava,   ca era natural;
avié so el rosario   fecho grant regajal,
por y fazié su curso   com por una canal.

Ixié de la fontana   una blanda frïor;   938
de la sombra del árbol,   un temprado sabor;
dava el arbolario   sonbra e buen olor,
semejava que era huerto del Crïador.

Que por la buena sonbra   o que por la fontana,   939
allí vinién las aves   tener la meridiana;
allí fazién los cantos   dulçes cada mañana,
mas non y cabié ave   si non fues palaçiana.

El agua de la fuente   deçendié a los prados,   940
teniélos siempre verdes,   de flores colorados;
avié y grant abondo   de diversos venados,
de quantos en el siglo   podrién seer fallados.

El emperant vestido   de un xamet bermejo   941
asmó de apartarse   en aquel logarejo;
de solos ricos omes   fizo un grant conçejo,
començó de tratar   con ellos su consejo.

Sólo en el aseo   del su buen contenente   942
fazié grant pagamiento   a toda la su gente;
podriégelo quisquiere   conoçer veramente
que él era el rey   de toda orïente.

Solament de su vista   quiquier que lo vidiesse   943
lo podrié entender   maguer nol conoçiesse:
non es omne naçido   que grado non l'oviesse,
e de la su palabra   grant sabor non prisiesse.

Movió gent su palabra,   començó de dezir;   944
dixo: «Mi cuer vos quiero,   parientes, descobrir,
esto es sobre todo   a los dios que gradir:
que entre tales omnes   me dieron a bevir.

»Saben esto los dios: que lisonja non digo;   945
non preçio contra vos   todo lo al un figo,
ca ant falleçe regno   que non el buen amigo;
qui amigos non ha,   pobre es e mendigo.

»Ond creo que los dios   grant merçed me fizieron,   946
e pareçe por ojo   que grant bien me quisieron,
quando tales vassallos   tan leales me dieron
por defender los regnos   en que a mí pusieron.

»Si supiessen los griegos   de quál raíz venides   947
o vuestros bisavuelos   quáles fueron en lides,
non vos vernién buscar   en qual tierra bevides,
mas aún non provaron   cómo vos referides.

»Los gigantes corpudos,   unos omnes valientes,   948
que la torre fizieron,   vuestros fueron parientes;
torpe es Alexandre   que tan mal para mientes,
si non, non bolverié   guerra con tales gentes.

»El prez de los parientes   vos deve despertar,   949
demás que se vos vienen   malament' aontar;
de vassallos que son   querrién señorear,
mas fío bien en vos   que non podrá estar.

»Demás non veo cosa   en que dubdar devamos,   950
que nos aquí con Dios   aina non los vençamos;
sólo que ellos vean   que nos non los dubdamos,
dexarnos han el campo   ante que los firamos.

»Un sueño yo soñava   que vos quiero contar,   951
por ond' estó seguro   que serán a rancar,
pero fasta agora   quíseme yo callar,
que algún non dixiesse   que quería bafar.

948b *torre*. Se refiere a la torre de Babel. *Vid*. nota a 990cd.

»Veya que estávamos   todos hazes paradas,   952
los unos a los otros   todos caras tornadas;
deçendién unos fuegos,   unas flamas iradas,
quemávanles las tiendas   e todas las posadas.

»Despartiénse las flamas   como rayos agudos,   953
quemávanles las lanças   que trayén en los puños;
ivan ellos fuyendo,   los cavallos perdudos,
todos en sus cabeças   firiendo grandes puñ̃os.

»Alexandre el loco   que me es tan esquivo,   954
por ferle mayor honta   fazíal prender bivo,
cadena en goliella   levávalo cativo,
lo que será de vero   segunt que yo lo fío.»

Aún non avié Dario   su razón bien complida,   955
vínol un mensajero,   que aya mala vida;
díxol que Alexandre   avié su huest movida:
ivan todos fuyendo   quisquier por su partida.

Muchol plogó a Dario   e mandó cavalgar,   956
por cuestas e por llanos   mandólos alcançar;
al rëy Alexandre   mandávalo tomar,
querriél' a Babilonia   en present' enbïar.

Toda su alegría   nol valdrié un dinero,   957
ca de quanto que dixo   mintió el mensajero,
ca non querién fuïr   nin un passo señero,
ante morrerién todos   fasta el postrimero.

Ya eran los primeros   çerca de la çelada,   958
por poco non firieron   dentro en l'alvergada;
y vieron que estava   su cosa mal parada,
fuéronse reteniendo   con mala espantada.

Ya avién esto todo   los griegos entendido,   959
—ca avié 'l atalaya   echado apellido—;
el rëy Alexandre   tóvose por guarido,
mas fue del otro cabo   Dario mal cofondido.

Las mesnadas de Dario   fueron mal espantadas,   960
non se podién llegar,   ¡tant' eran desmayadas!,
ca veyén que las nuevas   que les avién contadas
eran por mal pecado   otra guisa tornadas.

El rëy Alexandre   vos quiero enseñar,   961
—verdat quiero dezir,   non cuido y pecar—,
quál cabtenençia ovo,   qué empeçó a far
quando vío las huestes   de Dario assomar.

Tendió a Dios las manos,   cató a suso fito.   962
«Señor» —dixo—, «que prestas   a toda cosa vito,
el tu nombre laudado   sea e benedito,
de toda cueita tengo   que me as öy quito.

»Señor, yo gradeçertelo   aquesto non sabría   963
que me das a veer   tamaña alegría;
siempre te pedí esto   e fago oy en día,
ca por esto exí   de Corinto la mía».

Tornó a sus vassallos   quel sedién derredor,   964
empeçó a fablar   a una grant sabor.
«Amigos» —diz—, «veedes,   grado al Crïador,
pónese nuestra cosa   todavía mejor.

»Todos nuestros contrarios   viniénnos a las manos, 965
han de fincar connusco   sól prenderlos queramos;
todo nuestro lazerio   aquí lo acabamos,
nunca contrast' avremos   si esto quebrantamos

»Lo que doña Victoria   nos ovo prometido   966
ávelo, *Deo gratias,*   lealment' atenido;
fízolo buen compieço   quand Memnón fue vençido,
mas aquí yaz' el cabo   e el preçio complido.

»De oro e de plata   vienen todos armados,   967
todos relampaguean,   ¡tant vienen afeitados!,
estos con Dios a una   tenedlos por rancados,
ca por fer buen bernaje   están mal aguisados.

»Non traen guarnimientos   de ombres de prestar,   968
seméjanse mugeres   que se quieren preçiar;
fierro vençe fazienda,   com l' oyestes cuntar,
e coraçones firmes   que lo saben durar.

»Miémbrevos la materia   por que aquí viniemos,   969
miémbrevos las sobervias   que de Dario prisiemos;
nos, nin nuestros parientes,   nunca desque naçiemos
por vengar nuestra onta   atal razón toviemos.

»Sé bien que por aquesto   todos somos pagados: 970
la una porque todos   sodes omnes granados,
la otra porque fuestes   de mi padre crïados,
la terçera que sodes   conmigo desterrados.

»Mientes metré en cascuno   de quál guisa me quiere;   971
aquel me querrá más: el que mejor firiere,
el que pedaços fechos   el escudo trayere,
e con l' espada bota   fuertes golpes firiere.

»A los que fueren ricos   añadiré riqueza,   972
a los que fueren pobres   sacaré de pobreza,
quitaré a los siervos,   que bivan en franqueza,
non daré por el malo   una mala corteza,

»Lo que a mí vïerdes   quiero que es fagades;   973
si delant yo non fuere,   non quiero que sigades,
mas quando yo firiere,   quiero que vos firades,
mientes querré meter   cómo me aguardades.

»Quiérovos brevement   la razón destajar,   974
ca non tenemos ora   por luengo sermón far;
de toda la ganançia   me vos quiero quitar,
assaz he yo del prez   non quiero más levar».

Aviélos con sus dichos   mucho escalentados,   975
sól non lo entendién   ¡tant'eran corajados!;

---

968   No ha sido copiada esta estrofa en el manuscrito P.

todos pora ferirlos   estavan amolados,
non cuidavan en ellos   aver sendos bocados.

    Paró el rey sus hazes   como costumbre era,   976
—costaneras estrañas   e firme delantera—;
mandó que cada uno   guardasse su frontera,
mandó que non oviesse   vagar la doladera.

    Puso en las primeras   un muro de peones   977
que non lo derromprién   picos nin açadones;
todos sus naturales   de puras crïazones
ant perdrién las cabeças   que non los coraçones.

    La diestra costanera   fue a Nicánor dada   978
con muchos ricos omnes,   mucha barva honrada,
Clitus e Tolomeus   quisquier con su mesnada,
Pérdicas con tres otros   de fazienda granada.

    Governava Parmenio,   un preçiado cabdiello,   979
con su fijo Filotas   el siniestro portiello;
terçero fue Antígonus   que valié un castiello;
Cráterus, de grant nonbre   e de cuerpo chiquiello.

    Las hazes de los griegos   assí eran bastidas,   980
de armas e de gentes   sobra bien enfortidas;

    979d   *Craterus*. Hijo de Alejandro de Oréstides y hermano de Axíotero, fue lugarteniente y uno de los favoritos de Alejandro Magno. Le fue confiado el mando superior de la infantería de la guardia personal que se encargaba de la protección del héroe macedonio. Intervino en la batalla de Arbelas y en la expedición contra India al mando de la caballería. Debido al gran valor que demostró en los combates y a la sinceridad con que exponía a Alejandro sus ideas —situación en la que contrastaba totalmente con Hefestión, siempre presto a adular al emperador fueran cuales fueran sus acciones—, se ganó su respeto y estimación. Le fue encargada la conducción de los soldados veteranos a Macedonia. Tras la muerte de Alejandro, le fue confiado, junto con Antipatro, el gobierno de Macedonia, Epiro, Grecia e Iliria en el reparto de territorios efectuado entre los generales. Se casó con Fila, hija de Antipatro. Amenazado por la ambición de Pérdicas, buscó la alianza de Antígono y se refugió en Asia, en los territorios de los que su suegro era gobernador. Sucedió a Antipatro como virrey. Murió luchando contra Eumenes.

eran unas con otras   fieramente cosidas,
pero priso el rey   las primeras feridas.

   Dario fue en grant cueita,   tovos por engañado,   981
batiél' el coraçón,   maldizié al pecado;
demandó por el omne   quel levó el mandado,
fuera mal escorrido   si l' oviesse fallado.

   Mandó todas las gentes   en un campo fincar,   982
empeçólas él mismo   por sí a rodear;
mandólas seer quedas,   la çaga esperar,
ca avién un portiello   traviesso a passar.

   Díxoles grant esfuerço   quando fueron llegados;   983
«Varones»—diz—, «tengámosnos   por omnes venturados;
sabet que si non fuéssemos   tan aína uviados,
fueran de tod' en todo   idos e derramados.

   »Mas el Nuestro Señor   faznos grant caridat: 984
oy nos faze señores   de nuestra heredat;
faremos en los griegos   una tal mortaldat
que nunca en est mundo   ganarán enguedat.

   »Cómo ha de seer,   quiérovos lo dezir: 985
çerquémoslos en medio,   que non puedan fuïr;
non sabrán, maguer quieran,   a qüál partida ir,
o dars'han a prisión   o avrán a morir».

   Assaz dixiera Dario   consejo aguisado,   986
mas era otra guisa   de los dios ordenado;

980d   *las primera feridas.* Iniciar un combate era tenido por un honor en la
época medieval. De ahí que en muchas ocasiones los caballeros se disputen esa
merced y soliciten de sus caudillos su concesión. Buen ejemplo de ello es el
Cantar de Mio Cid, en el cual, y dentro del episodio que recoge el relato de la batalla contra el rey Búcar, Minaya y el obispo don Jerónimo le piden al protagonista *las primeras feridas* (ed. de Menéndez Pidal, Madrid, Espasa Calpe, Clásicos
Castellanos, 1971, 13 ed., págs. 232-233, tirada 116, versos 2361-2380), fórmula que era utilizada para designar tal honor.

985c   *partida.* Enmienda de Nelson *(op. cit.,* pág. 378). En P y O, *parte.*

por su ventura dura   non le fue otorgado,
ca el ex de la rueda   yazíe trastornado.

     El cuidar de los omnes   todo es vanidat,   987
los pensamientos nuestros   non han establidat,
ca non es nuestro seso   si non fragilidat,
fuera que nos contiene   Dios por su pïedat.

     Nin poder nin esfuerço   nin aver monedado   988
nol valen al que es   de Dios desamparado;
aquel que a Él plaze   esse es bien guïado,
el que Él desampara   es del tod' afollado.

     Conviene que fablemos,   entre las otras cosas,   989
de las armas de Dario   que fueron muy preçiosas,
de obra eran firmes,   de pareçer fermosas,
pora traer livianas   mas non bien venturosas.

     Avié en el escudo   mucha bella estoria: 990
las gestas que fizieron   los reys de Babilonia;
yazié de los gigantes   y toda la memoria,
quando de los lenguajes   prisieron la discordia.

     Seyé en otro cabo   el rëy de Caldea   991
Nabucodonosor   que conquiso Judea,

986d   *rueda*. Se refiere a la rueda de la fortuna —*vid.* nota a 895a—, en esos momentos, según nuestro autor, situada en una posición desfavorable para los planes, y el destino en general, del rey Darío.

987   Inclúyense en esta estrofa otros dos de los temas fundamentales de nuestro texto: el de la vanidad de las cosas del mundo —que tiene sus orígenes en la *Biblia (Eclesiastés*, I, 2; ed. cit., página 797)— y el de los cambios de fortuna. Ambos están utilizados como elementos coadyuvantes para hacer más efectiva la conclusión final que nuestro autor desea que extraigamos de su obra, para mover al lector a la comprensión de la idea general que preside todos los hechos: el tema del menosprecio del mundo. Es la misma argumentación que Jorge Manrique, dos siglos más tarde, empleará en la primera parte de sus *Coplas (vid.* Pedro Salinas, *Jorge Manrique o tradición y originalidad,* Buenos Aires, Editorial Sudamericana, 1962, 3.ª ed., págs. 77-114).

990cd   Situación similar a la comentada en la anotación a 1369ab.

991b   *Nabucodonosor*. Nabucodonosor II, hijo de Nabopolasar y sucesor suyo en el trono de Babilonia, cuya campaña contra los judíos, que tuvo como resul-

e quantas ontas fizo   sobre la gent' ebrea,
cómo priso Sión,   Trípol e Tabarea.

Cómo destruyó 'l templo   en la santa çibdat,   992
cómo fueron los tribos   en su captividat,
cómo sobre el rey   fizo atal crueldat
que le sacó los ojos   ca assí fue verdat.

Por amor que las armas   non fuessen manzilladas   993
unas estorias bueltas,   que fuessen entecadas,
non quiso el maestro   que fuessen y notadas,
que serién las derechas   por essas desfeadas.

Non lo vío por seso   que fuesse y metido   994
Nabucodonosor   cómo fue enloquido,
cóm'andido siet' años   de memoria salido,
pero tornó en cabo   en todo su sentido.

Non quiso y poner   al fijo perjurado   995
que fue sobre su padre   crudo e denodado;
lo que peor le sovo,   óvolo desmembrado,
ca querié regnar sólo   el que aya mal fado.

Mas en cabo estava,   sotilmente obrado,   996
el buen regno de Persia   cómo fue empeçado,

---

tado el cautiverio de Babilonia, es bien conocida por haber sido narrada en la
Biblia.

991d   *Trípol*. Trípolis, región situada en el norte de África, entre Cartago
—al oeste—, Egipto —al este—, el Sahara —al sur— y el Mediterráneo —al
norte. Coincide prácticamente con la Libia actual. Algún historiador antiguo
atribuye a Nabucodonosor II la conquista de este territorio, extremo éste que
no ha podido ser comprobado ni confirmado con otras fuentes.

992ab   Cfr. 2 *Reyes*, 24-25 *(Biblia*, ed. cit., págs. 457-459).

992c   *el rey*. Se trata de Sedecías, último de los reyes de Judá, a quien Nabucodonosor ordenó extraer los ojos —tras hacer degollar en su presencia a sus
propios hijos— y llevar cargado de cadenas a Babilonia, una vez que la conquista de Jerusalem —realizada después de tres años de asedio— se hubo efectuado
(vid, 2 *Reyes*, 25, 1-7; en *Biblia*, ed. cit., pág. 458).

994   Cfr. *Daniel*, 4 *(Biblia,* ed. cit., págs. 1073-1074).

la mano que fiziera   el oscuro ditado,
lo que don Baltasar   ovo determinado.

997

La estoria de Ciro   fue derredor echada,
que grant conquista fizo   todo por su espada,
com l' ovo la compaña   de Israel quitada,
Cresus en la su guerra   cómo non ganó nada.

996cd   Se refiere al conocido episodio de la cena de Baltasar, en el transcurso de la cual apareció una mano que grabó en la pared de las estancias en las que se desarrollaba dicho festín unas palabras cuyo exacto significado —el anuncio del final del reinado de Baltasar— fue desvelado por el profeta Daniel *(Daniel,* 5; en *Biblia,* ed. citada, págs. 1075-1076), quien recibió grandes honores en agradecimiento por ese servicio.

997a   *Ciro.* Se trata evidentemente, de Ciro el Grande, famoso y conocido rey de Persia, hijo de Cambises y Mandana y auténtico forjador del imperio persa. Cuéntase que estando su madre Mandana embarazada de él, su abuelo materno, Astiages, rey de los medos, tuvo un sueño en el que veía una cepa salir del vientre de su hija y hacerse tan sumamente enorme que proporcionaba sombra a toda Asia. Consultados los adivinos sobre su significado, contestaron a Astiages que el niño que iba a nacer de Mandana llegaría a ser tan poderoso que lograría destronarlo. El rey medo, asustado, ordenó a Harpago, uno de sus ministros, que se deshiciera del infante en el mismo instante en el que se produjese su nacimiento. Harpago, llegado el momento, no se atrevió a cumplir el mandato de su señor. Tomó al niño y lo entregó a un pastor para que lo cuidase. Transcurrido el tiempo, el niño creció como un hijo más de la familia a la que había sido encomendado. En sus juegos siempre se reservaba el papel de rey, y un día, cuando uno de los niños que participaban en el juego se negó a cumplir sus órdenes, le propinó tan severo castigo que dio lugar a que su padre presentase una denuncia ante el rey Astiages. Conducido Ciro a presencia de éste, Astiages lo reconoció ante el gran parecido físico que tenía con su hija; perdonó su delito y lo recibió en palacio, donde vivió hasta completar su juventud (a estos hechos se hace referencia en los versos 998ab del *Alexandre).* No son suficientemente conocidos los hechos que antecedieron a su proclamación como rey. Según Herodoto, Ciro comenzó a promover una revuelta contra el predominio de los medos, llegó a un acuerdo con las diferentes tribus persas y se proclamó sátrapa independiente. Su abuelo Astiages salió en su persecución y se dispuso a şometerlo, pero Ciro lo venció e hizo prisionero. Durante el periodo de su mandato extendió considerablemente sus dominios, merced, fundamentalmente, a sus victorias sobre Hircarnia, Partia, Bactria, India, Armenia, Lidia y Babilonia (el verso 997b del *Alexandre* menciona este hecho), territorios que fueron anexionados a su imperio. Permitió a los judíos que efectuasen el regreso a su país (*Alexandre,* verso 997c). Las circunstancias de su muerte no han sido suficientemente aclaradas y sobre las mismas existen versiones divergentes. Así, según unos autores, el fallecimiento se produjo en el transcurso de una batalla; según otros, murió apaciblemente en su casa rodeado de su familia (el autor del *Ale-*

Cómo fue a escuso en los montes crïado,   998
e de quál guisa fue aducho a poblado;
pero quando en cabo todo fue delivrado,
óvolo en baïla una dueña matado.

Nunca en este mundo devrié omne fïar,   999
que sabe a sus cosas tan mal çaga dar,
sabe a sus amigos poner en grant lugar,
porque peor los pueda en cabo quebrantar.

---

xandre, en los versos 998cd, probablemente se está haciendo eco —siguiendo a
su fuente, el *Alexandreis* de Châtillon, que es la que menciona tal desenlace para
la vida del gran emperador [ed. cit., pág. 486, vv. 1113-1117 —1111-1115,
según la errónea numeración incluida por Migne—]— de una de las numerosas
leyendas que debieron circular por la época en torno a este hecho). Fue enterrado en Pasagarda. Su sepulcro fue saqueado por los macedonios cuando conquis-
taron esta ciudad, y restaurado por Alejandro.

 997d *Cresus.* Creso, hijo de Alyattes II, fue el último rey de Lidia. Sus riquezas y desgracias se han hecho proverbiales. Antes de suceder a su padre en el
trono había ocupado el cargo de gobernador de sus dominios. Durante su reinado aumentó la extensión territorial de sus posesiones mediante el sometimiento de los jonios, la conquista de Efeso y la subyugación de Asia Menor
hasta el río Halys. Vio con preocupación cómo el imperio persa, a las órdenes
de Ciro, comenzaba a expansionarse. Buscó la alianza de Egipto y Babilonia con
el fin de poder frenar el crecimiento de los persas. Animado por las palabras del
oráculo —que previamente había consultado—, dado que incluían la promesa
de destruir una gran nación si se atrevía a cruzar las márgenes del Halys, reunió
un ejército poderoso y presentó batalla a Ciro el Grande. Fue derrotado en
Timbrea y perseguido hasta la localidad de Sardes (a estos hechos se alude en el
Libro de Alexandre), en donde su caballería conoció el sabor de la derrota. Ciro
ordenó sitiar la plaza y logró conquistarla por completo. Creso fue hecho prisionero y condenado a morir en la hoguera. No obstante, no fue cumplida la sentencia, debido a que, según algunas versiones, Creso, en el momento en que un
soldado se disponía a prender la pira preparada para aquel fin, exclamó, recordando una conversación que hacía tiempo había mantenido con Solón sobre la
felicidad y en la que éste había defendido que sólo el hombre muerto es feliz:
«Solón, ¡cuánta razón tenías!»; y Ciro, intrigado por esa frase, deseó conocer las
causas por las que había sido pronunciada y la propia historia del reo, por lo que
le perdonó la vida. Conmovido el gran emperador por el relato de sus desgracias, nombró a Creso su consejero personal, puesto que conservó con Cambises,
hijo y sucesor de Ciro.

 999-1001 Nueva manifestación del tema del menosprecio del mundo, incluida con motivo de un episodio insertado en el relato, como en otras ocasiones. La diferencia reside aquí en el hecho de que nuestro autor no añade por sí
mismo este tipo de moralización, no es él, independientemente de su fuente, el
que toma la iniciativa. En el *Alexandreis* de Châtillon encuentra una reflexión

Ciro tan poderoso   en tierra e en mar   1000
dióle Dios grant ventura,   diól mucho a ganar;
pero tod su ganançia   nol pudo amparar,
óvolo una fembra   en cabo a matar.

Por ninguna riqueza   que pudiesse seer   1001
nunca devié nul omne   lo de Dios posponer,
ca qui rafez lo da,   rafez lo pued toller,
pierde a Dios en cabo   e todo el aver.

Ya se movién las hazes,   ívanse allegando,   1002
ivan los ballesteros   las saetas tirando,
ivan los cavalleros   las lanças abaxando
e ivan los cavallos   orejas aguzando.

Fueron de tal manera   mescladas las feridas   1003
que eran con los colpes   las trompas ensordidas;
bolavan las saetas   por el aire texidas,
al sol tollién la lumbre,   ¡assí ivan cosidas!

De piedras e de dardos   ivan grandes nuvadas,   1004
com si fuessen exambres   d' abejas ajuntadas;
tant' eran las feridas   firmes e afincadas
que eran de los cuernos   las bozes enfogadas.

---

personal de Gautier, que es la que le sugiere la posibilidad de aleccionar a sus lectores en estos momentos: «proh quanta patent ludibria sortie / humanae» (ed. cit., pág. 486, vv. 1110-1111, según la numeración incluida en esta impresión, pero hay que señalar que a partir del verso 1072 se ha producido un error en la misma que afecta a dos de ellos —el que figura con el número 1072 es en realidad el 1074—, por lo que el número auténtico de estos versos son el 1112-1113). Nuestro escritor se limita en este caso a modificar la naturaleza de la reflexión, a transformar su carácter o, más exactamente, su formulación concreta: de la meditación sobre la ironía de la suerte humana se pasa a la constatación de que nos hallamos ante un ejemplo más de la vanidad de las cosas del mundo, ante una muestra más de su falacia y caducidad. Mediante este cambio se consigue intensificar aún más ante el lector la validez de la idea general que subyace a toda la obra. Se pretende dar un punto de apoyo más a la teoría general que se desea transmitir.

Com sedié Alexandre   mano al coraçón,   1005
aguijó delantero,   abaxó el pendón;
más irado que rayo,   más bravo que león,
fue ferir do estava   el rey de Babilón.

Fendió todas las hazes   que fronteras estavan,   1006
parársele delante   ningunos non osavan;
firié entre los reys   que a Dario guardavan,
pocos y avié dellos   que d' él non se dubdavan.

Querié a todas guisas   a Dario allegar,   1007
ca non querié su lança   en otro enprimar;
desdeñava los otros,   non los querié catar,
ca toda la ganançia   yazié en es logar.

·En medio de la hazes,   abes era uviado,   1008
fevos un cavallero,   Areta fue llamado;
señor era de Siria,   escudo enbraçado
dióle a Alexandre   un buen colpe provado.

Firme se ovo 'l rey,   non dio por ello nada,   1009
tornó contra Areta,   firiólo su vegada;
metióle la cuchiella   por medio la corada,
echólo muerto frío   en medio la estrada.

Bozes dieron los griegos,   fueron del rey pagados,   1010
tenién que los avié   sobra bien enprimados,
fueron de la vitoria   muy bien asegurados,
com si en babilonia   fuessen apoderados.

Vassallos de Areta,   una haz de caldeos,   1011
por vengar su señor   fizieron sus aseos;
mas fueron luego prestos   Clitus e Tolomeus,
fiziéronlos foïr   con la ira de Deus.

Andavan estos ambos   entre los enemigos   1012
como unos leones   que andan desfanbridos:
los dientes regañados,   dando fieros bramidos,
bien les venía mientes   por qué eran venidos.

Y fizo Tolomeus   sin tiesta a Dodonta,   1013
Clitus a don Ardófilus,   prínçipe de grant conta;
mas esto a lo al   fascas nada non monta,
itant fazién en los medos   grant daño e grant onta!

Ardófilus e Clitus   tales colpes se dieron   1014
que ellos con sus cavallos   amortidos cayeron;
antuvióse primero   Clitus quand recudieron,
las nuevas de Ardófilus   todas y pereçieron.

Lo que Dario asmava   en medio lo çercar,   1015
non ovieron poder   dello bien acabar,
ca assí los supieron   los otros arredrar
que sól de acordarse   non ovieron vagar.

Tan mal fueron corridos   luego de la primera   1016
que sofrir non pudieron   jamás la delantera;
por mudar aventura   que suel seer vezera
fueron acometer   siniestra costanera.

Un vassallo de Dario,   omne de grant beldat,   1017
firme e esforçado,   de primera edat,
Maçeos lo dizién,   avié grant heredat,
dolava en los griegos   sines toda piedat.

1013a *Dodonta*. Dodonta en el manuscrito P —lectura corroborada por la rima—, pero *Dodanta* en el *Alexandreis* de Châtillon (ed. cit., pág. 487, v. 1164 —1165, real—).

1013b *Ardófilus*. Lectura que figura en ambos nanuscritos del *Alexandre*, pero diferente a la que ofrece el *Alexandreis* de Châtillon —*Antophilon*— en la edición de Migne (pág. 487, v. 1167 —1166 para Migne—), tal vez porque alguna otra versión de la obra de Gautier tuviera incluida esa variante.

1017c *Maçeos*. General persa muerto el año 328 a. de C. Fue gobernador de Cilicia y, cuando ocupaba ese cargo, permitió a Alejandro atravesar el desfiladero de las Taurópilas, único paso existente entre Cilicia y Capadocia, y el río Éufrates sin ofrecerle resistencia. No obstante, intervino destacadamente en la batalla de Arbelas. Tras la derrota sufrida por el ejército persa en este combate, se retiró a Babilonia, ciudad de la que hizo entrega a Alejandro cuando éste se presentó ante sus muros. El gran conquistador macedonio le nombró sátrapa de Babilonia —al igual que hizo con Abulites en Susa y Metrines en Armenia—, si bien con el fin de evitar que se produjere cualquier tipo de insurrección, puso a su lado a hombres macedonios que gozaban de su confianza.

Ovo y un infante   a Iolas a matar,   1018
—cavallero de preçio,   si l'oyestes contar—;
mas presto fue Filotas   por luego lo vengar,
ovieral mal judgado   sil podiés alcançar.

Alongóse Maçeos,   non lo pudo tomar,   1019
afrontóse con otro,   óvolo a matar;
prestóle a Maceos   que s' ovo alongar,
si non, por essa misma   oviera a passar.

Çercaron a Filotas   cavalleros ircanos,   1020
—unos omnes valientes   e de piedes livianos—;
cuidaron sines dubda   prendérselo a manos,
mas mal se y fallaron,   non fueron tan loçanos.

Teniénlo en grant cueita   e en grant estrechura,   1021
Filotas e los suyos   seyén en grant ardura,
della e della parte   seyén en grant pressura,
todos avién abondo   de la mala ventura.

Avié por día negro   Filotas enbïado,   1022
ca ellos eran muchos,   e él era cansado;
mas acorrió́l Parmenio   que lo avié en grado,
Craterus e Antígonus   con Çenus, su críado.

1018a *Iolas. Ayolos* en O. *Ayuelos* en P. *Iolas (Iollam* textualmente) en el *Ale-xandreis* de Gautier (ed. cit., pág. 487, v. 1181 —1180 en esta edición—).

1022d *Craterus.* Cfr. nota a 979d.

Antígonus. Cfr. nota a 318c.

Çenus. Coeno, hijo de Polemócrates y yermo de Parmenión. Fue general de Alejandro Magno, a quien acompañó durante su expedición contra Asia. Siempre se distinguió por su valor y lealtad al rey. Fue encargado de conducir desde Caria, lugar en el que se hallaba el grueso del ejército, a Macedonia a los soldados que estaban recién casados con el fin de permitirles que pasasen el invierno al lado de sus esposas; así como de llevar a estos mismos de regreso a Asia en la primavera posterior. Cumplida esta misión, se unió a las tropas de Alejandro en Gordium. Aquí le fue confiado a Coeno el mando de una parte importante del ejército. Al frente de ésta intervino valerosamente en el resto de los combates y en la campaña contra India. Al llegar a las riberas del río Hyphasis, aconsejó insistentemente a Alejandro que detuviese en esos límites la conquista, consejo que fue escuchado y llevado a la práctica. Coeno falleció de muerte natural durante el regreso que habían emprendido los macedonios hacia su lugar de ori-

Çenus mató a Midas,   dióle fiera lançada;   1023
Antígonus a Filax   diól mortal espadada;
Cráterus a Anfíloco   diól' una tal porrada
quel salién los meollos   e la sangre quajada.

Parmenio el caboso,   en duro punto nado,   1024
andava por la hazes   com' un león irado,
avié mucha cabeza   echada por el prado,
al que prender podié   non era su pagado.

Delivró a Ysanes,   un mortal cavallero;   1025
otro que dezién Dimus   diól' él por compañero;
Dimus venié de cuesta   e Ysanes façero,
mas entranbos ovieron   a ir por un sendero.

Aún por todos essos   non amansó la ravia: 1026
mató a Aguilón,   una cabeça sabia,
Elán con otro quinto   que era de Arabia,
mas en cabo por todo   priso mala ganançia.

Andava Euménides,   un de los doze pares,   1027
con derecho despecho   firiendo los quixares,
de cabeças de muertos   finchié los valladares,
non ixieron de Greçia   mejores dos pulgares.

Nicánor que tenié   la diestra costanera,   1028
a diestro e siniestro   vertié mala felera,
avié mucho buen omne   fecho sin calavera,
ívalos raleando   de estraña manera.

----

gen. Alejandro tuvo gran pesar por su muerte y organizó unos fabulosos funerales en su honor.

1023b *Filax*. Cfr. *Alexandreis*, ed. cit., pág. 487, vv. 1191 —1190 para
Migne— (se lee Phylax). En el manuscrito O del *Alexandre* figura *Feyax*, y
Feax en P.

1023c *Anfiloco*. *Filico* en P. *Ardofilo* en O. Pero *Amphilochum* en Châtillon
(*ibídem*, v. 1191 —1192 real—).

1026c *Elan*. *León* en el manuscrito O; *el uno*, en P. El *Alexandreis* (*ibídem*,
v. 1204 —1203 en Migne—) nos ayuda a restaurar esta lectura. Nelson corrige
Ylan (*op. cit*, pág. 388).

Dávanle a grant priessa   colpes en el escudo,   1029
—pedrisco sobre techo   non darié más menudo—,
mas estava 'l caboso   firme e perçebudo,
maguer fue grant la priessa   nunca moverlo pudo.

El infant don Eclimus,   cavallero cosido,   1030
de beldat e linaje,   de mañas bien complido,
por ferir a Nicánor   vino muy demetido,
mas fue arriedra parte   ricament referido.

Con la saña del colpe   dio Nicánor tornada,   1031
por el ojo siniestro   daval muy grant lançada;
tanto fue la ferida   cruda e enconada
que los perdió entrambos,   ¡Dios, qué mala mudada!

Un rey de los de Dario   que Nínive mandava,   1032
—qui nombrar lo querié   Negusar lo llamava—,
andava más ravioso   que una ossa brava,
a qual parte que iva   todo lo delivrava.

Firié a todas partes,   rebolvié bien el braço,   1033
el colpe de su mano   valié fascas d'un maço
el que prender podié   nol cubría pelmaço,
querrié que fuesse Dario   bien exido del plazo.

Mató tres ricos omnes,   uno mejor de otro,   1034
a Helim por los pechos,   Dorilus por el ombro,
fendiól' a don Ermógenes   la cruz con el escopro,
mas escorrió' en cabo   Filotas con mal logro.

---

otro quinto. Según Gautier *(ibídem),* el nombre de este personaje es *Cherapus* *(Arabemque Cherapum,* dice textualmente).

1030a *Eclimus.* En el manuscrito O figura *Ovidius;* en P, *Fiunus;* pero *Eclimus* en el *Alexandreis* de Châtillon *(ibídem,* pág. 488, v. 1214 —1213, en Migne—). Nelson enmienda *Equinus (op. cit.,* pág. 389).

1034b *Dorilus.* En ambos manuscritos del *Alexandre* se lee *Dolit,* pero en el *Alexandreis (ibídem,* pág. 483, v. 2228 —Migne, 2227—) figura *Dorilum.* Dado que la divergencia en este caso es mayor que la señalada en la nota al verso 1013b, y pese a que tal vez las versiones del *Alexandre* puedan ser debidas a la existencia de una variante que coincida con ellas de algún manuscrito de la obra de Gautier —aunque Migne nada de esto señala en sus notas—, prefiero efec-

Óvolo a veer   Filotas el caboso,   1035
endurar non lo pudo,   ca era corajoso.
«Señor» —diz—, «Tú me valas,   Padre, Rëy glorioso,
que pueda desmanchar   este dragón ravioso».

Aguijó contra él,   maguer era cansado,   1036
su espada en puño,   escudo enbraçado;
cuidól fender la tiesta,   mas era bien armado,
non pudo acabar   lo que tenié asmado.

Non lo priso en lleno,   óvol'a deslayar,   1037
contra 'l braço siniestro   óvolo a dexar,
alçólo Negusar   por el colpe redrar,
óvogel' al cativo   en medio a cortar.

Negusar fue en cueita,   querrié seer más muerto,   1038
ca va avié perdido   todo el medio cuerpo,
pero a don Filotas   fiziéral mal depuerto
si non fues por Amintas   que le tovo grant tuerto.

Ajobó con la diestra   una fiera plomada,   1039
—avrié y una bestia   carga desaguisada—;
cuidól dar a Filotas   una grant mollerada,
mas destorvóle antes   Amintas la colpada.

---

tuar un cambio, dado que el resultado obtenido con ello no daña en absoluto la
métrica del verso y que también es posible explicar la coincidencia de O y P por
la existencia de una hipotética variante —puesto que entre hipótesis en este
caso hemos de movernos— en el manuscrito, desconocido hoy, que se halla en
la base de las dos tradiciones que revierten sobre las copias de nuestro texto actualmente conservadas.

1038d   *Amintas*. Hijo de Andrónimo, fue el general macedonio al que le fue
encomendada la misión de tomar por asalto una fortaleza, situada en la cima de
un monte, y lograr su rendición cuando, en el transcurso de la campaña contra
Asia, las tropas de Alejandro Magno se encontraban en las riberas del río Hermo, cerca de la localidad de Sardes. Con posterioridad fue encargado de regresar a Macedonia con el fin de efectuar un reclutamiento de tropas que pudieran
ser útiles para servir como refuerzo a las que en Asia se estaban ocupando de
realizar la conquista. Tuvo una distinguida intervención en el sitio de Tiro. Su
valor y los grandes servicios que había prestado a su emperador le hicieron
acreedor del aprecio de éste. Falleció en Asia en el transcurso de uno de los
combates realizados para conquistar una ciudad.

Ant que oviés el braço,   al cuerpo deçendido,   1040
argudóse Filotas,   barón entremetido;
dióle un espadada   por l' otro cobdo mismo,
perdió el diestro braço   que l' avié remanido.

Negusar en sus pechos   firié con sus tucones,   1041
salié dellos la sangre   como por albollones,
sangrentavas las barvas,   la fruent' e los griñones,
querié e non podié   travar a los arzones.

Maguer que pora vida   non era aguisado,   1042
el su buen coraçón   non avié abaxado;
andava por las hazes   maldiziendo 'l pecado:
«Feridlos, cavalleros,   ca avedes rancado.»

Quand' otro destorvó,   non les podié buscar   1043
a un princip de Greçia   que solié bien lidiar,
echósele delante,   fízol' entrepeçar,
ovieron y entranbos   lüego a fincar.

Bien avié la fazienda   medio día durado,   1044
yazié mucho buen omne   muerto e desangrado,
los ríos de la sangre   fascas non avién vado,
non avié tan donzel   que non fuesse cansado.

La fada que quebranta   los filos de la vida   1045
non podié tener cuenta,   tajava su medida,
avié de cansedat   la memoria perdida,
la dueña en un día   non fue tan deservida.

1045-1046   Menciónanse en estas dos estrofas a las tres Parcas, llamadas
Moiras por los griegos, que constituían en la antigüedad clásica la personificación del destino que rige la vida de los hombres y que eran consideradas de carácter inflexible. Contra ellas ni los propios dioses podían luchar, debido a que,
si lo hacían, podían quebrar el orden universal. Eran tres: Atropo, Cloto y Laquesis. Todas regulaban el desarrollo de la vida del hombre desde su nacimiento
hasta el momento de morir. Se las representaba como hilanderas. La primera,
Atropo, se encargaba de formar el hilo de la vida; la segunda Cloto (mencionada o, más exactamente, aludida, junto con la anterior, en el verso 1046a del
Alexandre), lo enrollaba; la tercera, Laquesis (a la que se alude en el verso 1045a
de nuestro texto), se ocupaba de cortarlo en el momento en que la existencia

Las otras dos mayores   que ordenan los fados,   1046
tenién de cansedat   los ynojos plegados;
juraban todas tres   por los suyos socajos
que nunca vieran tantos   poderes ajuntados.

Todos, padres e fijos,   sobrinos e hermanos,   1047
todos avién un cuer   pora traer las manos;
morien de los de Greçia,   mas plus de los ircanos.
eran los valladores   todos tornados planos.

Todos y eran buenos,   Alexandre mejor,   1048
—com' en lo al en esso   semejava señor—;
tanto avié abierto   en la priessa mayor
que estava ya çerca   del otro emperador.

Oviérale a Dario   su razón rencurada,   1049
toda su derechura   oviera recabdada,
mas un fraire de Dario   quel yazié en çelada,
fízole grant estorvo,   mas él non ganó nada.

Dario en est comedio   en balde non estava,   1050
ninguno en el campo   más de cuer non lidiava;
nunca fazié tal colpe   que omne non matava,
demás ninguna vez   el colpe non errava.

Mas —como diz la letra,   e es verdat provada,   1051
que en la fin yaz todo,   el prez e la soldada—,
non le valió a Dario   todo su fecho nada,
ca Dios avié la cosa   cómo fues' ordenada.

Avié y un ric' omne   que era de Egipto,   1052
sabié todas las cosas   que yazen en escripto,

_____

había llegado a su fin. Las tres eran tenidas por hijas de Zeus y Temis, y hermanas de las Horas, si bien otras fuentes las convierten en hijas de la Noche, como
las Ceres, y, por ello, pertenecientes a la primera generación de los dioses. Véase
Grimal, *op. cit.*, pág. 364.)

1049c   *un fraire de Dario.* Oxatres (cfr. *Alexandreis,* ed. cit., página 488,
v. 1262 —en Migne, 1261—).

aviélo ante noche   en las estrellas visto
que l' avié a matar   cavallero greçisco.

Aviélo entendido,   ca sabié bien catar,   1053
que avié esse día   en la lit a finar,
por es querié al rey   Alexandre trobar,
ca querié, si pudiesse,   de su mano finar.

Zoroas avié nonbre,   e era bien letrado,   1054
avié de las siet' artes   escuela governado,
por en cavallería   era bueno provado,
por tales dos bondades   avié preçio doblado.

Zoroas fincó ojo   do andava el rey,   1055
faziendo lo que fazen   los lobos entre grey;
fuelo a conjurar   por Dios e por la ley
que quissiesse su lança   emplearla en él.

Maravillós' el rey,   fue fuerte espantado;   1056
díxole: «Eres loco   o miembro de pecado,
serié mi preçio todo   aquí menoscabado
si yo contra 'l vençido   fuesse tan denodado.

»Mas ruégote quem digas,   por la lëy que tienes,   1057
de quáles tierras eres,   de quál linaje vienes,
ca tú eres sin seso   o engañarme quieres,
o por alguna guisa   cosa nueva entiendes.»

Zoroas le respuso: «Dezirt' e la verdat: 1058
en Egipto fui nado   e vin' a tal edat,
end' ove los parientes   e he grant heredat,
allí apris sapiençia   a muy grant plenedat.

»Sé bien todas las artes   que son de clerezía,   1059
sé mejor que tod' omne   ᾿ toda estremonía,

1054a   *Zoroas*. En O, *Glozeas*. En P, *Soreas*. *Zoroas* en el *Alexandreis* de Châtillon (ed. cit., pág. 489, v. 2273 —Migne, 2272—).

cómo lauda a Dios   la santa armonía,
de entender leyenda   sól fablar non querría.

»Yazen todos los sesos   en esta arca mía,   1060
y fizieron las artes   toda su cofradía;
demás con todo esto   por en cavallería
non conosco a omne   naçido mejoría.

»Conoçílo anoche   por mi sabiduría   1061
quem sacarién el alma   oy en aqueste día;
sepas bien por verdat   que por ende querría
morir de la tu mano,   gradeçertelo ía.»

«Serié» —dixo el rey—,   «cosa desaguisada,   1062
tirarles a las artes   tan preçiosa posada;
non lo querrién los dios   que esta mi espada
en tan santa cabeça   fuesse ensangrentada».

Quand' entendió Zoroas   que nol podié mover,   1063
començóle un dicho   malo a retraer:
díxol que non devié   rëy nunca seer,
ca era fornezino   e de rafez aver.

Por amor de moverlo   todavía en saña,   1064
retróxole que era   fijo de mala nana,
que mató a su padre   ascuso en la montaña,
que nunca ombre fizo   atan mala fazaña.

El rey con todo esto   non quiso recodir,   1065
ca veyé que andava   cuitado por morir;
sorrendó su cavallo   començóse de ir,
en la punta de Dario   compeçó de ferir.

1059c *la santa armonía.* La armonía del universo, que surge del perfecto
equilibrio, y correspondencias mutuas, existente, en la mentalidad medieval, entre las diversas partes integradas en la creación divina, tal y como explicábamos
en la «Introducción».
1063d-1064 Hace referencia a la leyenda del posible nacimiento del Alejandro como hijo de Nectanebo, relatada en las estrofas 19-20.
1064 Estrofa no recogida en el manuscrito P.

El fol de su porfidia   non se quiso toller,   1066
fue pora Alexandre   a todo su poder;
do suele la loriga   con la calça prender,
dióle atal ferida   quel fizo contorçer.

El rëy fue de colpe   de Zoroas llagado   1667
de muy mala llaga,   onde fue embargado;
pero nol tornó mano,   itanto fue mesurado!,
mas escusólo otro   que lo livró privado.

Meleager fue presto,   dióle por el costado,   1068
fue luego abatido   el loco endiablado,
fue luego fecho pieças,   en las lanças alçado,
—qui a rëy firiere   non prenda mejor grado—.

Ya fincava la priessa   sobre Dario señero,   1069
era desamparado   de tanto buen braçero,
veyés' en grant porfaço,   ca tenié fuert guerrero,
veyé el mal por ojo   en medio del tablero.

Los unos veyé muertos   e los otros perdidos,   1070
en los que más fiava   todos eran caídos,
veyése fascas solo   entre los enemigos.
«Mesquinos» —dizié—, «fuemos   en mal punto naçidos.»

1068a *Meleager*. Meleagro, general macedonio y uno de los lugartenientes principales de Alejandro Magno. Intervino en la campaña contra Asia, dando pruebas evidentes de su valor. Pese a ello, su carácter excesivamente disciplinado le impidió que lograse alcanzar mejores puestos dentro de su carrera. Muerto Alejandro, fue un esforzado defensor de la candidatura del hijo que Roxana esperaba del gran conquistador, a la sucesión en el trono, en contra de las ideas opuestas de Pérdicas, quien abogaba por los derechos de Filipo Arrideo, hermano bastardo del entonces difunto héroe macedonio. Como consecuencia de su postura fue elegido líder de la facción contraria a Pérdicas. Con posterioridad pareció cambiar algo de opinión y en parte apoyar la candidatura de Arrideo. Estando en estos términos la situación, Eumenes pudo ofrecer la solución al conflicto y conciliar las dos posturas aparentemente antagónicas. Propuso que ambos candidatos fuesen designados para el puesto en litigio y se diese la regencia a Meleagro y Pérdicas a la vez. Aceptada esta salida, Pérdicas no desistió de sus deseos de poder. Persiguió a Meleagro, quien tuvo que escapar, lo apresó y lo mandó estrangular en el interior de un templo en el que se había refugiado.

1069d *en medio del tablero*. Comparación del combate con el juego del ajedrez. El tablero es el campo de batalla.

Non sabié ques fiziesse,   itant' era desarrado!,   1071
si muriés o fuyesse,   todo l' era pesado;
su regno avié perdido,   su pueblo estragado.
«Mesquino» —dizié—, «fui   en duro punto nado».

Seyé en este dubdo   el buen emperador: 1072
el morir era malo   e el fuïr peor;
asmava de los males   quál sería mejor,
mas qual siquiere dellos   le fazié mal sabor.

Mientre que él asmava   qué farié o qué non,   1073
Pérdicas, de los doze,   acabado varón,
remetió una lança   tan grant com' un timón,
diole en las çervizes   çerca del cabeçón.

Dario fue desbalçado,   non lo pudo sofrir,   1074
desamparó el campo,   començó de füir,
apeós' el buen omne   por mejor s' encobrir.
porque non lo pudiessen   los griegos perçebir.

Uno de sus vassallos   quel dizíen Ausón,   1075
tóvoslo su ventura   pora buena sazón,
diole el su cavallo,   —idél Dios buen gualardón!—,
passóse a Eufrates,   fues pora Babilón.

Quando lo entendieron   los que avién fincado,   1076
que avía el campo   Dario desamparado,
cayeronsles los braços,   fueron cuestas tornando,
onraron a los griegos   a todo su mal grado.

Tornaron las espaldas,   diéronse a guarir;   1077
los otros en pues ellos   sabiénles bien seguir;
los que podién lidiando   honradament morir
murieron en mal preçio   por amor de bevir.

Ivan dellos e dellos   el más peor asmando,   1078
ívanseles los cueres   con el miedo camiando,

1078 Esta estrofa en el manuscrito O figura situada entre 1068 y 1069, en

sintiélo Alexandre,   fuelos más acuitando,
fueron a las espaldas   los escudos echando.

   Quand' ovo Alexandre   la fazienda rancada,   1079
e fueron encalçados   Dario con su mesnada,
mandó toller las armas   a la su gent lazrada,
e coger la ganançia   que Dios les avié dada.

   Cargaron a su guisa   quanto nunca quisieron,   1080
más averes trobaron   que a Dios nunca pidieron;
maletas e perçintos,   quantos sacos ovieron
assí fueron calcados   que más ya non pudieron.

   Quando fue lo del campo   todo bien abarrido,   1081
tornaron en las dueñas,   un pueblo desmedrido;
fueron luego robadas   de todo su vestido
e de quantos adobos   en sí avién traído.

   Quando de sus adobos   fueron despoderadas,   1082
prisieron peor onta: fueron todas forçadas;
por tal passaron todas,   por casar e casadas,
mas non fue a su grado   por do non son culpadas.

   La compaña de Dario,   la muger e la madre,   1083
el fijo e las fijas,   guardólas Alexandre;
non las honrarié más   si él fuesse su padre;
¡bien aya qui a Dario   fuele leal cofrade!

   Supiera Alexandre   por barrunte çertera   1084
cóm tornó sus tesoros   Dario de la carrera:

---

contra de la sucesión de los hechos relatados que se establece en el *Alexandreis*
de Châtillon, fuente, como en otras ocasiones, utilizada para este pasaje (ed. cit.,
pág. 490, vv. 1318 y ss.).

1080   En el manuscrito O no ha sido copiada esta estrofa.

1082d   Nuestro autor, constantemente atento a las cuestiones que entran
dentro del campo de la moral —su condición de clérigo *(vid.* «Introducción»)
también aquí queda bien patente—, se encarga mediante este verso, de «adoctrinar» una vez más a sus lectores, de esclarecerles un punto del relato que podría
crearles dudas sobre la situación interna, «de limpieza de alma», en la que se hallan en esos momentos los personajes que sufren y protagonizan los hechos.

fincaron en Damasco   —cosa fue verdadera—,
fue Parmenio por ellos,   una lança señera.

El señor de Damasco   asmó grant malvestat: 1085
asmó con Alexandre   de poner amistat,
bastió a traïçión   de omeś la çibdat,
mas él non ganó calças   en essa falsedat.

Quand sintieron los pueblos   que eran engañados,   1086
más quisieron morir   que non seer rebtados;
mataron al perfecto   que aviélos sossacados,
lidiaron con Parmenio,   fueron desbaratados.

Más plazío a Dario   la muerte del traidor   1087
que nol pesó la pérdida   nin la su desonor;
contra la otra cueita   fuel' esto grant sabor,
rindió con alegría   graçias al Crïador.

Dixo: «¡Ay, Dios, bendito   seas Tú e laudado!;   1088
aún de ti non me tengo   yo por desamparado,
téngome desto solo,   Señor, por tu pagado,
quando del traïdor   me has tan bien vengado.

»Aún en pues aquesto   mayor merçet espero,   1089
—que merçed me farás   veo signo çertero—;
desque me has vengado   del mi falso guerrero,
quequiere que me venga   non darié un dinero.»

Quand' ovo Alexandre   los averes donados,   1090
los septenarios fechos,   los clamores passados,

1084c *Damasco.* Como es obvio, se trata de la famosa ciudad oriental por
todos conocida, existente en la actualidad y una de las más antiguas del mundo.
Es ya mencionada en los primeros libros de la *Biblia.* Mantuvo guerras constantes, desde la época de Salomón, con los reyes de Israel. En lo que a las relaciones que existieron entre ella y Alejandro se refiere, tal y como afirma nuestro
texto fueron llevados a ella los tesoros de Darío antes de la batalla de Isso, y la
ciudad se entregó en manos de Parmenión, traicionando así la fidelidad que debía al emperador persa, cuando las tropas del héroe macedonio derrotaron a
este último en el combate que acabamos de mencionar.

1085d *non ganó calças.* No recibió recompensa.

mandó mover sus pueblos   de lazerio usados,
por çercar a Sidón   que fuessen bien guisados.

Com' eran encarnados,   non dubdavan morir;   1091
pensaron a porfidia   en los muros sobir;
non tanto se pudieron   los otros referir,
oviéronla por fuerça   estonç' a conquerir.

Quando Sidón fue presa,   fueron Tiro çercar,   1092
çibdat de grant fazienda,   que tenié fuert lugar,
bien más de las tres partes   çercávala la mar,
nunca fue quien por fuerça   la pudiesse ganar.

Enbïó Alexandre   si se la querién dar;   1093
dixeron ellos «non»,   ca serié mal estar;
plaçiól a Alexandre   e fuela a lidiar,
pensáronse de mientre   ellos de s'aguisar.

1090d *Sidón*. Ciudad fenicia situada en la costa mediterránea. Estaba provista de dos puertos, lo que la hacía especialmente apta para el desarrollo del comercio marítimo. Históricamente sus destinos estuvieron bastante ligados a los de Tiro, y existió siempre una alternancia de predominio entre una y otra ciudad. En un primer momento Tiro gozaba de mayor importancia, se hallaba más desarrollada en todos los órdenes que Sidón. Tras la invasión de los asirios y los babilonios, Tiro fue cediendo su principalía a los habitantes de esta ciudad. Como consecuencia de una sublevación que se produjo en contra de los babilonios, Sidón fue destruida, si bien volvió a ser reconstruida y comenzó de nuevo su renacer. Al ser ocupada por los persas, le fueron restituidos sus antiguos privilegios. La ciudad, pese a ello, se levantó contra el mando de Artajerjes y, una vez más, tuvo que padecer una nueva destrucción, tras la cual volvió a ser reedificada. En la época de la dominación macedónica se entregó, sin ofrecer resistencia, a manos del emperador, quien nombró un rey-vasallo para que se encargase de su gobierno. Muerto Alejandro, pasó sucesivamente a manos de Siria y Egipto, hasta que fue anexionada al Imperio Romano.

1092a *Tiro*. Célebre ciudad de Fenicia, cuyos orígenes se remontan a épocas muy remotas, pero no han sido determinados con claridad. Al igual que el resto de Fenicia, fue incorporada por los persas al imperio, si bien estos dominadores nunca mantuvieron en ella ningún tipo de guarnición militar. Estaba asentada en una isla, por lo que gozaba de una magnífica posición estratégica. En esta característica pusieron sus habitantes toda su confianza cuando se negaron a someterse al poder de Alejandro, aunque con anterioridad habían enviado regalos al héroe macedonio. Alejandro no se quedó inmóvil ante esta postura. Mandó construir un dique que unió la isla a la costa y a través de él hizo pasar a

Bastieron bien los muros,   çerraron los portiellos,   1094
mandaron fer apriessa   saetas e quadriellos,
lanças e segurones,   espadas e cuchiellos,
perpuntos e lorigas,   escudos e capiellos.

Partieron los lugares   a medidas contadas,   1095
bastieron bien las torres   de firmes algarradas,
metieron y conducho,   más de çien mill carradas,
eran, si Dios quisiesse,   gentes bien adobadas.

Quando vio Alexandre   que en esso andavan,   1096
dixo que los de Tiro   grant serviçio le davan,
ca ellos todavía   mayor preçio sacavan
quando por pura fuerça   lo ageno ganavan.

La çibdat fue çercada,   nol dieron nul vagar,   1097
fue luego conbatida   por tierra e por mar,
sabiénles de saetas   tan fiera priessa dar
que sól non les dexavan   la cabeça rascar.

Érales Alexandre   fiera guisa irado,   1098
ca avién ellos fecho   un grant desaguisado:
los entremedïanos   aviéngelos matado,
que entraron en treguas   e ellos con mandado.

Ivan los mandaderos   por la paz assentar,   1099
ovieron los de Tiro   la traiçión a asmar,
por sus graves pecados   ovieron a çegar,
mataron a los omes   que los querién salvar.

End' era Alexandre   e todos sus varones   1100
en contra los de Tiro   sañosos e fellones;
ende juraron todos   por los suyos griñones
que pornién en ella   todos sendos tiçones.

---

sus tropas para que dominasen la ciudad, objetivo que se cumplió en su totalidad. En la época helenística fue alternativamente ocupada por los seleúcidas y
los tolomeos. Pompeyo la incorporó al Imperio Romano con posterioridad.

Por agua e por tierra   los fueron combatiendo,   1101
fueron el miedo todos   con la saña perdiendo,
los de Tiro e todos   fuéronse ençendiendo,
fues redor de la villa   la rebuelta faziendo.

Bien sabién los de Tiro   que si fuessen vençidos,   1102
serién grandes e chicos   a espada metidos;
querién morir lidiando   más que seer rendidos,
ya ivan conoçiendo   que fueron deçebidos.

Fuéranse los de Tiro   por leales provados   1103
si los entremedianos   non oviessen matados;
mas fueron en aquesto   duramente errados,
mientre dure el mundo   siempre serán rebtados.

Alexandre, que nunca   perdonó a traidores,   1104
mandólos conbatir   a los enbaïdores;
dióles tan fiera priessa   de lit a los señores,
quantos pelos avién   vertién tantos sudores.

Della e della parte   batién las argarradas,   1105
artes de muchas guisas   que avién sossacadas,
bolavan las saetas   en venino tempradas,
de piedras e de dardos   vinién grandes nuvadas.

Con los almañaneques   davan grandes colpadas   1106
que avién de las torres   las demás aplanadas,
mas las gentes de Tiro   eran tan denodadas
que tenién las de fuera   de la villa redradas.

El rëy Alexandre   allegó su conçejo;   1107
díxoles: «Ya, varones,   caemos en trebejo,
perdemos nuestros días   en un mal castillejo,
mester ha que busquemos   otro mejor consejo.

»Si assí nos estorçieren   estos esta vegada,   1108
quantos esto supieren   por nos non darán nada;

1103a *Fueran.* Enmienda de Nelson (*op. cit.,* pág. 405). En P, *Ovieranse.*
En O, *Fueron.*

la nuestra buena fama   que ya es levantada
a nada e a vilta   seriá luego tornada.

»Mas quiero que fagamos   todos un paramiento: 1109
acostémosnos todos,   demos atendimiento,
vayámoslos ferir   todos de buen taliento;
faremos que las menas   egualen el çimiento.

»Démosles todos priessa,   quisquier por su lugar,   1110
de noche nin de día   non les demos vagar,
non dexen por los muertos   los bivos de lidiar,
por cansedat derecha   se nos avrán a dar.»

Non lo dixo a sordos,   fuéronlos conbater,   1111
por mar e por terreno   a müy grant poder;
porque veyén los unos   a los otros caer,
por esso non dexavan   su camino tener.

Todos, altos o baxos,   lidiavan bien de veras,   1112
a mía sobre tuya   ponién las escaleras,
trayén descalavradas   muchos las calaveras,
el rëy todavía   tomava las primeras.

Que mucho vos digamos,   todo aquí s' ençierra: 1113
el denodeo de Tiro   fue aína en tierra,
que les avién tomado   los de fuera la sierra,
ívanles demostrando   ricamente la yerra.

Los thesoros de Tiro   fueron bien abarridos,   1114
fueron chicos e grandes   a espada metidos,
degollaron las madres,   sí fizieron los fijos,
encara los que eran   en es día naçidos.

Por tal passaron todos   e tal muerte prisieron,   1115
fuera si en los templos   algunos se metieron;

1112d *las primeras*. Las primeras heridas *(vid.* nota a 980d).
1115b Alusión al derecho de asilo que tenía la Iglesia en la época medieval,
según el cual nadie podía ser prendido por la autoridad civil si se refugiaba en

si malos fueron ellos   tan mala fin tovieron,
—por fe, a mí nom pesa,   ca bien lo mereçieron.

Desque fue de los omnes   la villa tod' ermada,   1116
ençendieron las casas,   fue aína quemada;
tornaron en la çerca,   fue toda derrocada,
fue la çibdat de Tiro   por suelo allanada.

Siempre devién tal çaga   prender los traïdores,   1117
non devién escapar   por nullos fíadores,
ca nin guardan amigos   nin escusan señores;
mala fin prendan ellos   e sus atenedores.

Assí fue detroída   Tiro la muy preçiada,   1118
la que ovo Agénor   a gran missión poblada;
mas en tiempo de Christo   fue después restaurada,
a las otras çibdades   fue por cabeça dada.

El buen rëy Hiram,   de esta Tiro era,   1119
el que a Salamón   enbïó la madera
quando fazié el templo,   rico de grant manera;
e de y fue Martol,   una bestia ligera.

---

un templo, solicitaba protección y se ponía bajo el amparo de esa institución. Se constata el respeto que los griegos sentían por esa costumbre, con lo cual se ayuda a su ensalzamiento al dejar patente otra de sus cualidades positivas. El derecho de asilo (evidentemente no llamado así) existía —con variaciones— ya en la antigüedad clásica, pero nuestro autor, como en otra ocaisones, medievaliza los contenidos y traslada el mundo antiguo al ambiente que era propio de su época.

1117   Véase nota a la estrofa 186.

1118b   *Agénor.* Descendiente de Zeus, hijo de Libia y Poseidón y hermano de Belo, que reinó en Egipto, fue rey de Tiro y Sidón, y estuvo establecido en Siria. Se caso con Telefasa, con la que tuvo varios hijos: Europa, Cadmo, Fénix y Cílix. Al ser raptada Europa, su hija, por Zeus que había tomado figura de toro, Agenor ordenó a sus hijos que fuesen a buscarla y que no se atreviesen a regresar sin haber dado con ella. Trataron estos de cumplir con el encargo de su padre, pero, cuando vieron que la búsqueda se prolongaba sin que obtuviesen resultados positivos, se dedicaron a fundar una serie de ciudades en las que se fueron estableciendo (en Cilicia, Tebas, Tasos, Tracia). (Cfr. Grimal, *op. cit.,* página 17.)

1119abc   Cfr. *1 Reyes,* 5 *(Biblia,* ed. cit., págs. 395-396).

Çerca era de Tiro,   en essa vezindat,   1120
Gaza era su nombre,   una rica çibdat,
de seso e de obra   e de toda bondat
era villa complida   e de grant plenedat.

Non le membró de Tiro   nin del su emperant   1121
cómo ante los griegos   fuera tan malandant;
cogió un mal enojo   ond fue después pesant,
dizié que a los griegos   nos les toldrié delant.

Cuidáronse por fuerça   la cibdat defender,   1122
plaziól' a Alexandre   fuelos a combater;
maguer de todas partes   era grant el poder,
los unos e los otros   avién pro que veer.

Bien querién los de fuera   a las menas sobir,   1123
mas sabiénlos los otros   ricament referir;
avién en es comedio   grant priessa de morir,
abes uviavan Átropos   los filos desordir.

Vino en est comedio   un omne endiablado,   1124
en guis de peregrino   todo muy demudado,
aviénlo los de dentro   asmo que enbïado,
oviera Alexandre   si por pocas matado.

Trayé yus el vestido   cubierta la espada,   1125
açercóse al rey,   cuidól dar grant golpada,
mas enflaquiól la mano,   que non fue bien osada,
errólo, que non era   la ora uvïada.

1120b *Gaza.* Ciudad que se hallaba encuadrada en la Pentápolis de los filisteos. Fue tomada por el rey egipcio Tutmosis en el siglo XIV a. de C. En ella se desarrollaron los famosos hechos de Sansón narrados en la *Biblia* en el libro de los *Jueces.* En el siglo VI a. de C., el rey de Egipto Nec la destruyó, si bien fue reedificada con posterioridad. Tras cuatro meses de asedio, cayó en manos de Alejandro Magno. Cerca de su emplazamiento Demetrio Poliorcetes fue derrotado por las tropas de las que iba al mando Tolomeo Lagos, con lo cual la ciudad fue anexionada al reino de Egipto. En el siglo I a. de C. fue objeto de una nueva destrucción, tras lo cual fue reconstruida por Labinio, un romano. Octaviano la entregó a Herodes, quien ejerció su dominio sobre ella hasta el mo-

Non lo querién los fados   que muriesse colpado,   1126
que otra guisa era   de los dios ordenado;
ya era el venino   fecho e destemprado,
que l'avié de sus omnes   a seer escançiado.

Fue preso el mal omne,   ovo a manifestar   1127
cómo era venido   pora 'l rëy matar;
mandól la mano diestra   Alexandre cortar,
e non si non por quanto   nol pudo açertar.

El rëy contra Gaza   fue fierament' irado,   1128
pora lidiar la villa   fue muy más denodado;
querríales entrar   en la villa sin grado,
mas retovos' un poco,   ca fue muy mal colpado.

Diéronle en el onbro   una grant venablada,   1129
diéronle en la pierna   una fiera pedrada;
quedós' un poquillejo,   mas non les valió nada,
fueron ellos vençidos   e la villa tomada.

Sojornaron en Gaza,   ca eran muy cansados;   1130
fue el rëy guarido,   los otros esforçados;
como de tod' en todo   eran a guerra dados,
fueron fer su mester   en que eran usados.

El rëy Alexandre   e toda su mesnea,   1131
desque prisieron Gaza,   fueron pora Judea;
fueron mal espantadas   tierras de Galilea,
ca tenién que avién   a sovar la correa.

_____

mento de su muerte. Acaecido este suceso, fue incorporada a la provincia romana de Siria.

1126   Nuevo adelanto de sucesos que van a ser narrados con posterioridad, incluido con el fin de producir una expectación en el lector y mantener su interés por el relato.

1131-1163   La historia de las relaciones entre Alejandro Magno y Jerusalem ha sido estudiada en su vertiente diacrónica por M.ª Rosa Lida en su artículo «Alejandro en Jerusalem» *(RPh.,* X, 1957, págs. 185-196). En él busca los orígenes de la leyenda —una noticia recogida por el historiador Josefo—, y traza su posterior transmisión hasta llegar a nuestro *Libro de Alexandre,* a la vez

El rëy de los griegos,   tan cosido barón,   1132
oyó cómo tenién   la lëy del Criador;
enbïóles dezir   en paz e en amor
que catassen a él   por su emperador.

Pora Iherusalem   enbïó su notario,   1133
que le diessen la renta   que solién dar a Dario,
demás, qui contra esto   le viniesse contrario,
darl' ye mala fiesta   e peor ochavario.

Jadus que de la ley   era el mayoral,   1134
respuso que con Dario   avién puesta señal;
si a otro la diessen,   que les pareçrié mal,
e por ninguna guisa   él non demandás' al.

El rëy fue irado   e mandó cavalgar,   1135
mandó luego que fuessen   Iherusalem çercar,
que quando querién ellos   en esso se parar,
él les demostrarié   a quién lo devién dar.

Quando entendió Jadus   e toda la çibdat   1136
que vinié Alexandre,   pesól de voluntat;
fizieron rogaçiones   por toda santidat,
que les fiziesse Dios   alguna pïedat.

Vínol' en visión   a Jadus do durmié   1137
que, quando Alexandre   supiesse que vinié,
ixiesse contra él,   quál la misa dizié,
e pornié su fazienda   tan bien como querrié.

Otro día mañana,   hevos los apellidos   1138
que era Alexandre   con los griegos venidos,
e vinién a la villa   irados e guarnidos;
ya dizié el aljama: «Somos mal confondidos.»

---

que menciona otras obras de épocas próximas a él en las que el relato también
hace su aparición *(General Estoria, El Victorial* de Gamés...), e indica cómo se
produce el tránsito del asunto hasta el Renacimiento y el Barroco —lo toman
directamente de Josefo, no a través de versiones medievales—, época esta última en la que es nuevamente abordado por autores como Lope de Vega.

Vistióse el obispo   de la ropa sagrada,   1139
puso en su cabeça   una mitra preçiada,
en la fruent' una carta   que era bien ditada,
que de nombres de Dios   era toda cargada.

Fizo aparejar   toda la clerezía,   1140
los livros de la ley   aver por mejoría;
fueron a Alexandre   reçebir a la vía,
—nunca mejor consejo   prisieron en un día—.

Cubrieron las carreras   de rosas e de flores,   1141
que pareçién fermosas,   davan buenas olores;
todos llevavan ramos   —los moçuelos, menores—,
querrién a Alexandre   darle grandes onores.

Quando vio Alexandre   tan noble proçessión,   1142
membról por aventura   d'una antigua visión;
fizo ant' el obispo   su gynojo flecçión,
postrado sobre tierra   fizo grant oración.

Mandó fincar de fuera   todas sus criazones,   1143
entró él en la villa,   fizo sus estaçiones,
como la ley mandava,   ufrió sus oblaçiones,
confirmóles su ley   e todas sus acçiones.

Soltóles de tributos   e de todas las pechas,   1144
mandóles que toviessen   su lëy a derechas,
mandó todas sus gentes   que tornasen erechas,
ca avié por jamás   con ellos pazes fechas.

Leyó en Danïel   en una profeçía,   1145
que tornarié un griego   Asia en monarchía;
plaziól' a Alexandre,   ovo gran alegría,
dizo: «Yo seré esse,   por la cabeça mía.»

Entró un grant escándalo   entre la su mesnada;   1146
que fiziera el rey   cosa desaguisada,

_____

1145a   *Daniel, en una profecía. Daniel,* 11, 2-3 *(Biblia,* ed. cit., página 1082).

a toda su nobleza   avié menoscabada,
ond se tenié su corte   mucho por desonrada.

    Parmenio el caboso   non lo pudo sofrir,   1147
acostóse al rey   e fuégelo dezir;
llamó el rey a todos   quel viniessen oïr,
que a esta pregunta   les querié recodir.

    «Quando el rey Philipo,   mi padre, fue passado,   1148
e fue el traïdor   Pausona enforcado,
estava, com sabedes,   el regno mal parado;
yo, como era nuevo,   estava desmayado.

    »Estava en mi cámara   en mi lecho yaziendo,   1149
de las cosas del regno   yazía comidiendo;
fue con la grant anxía   el sueño trasponiendo,
yazía en grant cueita,   grant lazerio sufriendo.

    »Era la noche lóbrega   e la casa obscura,   1150
corrién de mí sudores,   ca era en ardura;
semejava la cócedra   que era tabla dura,
ca yaz quien ave cueita   siempre en estrechura.

    »Mientre que yo estava   en este pensamiento,   1151
movióse un relampo   e levantós' un viento;
descuñó las finiestas   com' omne de sin tiento,
yo espantém' un poco   com' omne soñoliento.

    »Levanté la cabeça,   ca fui mal espantado,   1152
paréme sobre 'l cobdo,   que estava pesado,
vi el palaçio todo   fierament alunbrado,
como si fues grant día,   el sol escalentado.

    »Paróseme de suso   un omne revestido,   1153
porque omne lo llamo,   téngome por fallido,

1148ab   *Vid.* estrofas 169-186.
1152bcd   Versos no recogidos en el manuscrito O.

creo que era ángel   del çielo deçendido,
ca non avié tal cara   ningunt omne naçido.

»Obispo semejava   en toda su figura,   1154
en mitra, en çapatas,   e en su vestidura;
vistié una dalmática   toda de seda pura,
cubriél todos los pies,   itant' avié grant largura!

»Tenié quatro caractas   en la fruent debuxadas,   1155
de obscura materia,   obscurament dictadas;
non las sope leer,   ca eran muy çerradas,
de oro fino eran,   semejavan sagradas.

»Quando vi tal nobleza,   persona tan honrada,   1156
fuile yo preguntar,   non quiso dezir nada,
quí era o dont viene   o do era su andada,
acuçióse él ante,   dixo esta bocada:

»"Entiende, Alexandre,   que te quiero fablar;   1157
salte de Eüropa,   vete a ultramar,
avrás todos los regnos   del mundo a ganar,
nunca fallarás omne   quet pueda contrastar.

»"Quiérote todavía   mostrar una cordura: 1158
quando vieres a omne   que trae mi figura,
dale grant reverençia,   mostral toda mesura,
irá siempre pujando   la tu buena ventura."

»Quand' ovo dicho esto,   començós' a desfer,   1159
ixióme de los ojos,   non lo pude veer;
tornós la casa lóbrega   qual solía seer,
podrié un omne muerto   del olor guareçer.

»Essa misma figura,   esse mismo vestido,   1160
que en es' omne santo   ove estonz veído,
en est' obispo l' he   verament conoçido,
porque non me devedes   tener por falleçido.

1160-1161 En el manuscrito O estas dos estrofas aparecen pospuestas
a 1162.

»Yo a est non adoro   nin cato por señor,   1161
mas sola su figura   adoro al Criador,
al que me prometió   de ferm' emperador,
que es rey e obispo,   e abat e prior.

»Bien sepades, amigos,   que aquel mandadero   1162
mensaje fue de Dios   por fer a mí çertero;
a mí Esse me guía,   non otro agorero,
vos lo veredes todos   que será verdadero.»

Entendieron ya todos   que fizo aguisado,   1163
fueron bien fiuzantes   de ganar el regnado,
vieron en tod' en todo   que era bien guisado,
que non fue maravilla   si Dario fue rancado.

Desent fue a Samaria,   fue luego reçebido,   1164
pidiéronle los pueblos   un general pedido:
que les diesse tal fuero,   todo tan bien complido,
qual en Iherusalem   avié estableçido.

Demandó de su vida,   sopo çertenidat   1165
que les dizién ebreos,   ca assí fue verdat;
díxoles: «Yo, amigos,   tamaña enguedat
a los judíos solos   la di por heredat.»

Puso en buen recabdo   lo que avié ganado,   1166
entró para Egipto   como rayo irado;
el rëy fue de seso,   el pueblo acordado,
reçibiéronlo luego,   juraron su mandado.

Sobjudgada Egipto   en toda su grandía   1167
con muchas otras tierras   que dezir non sabría,
el rëy Alexandre,   señor de grant valía,
entról' en voluntad   de ir en romería.

Priso su esportilla   e priso su bordón,   1168
pensó por ir a Libia   a la siet de Amón,

1167-1168ab Estos versos fueron copiados también por Francisco de Bivar en su obra.

—do Júpiter a Bacus   ovo dado grant don—,
por dar y su ofrenda   e fer su oración.

Marras quand' ovo Bacus   a India sobjudgada,   1169
escaeçió en Libia   con toda su mesnada;
avié por unos yermos   fecha muy grant andada,
era toda la hueste   de sed mal acuitada.

La tierra era seca   de fuentes muy mañera,   1170
non podién aver agua   por ninguna manera,
rogó Bacus a Júpiter   que les diesse carrera,
por do oviessen agua   que menester les era.

Pareçió yus un árbol,   çerca d' una costana,   1171
un cabrón todo blanco,   bien cubierto de lana,
firié con el pie diestro   sobre la tierra llana,
asmaron que podrié   allí aver fontana.

Mandó allí cavar,   salió luego la vena,   1172
los que cavar querién   non sufrieron grant pena,
ixió grant abastança,   llenava el arena,
fueron todos alegres,   ovieron buena çena.

Consagró la fuent Júpiter   que fuesse perenal,   1173
de la virtud de Bacus   que fuesse por señal,
ivierno e verano   manasse comunal,
en verano fues fría   e calient' en lo al.

Con todas estas buenas,   avié otra natura: 1174
de día era fría   quando fazié calura,
tibia era de noche   a la mayor friura,
omne que beviés della   serié de grant ventura.

Avié çerca la fuent   una grant santidat,   1175
sanava de cutiano   mucha enfermedat,
non pedrié atal cosa   ome de voluntat,
que oído non fuesse   de su neçessidat.

1169a   Cfr. nota a 239ab.

Oviera Alexandre   deste logar oído,   1176
ya lo querrié aver   de su grado veído,
ya querrié su ofrenda   aver y ofreçido,
e avrié de su grado   d' aques' agua bevido.

Duraba el camino   grandes quatro jornadas,   1177
pora bestia ligera   serién assaz tiradas;
non eran tanto muchas   como eran cansadas,
ca avié en comedio   muchas malas passadas.

Nunca cayén y nieves,   nin lluvia nin roçío,   1178
nin fallavan y fuentes,   nin cistrena nin río,
de toda cosa verde   era lugar vazío,
—creo que pora mí   non serié muy sanío—.

Quand' el sol escalienta,   com' es todo arena,   1179
non sofririé en forno   omne más fuerte pena;
demás, quando el polvo   las sus algaras mena,
non serié mayor pena   do canta la serena.

El rëy Alexandre   guerrero singular,   1180
que non dexó por dubda   cosa de ensayar,
metiése en carrera   por veer es lograr,
mas ante ovo mucho   lazerio a passar.

Perdió en la carrera   muchos de sus varones,   1181
siquier de cavalleros,   siquiere de peones,
dañávales el polvo   e la sed los polmones,
yendo por la carrera   cayén a bolodrones.

A cab de quatro días   seyendo muy lazrados.   1182
fueron al santuario   los griegos allegados,
pensaron de folgar,   ca eran muy cansados,
creo a lo de menos   que eran bien dezmados.

1179d *serena.* Sirenas, genios marinos, mitad mujer, mitad pájaro, que habitaban en una isla del Mediterráneo y atraían con sus cantos a los navegantes
con el fin de que sus naves se estrellasen contra las rocas en las que vivían y poder devorarlos. Especialmente conocida es la aventura que Ulises vivió en las

Tovieron sus vegilias   con grant devoçïón,   1183
de çirios e d' ofrendas   fizieron grant missión,
pensó fer cada uno   a Dios su petiçión,
qual asmó cada uno   entre su coraçón.

Quando a toda guisa   ovieron sojornado,   1184
por ir a Eçiopía   era todo fablado,
veer do el sol naçe,   do nunca fue poblado,
mas vínole en tanto   un mensaje cuitado.

Dixiéronle que Dario   era aparejado,   1185
por batalla le dar   estava aguisado,
aún que lo avié   por la tierra buscado,
e retrayén que era   pora Greçia tornado.

Plaçió a Alexandre,   pensó de cavalgar,   1186
ca murié el diablo   por amor de lidiar;
tornó pora Egipto,   fue a Dario buscar,
d'aquí a que se ovo   con él a encontrar.

El emperant de Persia,   después que fue rancado,   1187
ya nunca folgar pudo,   ca non era guisado;
allegó sus poderes   que le avién fincado,
por lidiar con el rey   Alexandre de cabo

Fizo de tal manera   el regno acoitar   1188
que non fuesse ninguno   osado de fincar;

---

cercanías de la isla de las sirenas y que se narra en el Canto XII (versos 1-200)
de la *Odisea.* (cfr. Grimal, *op. cit.,* págs. 483-484.)

1184b   *Eçiopía.* A lo largo de la historia se ha ido variando constantemente
el emplazamiento exacto de los territorios que se conocían con el nombre de
Etiopía. Así, en la *Biblia* eran llamadas por ese nombre las regiones que estaban
ocupadas por el pueblo de los kushitas, si bien otras veces se designa de esa manera una zona de África situada al sur de Egipto y que se corresponde en líneas generales con las tierras que recibieron el nombre de Nubia en otras ocasiones. En tiempos de Darío, los kushitas eran tributarios del imperio persa,
pero no puede hablarse con propiedad de la existencia de una auténtica anexión
de esos territorios al resto de los que eran realmente dominados por ese emperador.

mandó cómo viniessen   todos a un lugar,
ca queríe morir   o se querié vengar.

Llegó grandes poderes,   muy más que los primeros; 1189
aláraves e turcos,   otros que dizen seros,
los bractos e los bárbaros   que yazen más caberos,
los çitas que en mundo   non ha tales guerreros.

Y eran los eçiopes,   assí los cananeos,   1190
çerca de Babilonia   con todos los caldeos,
Media con los de Persia,   e barones sabeos,
los partos que bien saben   abenir en torneos.

Las dos Indias menores   con la otra mayor,   1191
avién sól' en su cabo   prinçep' emperador,
Poro era en ella   mayoral e señor,
—omne de grant esfuerço,   rico e sabidor—.

Poro, sin todo esto,   enbïol de sus gentes   1192
plus de çient vezes mill   de nobles combatientes,
todos bien adobados,   todos barvaponientes,
todos de buen linaje   e de nobles parientes.

Muchos pueblos y ovo   de que vos non dixiemos,   1193
tierras grandes e muchas   que contar non podriemos;
pero a los yrcanos   en tuerto les yazemos
quando de tales omnes   emiente non fiziemos.

Assí lo mandó Dario   en toda su onor,   1194
que non fincasse omne,   rabadán nin pastor,
nin fincasse burgués   nin ningunt labrador,
nin ningunt menestral   de ninguna lavor.

Quando vio Alexandre   pueblos tan sobejanos,   1195
que todo yazié lleno,   las cuestas e los llanos,
diz: «Mester es, amigos,   que traigamos las manos,
ca sobre nos son estos,   judíos e paganos.

―――――――

1195d *judíos e paganos.* Fórmula juglaresca cuyo significado es «todos».

349

»Por uno que matamos   más de çiento naçieron,   1196
o ribiscaron todos   quantos nunca morieron;
creo que los actores   esto tal entendieron,
quando de las cabeças   de las sierpes dixieron.

»Cuentan los actoristas,   que dizen muchas befas,   1197
que fue una serpiente   que avié siet cabeças;
quando le tollién una,   siet le naçién espesas,
semeja que es esto   las nuevas mesmas essas.

»El luchador Anteo   esta virtud avié: 1198
quanto más lo echavan   mayor fuerça cogié,
mas vedóslo don Ércules   que con él contendié;
semeja que agora   Dario esso querié.»

———————

1197a *Cuentan los actoristas.* Uno de los trabajos que Hércules tuvo que realizar es el mencionado a lo largo de esta estrofa: su victoria sobre la Hidra de
Lerna. La Hidra, lo mismo que el León de Nemea, es un monstruo, hijo de
Equidna y Tifón. Hera la crió para probar a Hércules con ella. Es representada
como una serpiente de varias cabezas (su número varía desde cinco hasta cien),
de las cuales, y a través de las fauces, salía un aliento mortal, capaz de destruir a
personas, cosechas y ganado. Para lograr matarla, Hércules se valió de flechas
encendidas, si bien algunos autores afirman que fue cortando una a una todas
las cabezas que el monstruo tenía, labor en la que fue auxiliado por su sobrino
Yolao, dado que se necesitaba actuar con rapidez especial porque la hidra tenía
la facultad de regenerar la cabeza cuando alguno había logrado privarle de ella.
Para impedir tal regeneración, Hércules le pidió a Yolao que prendiese fuego al
bosque vecino. Cumplido este deseo, el héroe se fue sirviendo de tizones para
quemar las heridas que iba produciendo al monstruo. Con ello evitaba que rege-
nerase las partes cortadas y pudo, por fin, darle muerte. Este trabajo es relatado
por diversos autores (Hesiodoro, *Teogonía;* Virgilio, *Eneida;* Ovidio, *Metamorfosis...*) y tuvo diversas interpretaciones evemeristas. Una de ella afirmaba que
Lerno era en realidad un rey del país que tenía a *Hidra* como ciudad. Se hallaba
siempre rodeado por cincuenta arqueros, y, en el momento en que alguno era
herido o matado, otro rápidamente ocupaba su lugar. A partir de este hecho, se
decía, se creó la leyenda de las cabezas que, al ser cortadas, volvían a reprodu-
cirse. (Cfr. Grimal, *op. cit.,* páginas 243-244). De esta interpretación —algo modificada (en cuanto al número exacto de arqueros)— se hace eco el autor del
Alexandre en la estrofa anterior.
1198a *Anteo.* Gigante, hijo de Poseidón y Gea, que vivía en Libia y forzaba
a todos los viajeros a que pelasen con él. Después, una vez que los había vencido y matado, llevaba sus despojos al templo de su padre para que sirviesen de
motivo ornamental. No podía ser herido mientras estuviese tocando sobre la
tierra (su madre), pero Heracles, cuando atravesaba Libia para dirigirse hacia

Ya avién en tod' esto Eüfrates passada,   1199
yazién cab' una sierra, Arbela es llamada;
Dario yazié bien çerca quanto una jornada,
mas la plaça d'enmedio era bien defesada.

El sol era entrado, ya querié escureçer,   1200
la luna era llena, querié apareçer,
començáronse todas las gentes a bolver,
las unas por dormir, las otras por comer.

Aún pora dormir non eran bien quedados,   1201
dellos seyén en çena, dellos eran çenados;
vidieron en la luna colores demudados,
ende baxos e altos, eran mal espantados.

Ixió primero negra, non dava claridat,   1202
duróle un grant rato essa obscuridat
después tornó bermeja en otra cualidat,
dizién: «De plan' es esto signo de mortandat.»

Eran baxos e altos mal escandalizados,   1203
eran de sus cabeças todos desfeüzados;
dizíen: «Ay, mesquinos, icóm somos mal fadados!,
por aquí nos troxieron nuestros grieves pecados.»

Dizién: «Rey Alexandre, nunca devriés naçer,   1204
que con todo el mundo quieres guerra tener,
los çielos e las tierras quieres yus tí meter,
lo que Dïos non quiere, tú lo cuidas aver.

---

los confines de occidente con el fin de coger las manzanas de oro de las Hespérides, luchó con él y lo mató, ahogándole, una vez que lo hubo elevado sobre
sus hombros. (Cfr. Grimal, *op. cit.,* pág. 33.)

  1199b *Arbela.* Arbelas, cuyo nombre significa «ciudad de los cuatro dioses», fue una de las más famosas ciudades de Asiria en la antigüedad, y uno de
los principales centros en que se celebraba el culto a la diosa Istar. Es la única
población asiria que en la actualidad existe y conserva su nombre primitivo.
A cien kilómetros de su emplazamiento, cerca de la ciudad de Gangamelas y a
orillas del río Bumado, tuvo lugar la célebre batalla entre Alejandro Magno y
Darío III que se narra en las estrofas 1327-1454 del *Libro de Alexandre.*

»Tant' avemos ganado   quanto nunca cuidamos,   1205
quanto más conquerimos,   tanto más cobdiçiamos,
traemos grant sobervia,   mesura non catamos,
avremos a prender   aún lo que buscamos.

»Tanto avemos fecho   que los dios son irados,   1206
nin el sol nin la luna   non son nuestros pagados;
todos aquestos signos   son por nuestros pecados,
que los dios son contrarios,   nos seremos lazrados.»

Alexandre el firme,   de los rëys dubdado,   1207
que por ningunt peligro   nunca fue desmayado,
entendió el murmorio   que era levantado,
cómo era el pueblo   mal escandalizado.

Mandó venir los sabios   que sabién las naturas,   1208
que entendién los signos   e las cosas escuras;
mandóles que guardassen,   segunt las escripturas,
qué signos demostravan   estas tales figuras.

Avié entre los otros   un maestro ortado,   1209
diziénle Aristánder,   en Egipto fue nado;
escusó a los otros,   ca era más letrado,
fue sobra bien apreso   quando ovo fablado.

Començó de dezir   e fue escuchado.   1210
«Varones» —dixo—, «fágome   mucho maravillado,
pueblo de tan grant preçio,   por natura senado,
en cosa tan abierta   seer tan enbargado.

1209b *Aristánder*. Aristando de Telmeso, adivino que se estableció en la
corte de Filipo II de Macedonia y se vio favorecido por la merced de éste y de
su hijo Alejandro. Acompañó al gran conquistador en su campaña de Asia y fue
objeto de numerosas consultas por parte del héroe macedonio, tanto en lo que
se refería a decisiones que había de tomar como a la interpretación de los sueños que le habían asaltado durante la noche. Una vez muerto, su cuerpo fue reclamado por Tolomeo Sóter y sepultado en Egipto, debido a que el adivino había prometido con anterioridad la prosperidad al país que recibiera sus cenizas.
Algunos autores (Luciano y el naturalista Plinio) le atribuyen la escritura de un
libro cuyo título era *Los prodigios*.

»Sábenlo los pastores   que en el monte biven   1211
—los actores encara   assí nos lo escriven—,
que todas las criaturas   a su Crïador sirven,
e teniendo su curso   su mandamiento siguen.

»Sol, luna nin estrellas   non salen de sendero   1212
en el que fueron puestas   en el tiempo primero,
nin alçan nin abaxan   sól' un punto señero,
nin cambian su natura   quanto val' un dinero.

»Siquiere en exidas,   siquiere en entradas,   1213
en tornos e retornos,   en todas sus andadas,
las estrellas del çielo,   menudas e granadas,
en esse curso andan   en que fueron crïadas.

»Pero de todos ellos   el sol es el mayor,   1214
de y prenden las otras   lunbre e resplandor,
a las que más alcança   echan lunbre mayor,
e son a las que menos,   de claridat menor.

»Cueido a esto dar   aún razón çertera: 1215
luego que el sol sale   a la ora primera,
la luna e las estrellas   pierden toda lunbrera
e sólo non pareçe   una dellas señera.

»Non por cosa que ellas   sean másençerradas,   1216
mas la lunbre del sol   las tiene apremiadas;
e non él se traspone   luego son abivadas,
pareçen e relunbran,   semejan argentadas.

»Esto en la candela   lo podedes veer: 1217
la mayor de la chica   tírale el poder,
non está çerca della,   fázela recreer,
mas ella en su cabo   cumple su menester.

»Aún vos quiero ir   a otro orgumente: 1218
quand pareçe la luna   prima en ocçidente,

1215d   Se refiere al lucero del alba.

siquier quando pareçe   menguant' en orïente,
todol viene del sol   que le está presente.

»Esta çerca del sol   pierde la valentía,   1219
los onbres que la veen   dizen que es vazía,
desent vasle redrando,   descubres cada día,
d'aquí a que es llena   en toda su grandía.

»Vasle, desque es llena,   el sol mas acostado,   1220
vale con la grant fuerça   la lunbre embargando,
va de día en día   ella menoscabando,
cuidan los omes neçios   que va adelgazando.

»Quiérovos todavía   una dubda soltar,   1221
en que a las vegadas   suelen muchos dubdar:
quando va so la tierra   el sol a su lugar,
de noche a la luna   ¿cóm la pued' alunbrar?

»Es mayor que la tierra   la luna veramente,   1222
ond' en todas las tierras   pareçe egualment,
el sol es siet' atanto,   —esto sin falliment—,
e está de la luna   más alto luengament.

»Segunt esta razón   podemos entender   1223
que la luna al sol   nos puede esconder,
doquier que ellos sean   bien se pueden veer,
non les puede la tierra   nul embargo fazer.

»Entre 'l sol e la tierra   faze la su andada,   1224
caen en un derecho   amos a la vegada,
la claridat del sol   es estonz replegada,
e essa defecçión   eclipsis es llamada.

1219a   A lo largo de esta estrofa y en toda la posterior se incluye una explicación científica de las diferentes fases de la luna. Evidentemente en este verso se hace referencia a la fase de luna nueva.

»Lüego que el sol   des punto es passado,   1225
es en toda su fuerça   luego apoderado;
el pueblo que es neçio   fazes maravillado,
non sabe la natura   e es mal espantado.

»Esto mismo devedes   ⸱ de la luna asmar: 1226
quand quier' el sol so tierra   a oriente tornar,
cae en su derecho,   non lo puede durar,
de la su resplandor   hase a demudar.

»Ond luego que el sol   passa de la señal,   1227
luego torna la luna   en su color cabdal;
cuidan los pueblos neçios   que sinifica mal,
e vos sodes caídos   en espanto atal.

»Encara suele esto   venir d' otra manera: 1228
quando cae el sol   e va so la ribera,
la sombra de la tierra   es entremedianera,
ond' un poco de rato   la tiene sin lunbrera.

»Aún dezir vos quiero   otra absolviçión,   1229
porque nos vos temades   de nulla lisïón:
el sol es de los griegos,   diré por quál razón,
la luna de los bárbaros   que en oriente son.

»Quand se cambia la luna   por signo demostrar,   1230
a ellos amenaza   que les viene pesar;
si el sol se turbasse,   devriémos nos dubdar,
mas por esto devemos   letiçia demostrar.

»La negrura demuestra   los quebrantos passados,   1231
los que de nos prisieron,   ond' están façilados;
la bermejura muestra   que cras serán rancados,
perderán mucha sangre,   nos seremos honrados».

Fueron todos pagados,   çessó el mal roído,   1232
maestre Aristánder   fue de todos creído,
fue por essa fazienda   el pueblo ençendido,
creçióles grant esfuerço   por lo que avién oído.

El rëy Alexandre   de los fechos granados,   1233
quando vio que estavan   todos encorajados,
mandó mover las gentes,   los sus pueblos dubdados,
e ir a la fazienda   a guisa d' esforçados.

Todos eran movidos,   ivan señas arechas,   1234
ivan hazes paradas   a Dario a derechas,
queriénle ofreçer   ofreçiones a pechas,
que luego tienpo ha   ge las tenién privechas.

La muger del rey Dario   que yazié en prisión,   1235
con cueita del marido   e su generaçión,
quando aquesto vio,   creból' el coraçón,
salió luego el alma   a poca de sazón.

Pesól' a Alexandre   e fizo muy grant planto,   1236
por la su madre misma,   non faría atanto;
alimpiaval' apriessa   la cara con el manto,
entardó la fazienda   por aquesso ya quanto.

Tan bien e tan apuesto   sabié duelo fazer   1237
que non podién los otros   las lágremas tener;
plañíen los varones   de Greçia a poder,
non podrié en su tierra   más honrada seer.

Fue el cuerpo guardado   de mucho buen convento, 1238
fue luego balsamado   de preçioso ungüento;
fizo el rey sobr' ella   tamaño complimiento
que duró quinze días   el su soterramiento.

Apelles el ebreo,   un maestro contado,   1239
que de lavor de manos   non ovo tan ortado,
entalló el sepulcro   en un mármol preçiado,
él se maravillava   quand lo ovo obrado.

Y pintó las estorias   quantas nunca cuntieron,   1240
los ángeles del çielo   de quál guisa cayeron,

1233-1343   Este fragmento en el manuscrito O no ha sido copiado.
1240b   Sustituye esta mención insertada en nuestro texto (el episodio de la

356

los parientes primeros   cómo se malmetieron
porque sobre deviedo   la mançana comieron.

   Estava más delant   Noé el patrïarca,   1241
los montes de Armenia   do arribó el arca,
e Sem, Cam e Jafet   cad' un en su comarca,
los gigantes confusos   e la torre que es alta.

   Abraham el católico,   Isaac çerca él,   1242
todos los doze tribos   fijos de Israel,
las plagas de Egipto   e el ángel crüel,
el taü en las puertas   de sangne de añel.

---

lucha entre los ángeles y el confinamiento de Lucifer en el Infierno es narrado
en el *Apocalipsis* —12, 7-12— de San Juan —*Biblia*, ed. cit., pág. 1475—) al
relato de la formación del mundo y la posterior del hombre incluido en la parte
correspondiente a ésta en el *Alexandreis* de Gautier de Châtillon (ed. cit., página 500, v. 1867 —1875 en realidad, y por las razones expuestas en la anotación a 999-1001 [si bien de los dos versos «perdidos» se recupera uno en la página 485], 1868-1876—).

    1240cd   Citado por Châtillon *(ibídem,* pág. 500, v. 1876 —1877 real—) y
relatado en *Génesis, 3 (Biblia*, ed. cit., págs. 31-33).

    1241ab   Mencionado en Châtillon *(ibídem,* pág. 501, vv. 1884-1887
—1885-1888—) y narrado en *Génesis*, 6, 9-22, y 9 (*Biblia*, edición citada, páginas 36-39).

    1241c   Se refiere al reparto de las regiones de la tierra que se efectuó, según
el *Génesis*, 10 *(Biblia*, ed. cit., págs. 39-40), entre los hijos de Noé y sus descendientes respectivos. En esta mención y en la incluida en el verso siguiente nuestro autor se aparta del *Alexandreis*.

    1241d   Alusión a la historia de la torre de Babel y la confusión de lenguas
(Génesis, 11, 1-9 —*ibídem,* págs. 40-41).

    1242a   *Génesis*, 11 (10-32)-25 *(ibídem,* págs. 41-55). No citados expresamen-
te en el *Alexandreis*..

    1242b   *Israel*. Jacob fue llamado con este nombre tras sostener una lucha
con un ángel *(Génesis*, 32, 24-32). Su historia y la de sus doce hijos, cuyos descendientes formaron las doce tribus del pueblo de Dios, es narrada en el *Génesis*,
25 (19-34)-50 (*Biblia*, ed. cit., páginas 56-88). Del *Alexandreis* se desprende esta
mención (vv. 1890-1894 —1891-1895 en realidad—, ed. cit., pág. 501).

    1242c   *ángel crüel*. Se refiere al ángel exterminador, que mató a todos los pri-
mogénitos de los egipcios con el fin de castigar al faraón por su intransigente
postura de no dejar salir de sus territorios a los hebreos *(Éxodo*, 7-12 (*Biblia*, ed.
cit., págs. 96-103). De los versos del *Alexandreis* citados en la nota anterior se
desprende igualmente esta alusión.

    1242d   *en*. Enmienda de Nelson *(op. cit*, pág. 438) En P, *e*.

Las carreras del mar,   la muert del Faraón,   1243
cómo pidién los pueblos   rëy a Aarón,
cómo prendié la ley   Moïses el varón,
cómo se consumién   Datán e Abirón.

De quál çevo bivieron   por todo el desierto,   1244
quál fue el tabernáculo,   de quál guisa cubierto;
todo era notado   tan bien e tan en çierto
que lo verié tod' omne   com' en libro abierto.

En la otra estoria,   ya don Moisés finado,   1245
tenié en su lugar   Josüé el ducado,
metiólos en la tierra   e fue bien adonado,
es de Santa Iglesia   oy en día llorado.

Y eran los profetas,   convento general,   1246
todos tablas en manos,   todos con su señal,
cada uno qué dixo   o en quál tenporal,
quisque en su escripto   dó era natural.

    1243a   *Éxodo*, 14 *(Biblia,* ed. cit., págs. 105-106). Con respecto al *Alexandreis* la situación es idéntica a la señalada en la nota anterior.
    1243c   *Éxodo*, 19-31 *(Biblia,* ed. cit., págs. 111-128). Citado en el *Alexandreis* (ed. cit., pág. 501, v. 1997 —1998 real—).
    1243d   Datán y Abirón apoyaron la sublevación promovida por Coré contra Moisés y Aarón. Dios les castigó haciendo que la tierra se los tragase con parte de sus seguidores, a la vez que envió un fuego que abrasó al resto de los mismos. *(Vid. Números,* 16, 1-35 —*Biblia,* ed. cit., págs. 196-197—.) El *Alexandreis* no menciona este episodio.
    1244a   Alusión al *maná*, enviado por Dios a los israelitas para que se alimentaran durante su recorrido por el desierto *(Éxodo,* 16 —*ibídem,* páginas 107-109—). Citado en el verso 1896 —1897— (ed. cit., pág. 501) del *Alexandreis.*
    1244d   *Éxodo*, 35-40 *(ibídem,* págs. 132-139). No mencionado en el *Alexandreis.*
    1245   *Números*, 27, 12-23 *(ibídem,* págs. 210-211); *Deuteronomio,* 32 (48-52)-34 *(ibídem,* págs. 261-263); *Josué (ibídem,* págs. 264-290). Citado por Châtillon *(ibídem,* pág. 501, vv. 1898-1902 —1899-1903 en realidad—).
    1246-1247   Resume nuestro autor —sin pormenorizar los detalles en la primera estrofa, con mayor concreción en la segunda— los versos 1903-1959 (1904-1960) del *Alexandreis* de Châtillon *(ibídem,* páginas 501-502).

David con su salterio,   sus salmos acordando;   1247
Salamón faz' el templo,   justos judiçios dando;
Roboam en el regno   metié asma e vando;
es día fue su obra   Apelles ençerrando.

Las otras incidençias   de las gentes paganas   1248
como non son abténticas   yazién más orellanas;
tant' eran las estorias   muchas e adïanas
que sedién sobre 'l cúmulo   las gentes persïanas.

Quando ovo Apelles   lo que sopo labrado,   1249
fue en quatro colupnas   el sepulcro alçado,
fue con grandes obsequios   el cuerpo condesado,
el seso de Apelles   será siempre contado.

Fue en este comedio   a Dario un castrado,   1250
loco e dolorido   levóle el mandado;
Dario, quando lo vio   venir tan demudado,
entendió que avié   algunt daño tomado.

Mandóle que dixiesse   con qué nuevas andava,   1251
que sabié que el daño   todo en él quebrava;
pero el mensajero   dezir non lo osava,
ca sabié que por ello   albriçias non ganava.

1247a   Véase la introducción al *Libro de los Salmos* en la edición citada de la
Biblia (págs. 684-685) para el problema de la identificación de los autores que
pudieron componer los salmos conservados, y la especificación de cuáles han
sido tradicionalmente atribuidos a David y cuáles pueden ser realmente suyos.
1247b   *1 Reyes,* 1-11 *(ibídem,* págs. 388-408).
1247c   *Roboam.* Fue hijo y sucesor de Salomón en el trono. Las vicisitudes
de su reinado se relatan en *1 Reyes,* 12-14 *(ibídem,* págs. 408-413).
1248d   *persïanas.* Figura en el manuscrito P, palabra totalmente desconocida, que Julia Keller *(Contribución al Vocabulario del Poema de Alexandre,* Madrid, Tipografía de Archivos, 1932, página 139) considera errónea, simple errata que puede suplantar a la palabra que nosotros incluimos en nuestra edición.
1250a   *un castrado.* Según el *Alexandreis* su nombre era *Tyriotes* (ed. cit., página 497, v. 1710 —1711 real—).

Maguer non ge lo pudo   en cabo encobrir, 1252
la muert de la reína   óvola a dezir;
dixo Dario: «Non quiso   nemiga consentir,
bien se ovo por esso   non por al a morir.»

Dixo el mensajero: «Señor, sepas verdat: 1253
non le fizo nul omne   ninguna crüeldat,
ant le fizo el rey   tamaña pïedat
que tú non le fariés   mayor umanidat.

»Mientre bivió Endrona   nunca fue sossañada, 1254
nil dixo nin le fizo   cosa desaguisada,
de quanto ella quiso   nunca fue denodada,
dentro en Babilonia   non serié más honrada.

»Lloróla a la muerte   tanto que maravella, 1255
fizo grant complimiento   e grant duelo sobr' ella,
fízole sepultura   rica e mucho bella;
señor, malament pecas   si d'él aves querella.»

Desque entendió Dario   la cosa cómo era, 1256
e fue el omne bueno   entrado en carrera,
vertiendo de los ojos   a medida plenera,
alçó a Dios las manos,   oró de tal manera:

«Señor, en cuya mano   somos muertos e bivos, 1257
que los sueltos cativas   e sueltas los cativos,
e los ricos aprimes   e alças los mesquinos,
Tú non me desanpares,   que he fuertes vezinos.

»Mas si en tu secreto   assí es ordenado 1258
que yo e mi natura   perdamos el regnado,
Señor, merçed te pido   como desventurado,
otórgalo a éste,   que es rey acabado.»

Llamó diez de sus príncipes,   honrados cavalleros, 1259
enbiólos al grant rey,   fízolos mensajeros,
que querié con él pazes,   adobos verdaderos,
e darle por los presos   almudes de dineros:

Achillas, de los otros   mayor e más honrado,   1260
de fermosa persona,   de edat bien mediado,
propuso su razón   ant' el rey aguisado,
mas recabdó muy poco   quando ovo fablado.

Dixo: «Rey Alexandre,   señor de grant valía,   1261
eres de grant ventura,   el Crïador te guía;
si Dios puso en tí   tan grant cavallería,
devriés a los mejores   conoçer mejoría.

»Dario quiere contigo   sus pazes afirmar,   1262
non lo faze por miedo,   mas por tu bienestar;
él pido lo que tú   devrías demandar,
porque a la reína   quesiste tant' honrar.

»Quiérete dar su fija   e es buen casamiento,   1263
deves de tal entrega   tú aver pagamiento;
dart' ha de su inperio   çibdades más de çiento,
desto porná contigo   estable atenimiento.

»La madre e los fijos   quiéretelos quitar,   1264
quiérete de fin' oro   çient mil talentos dar,
mejor te es a ti   los dineros tomar,
que de gentes cativas   enbargado estar.

»Mucho nos has vençido   con el tu cosiment,   1265
quando a la reína   onrest tan altament,
adebdado nos as   a toda la su gent,
todos son tus pagados,   segunt mi oçïent.

»Si por esso non fuesse   —bïen somos çerteros—,   1266
en el campo seriedes   tú e tus cavalleros,
e farié Buçifal   los sus saltos ligeros,
iriemos refiriendo   los pesares primeros.

»Si quisieres fer al,   serás mal consejado,   1267
que es de fiera guisa   Dario apoderado,
tiene todo un mundo   de gentes asenblado,
fer'ha prender el preçio   que ovieste ganado.»

Quando ovo Achilas   su sermón acabado,   1268
sacó el rey a fabla   el su noble senado;
demandó que le diessen   consejo aguisado,
quál respuesta darién   contra aquel mandado.

Calló toda la corte,   todos los doze pares,   1269
todos tenién silençio   como monjes claustrales;
non osavan ningunos   dezir sus voluntades,
ca los avié turrados   sobre cosas atales.

Fuert cosa es e dura   consejar a señor,   1270
ca, quando non se paga,   recude sin sabor;
demás, si por ventura   viene algunt error,
torna todo el riebto   sobre 'l consejador.

Recudióle Parmenio,   cuidó algo fablar,   1271
mas nol valdría menos   en silençio estar,
ca mejor abinié   en armas menear
que en dezir razones   nin en consejo dar.

«Señor» —dixo Parmenio—,   «tan mucho te dubdamos 1272
que lo que entendemos   dezir non lo osamos;
ca quando non te pagas   dasnos malos sossaños,
que quantos aquí vees   por esso nos callamos.

»Pero segunt mi seso   quiérote consejar: 1273
con dueña más de preçio   nunca podriés casar;
demás en paz bien era   tan grant tierra ganar,
que siempre non oviésemos   en guerra a durar.

»De la razón segunda   te quiero motejar: 1274
qui pazes te demanda   nos treve guerrear;
si bien quisieres fer,   tú deves ge las dar,
que cae en tu preçio   e en tu bienestar.

»De las gentes cativas   que nos aquí traemos,   1275
missión e grant enbargo,   otro pro non avemos;
que muertos que fuidos   nos pocos non tenemos,
ante de poco tiempo   aún menos seremos.

»Andamos de mugeres   e de niños cargados,   1276
los otros andan libres,   nos somos enbargados;
creo que en aquesto   grant amor les buscamos,
si de tan enbargosa   cosa los escusamos.

»Señor, si tú quisieres,   semejava razón   1277
que diesses los cativos   por esta redempçión;
e, como as de fer   sobra grant missïón,
avriás ayuda buena   pora tu quitaçión.

»Los que se nos murieron   e los que son fuídos,   1278
si fuessen de tal guisa   por aver remedidos,
non los avriémos todos   tan en balde perdidos,
ende tenemos todos   que somos deçebidos.

»Señor, el mi consejo   todo lo as oído,   1279
sepas que te consejo   de coraçón conplido;
si a ti al semeja   que as mejor sentido,
presto so de seguirte   calçado e vestido».

El consejo del conde   non fue bien escuchado,   1280
sossañólo el rey,   óvole poco grado;
díxol: «Tal como vos   sería yo tornado
si en esse consejo   m' oviesse yo fallado.

»Grant honra me acreçe   en tal dona tomar,   1281
la que ante quisieron   con Maçeus casar;
varón que tal consejo   sabe a señor dar,
devrié aver vergüença   ante otros fablar.

»La tierra que me manda   yo me la he ganada,   1282
con todos vos a una,   con derecha espada;
ant le costarié mucho   que la oviés ganada,
de quanto me promete   él ya non tiene nada.

»Demás si por su mano   tomasse nin migaja,   1283
suyo serié el preçio   e toda l' avantaja;
serién todas mis nuevas   caídas en la paja,
por do vuestro consejo   non valdrié una meaja.

1283d *non valdrié una meaja.* No valdría nada *(meaja, vid.* «Vocabulario»).

»Si todo su inperio   me quisiesse dexar,   1284
yo non ge lo querría   de tal guisa tomar,
ca como en Dios fío   a todo su pesar,
a mejor nuestro preçio   lo podremos ganar.

»El fijo e las fijas   e la madre de Dario   1285
en darlos por dineros   seméjame escarnio,
ca non só mercadero   nin só de tal salario,
rëy só por natura   de los de grant donario.

»Nobleza nunca quiso   entender en mercado,   1286
non ha ninguna graçia   sobre peito tajado,
plus gent nos paresçrá   en dárgelas en grado,
que non seré más rico   por aver monedado.»

Mandó los mensajeros   delante sí venir,   1287
dióles de su aver,   mandólos bien vestir.
«Entendet» —diz—, amigos,   qué vos quiero dezir,
a lo que me dixiestes   vos quiero recodir.

»Si yo a la reína,   fiz'alguna onor,   1288
non lo fiz por su miedo   nin por el su amor;
por complir tales cosas   téngome por debdor,
si esto non fiziesse   faría grant error.

»De lo que él me promete   yo non ge lo gradesco,   1289
él me quiere premir,   yo cada día cresco;
cutiano se me faze   el coraçón tan fresco,
aún él non entiende   con quál ançuelo pesco.

»Quant que Dario me manda   yo téngolo por mío,   1290
qui me non obedeçe,   téngolo por sendío;
mas, si Dios lo quisiere,   como en él yo fío,
yo le faré levar   el gato d'aquí al río.

1290d   *levar el gato (...) al río.* Variante de la expresión «llevar el gato al
agua», cuyo significado es «arrostrar el riesgo de una empresa» (Cfr. *DRAE,*
s.v. *gato).*

»Todas sus crïazones   que yazen en prisión,   1291
yo enbïarlas quiero   sin aver en perdón;
de mi aver non quiero   prender redempçión,
tornadvos pora Dario   con atal responsión.»

Dario en est comedio   aguisava su cosa,   1292
tenié llegada hueste   grant e maravillosa;
mas la su aventura   estava çegajosa,
ca s' iva açercando   la ora peligrosa.

Andava esforçado,   quiquiere quel viniesse   1293
nol pesarié la muerte   sólo que bien muriesse;
buenal fuera la muerte,   si Dios lo reçibiesse,
ante que tan grant cueita,   tan grant mal le viniesse.

El rëy Alexandre,   de la otra partida,   1294
la su bella mesnada   teniéla bien bastida,
de cueres e de armas   estava bien guarnida,
serié por nulla fuerça   a duro desordida,

Mandó luego mover   e ir a las feridas,   1295
mandó tañer las trompas   e ferir las bozinas;
de sí mismos las gentes   eran tan ençendidas
que serién de su grado   mucho ante movidas.

Las huestes de los griegos   con sabor de lidiar,   1296
como avién grant feuza   que avién de rancar,
non fincaron las tiendas   nin quisieron posar,
fasta çerca los otros   ovieron a llegar.

Ya se veyén a ojo   anbos los enperantes,   1297
bien se conoçién anbos,   que se vieran enantes;
más traya estonçe   Dario de elefantes
que él la vez primera   non trayé cavalgantes.

Los pueblos de los griegos,   com' eran encarnados,   1298
aünque por natura   era much' esforçados,
por ir luego ferirlos   eran muy denodados,
mas fízolos el rey   seer muy aquedados.

Más era medio día,   el sol querié entrar,   1299
non era aguisado   d'en fazienda entrar:
prenderlos yá la noche,   ferlos yá derramar,
aünque los rancassen,   non podrián encalçar.

Fazién de cada parte   sobejanos roídos,   1300
de cuernos e de trompas   e aun de alaridos;
semejavan los montes   e los çielos movidos,
e que los elementos   eran desabenidos.

El sol cumplió su curso,   ya era en el mar,   1301
reboviénse los omnes,   pensavan de çenar;
querién a los cavallos   la çevada echar,
ca avién de mañana   en la lit a entrar.

Alexandre el claro,   luego el sol entrado,   1302
çercó todas las huestes   con el su buen cavallo;
mandóles que velassen   cad'uno por su cabo,
ca dent' a otro día   serié todo librado.

Tornó pora su lecho   desque ovo andado,   1303
non serié tan fuert' ome   que non fuesse cansado,
querié dormir un poco   por seer más tenprado,
mas non lo podié fer,   ca era pressurado.

Tenié de pensamiento   el coraçón çercado,   1304
non fallava en él   el sueño nul forado,
non pegava los ojos,   ¡tant' era enbargado!;
como qui non durmié,   yazié fuert quebrantado.

Yazió de tal manera   fasta gallos cantados,   1305
fuele doña Vitoria   tollendo los cuidados,
aquedaron los mienbros   que yazién muy cansados,
fueron de muy buen sueño   los ojos megeados.

Ya querié seer ora   de maitines tañer,   1306
la estrella del çielo   quería pareçer,

1306b   *la estrella del çielo.* El lucero del alba, evidentemente.

querié un día malo   e negro amaneçer,
en que mucha de sangre   se avié a verter.

    Assaz querié el sol,   si pudiesse, tardar,   1307
por amor que pudiesse   tan grant mal destornar,
mas la su obediençia   non pudo traspassar,
flaco o desmaído   començó d' asomar.

    Dario el enperant,   como aviá estado   1308
de la primera junta   muy mal escarmentado,
ante del sol exido   fue en armas entrado,
por ferir a los griegos   estava aguisado.

    Avié toda la noche   redor la huest velado,   1309
que, si le diessen salto,   non fuesse engañado;
todo lo barruntava   lo que avié estado
si al conde Parmenio   oviessen escuchado.

    El rëy Alexandre,   un omne tan dubdado,   1310
oviera ante noche   con sus duques fablado,
del pleit de la batalla   les avié preguntado,
como irién a ella   que pusiessen recabdo.

    Como de otras vezes   eran escarmentados,   1311
non recudió ninguno,   estudieron quedados,
pero a muy grant ora,   bien tres ratos passados,
respondióle Parmenio   biervos bien assentados.

    «Rëy, por mi ventura   assí só adonado,   1312
por bien que te consejo   nunca só escuchado,
só en cabo de cosa   de ti mal sossañado,
mas quiérote dezir   lo que teniá asmado.

    »Son las huestes de Dario   grandes a desmesura,   1313
temiendo la primera   passaron a anchura,
que engañóles ante   mucho el angostura,
trayén en su fazienda   recabdo e cordura.

»Çiento son para uno,   çercar non los podriemos,   1314
aünque non tornassen,   matando cansaremos;
com' están perçebidos,   non los descosiremos,
en lo que nos cuidamos   a duro aberniemos.

»Demás vienen y gentes   que han fiera grandez,   1315
caras han como canes,   negros como la pez;
que con la valentía,   que con la ligerez,
espantarán a muchos,   esto será rafez.

»La otra, como saben   si fuessen arrancados,   1316
non les han de prestar   nin yermos nin poblados,
más querrán en el canpo   seer descabeçados
que de gentes estrañas   seer tan ahontados.

»Mas diría un seso,   si a todos plaçiesse: 1317
de dar salto en ellos   luego que anocheçiesse,
serán desbaratados   cad'un por do soviesse,
tomarién a fuïr   cad'un por do pudiesse.

»Vienen de muchas tierras   e de muchos rincones,   1318
non han unas costunbres   nin han unos sermones,
non podrán entender   entre sí las razones,
caerán como puercos   todos a bolodrones.

»Non avrán nul acuerdo   nin nul cabdellamiento,   1319
uno solo de nos   sagudrá más de çiento,
faremos nuestra cosa   segunt nuestro taliento;
por seso vos lo digo,   sabe Dios que non miento.»

El dicho de Parmenio   plogó much' al senado,   1320
todos tovieron que era   consejo aguisado;
mas el rey Alexandre   nos lo tovo en grado,
demostrógelo luego   que non fue su pagado.

Dixo: «Non me semeja,   desta atal, razón,   1321
ca este tal engaño   maña es de ladrón
o de omne covarde   que es sin coraçón,
aün semeja facas   maña de traïçión.

»Tanpoco lo querría   de tal guisa vençer: 1322
quanto serié vençido   o grant onta prender,
de la mi covardía   avrién que retraer,
podría en mi precio   grant menoscabo fer.

»Nunca pora rey fue   engaño nin çelada,   1323
fazienda de tal guisa   nunca fue bien rancada;
meterl' yé por escusa   Dario e su mesnada,
e la nuestra victoria   serié menoscabada.

»Demás es otra cosa: están muy perçebudos,   1224
todos andan escudos   e lorigas vestudos,
adiesso que moviéssemos,   seriémos entendudos
fersenos yán lenguados,   maguer serían mudos.

»Mas cras al día claro   vayamos pora ellos,   1325
el que manos oviere   allí ge las veremos,
cada uno quál fuere   allí gel' entendremos
iremos sin retrecha,   ca sé que rancaremos.

»Dario, si por tod' esto   oviesse a passar,   1326
más perçebidament   nunca podrié estar;
non lo podrié nul omne   de esfuerço rebtar,
mas la mala ventura   non la podrié redrar.»

El sol era salido,   el pueblo levantado,   1327
el rëy Alexandre   aún durmié quedado;
del velar de la noche   era mal quebrantado,
aún durmiera más   si l'oviessen dexado.

Maguer veyén que era   ora de despertar,   1328
non osava ninguno   a la tienda entrar;
consejóles Parmenio   que fuessen almorçar,
después serién más prestos   por en armas entrar.

Sopearon aína,   fueron luego tornados,   1329
ante de media hora   fueron todos armados;
esperavan al rey,   estaban aquexados,
porque tanto durmié,   estavan enbargados.

Ya eran los de Dario,   hazes puestas, movidos,   1330
eran de las tïendas   grant migero exidos;
metién bozes e gritos,   fazién grandes roídos,
non osavan salir,   seyén mal apremidos.

Sin mandado del rey   temién de cavalgar,   1331
despertar non l' osavan   nin a él allegar;
estaban en grant dubdo,   non sabién do tornar,
temién algunos dellos   que los querrié provar.

En tod' esto Parmenio,   ovo a demudar,   1332
entró pora la tienda,   óvol' a despertar.
«Señor» —diz—, «es grant día,   terçia quiere passar,
ya quieren los de Dario   a las tiendas llegar.

»Non es sazón nin ora   de tan mucho dormir,   1333
piensa de cavalgar   e mándalos ferir,
tienen que non osamos   contra ellos exir;
señor, lo que he fecho   dévesmelo parçir».

Sonriyósle el rey,   tornóle a dezir: 1334
«Sepas verdat, Parmenio,   non te devo mentir:
fasta çerca del día   yo no pude dormir,
por ende non podía   tan rafez recordir.

»Demás non veo cosa   por que nos acuitemos,   1335
quando al rëy Dario   tan çerca lo tenemos;
que, maguer fuir quiera,   nos non lo dexaremos,
lo que ante perdimos,   aquí lo cobraremos.

»Ante era la ora   de mucho nos quexar,   1336
quand' andava alçado,   nol pudiemos fallar,
mas en nombre de Dios   pensat de cavalgar,
vayámoslos ferir,   non les demos vagar.»

Fueron puestas las hazes   como en la primera,   1337
costaneras espessas   e çaga cabdellera;
mas era pora tanto   mejor la delantera,
porque iva el rey   Alexandre en ella.

_____

1337d   Enmienda de Nelson (op cit., pág. 445).

El mes era de mayo   quando salen las flores,   1338
quandos visten los canpos   de diversas colores;
juntárons' en el campo   los dos enperadores,
nunca se ajuntaron   tales dos nin mejores.

Danïel el profeta,   niño de Dios amado,   1339
dentro en Babilonia   l' ovo profetizado:
que vernié en la sierra   un cabrón mal domado,
quebrantarié los cuernos   al carnero doblado.

Este fue Alexandre,   de los fechos granados,   1340
Dario fue el carnero   de los regnos doblados,
ca Persïa e Media,   tan buenos dos regnados,
anbos él los mandava,   mas fueron quebrantados.

Quando vio Alexandre   tal fazaña de gentes,   1341
començó con cuer malo   de amolar los dientes;
dixo a sus varones: «Amigos e parientes,
quiérovos dezir nuevas   meted en ello mientes.

»Assaz avedes fechas   faziendas muy granadas,   1342
ya son por tod' el mundo   vuestras nuevas sonadas,
son todas sobre nos   las tierras acordadas,
ond'·es menester que   traigamos las espadas.

»Agora nos devemos   por varones preçiar,   1343
quando con tod' el mundo   avemos a lidiar;
nos pocos, ellos muchos,   podrémosnos honrar,
avrán por contasella   de nos much que fablar.

»Traen grandes riquezas,   thesoros sobejanos,   1344
todos andan por nuestros,   si oviéremos manos;
nos vos y quiero parte,   amigos e hermanos,
nunca avrán pobreza   los que salieren sanos.»

1343d *contasella*. Forma aragonesa, según Julia Keller (cfr. *Contribución...*),
que nosotros mantenemos en nuestra versión del texto, pese a haber declarado
en «Nuestra edición» nuestro propósito de suprimir los rasgos dialectales acusa-
dos, debido a que no tenemos ningún indicio que nos permita realizar la sustitu-

Quand' ovo Alexandre   la razón acabada,   1345
por ferirse con Dario   avié cara tornada;
vínole un barrunte   de l' otra encontrada,
fízolo perçibir   d' una fuerte çelada.

Díxol que avié Dario   las carreras senbradas   1346
de clavos de tres dientes,   las puntas azeradas,
por matar los cavallos,   dañar las peonadas;
si non metiessen mientes,   avrién malas passadas.

Díxole otra cosa: que en la delantera   1347
adulzié çient mill carros   de espessa madera,
que corrién por engeño   más que rueda trapera,
todos eran tajantes   como foz podadera.

Quand sopo Alexandre   todo la antipara,   1348
mandó prender a diestro   la su mesnada clara;
guiólos y el mismo   por medio d'una xara,
quando cató a Dario,   parósele de cara.

Sepades que non quiso   luengo plazo le dar,   1349
endereçó la lança,   ovo a derramar;
a poder de cavallo   fuelos a visitar,
tan mal pora 'l primero   que pudiesse fallar.

El prínçip' Aristómones,   en India fue crïado,   1350
quando lo vio venir   tan fuert e tan irado,
exiól a la carrera   firme e denodado,
colpól' en el escudo,   fízole grant forado.

Fiziera la loriga   maestro natural,   1351
era de fin' azero,   blanca com' un cristal;
com' avié buen señor,   ella fue muy leal,
defendióle el cuerpo   que non prisiesse mal.

---

ción, dado que en el manuscrito O en este punto existe una laguna. Nelson
(ed. cit., pág. 456) considera que se trata de una mala hispanización del giro
latino *per cuncta secula*, «por todos los siglos», que incluye, de ese modo, en
su construcción crítica.

Com' era Aristómones   por natura gigante,   1352
venía cavallero   sobr' un grant elefante,
çercado de castillos   de cuesta e delante,
nunca omne non vio   tan fiero abramante.

Súpole bien el otro   el pleito destajar: 1353
quando vio que al cuerpo   non le podié llegar,
firió al elefante   por el diestro ixar,
óvol al otro cabo   la lança a echar.

Como era la bestia   mortalmente ferida,   1354
fue luego man' a mano   en tierra abatida,
cayó el filisteo   con toda su bastida,
semejava que era   una sierra movida.

Quando vio Alexandre   que era trastornado   1355
perdonar non le quiso   e fue bien acordado
dio de man' a la sierpe   que trayé al costado,
córtóle la cabeça   ant que fues levantado.

_____

1354c *filisteo.* Evidentemente la palabra está tomada aquí en un sentido figurado, cuasi genérico. Con ella se pretende confirmar la caracterización del
Aristómenes como hombre grande y fuerte —como «gigante» (v. 1352a)—,
rasgos estos que, según la *Biblia (Jueces,* 13-16 —*Sansón—,* ed. cit., páginas 307-312; *Samuel,* ed. cit, páginas 324-386), eran, en líneas generales, propios
de ese pueblo, y como ejemplo claro no hay más que recordar a Goliat, vencido
en lucha por David *(Samuel,* 17 —*Biblia,* ed. cit., págs. 342-344—). No se pretende, pues, afirmar que Aristómenes era filisteo en la realidad, hecho bien patente
si observamos que en el verso 1350a se notifica su procedencia de India, lo que
contradice la presente afirmación, dado que los filisteos vivían en la costa de
Palestina, al parecer eran originarios de Creta y no guardaban relaciones con
aquella región del continente asiático. La palabra es incluida sólo para designar
una clase determinada de hombre, para hacer comprender fácil, rápida y casi
gráficamente al lector —familiarizado con los relatos de la *Biblia,* y que, por
asociación de ideas, inmediatamente recordaría a Goliat— cuáles eran los rasgos físicos del enemigo vencido en esos momentos por Alejandro. Con ello la
hazaña del protagonista (y esto es propio de nuestro escritor, pues en el *Alexandreis* no se recoge esta comparación —ed. cit., pág. 509, vv. 2299-2309
(2300-2319 en realidad)—, —convertido ante el lector en un nuevo David (ob-
servemos que Alejandro también corta a su enemigo la cabeza —v. 1355d—)
por, insistimos, asociación de ideas—, queda notablemente acrecentada.

Orcánides, un rey,   en Egibto naçiera,   1356
e otro, un peón   que de Siria viniera,
dieron a Alexandre   una priessa tan fiera,
maguer que muchas fizo,   en tal nunca se viera.

Pero en cab de cosa,   que vos mucho digamos,   1357
ayudól su ventura,   matólos a entrambos;
y fizo Alexandre   colpes tan señalados,
mientre omnes oviere   siempre serán contados.

Ya andavan las hazes   todas entremescladas,   1358
bolavan las saetas,   retremién las espadas,
las plaças de saetas   todas eran cuajadas,
andava much cavallo   con las riendas cortadas.

Los de parte de Dario,   com' eran castigados,   1359
por dar en Alexandre   andavan acordados;
mas como eran todos   firmes e denodados,
nol podién conoçer   entre los sus crïados.

Tan a firmes lidiavan   todos, fijos e padres,   1360
que semejavan todos   que eran Alexandres;
sabet, non semejavan   fijos de sendas madres,
todos se demostravan   por leales cofrades.

Oviéronlo en cabo   pero a conoçer   1361
en los colpes que dava   sobra a grant poder,
oviéronse sobr' él   más de mill a verter,
valiéraseles más   en sus tiendas seer.

Ya lo tenién en cuita   e en un grant pressura,   1362
queriénle fer sin grado   pechar la moledura;
mas al que él prendié   por su mala ventura,
nunca otra vegada   le fazié travessura.

1356a *Orcánides.* Pharos Orchanides *(Alexandreis,* v. 2318 —2319—, edición citada, pág. 509).

otro, un peón. Según el *Alexandreis* (v. 2318 —2319—, *ibídem),* su nombre era *Elephaz.*

Acorrióle Filotas,   un su leal braçero,   1363
por en tales faziendas   un estraño bozero;
abatióle a Enos   e otro cavallero,
fueron desbaratados   en poco de migero.

De la parte de Dario,   entr' essa gente tanta,   1364
avié un filisteo   —el escripto lo canta—,
fijo de padre negro   e de una giganta,
bien avié treinta cobdos   del pie a la garganta.

Traye una porra   de cobre enclavada,   1365
avié muerto con ella   mucha barva honrada,
ca al que él podié   colpar una vegada
non le valié capiello   nin almofre en nada.

Vinié endïablado,   com' era estrevudo,   1366
por dar a Alexandre   grant colp' en el escudo,
mas estido el rey   firme e perçebudo,
el otro lo que quiso   acabar non lo pudo.

Ant que a él llegasse,   como era sobervio,   1367
compeçó a dezir   mucho villán proverbio;
dixo: «Don Alexandre,   non sodes tan estrevio
que non quitedes oy   a Dario el emperio.

»Pero por de ventura   vos devedes tener,   1368
que tan honrada muerte   avedes a prender;
morredes de tal mano   que vos deve plazer,
ca non só de los moços   que soledes vençer.

»Yo só de los guerreros   que la torre fizieron,   1369
que con los dios del çielo   la guerra mantovieron;

_____

1363c *otro cavallero. Camán*, según el *Alexandreis* (v. 2324 —2325—, *ibídem*).

1364b *un filisteo.* Se trata, según el *Alexandreis* (v. 2327 —2328—, *ibídem*), y según el verso 1372a de nuestro texto de *Geón*, natural de Etiopía y, por tanto, no filisteo, por lo que esta afirmación se halla en la misma línea de la incuida en el verso 1354a y comentada por nosotros en la anotación correspondiente.

el escripto lo canta. El *Alexandreis* de Châtillon, como puede desprenderse del comentario anterior.

1369ab En estos dos versos de la estrofa observamos una curiosa mezcla

vuestros grieves pecados   mala çaga vos dieron,
quando en la fazienda   de Geón vos pusieron.»

Entendió Alexandre   que fablava follía   1370
e dizié vanedat   e non cavallería;
dixo entre su cuer: «Crïador, tú me guía,
devié a ti pesar   esta sobrançería.»

Aventó un venablo   que le avié fincado,   1371
asestól' a los dientes,   fuele dando de mano,
diól por medio la boca   al parlero loçano,
non tragó peor hueso   nin moro nin cristiano.

Geón perdió las bafas,   ca era mal colpado,   1372
si le pesó o non,   fue luego derrocado,

de historia bíblica y mitología clásica —incluida con motivo de la explicación de
cuál fue la ascendencia genealógica de Geón—, fruto de las teorías evemeristas
con las que se explicaron los mitos greco-latinos en la época medieval. Gracias a
la consideración de estos como historias que relatan sucesos realizados por seres
reales antiguos a los que se deificó con posterioridad (evemerismo) es posible
fundir en un tronco único dos tradiciones dispares —y la fusión no se encuentra en el *Alexandreis* (v. 2305-2309, según la mencionada edición —pág. 510—,
pero, debido a un nuevo error de numeración, y ahora de más amplias dimensiones —son cuarenta los versos «perdidos» (añadido al anterior suman cuarenta y uno) en esta ocasión—, los numeros reales son 2346-2350), sino que es
producto de nuestro autor—, tal y como observamos en esta estrofa. La constatación de esta genealogía de Geón no tiene otra función que ensalzar aún más la
figura del protagonista, pues, al vencer, éste a un personaje que desciende por
línea directa de seres que realizaron sucesos tan importantes y conocidos se
convierte automáticamente en superior a él y, en última instancia, en superior al
poderoso linaje del que éste procede.

1369a   *la torre.* La torre de Babel (cfr. *Génesis*, 11, 1-9; *Biblia*, ed. cit., páginas 40-41).

1369b   Evidentemente se hace referencia en este verso a la historia de los
gigantes, hijos de Urano y Gea, que se rebelaron contra Zeus y los dioses del
Olimpo. Los gigantes eran individuos de enormes proporciones, gran fuerza y
terrible aspecto. Fueron creados por Gea para vengar a los Titanes que habían
sido encerrados por Zeus en el Tártaro. Tenían la virtud de sólo poder ser
muertos si eran heridos por un dios y un mortal a la vez, o, según otras versiones, si no estaban pisando sobre la tierra. Fueron vencidos fundamentalmente
por Zeus y Atenea, ayudados por Heracles, si bien en otras versiones intervienen también Apolo, Dionisos, Ares, Hefesto, Afrodita, Poseidón... (Cfr. Grimal, *op. cit.*, págs. 214-215).

1371d   *nin moro nin cristiano.* Nadie.

fue todo fecho pieças,   en las lanças alçado,
—por verdat vos dezir,   de tal colpe me pago—.

Dexémosvos del rey,   de los otros contemos,   1373
todos y eran buenos,   nos de todos fablemos;
pero entre los otros   Clitus non olvidemos,
los buenos por los malos   dexar non los devemos.

Rodeava los medos   e lidiava sin asco,   1374
mató un alto omne   que era de Damasco,
tolliól de la cabeça   el yelmo e el casco,
mas mal gualardón priso   del lazerio que trasco.

Un hermano del muerto,   omne de bien prestar,   1375
—Sanga era su nombre—,   cuidóslo bien vengar;
mas quiso Dios a Clitus   valer e ayudar,
ovo de la su mano   Sanga y a finar.

El padre de los muertos,   por su mala ventura,   1376
dexólo Dios bevir   por la su grant rencura,
vinié por acorrerles   a müy grant pressura,
mas era, quand' él vino,   fecha la assadura.

Quando los vío muertos,   paróse desarrado,   1377
estido un gran día   todo desacordado,
non podié echar lágrema,   ¡tant' era fatilado!,
si durasse el siglo   serié demuneado.

_____

1374b *un alto omne que era de Damasco*. Ni el nombre de este personaje ni la
noticia concreta que transmite toda esta estrofa figuran directamente expuestas
en el *Alexandreis* de Châtillon (Ed. cit., pág. 510, v. 2324-2341 —2365-2382 en
realidad—). Se desprende de su relato, al afirmar que *Sanga Damascenus*
—v. 2329 (2370)— (cfr. estrofa posterior) quiso vengar a su hermano muerto
por Clitus (de ahí se extrae la noticia de que el «alto hombre» era de Damasco).
Pero nada se dice sobre cómo lo mató. Toda esa parte es añadida por nuestro
autor, quizá para completar la estrofa, y la estrofa en sí es incluida para completar el desarrollo lógico de los sucesos, para lograr que la sucesión de los hechos
quede más esclarecida ante los ojos del lector.
1376a *El padre de los muertos*. Cfr. v. 1378a.

Desque acordó Mega,   començó de clamar: 1378
«Ay, sierpe enconada,   ¡mala passes la mar!;
todo el tu venino   yo lo he de tragar,
desque matast los fijos,   ven el padre matar.

»Sólo que a mí mates,   avráslo bien complido,   1379
non avrá la condesa   nin fijos nin marido,
verá duelo doblado   qual nunca fue veído,
qual lo verá aquella   que te ovo parido.»

Non quería el griego   la cabeça tornar,   1380
veyélo en grant cueita,   queriélo escusar;
díxol: «Ide, don viejo,   vuestros fijos llorar,
non quiero la mi lança   en vos ensangrentar.»

Tanto lo pudo Mega   a Clitus segudar   1381
fasta que se le ovo   mucho a acostar,
diole una lançada,   fízolo ensañar,
ovo entre los fijos   el padre a echar.

Dexémosnos de Clitus,   de Nicánor digamos: 1382
non podriemos dezir   de mejores dos manos,
él, e con don Filotas,   amos eran hermanos,
fijos de don Parmenio,   del que ante fablamos.

El haz que él guíava   mandávala en çierto,   1383
como sierpe raviosa   andava bocabierto,
avién en los caldeos   grant portiello abierto,
contra este non valen   las yervas de mal huerto.

1378a *Mega.* En el *Alexandreis* figura *Metha* (v. 2343 —'2384—, ed. cit., pág. 510) como nombre del padre de los hermanos matados por Clito. Sin embargo, dado que Migne notifica la existencia de una variante en otro manuscrito para este nombre (según él se lee *Mecha),* y dada también la coincidencia de los dos manuscritos, O y P, de nuestro *Alexandre* en este punto, he preferido mantener esa lectura, puesto que en ese dato que Migne nos proporciona es verosímil suponer la existencia de alguna otra versión del *Alexandreis,* tal vez hoy desconocida, en la que figurase el nombre en cuestión en la forma en que O y P nos lo transmiten, versión que quizá —al menos existen suficientes indicios para poder sospecharlo, aunque tan sólo sea como posibilidad— sería la manejada por nuestro medieval compositor.

Ovo de fincar ojo   a do Dario andava,   1384
la resplandor del oro   esso lo acusava;
dixo entre su cuer   que mucho le pesava,
que aún la fazienda   tan en peso estaba.

Aguijó contra él,   dexó todo lo al,   1385
querié a todas guisas   quebrantar el real
al que podié prender,   faziél mala señal,
avié y de mejores   pocos en el real.

Remnón era de Dario   amigo e pariente,   1386
vínole en acorro   con mucha bella gente,
con mucho cavallero   e con mucho serviente,
sobra bien adobados   de oro e d' argente.

Vío cómo Nicánor   a Dario aliñava,   1387
exióle adelant   allá do él estava;
falló otro bien fiero,   si él fiero andava,
todas ge las tenié   quantas él enbidava.

Allí fue a grant priessa   e firmes las feridas,   1388
fueron muchas cabeças   de los ombros tollidas,
muchas lorigas buenas   rotas e descosidas,
muchas buenas espadas   botas e confondidas.

Murién todos de buelta,   señores e vasallos,   1389
andavan con las siellas   vazíos los cavallos,
non podíen dar cuenta   las fadas a contallos,
avién a las vegadas   por fuerça a doblallos.

1388bcd *muchas.* La repetición continua de *muchas* (u otra variante, como *tantas*) al principio de cada uno de los puntos de que consta una enumeración de hechos insertados en un relato o de objetos incluidos en una relación, tiene un valor intensificador; sirve para aligerar una descripción —para evitar el tedio al lector—, y es un rasgo tomado como préstamo de la épica popular, de la épica heroica *(vid.* M. Pidal, introducción a su edición del *Cantar del Mío Cid* en Clásicos Castellanos —Madrid, Espasa Calpe, 1971, págs. 33-34—, y Chasca, *El arte juglaresco en el Cantar del Mío Cid,* Madrid, Gredos, 1972, 2.ª ed.).
1389c *las fadas.* Las tres Parcas (cfr. nota a 1045-1046).

Pero como la cosa   que Dios quiere guïar   1390
nulla fuerça del mundo   non la puede tornar,
ovieron los aláraves   la carrera a dar,
ca eran enralidos,   non los podién durar.

Estonz asmó Nicánor   una bella razón,   1391
semejól verament   esfuerço de varón,
que si de las sus manos   estorçiesse Remnón,
non preçiare lo al   todo un pepïón.

Tanto pudieron ambos   su seso en es' andar,   1392
fasta que se ovieron   en uno a fallar;
oviéronse entrambos   luego a devisar,
a poder de cavallo   fuéronse a colpar.

Como quisieron ambos   ferirs' a denodadas,   1393
las lanças de los puños   fueron luego peçiadas;
diéronse los cavallos   tan firmes pechugadas,
serién grandes dos torres   por ellas derrocadas.

Cavallos e señores   cayeron enbraçados,   1394
fue muy grant maravilla   que non fueron quebrados,
pero fueron aína   en piedes levantados,
ca ya de cosiment   eran desfeüzados.

Fuera mal quebrantado   Remnón de la caída,   1395
nin se podié mudar   nin dar firme ferida;
pudo más el de Greçia,   essa barva conplida,
óvolo a vençer,   destajóle la vida.

Cavalleros yrcanos   que a Dario guardavan,   1396
—estos eran mejores   de quantos y andavan—,
vieron que de Nicánor   tan grant daño tomavan,
por poco de despecho   que non se esguinçavan.

1391d   *todo un pepïón.* No lo valoraría en nada. (Para, *pepïón,* cfr. Vocabulario.)

Dieron todos en él,   que le tenién grant saña,   1397
çercáronlo en medio,   ca era grant compaña,
diéronle fiera priessa,   tanto que fue fazaña,
el montón de las lanças   semejava montaña.

Revolviése Nicánor,   firié con amas manos,   1398
a diestro e siniestro   dava en los yrcanos,
los que prender podié   non le ivan muy sanos,
a Remnón de Arabia   dávalos por hermanos.

Que mucho vos queramos   la razón alongar,   1399
vóvoslo a dezir,   pero con grant pesar:
eran muchos e buenos,   non los pudo durar,
el buen muro de Greçia   ovo y a finar.

Assí finó Nicánor,   un cuerpo tan complido,   1400
sano es el su nombre,   maguer él es podrido;
mas fizo tales daños   ante que fues caído
que será, mientre dure   el mundo, retraído.

Passava medió día,   el sol torçié el peso,   1401
estava la fazienda   aún toda en peso;
entendió Alexandre   que daño avié preso,
por poco con rencura   non exió de su peso.

Tomóle con la ira   ravia al coraçón,   1402
mayores saltos dava   que çiervo nin león,
nin popó cavallero   nin escusó peón,
iva dando a todos   muy mala maldición.

Parmenio el dïoso,   que lo avié crïado,   1403
por poco non murié,   ¡tan' eran fatilado!,
de tres fijos tan buenos   uno l' era fincado,
el que si non naçiesse   fuera bien venturado.

Los de parte de Dario,   la más mayor partida,   1404
querrién y más fincar   que escapar a vida,
ca veyén que la cosa   era toda torçida,
querrién aventurarse   de voluntad complida.

El infante don Fidias   era de orïente,   1405
de linaje de Çiro,   niño barvaponiente,
más blanco de color   que la nieve reziente,
querrié con Alexandre   justar de buena miente.

Prometíale Dario   a buena fe e sana,   1406
si el campo rancasse,   de darle su hermana;
por es querié fer nuevas   sobre feüza vana,
ca vernié otro viento   otro día mañana.

Eran de Alexandre   todos escarmentados,   1407
eran por foïr d'él   todos aconsejados;
baldonósele Fidias   por sus grieves pecados,
más después vino ora   que maldizié sus fados.

Ya exié de galope,   querié con él juñir,   1408
óvole de traviesso   en siesto a exir,
nin beldat nin linaje   non le pudo guarir,
cosiólo por el cuerpo,   ovo y a morir.

Los griegos por Nicánor   fueron todos pesantes,   1409
lidiavan con la saña   más a firmes que antes,
fazién muy grant carniça   en los pueblos persiantes,
los de parte de Dario   veyénse malandantes.

Andava Alexandre   como rayo irado,   1410
querrié más seer muerto   que non seer rancado,
a Afro e a Pelias   delivrólos privado,
e otro más fuert' omne   que Melón fue llamado.

<hr />

1405a *Fidias.* En el manuscrito P de nuestra obra figura *Fidas, Sidios* en O.
En el *Alexandreis* aparece *Sthenelus* (ed. cit., pág. 512, v. 2437 —2438—), pero
en letra cursiva, señalando que ha sido el editor, Migne, el que ha introducido
esta lectura. No hallamos ninguna indicación de este último sobre la existencia
de otras versiones diferentes en otros manuscritos de Châtillon que pudieran ser
más próximas a las formas insertadas en uno u otro de los dos manuscritos que
transmiten el *Libro de Alexandre.* Ante esta situación, y dada la divergencia de O
y P en este punto, podría adoptarse la lección de Migne, dado que en absoluto
es contraria a la métrica de nuestro verso. No obstante, he pretendido intentar
reconstruir la palabra que pudo figurar en el original del *Libro,* basándome en
los textos que O y P ofrecen de este verso y de 1407c.
1410c *Afro.* Según el *Alexandreis* de Châtillon es Arístides el nombre de

Çenus e Euménides,   Meleager terçero,   1411
rencuravan a firmes   el su buen compañero;
non le iva a Pérdicas   n'nguno delantero,
todos eran estraños,   peón e cavallero.

Que los queramos todos   por nombre ementar,   1412
cada uno qué fizo,   cómo pudo lidiar,
mal pecado, la noche   podié ante uviar
que pudiéssemos sólo   el diezmo recontar.

Mas, como diz' el sabio   —es verdat sin dubdança—,   1413
que en la fin yaz todo   el prez o malestança,
non queramos seer   en luenga demorança,
vayamos a la fin   do yaze la ganançia.

Era más ya de nona   grant migero passado,   1414
çerca era de viésperas,   todo el sol tornado,
de los muertos el campo   todo yazié cuajado,
don Alexandre mismo   era factas cansado.

Los poderes de Dario   eran fuert' enralidos,   1415
los unos eran muertos   e los otros fuídos;
todas las pleitesías   e todos los roídos
eran sobre las guardas   de su cuerpo caídos.

---

este personaje (ed. cit., pág. 513, v. 2551 —2509 en la defectuosa numeración de Migne—), pero en esa misma obra encontramos añadido a ese nombre un adjetivo, *Afer,* que pretende determinar cuál era el lugar de procedencia, África, del individuo al que se refiere. Nuestro autor, guiándose en parte del propio texto de Gautier, que en los versos 2552 y 2555 (2510 y 2513 en Migne) llama al personaje exclusivamente *Afer,* ha preferido —quizá no se trate de una confusión— convertir el adjetivo en nombre propio, tal vez porque encontrase una mayor adaptabilidad de aquél a las exigencias de una métrica que a lo largo de su obra se proponía respetar.

Pelias. Adopto la lectura que ofrece la edición de Migne del *Alexandreis* (v. 2552, 2553, 2554, 2555 —2510, 2511, 2512, 2513 de esa edición—), pese a no coincidir con las versiones de O —*Ispana*— y P —*Siria*—. Nelson corrige *Lysias* (ed. cit., pág. 470).

1410d   *Melón.* Amilón en *Alexandreis* (ed. cit., v. 2515 —2556—).

1411a   Çenus. Cfr. nota a 1022a.

Euménides. Cfr. nota a 318a.

Meleager. Cfr. nota a 1068a.

Ya lo veyé por ojo   com' avié a seer,   1416
veyé que de la muerte   non podié estorçer,
querrié más seer muerto   o estar por naçer
que tantas e tan grandes   ocasiones veer.

Aquellos que por quien   él cuidava rancar   1417
ya non veyé ninguno   çerca de sí estar;
nin era por fuïr,   nin era por tornar,
—yo he de la su cueita   oy en día pesar—.

Pero avié asmado   de lidiando morir,   1418
sus gentes eran muertas,   él non querié bevir;
desque avié su regno   todo a mal a ir,
él non querié del campo   con la alma fuïr.

Assí andava Dario   su cueita comidiendo,   1419
fuéronsele las hazes   poc' a poco moviendo,
fueron cuestas tornando,   fuéronse desurdiendo,
fueron contra sus casas   las cabeças corriendo.

Qüando cató Dario   el su pueblo plenero,   1420
víose en el campo   fascas solo, señero;
tirando de sus barvas,   de todos postrimero,
desamparó el juego   con todo su tablero.

Assaz quisiera Dario   en el campo fincar,   1421
mas non ge lo quisieron   los fados otorgar,
ca ya era fadado,   non podié al estar:
Bessus e Narbazanes   lo avién a matar.

1420d   De nuevo aparece la comparación de la lucha con el juego del ajedrez, y una vez más la palabra *tablero* es utilizada para referirse al campo de
batalla.

1421d   *Bessus.* Besso, sátrapa de Persia y gobernador de Bactriana durante
el reinado de Darío III, fue uno de los hombres más influyentes de su tiempo.
Le fue confiado el mando del ala izquierda del ejército persa en la batalla de Arbelas. Terminada ésta con la victoria de Alejandro, Besso huyó junto con Darío
pero terminó por hacer prisionero a su rey con la intención de entregarlo al héroe macedonio, ganare así su favor y conseguir su permiso para declararse independiente en los territorios que formaban su satrapía. Alejandro, que pretendía
reunir todo el imperio persa bajo su mando, no estuvo en absoluto de acuerdo

Quand sopo Alexandre   que Dario era ido,   1422
tovo de la fazienda   que era mal exido,
ca avié por él solo   tal lazerio sofrido,
e aviélo agora   entre manos perdido.

Iva vertiendo fuegos,   a Dario encalçando   1423
como va la estrella   por el çielo volando,
o como faz' el Ruédano   que cae espumando
—do murió Sant Mauriçio   con muchos de su vando—.

Destajólos la noche,   ovieron a quedar,   1424
ovieron a las tiendas   los griegos a tornar,
pero con grant rencura   e con fiero pesar,
porque mano en Dario   non pudieron echar.

Ante que fuessen ellos   a las tiendas entrados,   1425
de non aver rebuelta   vinién asegurados;
ixieron de traviesso   dos reys apoderados,
que querién más morir   que bevir aontados.

---

con ese planteamiento. Mandó que Besso fuese perseguido y logró atraparlo, no
sin antes haberle dado tiempo suficiente, a pesar suyo, para asesinar a Darío. Conducido a su presencia, Alejandro ordenó que, como castigo por sus actos, le fueran cortadas la nariz y las orejas y recibiese la muerte por crucifixión.
No obstante, según otros autores, Besso no sufrió ese tipo de condena, sino que
fue atado a las copas de dos árboles que previamente habían sido juntados en el
suelo, y, soltadas éstas, desmembrado por la fuerza que desarrollaron al tratar
de recuperar suposición vertical originaria.

Narbazanes. Nabarzanes, según Quinto Curcio, pero escrito así en el *Alexandreis* de Châtillon (v. 2550 —2591 en realidad—, ed. cit., pág. 514).

De nuevo, y en este verso, la técnica de adelantar acontecimientos con el fin
de intrigar al lector hace su aparición dentro de la obra.

1423c   *Ruédano*. El río Ródano.

1423d   *Sant Mauriçio*. Se trata, como puede suponerse, del famoso mártir,
uno de los dirigentes de la legión tebea, que fue enviado a la Galia formando
parte de un gran ejército mandado por Maximiliano y que, con el resto de sus
compañeros, se negó a celebrar sacrificios en honor de los dioses en el transcurso de un gran alto decretado tras el paso de los Alpes para que los hombres pudieran recuperar sus fuerzas y reponerse. Debido a esta negativa Maximiliano
ordenó que fuesen muertos todos los componentes de la legión, mandato que se
cumplió a las orillas del Ródano (en *Octodorum*, al norte del lago Ginebra), tal y
como afirma el autor del *Alexandre*, y que fue aceptado por todos los hombres
afectados por ella con ejemplar valor, heroísmo y resignación.

El rëy Alexandre   fizos maravillado,   1426
por plazo non lo puso,   maguer era cansado;
encubrió del escudo   el su cuerpo lazrado,
delantero de todos   ixió luego al prado.

Fue luego reçebido   como él mereçié,   1427
de porras e de lanças   sól cuenta non avié,
teniése por mejor   el que ante firié,
de colpes en el cuerpo   caber más non podié.

Fue luego acorrido   de las sus crïazones,   1428
redráronlos a todos   sobre los sus griñones,
davan malas pitanças,   partién malas razones,
más a firmes lidiavan   que non otras sazones.

Luego de las primeras,   como Dios lo querié,   1429
murió el mayoral   de quantos y avié,
plaziél de coraçón,   al que morir podié,
mas a todo su grado   bien vengado morié.

Como querién morir,   estavan denodados,   1430
firiénlos e firién   a dientes regañados;
ya dizién los de Greçia   que eran enojados,
que la ira de Dios   los avié deparados.

De Simacus, un griego,   grant tuerto ha tomado,   1431
ca en los más primeros   devrié seer contado;
tant' y fue bien apreso   e sobra bien guiado,
mejoróse de quantos   avié en el mercado.

1431a *Simacus.* Lisímaco, nacido en Pella, era hijo de Agatocles, peucestre de Tesalia, y uno de los generales de Alejandro Magno. Fue rey de Tesalia. Intervino en las campañas asiáticas junto al gran conquistador. Muerto éste recibió, en el primer reparto efectuado entre los generales, el gobierno de Tracia, que había sido convertida en satrapía independiente. Como el resto de los diácodos, tomó en el año 306 a. de C. el título de rey. Tomó parte en la coalición formada por Seleuco, Casandro y Tolomeo con el fin de combatir contra Antígono y su hijo Demetrio. Fue vencido por el último en Lampsaco, pero logró, junto con Seleuco, vencer a Antígono en la batalla de Ipsos. No consiguió extender su dominio por el Danubio, pese a las varias tentativas que realizó. Aliado a Tolomeo y Seleuco, y en lucha contra Demetrio, logró ejercer su hegemo-

Sobre quantos y eran   encargóseles tanto   1432
que tal daño les fizo   que avién grant crebanto,
los que estavan lueñe   avían grant espanto,
non semejava todo   depuerto nin disanto.

Como trayén los griegos   esfuerço e ventura,   1433
fiziéronlos lazrar   a la mayor mesura;
a los demás echaron   por esta sepoltura,
los otros dieron cuestas   con doblada rencura.

Dario, en est comedio,   non s' ovo de vagar,   1434
por cuestas e por planos   cuitóse de andar,
fasta la media noche   tant pudo caminar
que avrié otra guisa   tres días bien que far.

Fue a la media noche   a un río llegado,   1435
—agua era cabdal   que non avié nul vado—;
asmó fer una cosa   desque füe passado,
—si lo oviesse fecho,   non fuera engañado—.

Asmava que fiziessen   la puente derrocar,   1436
que los griegos por ella   non pudiessen passar;
mas asmó otra cosa,   que serié malestar,
ques perderién los suyos   que eran por llegar.

Vençiólo pïedat   e non lo quiso fer,   1437
púsolo en Dios todo,   morir o guareçer;
—a rëy tan leal   e de tan buen creer
devïél' el Crïador   pïedat le aver—.

Dario, maguer rancado,   non se pudo morir,   1438
nin se pudo matar,   nin del siglo salir,

---

nía sobre toda Macedonia. Con ello, al igual que Seleuco, se convirtió en el más
poderoso de los sucesores de Alejandro. Discordias familiares provocaron su
caída. Arsinöe, hija de Tolomeo y última esposa de Lisímaco, consiguió, tras
una acusación, que éste matase a su hijo Agatocles. Hubo una sublevación pro-
movida por un grupo de amigos del asesinado, quienes buscaron la ayuda de Seleuco. Se entabló el combate y Lisímaco encontró la muerte luchando en Ko-
ros, al lado del Helesponto, contra las tropas de Seleuco.

nin entrar en la tierra,   nin al çielo sobir;
quand' al non pudo fer,   óvolo a sofrir.

Pero que non toviessen   que era recreído,   1439
atendié al su pueblo   que vinié desmarrido,
lo uno por saber   quánto avié perdido,
lo otro por mostrarse   de esfuerço complido.

Todos eran bien pocos   quando fueron venidos,   1440
que más de las diez partes   allá eran perdidos;
Dario con la rencura   dava grandes sospiros,
querrié seer más muerto   que estar con los bivos.

Encubrió su desarro   quando fueron llegados,   1441
refirió los sospiros   que tenié muy granados;
començó de fablar   con los ojos mudados,
ca entendié que todos   estavan desmayados.

«Amigos» —diz—, «devémoslo   a los dios gradeçer,   1442
que tan grandes quebrantos   nos dieron a veer,
pero nos bien devemos   firmemente creer
que merçet nos avrán   en cabo a fazer.

»Somos mucho fallidos   contra el Crïador,   1443
non lo obedeçemos   como atal señor,
por end somos caídos   en el su desamor,
ca las culpas son grandes   e el yerro mayor.

»Mas es de tal natura   —esto es la verdat—,   1444
maguer irado sea,   non olvida piedat;
fernos ha en pues esto   tamaña caridat
que aun bendeziremos   a la su majestat.

»Otra cosa nos deve   encara confortar: 1445
que sabemos por muchos   tales cosas passar:
Çiro, tan poderoso,   com' oyestes contar,
una muger lo ovo   en cabo a matar.

1445cd   Véase la nota al verso 997a.

388

»El rey Sersis que ovo   tan estraño poder,   1446
ques fazié por la mar   en los carros traer,
e podié en los canpos   con las naves correr,
abes pudo en cabo   una bestia aver.

»Si nos, que Dios lo quiso,   fuemos desbaratados,   1447
a varones conteçe,   seamos esforçados;
bivo es vuestro rey,   vos todos sodes sanos,
creo que verná ora   que seremos vengados.

»Esse sólo non cae,   qui non quiere luchar;   1448
esse non fue vençido,   qui non quiso lidiar;
todos los que quisieron   buen preçio ganar,
siempre dellos e dellos   ovieron a tomar.

»Non vos vençió esfuerço,   más vençióvos ventura,   1449
quísovos dar por ellos   Dios mala majadura;
que traemos con nos   embargo e orrura,
castrados e mugeres,   ésta fue grant locura.

»Desaquí otra guisa   somos a aguisar: 1450
lleguemos quantas gentes   pudiéremos llegar,
dexemos estas nuevas   que solemos levar,
ca por fierro se suele   la fazienda buscar.

»Ellos en el enfloto   de lo que avién fecho,   1451
ternán que lo fizieron   por esfuerço derecho,
pesará a los dios,   averles han despecho,
perderán la ventura,   nos avremos derecho.»

Como eran las gentes   todas descoraznadas,   1452
—non era maravilla,   ca eran mal cuitadas—,
non les podié dezir   palabras tan senadas
que tollerles pudiesse   de los cueres las plagas.

Veyén cosa mal puesta   dende a otro día: 1453
que el rey Alexandre   con su cavallería
entrarié por la tierra   a su plazentería,
ca era de poderes   e de gentes vazía.

Cativarién las viudas   que eran sin maridos;   1454
traerién a los fijos   ant las madres amidos;
mandarién los que eran   nuevamente venidos,
los otros andarién   siervos e escarnidos.

El rëy de los griegos,   de la buena ventura,   1455
partió bien la ganança   a toda derechura,
él non quiso end parte   nin ovo dello cura,
dizién que era grant   ganança sin mesura.

Fue todo en un rato   fecho e delivrado,   1456
mandó luego mover   el su real fonsado,
por conseguir a Dario   ques le era alçado,
çercar a Babilonia,   cabeça del regnado.

Aviéla a Maçeo   Dario acomendada,   1457
con el que ovo ante   la fija desposada;
era por defenderse   la cosa bien guisada,
mas a l' ira de Dios   nos le defiende nada.

Acordóse el rey   con toda la su gente   1458
por ir a Babilonia   luego primeramente;
sól que essa oviesse   fecho el sagramente,
luego vernién las otras   todas a cosimente.

Quando sopo Maçeo,   que la villa tenié,   1459
que el rey Alexandre   pora ella vinié,
ixió luego a él,   ca mucho lo temié,
rindióle la çibdat   con quanto y avié.

Quïérovos un poco   todo lo al dexar,   1460
del pleit de Babilonia   vos quïero contar,
cómo yaz' assentada   en tan noble lugar,
cómo es abondada   de ríos e de mar.

1457b   *la fija.* Roxana, que fue dada por Darío a Maceo como esposa en recompensa por los servicios que le había prestado.

1460-1533   Nos encontramos en estas estrofas con otra de las grandes digresiones de la obra, cuya fuente no es el *Alexandreis* de Châtillon, pero que sí

Yaze en lugar sano, comarca muy temprada, 1461
nin la cueita verano nil faz la invernada;
de todas las viandas es sobra abondada,
de los bienes del siglo allí non mengua nada.

---

ha sido introducida tomando como motivo el relato de la rendición de la ciudad, incluido en el escrito de Gautier (vv. 2680-2724 —2721-2765 en realidad—, ed. cit., págs. 517-518). Tiene perfecta unidad y formalmente se halla separada del resto por las estrofas 1460 y 1533. Posee una estructuración similar a la del texto completo —introducción (estrofa 1460), narración (1461-1532) y despedida (1533). Y, a pesar de ello, no carece de una función explícita dentro de la obra, no ha sido insertada tan sólo por meros afanes didácticos o de simple erudición. Ian Michael —*The treatment...*, pág. 262— con respecto a esta última cuestión hace la afirmación siguiente:

> Apart from the two functions of providing relief for the reader after the long narrative of the second battle and supplying him with interesting information, has the description an thematic contact with the Alexander narrative? There is one explicit connection: after talking of the large a amount of shipping that traded at Babylon, the poet suddenly foreshadows the treachery of Antipater and the poisoning of Alexander.

Es absolutamente cierta su afirmación. Pero no deja totalmente esclarecida cuál es la función que cumple la digresión sobre Babilonia. Si nos fijamos en una serie de hechos podremos determinarla. Nuestro autor la ha incluido inmediatamente después de anunciar la toma de la ciudad por Alejandro, e inmediatamente antes de que el héroe haga su entrada en ella. A lo largo de la misma se destacan las enormes cualidades positivas que posee el lugar —tantas que prácticamente lo convierten en un auténtico paraíso— y los sucesos bíblicos que en él se desarrollaron, unos sucesos cuya importancia, desde un punto de vista religioso, era bien conocida por todos. Mediante estas menciones y cualidades se logra «prestigiar» el lugar. Se caracteriza a éste como un sitio verdaderamente privilegiado, especialmente adecuado para convertirse en «objeto» de posesión deseable. El hombre que lograra convertirse en su dueño sería, según este planteamiento, un ser afortunado. Alejandro ha sido ese hombre. Su prestigio por ello se ve considerablemente incrementado. He ahí, pues, la auténtica función argumental —parece— de la digresión sobre Babilonia: contribuir al engrandecimiento del héroe, producir un aumento en la «honra» del protagonista.

1461-1532   La descripción de Babilonia ha sido distribuida en tres núcleos fundamentales, perfectamente escindidos en el texto de la obra: la «comarca» (v. 1461a), los alrededores de la ciudad *(por la villa,* v. 1493a) y el sitio (v. 1504a). Para la exposición ha sido adoptada una gradación que va, como se desprende de la anterior afirmación, de lo general a lo particular, de la comarca a la ciudad propiamente dicha. Es una técnica que en otras partes de la obra también hace su aparición.

Los que en ella moran   dolor non los retienta,   1462
passan los mançebillos   en dulçor su juventa,
el viejo la cabeça   non l' ave tremolienta,
en ella son los árboles   que llevan la pimienta.

Allí son las espeçias: el puro galingal,   1463
canela e gengibre,   clavos e çetoal,
ençens' e anamomo,   bálsamo que más val,
girofe, nuez moscada   e nardo natural.

De sí mismos los árboles   tanto han buen olor,   1464
non avrié ante ellos   fuerça ningunt dolor,
por esso son los ombres   de muy buena color,
bien a una jornada   sienten el buen odor.

Los quatro ríos santos   todos los ha vezinos,   1465
dizen que los dos fazen   por ella sus caminos;
muelen solas espeçias   más de quatro molinos,
más quatro muelen pebre,   otros quatro cominos.

De ruedas de molinos   que muelen las çiveras,   1466
e de ricas açeñas   que las dizen traperas,
avié grant abondança   por todas las riberas;
eran dentro e fuera   seguras las carreras.

Rica es de pescados   de ríos e de mar,   1467
siempre los fallan frescos,   non los quieren salar,
non d' uno mas de quantos   ome podrié asmar;
son las aguas muy sanas   por bever e abevrar.

1465a   *Los cuatro ríos santos*. Véase nota a 287a.

1465b   *los dos*. Babilonia se hallaba situada en realidad a orillas del Éufrates, por lo que la noticia incluida en este verso es inexacta. El Tigris se encontraba cerca de ella, en su región, pero no la atravesaba.

1468-1503   Obsérvese que al autor ha seguido para ordenar la descripción que se inserta en estas estrofas, en líneas generales, la sucesión de acontecimientos establecida en la *Biblia (Génesis,* 1-2; ed. cit., págs. 27-30) para el relato que se hace de los días de la creación: de las aguas salen las piedras; tras las piedras se hace referencia a las hierbas; después de éstas, a los animales, y las aves, más específicamente (el *Génesis* habla primero de los animales acuáticos; el *Alexandre,* de los terrestres; en esto hallamos una diferencia), y, por último, al hombre.

An essas santas aguas   otra mejor costumbre: 1468
de piedras de grant preçio   han una muchedumbre;
unas que dan de noche   a luenga tierra lumbre,
otras que dan al flaco   salut e fermidumbre.

El esmaragdo verde   allí suele seer,   1469
más claro que espejo   por ombre se veer;
el jaspis que es bueno   por omne lo traer:
nol pueden al quel trae   yervas enpeeçer.

Allí son los gagates   por natura ardientes,   1470
que sacan los demonios,   segudan las serpientes;
los magnetes que son   unas piedras valientes,
estos tiran el fierro,   si les metedes mientes.

Adamant, en que fierro   nunca fizo señal,   1471
con sangre de cabrito   fiendes' e non con al;

1468-1492   La fuente utilizada por nuestro autor para redactar este lapidario son *Las Etimologías,* de San Isidoro (cfr. La traducción de Luis Cortés y Gógora, Madrid, BAC, 1951 —introducción general e índices científicos de Santiago Montero Díaz—, págs. 386-411, libro XVI). La mezcla que observamos en él de «ciencias», «magia» y «medicina» no es algo que sea patrimonio exclusivo de nuestro autor. Se halla ya en el escrito que sigue en estos momentos del santo visigodo, y es una característica totalmente generalizada en la época medieval. Prueba de ello es el *Lapidario,* de Alfonso X el Sabio —modernamente editado, vertido al castellano actual, por María Brey Mariño (Madrid, Castalia —Odres Nuevos—, 1970, 2.ª ed.)—, en el que el «sistema de relaciones» alcanza un grado de mayor complejidad al incluirse dentro de él también la astronomía, dado que las piedras aparecen clasificadas en grupos que se hacen corresponder con cada una de las constelaciones del zodiaco. Las descripciones de las piedras en el *Alexandre* y el *Lapidario* alfonsí guardan una similitud de estructuración: en ambas obras primero se destacan las cualidades físicas de las piedras correspondientes y después sus propiedades «mágicas» o curativas. Pero la semejanza no va mucho más allá, dado que en cuestión de contenidos, de especificaciones concretas de cuáles son esas respectivas características de los minerales, las diferencias son notables en la mayoría de los casos.

1469ab   *Etimologías,* ed. cit., Libro XVI, cap. VII, 1, pág. 393.
1469cd   *Ibídem,* cap. VIII, 8, pág. 394.
1470ab   *Ibídem,* cap. IV, 3, pág. 389.
1470cd   *Ibídem,* cap. IV, 1, pág. 389.
1471ab   *Ibídem,* cap. XII, 2, pág. 398.

estopaçio que es   de color comunal,
qual color tien de çerca   tornás' ella en tal.

Allí han la callaica,   assaz de buen mercado,   1472
ésta tiene al omne   alegre e pagado;
es en essa ribera   el meloçio trobado,
que por descobrir furtos   es muy bueno probado.

La piedra heliotrópica   allí suele naçer,   1473
ésta es de grant preçio,   —¡qui la podies' aver!—,
ésta faz' a la luna   la claredat perder,
al ome que la tiene   non le pueden veer.

Sagda es que las naves   faze a sí venir;   1474
el coral que los rayos   faze bien referir;
fázelo hematites   al omne salvo ir,
çelada nin engaño   non le podrié nozir.

Iaçinto, que se torna   de la color del día,   1475
non dexa en el omne   ardor nin maletía,
por natura es fría,   end' ha tal valentía,
el adamant lo taja,   non otra maestría.

1471cd   *Ibídem,* cap. VII, 9, pág. 394.
1472ab   *Ibídem,* cap. VII, 10, pág. 394.
1472cd   *Ibídem,* cap. VII, 11, pág. 394.
1473   *Ibídem,* cap. VII, 12, pág. 394.
1473c   *Etimologías (ibídem):* «Su nombre (Heliotropo) lo toma de su afecto, pues colocada en vasija de cobre con agua cambia los rayos del sol en reflejos sanguíneos. Fuera del agua recibe el sol a manera de espejo, capta sus eclipses, mostrando a la luna que se interpone.»
1473d   *Etimologías (ibídem):* «Aquí se manifiesta la petulancia y atrevimiento de los agoreros, que dicen que llevando cierta hierba con el Heliotropo y empleando ciertos conjuros, hace invisible al que lleva esta piedra.»
1474a   *Ibídem,* cap. VII, 13, pág. 394.
naves. En O y P *nuves,* pero *naves* según las *Etimologías* de San Isidoro *(Ibídem):* «su fuerza de adhesión es tanta que, surgiendo del fondo del mar se adhiere tan tenazmente a la quilla de las naves al pasar por encima que hay que raer la madera para poder separar la piedra».
1474b   *Ibídem,* cap. VIII, 1, 395.
1474cd   *Ibídem,* cap. VIII, 5, pág. 395: «De ella dicen los agoreros que sirve para descubrir las celadas de los bárbaros.»
1475   *Ibídem,* cap. IX, 3, pág. 396.

Margarita, que siempre   quiere yazer señera,   1476
—siempre la troban sola,   nunca ha compañera—,
del roçío se cría,   palavra verdadera,
ca lo diz Sant Esidro,   que sopo la manera.

Pederos, que tant val,   non es de olvidar: 1477
non es nado quil pueda   la color terminar,
de beldat non la pueden   compañera trobar,
las reínas las suelen   ésta mucho amar.

Astrites es poquiella,   mas mayor que arveja,   1478
pesada por natura,   más que ruvia, bermeja;
pareçe entre lumbre   que estrella semeja,
dan por ella grant preçio,   maguer es muy chiqueja.

Galactites es blanca   como leche d' oveja,   1479
faze a las nodrizas   aver leche sobeja,
faze purgar la fleuma   maguer sea añeja,
regalas, en la boca,   que açucar semeja.

Galaçio es fermosa   mas de fría manera,   1480
non podrié calentarse   por ninguna foguera,
ámanla en verano   los que andan carrera,
que non les faga mal   el sol en la mollera.

Solgema echa rayos,   faze lumbre sobejo,   1481
podrié a la su lumbre   çenar un grant conçejo;
creo que selenites   val menos un poquejo,
que mengua como luna   e creçe en parejo.

1476   *Ibídem,* cap. X, I, pág. 396.
1476d   *Sant Esidro.* San Isidoro de Sevilla, autor de las *Etimologías,* que contienen el lapidario utilizado como fuente para este pasaje por nuestro autor.
1477   *Ibídem,* cap. X, 2, pág. 396.
1477b   *Etimologías (ibídem):* «de ella se inquiere de qué color debe incluirse».
1478   *Ibídem,* cap. X, 3, pág. 396.
1479   *Ibídem,* cap. X, 4, pág. 396.
1480   *Ibídem,* cap. X, 5, pág. 396.
1481ab   *Ibídem,* cap. X, 7, pág. 397.
1481cd   *Ibídem,* cap. X, 7, pág. 397.

Cinedia es longuilla,　piedra müy preçiada　　　　1482
en cabeça de pez　suele seer fallada,
en ella lo entendién　los que la han usada
si fará tiempo bueno　o tempestat irada.

Achates es negrilla,　mas de grandes virtudes:　　　1483
refiere las tempestas　que vienen en las nuves,
faze quedar los rayos　que semejan taudes,
otras y ha, sin estas,　muchas buenas costumbres.

Apsyctos, como dizen,　es negra espessada,　　　　1484
mas quando una vez　la han escalentada,
fasta los siete días　non es ya enfrïada,
—serié pora enero　non mala dinarada—.

La santa dïonisia,　quando es bien molida　　　　1485
e tornada en polvos　e en agua metida,
como si fuesse vino　fazla tan saborida,
nunca sintrié beudez　qui la oviés tenida.

Non es hexecontálito　de todas las peores,　　　　1486
que es entremezclada　de sesenta colores;
el adamant seguda　todos malos pavores,
el que la tien consigo　non lo matan poçones.

Iris, que si del rayo　del sol fuesse ferida,　　　　1487
faz la forma del arco　en la pared bastida;

1482　*Ibídem,* cap. X, 8, pág. 397.
1483　*Ibídem,* cap. XI, 1, pág. 397.
1484　*Ibídem,* cap. XI, 2, pág. 397.
1485　*Ibídem,* cap. XI, 8, pág. 397.
1486ab　*Ibídem,* cap. XII, 5, pág. 398.
1486cd　*Ibídem,* cap. XIII, 3, pág. 398. Nótese que esta piedra había sido ya mencionada en la estrofa 1471, si bien en aquella ocasión se notificaban las propiedades que eran recogidas por San Isidoro en el capítulo XIII, párrafo 2, del Libro XVI de sus *Etimologías,* y ahora se resumen las incluidas en el párrafo 3 de ese mismo capítulo y libro: «da a conocer los venenos, disipa los temores vanos y resiste a los maleficios».
1487ab　*Ibídem,* cap. XIII, 6, pág. 398.
1487b　*del arco.* El arco Iris. El sentido, pues, es evidente: la piedra, al ser

astrïón resplandeçe   como luna complida,
pero a poco tiempo   es la su luz fallida.

Electria hanla pocos,   ca es piedra preçiada,   1488
en vientre de los gallos   suele seer fallada;
qui la tiene consigo,   en el cuello atada,
nunca serié vençido   nin muerto a espada.

Enhydros echa agua   fría e bien sabrida,   1489
semeja que tien dentro   una fuent' ascondida;
manternié doze omes   a larguera medida,
si el agua que vierte   fuesse toda cogida.

La virtud del cristal   todos nos la sabemos,   1490
como sal' en el fuego   cutiano lo veemos,
mas nos por maravilla   esto non lo tenemos,
por cuanto cada día   en uso lo avemos.

Çafires e girgonças,   estas piedras luzientes,   1491
estas el omne bueno   sol non y mete mientes;
mas las que por natura   son frías e calientes,
estas tienen por buenas,   ca son senadas gentes.

Más son de çient atantas   las piedras adonadas,   1492
más son assí las gentes   de todas abondadas;
qui más quisier saber,   busqu' allá do son nadas,
ca yo quiero fincar   con las que he contadas.

Son por la villa dentro   muchas dulçes fontanas,   1493
que son de día frías,   tibias en las mañanas;
nunca crían en ellas   nin gusanos nin ranas;
como son perenales,   son sabrosas e sanas.

---

atravesada por los rayos del sol, descompone la luz y forma en la pared los colores del arco Iris. (Cfr. *supra* —nota a 1487ab—.)
   1487cd   *Ibídem,* cap. XIII, 7, pág. 398.
   1488   *Ibídem,* cap. XIII, 8, págs. 398-399.
   1489   *Ibídem,* cap. XIII, 9, pág. 399.
   1490   *Ibídem,* cap. XIII, 1, pág. 398.

De panes e de vinos   es la villa abondada,   1494
non podrién doze omnes   comer la dinarada;
yo leí —iassí aya   en paraiso posada!—,
que vendimian en año   la segunda vegada.

Las florestas son grandes   redor de la çibdat,   1495
y prenden los venados   a toda plantidat,
los grandes e los chicos,   los de media edat,
assí s' ivan a ello   com' a su heredat.

De gamos e de çiervos   e de otros venados,   1496
de ossos e de ossas,   de puercos mal domados,
de perdizes e garças,   de picos lorigados,
otros omes en siglo   non son tan abondados.

De estas avezillas,   ánades e çerçetas,   1497
trayén por la çibdat   llenas grandes carretas;
ruiseñores e gallos   que son más fermosetas,
porque cantan fermoso,   estas son más caretas.

Pero han y de ellas,   e todas muy boniellas,   1498
cad' uno a su puerta   tres o quatro çestiellas;
quand' enpieçan sus sones   a fer las aveziellas,
las madres a los fijos   olvidarién por ellas.

Y son los papagayos,   unas aves senadas   1499
que vençen a los omnes   de seso a las vegadas;
y son las fieras tigras,   yazen encarçeladas,
non ha bestias en mundo   que sean tan dubdadas.

Las gentes son de preçio,   mayores e menores,   1500
todos andan vestidos   de paños de colores,
cavalgan palafrenes   e mulas ambladores,
los pobres omes visten   xamit' e çisclatones.

Que todas sus noblezas   vos queramos dezir,   1501
antes podrién tres días   e tres noches torçir,
ca Galter non las pudo,   maguer quiso, complir,
yo contra él non quiero,   nin podría, venir.

1501c *Galter.* Gautier de Châtillon, autor del *Alexandreis* —cfr. nota a

Pero y fincan cosas   que non son de dexar: 1502
cómo le vienen grandes   ganançias por la mar;
las más naves del mundo   y suelen arribar,
solamente con esso   devrié rica estar.

Embían pora África   e también por Europa   1503
las naves muy cargadas   d'espeçias e de ropa;
por y traxo Antípater   en mal punto la copa
ond priso Alexandre   en mal punto la sopa.

Quiero fablar del sitio   e de la su grandez,   1504
del alteza del muro   e de la su autez,
de torres e de puertas   quál a quál obedez,
serié por lo preçiar   grieve e non rafez.

Creo que bien podiestes   alguna vez oïr   1505
que quisieron al çielo   los gigantes sobir,
fizieron una torre,   —non vos cuido fallir—,
non ha quien la pudiesse   mesurar nin medir.

247c—, cuyo relato es complementado por nuestro escritor en este punto a base de otras fuentes —de ahí la afirmación que contiene esta estrofa.

1503b   Nuevo «avance» de sucesos —en este verso y el siguiente— que serán relatados detenidamente con posterioridad, tendente a mantener el interés del lector por los acontecimientos que se narran.

Antípáter. Antipatro, general macedonio al que Alejandro encargó el gobierno de Macedonia durante su expedición contra Asia. Logró imponer la paz en Tracia y someter en Megalópolis, tras ganar una batalla, a Agis II, rey de Atenas. Muerto Alejandro le fue, al lado de Cratero, confiado el gobierno de todos los territorios europeos anexionados al imperio macedónico, con excepción de Tracia, asignada a Lisimaco. Ayudado por Cratero y Leonato sofocó el levantamiento impulsado por los griegos con el fin de conseguir su independencia. Terminada esta campaña se trasladó a Asia, junto a Cratero, para unirse a Antígono en la lucha desatada con el fin de combatir la ambición de Pérdicas. Asesinado Pérdicas por sus oficiales antes de que los hechos hubiesen alcanzado su desenlace, Antipatro fue nombrado regente y tutor del hijo de Alejandro. Desde ese cargo efectuó una nueva repartición de las satrapías del imperio. Él se reservó el gobierno de la zona europea.

1505-1522   El relato contenido en estas estrofas puede ser considerado una digresión dentro de la digresión (similares a la historia de Paris en la narración de los sucesos de Troya). Su función es proporcionar un material al lector del que pueda extraer alguna enseñanza y conferir al relato un carácter de exhaustividad, amén de las afirmaciones que incluimos en la anotación a las estrofas 1460-1533.

Vío el Crïador   que fazién grant locura,   1506
metió en ellos çisma   e grant mala ventura,
non conoçié ningunt   omne de su natura,
ovo sí a seer   por su mala ventura.

Fasta essa sazón   toda la gent que era   1507
fablava un lenguaje   e por una manera,
en ebraico fablavan   una lengua señera,
non sabién al fablar   nin escrivir en çera,

Metió Dios entre ellos   tamaña confusión   1508
que olvidaron todos   el natural sermón;
fablavan sendas lenguas   cad' una en su son,
non sabié un del otro   quel dizié o que non.

Si uno pedié agua,   el otro dava cal;   1509
el que pediá mortero,   dávanle el cordal;
lo que dizié el uno,   el otro fazié al;
ovo toda la obra   por ende a ir mal.

Non se podién por guisa   ninguna acordar,   1510
ovieron la lavor   por esso a dexar,
ovieron por el mundo   todos a derramar,
cad' un por su comarca   ovieron a poblar.

Assí está oy día   la torre empeçada,   1511
pero de fiera guisa   sobra mucho alçada,
por la confusïón   que fue en ellos dada,
es toda essa tierra   Babilonia llamada.

1505-1506   Evidentemente, el asunto que se relata en estas estrofas, y en
general en el resto de la «subdigresión», es la conocida historia de la torre de
Babel, narrada en el capítulo 11 del *Génesis (Biblia,* ed. cit., págs. 40-41) y otras
veces mencionado en el *Alexandre.*
1508-1512   Véase la reconstrucción de este fragmento realizada por Francisco Marcos Marín en su trabajo «La confusión de las lenguas. Comentario filológico desde un fragmento del *Libro de Alexandre»* publicado en el *Comentario
de textos,* 4. *La poesía medieval,* Madrid, Castalia, 1983, págs. 149-184. El fragmento se halla en la pág. 181.

Sesenta e dos fueron   los onbres mayorales,   1512
tantos son por el mundo   los lenguajes cabdales,
ca est girgonz que traen,   estos lenguajes tales,
sonse controbadiços   entre los menestrales.

Los unos son latinos,   los otros son ebreos,   1513
los otros dizen griegos,   a los otros caldeos,
a otros dizen áraves   e a otros sabeos,
a los otros egipçios,   a otros avaneos.

Otros dizen ingleses,   otros son de Bretaña,   1514
escotes e irlandos,   otros de Alemaña;
los que biven en Galia   fablan de otra maña,
non es con estos Siria   en lenguaje calaña.

Otros son los de Persia,   otros son los indianos,   1515
otros los de Samaria,   otros son los medianos,
otros los de Panfilia   e otros los yrcanos,
otros son los de Frigia   e otros los libianos.

Otros los dizen partos,   otros elamitanos,   1516
otros son capadoçios,   otros ninivitanos,
otros son çireneos,   otros cananitanos,
otros los almoçones,   e otros los çitanos.

El omne que crïado   fuesse en Babilonia   1517
de duro entendrié   la lengua de Iconia;
más son de otros tantos   que cuenta la estoria,
mas yo pora saberlos   de seso non he copia.

1514c   *Galia*. P. *Galga*, O, *Galas*.
1514d   *calaña*. Rectificación de Nelson *(op. cit.,* pág. 497). En P, *tal maña*. En
O, *callada*.
1515c   *Panfilia*. Cfr. nota a 289b.
1515d   *Frigia*. Cfr. *Ibídem*.
1517c   *Iconia*. Ciudad de Asia Menor, capital de Licaonia, comarca de esa
misma región del mundo, que se hallaba situada entre Frigia, Capadocia, Cilicia
e Isauria.

Semíramis la buena,   una sabia reína,   1518
pobló a Babilonia   por la graçia divina;
mas, como Dios lo quiso,   aguisólo aína,
pero antes despiso   mucha buena farina.

Tantas calles y fizo   como son los linajes,   1519
fízolas poblar todas   de diversos lenguajes,
los unos a los otros   non sabién fer mensajes,
los unos a los otros   teniénse por salvajes.

Qualquiere de las calles   es sobre sí çibdat,   1520
non sabrié contra otra   aver comunidat,
la más pobre de todas   serié grant heredat,
a un grant rey podrié   sacar de pobredat.

Qui todos los lenguajes   quisiesse aprender,   1521
allí podrié de todos   çertedumbre saber;
mas ante podrié viejo   desmeollado seer
que la terçera parte   pudiés' él aprender.

Por quanto es la villa   de tal buelta poblada,   1522
que los unos a otros   non se entienden nada,
por tanto es de nombre   de confusión honrada,
ca Babilón *confusio*   es en latín llamada.

La çerca es estraña,   en peña çimentada,   1523
maguer yaze en peña,   es bien carcaveada,
la carcava es fonda,   de agua bien rasada,
naves traen por ella,   ca es fonda e larga.

Un trecho de ballesta   es en alto el muro,   1524
de biva argamasa   e de pedrenal duro;
en ancho, otro tanto,   si mal non lo mesuro,
el que estoviés dentro   devriá seer seguro.

1518a *Semíramis*. Reina legendaria de Asiria que murió en el año 824 a. de
C. Estuvo casada con el rey Ninos, a quien, con el fin de hacerse con el poder,
mandó asesinar. Fundó Babilonia, entre otras ciudades. Conquistó toda Asia
hasta el río Indo, Egipto y Etiopía. Reinó durante cuarenta y dos años, transcurridos los cuales entregó el poder a su hijo Ninias, quien la sucedió en el trono.

Las torres son espessas,   segund que aprendemos,   1525
sobre guisa son muchas,   cuenta non les sabemos,
los días de un año   dizen que serién diezmos,
de aquí las non vïesse   creídos non seriemos.

Las demás son de canto,   menudas e granadas,   1526
las otras son de mármol,   redondas e quadradas,
mas estas con aquessas   son assí aferradas
que sean a aquestas   aquessas sobjudgadas.

A sin los postigos,   treinta puertas cabdales,   1527
guárdanlas sendos reys   que pocos a de tales,
todos de por natura   son reÿs naturales,
dizen que todos tienen   sus regnos generales.

El real es en medio   fecho a maraviellas,   1528
y es el sol pintado,   la luna e las estrellas,
y están las columpnas,   los espejos en ellas
en que se miran todas   casadas e donzellas.

Son dentro en la villa   los naturales baños,   1529
que les vienen las aguas   yus la tierra en caños;
están aparejados   de ropas e d' escaños,
nunca y vino omne   a qui menguassen paños.

Tienen en quatro cantos   quatro torres cabdales,   1530
más claras son que vidrio   nin que finos cristales;
si fazen por la villa   furtos o cosas tales,
allí lo veen luego   por çerteras señales.

Nunca podrién a ella   enemigos venir   1531
que bien de dos jornadas   se pudiessen cobrir;
Nabucodonosor   allí solié dormir,
el que se fazié Dios   a los omnes dezir.

_____

1531cd *Nabucodonosor.* El episodio al que se hace referencia en el verso d es
el narrado en el capítulo 3 del libro de *Daniel (Biblia*, ed. cit., págs. 1070-1073).
En él se cuenta cómo Nabucodonosor mandó erigir una estatua suya, ordenó
que todos sus súbditos la adorasen como si de un dios se tratase y dispuso que
el que no cumpliese esa orden fuese arrojado a un horno encendido en donde

Non serié por asmar   la cuenta de las gentes,   1532
saldrién de cada cal   çient mill de combatientes,
estos son cavalleros   e espadas çiñentes,
—temo dirá alguno: «Ya, varón, que tú mientes»—.

Fuera qui la pudiessen   por espacio veer,   1533
el bien de Babilonia   non lo podrián creer;
busque otro maestro   qui más quisier saber,
ca yo en mi materia   quiero torno fazer.

El rëy Alexandre   plogó de voluntat   1534
quandol besó la mano   el rey de la çibdad;
vío quel avié fecho   Dïos grant caridat,
ca nol ganara menos   de muy grant mortaldat.

Mandó todas sus gentes   que fuessen allegadas,   1535
al entrar en la villa   fuessen hazes paradas,
como para batalla   fuessen todas armadas,
que por mala traïçión   non fuessen engañadas.

El pueblo de la villa   fue todo acordado,   1536
—non era maravilla,   ca era profetado—;
ixieron reçebirlo   al rey aventurado,
ca veyén que de Dios   le era otorgado.

---

fuese abrasado. Se incluye la historia de los tres jóvenes hebreos —Sidraj, Misaj y Abed-Nego— que, manteniéndose fieles a su religión, se negaron a poner en práctica las disposiciones del rey, por lo que fueron arrojados a ese horno, si bien Dios los libró, en recompensa por su fidelidad, de ser abrasados por las llamas. Ante ello, Nabucodonosor, convencido de su error, declaró la religión defendida por los tres jóvenes como única verdadera, y ordenó que fuese practicada en todos sus reinos.

1536b *era profetado*. Dos son los profetas que predicen la caída y destrucción de Babilonia en el Antiguo Testamento: Isaías —13-14, 1-23 *(Biblia,* ed. cit., págs. 900-901); 21, 1-10 *(ibídem,* pág. 905); 47 *(ibídem,* págs. 927-928)— y Jeremías —50-51 *(ibídem,* págs. 994-998). Sin embargo, en ninguno de los dos libros correspondientes hallamos alguna mención que directamente pueda interpretarse como predicción de la conquista de esa ciudad por Alejandro Magno. Tan sólo indirectamente puede desprenderse de la profecía de Daniel —8, *ibídem,* págs. 1079-1080—, en la que vaticina la destrucción del imperio persa por el macedonio, pero en ella Babilonia no es mencionada explícitamente.

Como las rúas eran,   ellos assí vinieron,   1537
todos por a.b.c.   con él cartas partieron,
cad' uno sobre sí   omenajel fizieron,
de leal vassallaje   las verdades le dieron.

Al entrar de la villa   mugeres e varones   1538
ixieron reçebirlo   con diversas cançiones;
quales eran las gentes   quales las proçessiones;
non lo sabrién dezir   loquelle nin sermones.

Qui buen vestido ovo,   escusar non lo quiso;   1539
qui propio non lo ovo,   emprestado lo priso;
qui bella cosa ovo,   en la calle lo miso;
nunca fue tan grant gozo,   fuera de paraíso.

Echavan los moçuelos   ramos por las carreras,   1540
cantando sus responsos   de diversas maneras;
bien pareçié que eran   las gentes plazenteras,
que todos por sus puertas   fazién grandes lumneras.

Sacavan las espeçias   todas bien apiladas,   1541
unas por destemprar   e otras destempradas,
pora tenprar el aire   todas bien aguisadas,
demás eran las calles   todas encortinadas.

1537b   Cartas partidas por A.B.C.: «Clase de documentos muy empleado en la Edad Media (cfr. Fn. Gz. —*Poema de Fernán González*— 752a, Santa Rosa s.v. ABC) como garantía de autenticidad en los acuerdos bilaterales. Se escribían en dos copias, que debían entregarse a las dos partes contratantes, en un mismo pergamino, escribiendo en medio de las dos y en sentido perpendicular una inscripción cualquiera, generalmente la serie de las letras del alfabeto (de aquí el nombre), de modo que al recortar las dos mitades quedaba parte de dichas letras en cada una de ellas; cuando se quería comprobar la autenticidad se presentaban las dos copias y se confrontaba el corte (J. Muñoz Rivero, *Nociones de Diplomática Española*, Madrid, 1881, pág. 44).» Julia Keller, *op. cit.*, pág. 13.

1537c   *omenajel fizieron*. «homenage tanto quiere decir como tornarse home de otri et facerse como suyo para darle segurança, sobre la cosa que promete de dar o de facer, que la cumpla: et este homenage non tan solamiente ha logar en pleyto de vassallage, mas en todos los otros pleytos et posturas que los homes ponen entre si con entención de complirlas». *Part.* IV, 25.º, 4.º. Para dar homenaje o promesa solemne, el que prometía ponía sus manos entre las del que reci-

Ivan las proçessiones   ricament ordenadas,   1542
los clérigos primeros   con sus cartas sagradas,
el rëy çerca ellos,   que ordenan las fadas,
el que todas las gentes   avié mal espantadas.

Vinién apres del rey   todos sus senadores,   1543
cónsules e perfectos   vinién por guardadores,
después los cavalleros   que son sus defensores,
que los pueblos a estos   acatan por señores.

Vinién más a espaldas   todos los del regnado,   1544
como vinién desbuelto   era desbaratado,
más en cabo las dueñas   vinién tan aguisado
que les avié el rey   Alexandre grant grado.

El pleit de los juglares   era fiera ríota: 1545
y avié sinfonías,   farpa, giga e rota,
albogues e salterio,   çitola que más trota,
guitarra e vïola   que las cuitas enbota.

Por amor de veer   el rey de grant ventura,   1546
por muros e por techos   subién a grant pressura;
sedién por las finiestras   gentes sin grant mesura,
algunos, como creo,   sedién en angostura.

Queremos deste pleito   delivrarnos privado;   1547
fue el rey en las torres   todas apoderado,
sojornó en la çibdat   fasta que fue pagado,
recabdó bien su pleito   com' omne venturado.

---

bía la promesa, de aquí la expresión *pleyto e omenaje en mi mano faredes.* Alonso Zamora Vicente, ed. *Poema de Fernán González,* Madrid, Espasa Calpe (Clásicos Castellanos), 1963, pág. 188, nota 631b. *Vid.* también, Ganshoff, *El feudalismo,* Barcelona, Ariel, 1963, págs. 100-104.

1545   Para el problema de los juglares en la época medieval véase el estudio clásico de M. Pidal *Poesía juglaresca y orígenes de las literaturas románicas* (Madrid, Instituto de Estudios Políticos, 1957), y para el tema concreto de su clasificación y de los diferentes instrumentos que utilizaban, el capítulo II de la primera parte de la misma obra, titulado «Diversas clases de juglares» e insertado entre las páginas 37 y 52.

Bien semejó en esto   que fue de Dios amado: 1548
quando fue a su guisa   el rëy sojornado,
mandó mover las señas,   exir fuera del prado.
«Lorente, ve dormir,   ca assaz as velado.»

Pero que por promesa   que por fuerça de dado,   1549
avién conseja fecho   que tañié en pecado:
ivan por las aldeas   los cuerpos delectando,
fazién bien a su guisa   de lo que ivan fallando.

Mandó fincar las gentes   en un rico lugar,   1550
—de fuentes e de prados   nos podié mejorar—;
metióles fueros nuevos   que non solién usar,
que pudiessen las gentes   más en çierto andar.

Ordenó millarías   por mandar mill varones,   1551
otros que guíen çiento,   que dizen çenturiones,
otros quincuagenarios   e otros decuriones,
puso legïonarios   sobre las legïones.

Por esso quiso fer   estos adelantados: 1552
por provar quáles eran,   covardes o osados,

1548   El manuscrito P presenta una alteración en el orden de los versos que forman esta estrofa, alteración evidenciada, por una parte, por el manuscrito O, que no la contiene; por otra, por el propio significado de este fragmento concreto, cuya comprensión queda dificultada en su totalidad en el caso de mantener la ordenación que el susodicho manuscrito del xv nos proporciona. La lectura de P es la siguiente:

> Bien semeio en esto que era de Dios amado
> Lorente ve dormir casaras velado
> quando fue a su guisa el rrey sojornado
> mando mouer las señas e sallyr fuera al prado.

Sobre el problema de la importancia que el verso d de esta estrofa —b en la ordenación insertada en P— tiene para determinar cómo se llamaba el autor del *Alexandre*, su diferencia de lectura con el manuscrito O y las diversas posturas que ante el mismo han adoptado de los críticos, véase en la «Introducción» el apartado correspondiente al «Autor».

1551b   *guíen*. Enmienda de Nelson (*op. cit.*, pág. 506). En P, *guisen*. En O, *aven*.

ca muchos fazién poco   que eran más nombrados
que otros que fazién   los fechos muy granados.

El querié que al bueno   la verdat le valiesse,   1553
non levasse soldada   qui non la mereçiesse;
cada uno al suyo   tal silla le pusiesse,
e tal puesta de carne   qual él lo entendiesse.

Getró, con cuya fija   Moïses fue casado,   1554
ovo a Moïses   este consejo dado,
onde bivió después   en paz e más honrado,
e el pleito del pueblo   fue mejor aliñado.

Camió unas costumbres   que eran mal usadas,   1555
mas teniénlas por buenas   quando fueron mudadas;
como todas sus cosas,   eran bien adonadas,
fueron todas las gentes   del su fecho pagadas.

Las gentes otro tiempo,   quando querién mover,   1556
fazién cuernos e trompas   e bozinas tañer,
luego sabién los omnes   el signo entender,
luego pensavan todos   las carreras prender.

El rëy Alexandre,   thesoro de proeza,   1557
arca de sapïençia,   exemplo de nobleza,
que siempre amó prez   más que otra riqueza,
mudó esta costumbre,   fizo grant sotileza.

1554a   *Getró.* Padre de Séfora, esposa de Moisés —con la que tuvo dos hijos, Gersom y Eliezer—, que recibió a éste en su casa cuando huyó de Egipto perseguido por los hombres del faraón que lo buscaban para darle muerte, tal y como en el capítulo 2, 15-22, del *Éxodo* se relata *(Biblia,* ed. cit., pág. 92).

1554b   Según el *Éxodo* —18 *(Biblia,* ed. cit., págs. 110-111)—, Jetró, tras la salida de Egipto, y antes de la llegada al monte Sinaí, se reunió con Moisés en el desierto para hacerle entrega de su mujer y sus hijos. Antes de su partida dio a su yerno una serie de consejos, entre los cuales se halla aquel al que nuestro texto hace referencia concretamente en este verso: «escoge de entre todo el pueblo a hombres capaces y temerosos de Dios, íntegros, enemigos de la avaricia, y constitúyelos sobre el pueblo como jefes de millar, de centena, de cincuentena y de decena. Que juzguen ellos al pueblo en todo tiempo y te lleven a ti los asuntos de mayor importancia, decidiendo ellos mismos los menores» (18, 21-22, *ibídem,* pág. 111).

Las gentes eran grandes, ca siempre le creçién, 1558
posavan a anchura como sabor avién,
quando tañién el cuerno, todos non lo oyén,
por end' a las vegadas grant engaño prendién.

Mandóles, quand' oviessen otro día mover, 1559
fumo fuesse por signo por ferlo entender,
de noche almenaras por çerteros seer,
otorgáronlo todos, ovieron grant plazer.

Quando ovo el rey sus cosas assentadas, 1560
sus fueros establidos, sus leyes ordenadas,
mandó luego mover las sus firmes mesnadas,
que porque non movién eran ya enojadas.

Fueron çercar a Susa, una noble çibdat, 1561
serié grant xaramiello fablar de su bondat;
como tierra sin rey e sin actoridat,
reçibiéronlo luego sin otra poridat.

Assaz avié en Susa que pudiessen prender, 1562
mas porque lo prisiessen, non lo podrién traer;
en sacos nin en quilmas non podién más caber,
aviénlo a dexar, mas non de su querer.

Quand' ovo Alexandre a Sasa sobjudgada, 1563
firió sobre Uxión, una villa famada;
cuidóla entrar luego, mas, por la mi espada,
bien cara le costó ant que l' oviés ganada.

Métades avié nombre el rey que la tenié, 1564
del quebranto de Dario, sabet que nol plazié:
amigos fueron amos, ca bien lo conoçié,
cuidólo él vengar, lo que Dios non querié.

1561a *Susa.* Antigua ciudad de Asia, capital de Susiana, o Elam, sita a orillas del Euleo, y residencia de invierno de los reyes persas en aquellos tiempos.
Fue corte de Darío y sus sucesores.

1564a *Metades.* Medates en el *Alexandreis.* Ambos manuscritos del *Alexandre* leen *Metades* en todos los casos en los que se nombra a este personaje (en

Treviése en la villa,   que era bien çercada,   1565
e que era de dentro   de gentes bien poblada,
era en alto poyo   en peña çimentada;
tenié que por los griegos   non serié señorada.

Quand sopo Alexandre   que en esso andava,   1566
dixo: «Dios lo sabe   que esto non cuidava,
de la parte de Métades   esto non esperava,
mas este denodejo   non valdrá una fava.»

Uxïón fue çercada,   Alexandre irado,   1567
mandávala lidiar   que era ensañado;
fazié en todo Métades   razón e aguisado,
mas non valen escantos   quando Dios es irado.

Era de todas partes   la cosa ençendida,   1568
avién ellos e ellos   la vergüença perdida,
la dubda de morir   era toda fuïda,
non avién en ferir   cosiment nin medida.

Vinieron en comedio   la cosa assí yendo,   1569
apriessa al rey vinieron   doze omnes corriendo;
dixeron: «Rey, señor,   en qué estás contendiendo,
tú mismo te lo vees   quál daño vas prendiendo.

»Por ninguna batalla   non la puedes prender,   1570
ant puedes la meitad   de las gentes perder;
mas si a nos queredes   escuchar e creer,
nos te daremos seso   que la puedas prender.

1564a de P aparece *Metados* por evidente errata). Existe la posibilidad de que
circulase alguna versión del *Alexandreis* que contuviese este nombre en la forma
que hallamos en el *Alexandre*. Podría corregirse, no obstante, aquella lectura y
adaptarla a la lección que se contiene en la edición del texto de Châtillon hecha
por Migne —v. 2841 (2882), pág. 520—, dado que este crítico no notifica la
existencia de otras variantes en distintos manuscritos del *Alexandreis,* a diferencia de otras ocasiones, que puedan dar un punto de apoyo a la posibilidad anteriormente mencionada, por lo cual es igualmente lícito pensar —y quizá en ello
encontremos la solución al problema de identidad de lecturas en ambas versiones del *Alexandre*— que la modificación no se hallaba en el texto base, sino en

»Nos somos de la tierra   sabemos las entradas,   1571
sabemos las exidas,   sí femos las passadas;
si tú nos darás omnes,   nos les daremos gradas,
quando se catarán   dentro serán uviadas.»

Lamó luego el rey   a Taurón, su crïado,   1572
que era de esfuerço   muchas vezes provado;
dixo: «Sepas, Taurón,   en ti só acordado
que vayas tú con estos   recabdar un mandado.

»Pero quiero que lieves   de mí esta señal: 1573
bien ten que yago muerto   o que só con grant mal
si ante que tú seas   en medio del real,
en medio de Uxión   non fuere Buçifal.»

Non lo dixo a sordo,   pensó luego de ir,   1574
entró y en traspuesto,   por mejor s'encobrir,
mas oviéronlos antes   los otros a sentir,
fiziéronlos tornar,   non pudieron subir.

Quando vío Taurón,   que non podrién entrar,   1575
fascas non querié menos   en su tienda estar,
dixo que más querié   el alma y dexar
que con manos vazías   a su señor tornar.

Empeçóles a dar   una lit apresada,   1576
mas non querién por esso   dexarle la entrada;
maguer que avié preso   mucha mala colpada,
como querié morir,   non lo preçiava nada.

El rëy Alexandre   de la otra partida,   1577
tenié bien la señal   que avié prometida:
avié a part' echado   mucha barva vellida,
mas non podié por esso   entrar a la bastida.

---

la copia antigua, hoy perdida, de la que proceden las dos familias de manuscritos representados por O y P en la actualidad. Ante la falta de pruebas concluyentes que permitan enmendar con ciertas garantías mantenemos la lección de P y O.

Pero tanto los pudo   ferir e acuitar   1578
que dieron a Taurón   un poco de vagar;
acreçiól' el esfuerço,   ovo a abivar,
oviéronle sin grado   la puerta a dexar.

Tanto ovieron todos   en lo al que veer   1579
que mientes en Taurón   non pudieron meter,
óvoseles en medio   del real a meter,
ovo en lo más alto   el pendón a poner.

Estava Alexandre,   que la cosa veyé   1580
catando a las torres   quándo asomarié;
e quando fue veyendo   que ya apareçié,
mostróselo a todos   quantos çerca tenié.

Fueron los de Uxión   todos mal desmayados,   1581
quand'el pendón veyeron,   fueron malcorznados;
los griegos con el gozo   fueron más esforçados,
semejava que eran   nuevamente uviados.

Métades e los otros   que eran en conçejo,   1582
non sopieron de sí   mandado nin consejo;
era a cada uno   angosto el pellejo,
el castillo tan grande   faziésles castillejo.

Avié en la çibdat   una torre loçana,   1583
en cabo de la villa   de todas orellana,
en altez semejava   de las nuves hermana,
era en el çimiento   firme, fuert' e muy sana.

Métades con aquellos   que eran de su vando,   1584
vieron que se les iva   su cosa malparando;
fuéronse poc' a poco   a la torre llegando,
dieron consigo dentro   lo al desmamparando.

Los griegos en la villa   fueron apoderados,   1585
que eran los de dentro   todos desbaratados;
fuera los que estavan   en la torre alçados,
todos yazién en fierros   e en sogas atados.

412

Embïó luego Métades   al rey de grant coraje,   1586
treinta de omnes buenos   fueron con el mensaje,
que le farién de grado   pleito e omenaje,
de seer siempre sos   por leal vassallaje.

Tornáronles respuesta,   non qual ellos querién,   1587
que por ninguna guisa   de muert non estorçrién;
quando por lealtat   ellos morir querién,
fallada avién ora   que los recabdarién.

En cueita era Métades,   non sabié ond tornar,   1588
pero ovo un seso   estraño a asmar:
embïó a la madre   de Dario a rogar,
que rogasse por ellos,   fiziésselos quitar.

Maguer querié, non era   Sisigambis osada   1589
de demandar al rey   cosa tan señalada;
temiése la mesquina   que serié sossañada,
cadrié en denodeo,   non recabdarié nada.

Pero como el rey   era de grant mesura,   1590
aosóse por ende,   metiós' a aventura;
entró do 'stava él   con omill catadura,
que perdonés a Métades,   ca fiziera locura.

Entendió Alexandre   cómo avié dubdado,   1591
fue contra la reína   un poquillo irado;
embïól' a dezir   que sí farié de grado,
mas, si jamás dubdava   non serié su pagado.

Perdonóle a Métades   con toda su çibdat,   1592
otorgóles sus cosas   e toda su heredat,

1586c   *farién (...) pleito e omenaje.* Variante de la fórmula de vasallaje comentada en la nota al verso 1537c.
1588c   *madre de Darío.* Sisigambis (*vid.* 1589 y *Alexandreis,* v. 1946 —2906
en Migne—, ed. cit., pág. 521).
1589d   *cadrié.* Enmienda de Nelson (*op. cit.,* pág. 514). En *P, caerié.* En O, *de
denodar.*

mandóles que oviessen   conplida egualdat;
—¡bendito sea rey   que faze tal bondat!—.

Nin de fijo de madre,   nin de muger marido,   1593
non podrié acabar   tan granado pedido;
Dario contra aquella   non serié tan cosido,
maguer ello lo ovo   de su vientre parido.

El rëy Alexandre,   maguer tanto ganava;   1594
la pérdida de Dario   non se le olvidava,
la su grant voluntad   non se le amansava,
mas de día en día   más se encorajava.

Mandóle a Parmenio   con muchos de poderes   1595
ir por las tierras llanas   prometiendo averes,
por saber de ti, Dario,   en quáles tierras eres,
si finqueste en Persia   o fuist' a los aeres.

Él, con los sus varones,   subié por las montañas,   1596
do moran las serranas,   essas gentes estrañas;
si fuesse por ventura   Dario en las cabañas,
non le valiessen nada   sus sessos nin sus mañas.

1596b   *serranas.* Mención de los personajes cuyos hechos fueron objeto de tratamiento en las famosísimas serranillas, que no se halla incluida en el *Alexandreis* de Châtillon (Cfr. vv. 2918-2933 —(2959-2974)—, ed. cit., págs. 521-522), y que puede demostrar, o bien la existencia de ese tipo humano en la vida de la época —de donde sería tomado y traspasado a la literatura, tal y como algunos han defendido—, que en estos instantes sería recordado por nuestro autor o bien el conocimiento por parte de éste de esas composiciones literarias —escritas por juglares o por poetas cultos— que tienen a las serranas por protagonistas y que en los momentos en que redacta su obra ya podían existir. Caso de que esta segunda hipótesis fuese la verdadera, tendríamos en el *Libro de Alexandre* un dato más que serviría de apoyo a la teoría de Menéndez Pidal sobre el problema, que supone la existencia de una tradición popular de «escritos» —composiciones— sobre este tema, anterior al Arcipreste de Hita —Juan Ruiz se basaría en ella para la redacción de sus serranillas—, con unos rasgos propios, distintos a la pastorela provenzal (la mención del *Alexandre* contenida en toda esta estrofa parece hacer referencia a un tipo humano similar —exageraciones aparte— al retratado en las composiciones de Juan Ruiz: son seres *extraños,* que

Los passos eran firmes,   angostas las carreras,   1597
las gentes sobre guisa   valientes e ligeras,
faziénles grandes daños   de diversas maneras,
de cantos e de galgas   e de lanças monteras.

Antes que suso fuessen   a las sierras sobidos,   1598
ante ovieron muchos   de los omes perdidos;
los muertos de su grado   non murién mal vendidos,
pero fueron en cabo   domados e vençidos.

Deçendió de la sierra   el buen rey acabado,   1599
querié ir pora Persia,   regno desamparado,
fue luego a Persépolis,   cabeça del regnado,
y falló a Parmenio,   de ganançia cargado.

Nunca tanto pudieron   andar nin entender,   1600
nunca tanto pudieron   nin dar nin prometer,
que pudiessen de Dario   nul recabdo saber;
más querién a él solo   que su regno tener.

La çibdat non se pudo   al rëy emparar,   1601
como cosa sin dueño   óvola a entrar;
mandóla por çimiento   destroïr e quemar,
nunca más la pudieron   bastir nin restaurar.

---

viven en *cabañas* y capaces de vencer a cualquiera por mucha inteligencia
—*seso*— y astucia —*mañas*— que posea), y que se habría ido transmitiendo por
vía oral de generación en generación (cfr. M. Pidal, «La primitiva poesía española», en *Estudios literarios*, Madrid, Espasa Calpe —Austral—, 1968, 9.ª ed.,
págs. 157-212, especialmente las págs. 174-183). Pese a todo, y aunque la primera hipótesis fuera la real, lo que sí parece demostrar esta referencia es el
arraigo que el tipo tenía en la España medieval. La independencia, pues, de las
serranillas parece con ello verse un tanto más afianzada, tener un punto de
apoyo más.
1599c   *Persépolis.* Antigua ciudad de Persia, situada en las orillas del río
Araxes, al suroeste de Ispahán, en la llanura del Murghab. Fundada por Ciro o
Cambises, fue una de las capitales del imperio persa. Alejandro Magno la conquistó en el año 331 a. d. C., época en la que era la ciudad más rica de Asia. El
emperador macedonio incendió sus palacios —alentado por la cortesana Tais y
movido por el deseo de vengar a Atenas, que había sido quemada por Jerjes con
anterioridad— después de una orgía.

La çibdat de Persépolis,   cosa tan prinçipal,   1602
yazié sobre Araxen,   una agua cabdal;
assí fue destroída   e tod' ida a mal
que non pareçe della   sola una señal.

Teniéle Alexandre   saña vieja alçada,   1603
ca los rëys de Persia,   si fazién cavalgada,
allí tenién primero   vigilia costumbrada,
ende llevavan todos   armas d' obra esmerada.

Dende exío Sersis   quando Greçia conquiso,   1604
quando en subjecçión   e en premia la miso;
soliénse de los griegos   fer escarnio e riso,
por esto Alexandre   perdonar non la quiso.

Fallaron en la villa   averes muy granados,   1605
ropas de grant valía,   thesoros condesados;
ovo sobre la ropa   muchos descabeçados,
los unos a los otros   tolliénselo de manos.

El menor al mayor   nol dava reverençia,   1606
hermano a hermano   nol tenié obediençia;
grant el roído era,   grant la desabenençia,
eran con la cobdiçia   de mala continençia.

Otra cosa fizieron   por que fueron quemados: 1607
falló y Alexandre   tres mill de sus crïados,
cayeron en prisión,   aviénlos destemados,
todos eran en miembros   cabdales señalados.

Non avié entre todos   uno que fuesse sano,   1608
que non oviesse menos   el pïe o la mano,
el ojo o nariz   o el labro susano,
o roxnado non fuesse   en la fruent con estaño.

1602b   *Araxen.* Araxes, río de la antigua Persia, que nacía en la Paretacena
y desembocaba en el Medo, río que, a su vez, vertía sus aguas en el Golfo Pérsico.

Lloró y Alexandre,   vençiólo pïedat,   1609
mostró que le pesava   de toda voluntat,
abraçólos a todos   con grant benignidat,
olvidó con el duelo   toda asperidat.

Dixo el rey: «Amigos,   esto en que estades   1610
non pesa más a vos   que a mí, bien sepades;
mas qué queredes far   quiero que lo digades,
otórgovoslo yo   quequiere que querades.

»Si avedes cobdiçia   a la tierra tornar,   1611
o en esta provinçia   queredes aturar,
aved vuestro consejo,   salidvos a fablar,
lo que vos quisïerdes   vos quiero otorgar.»

Salieron consejarse   la compaña lazrada,   1612
por prender su acuerdo   de cosa destajada;
mas la discordia fue   entre ellos entrada,
non podién entre sí   acordarse por nada.

Querién los unos ir   e los otros fincar,   1613
non se podién por nada   en uno acordar;
los unos a los otros   nos querién escuchar,
nin a razón por ren   non podién otorgar.

Levantós' uno dellos,   un omme bien lenguado,   1614
fue, como Galter dize,   Eütiçio llamado,
era sotil retórico,   non fue mal escuchado,
enpeçó su razón   como buen advocado.

«Quiérovos yo, amigos,   mío seso dezir,   1615
si fuere vuestra graçia   quem querades oïr;
que mucho nos queramos   contender e dezir,
es el mejor consejo   rafez de avenir.

1614b *como Gualter dize. Alexandreis:* «illis / dulcior est patrius alieno cespite cespes, / quorum, quem celebrem docilis facundia linguae / fecerat *Eutition* ita creditur esse locutus», vv. 2988-2991 (3029-3032) —ed. cit., pág. 523.

Eüticio. Euctemón según Quinto Curcio, *Eutition* en el verso 2991 (3032) del *Alexandreis,* pero *Euticion* en el 3036 (3077).

»A ir con grant vergüença   alimosna pedir   1616
non podemos agora   a nul logar exir;
yo non lo sé asmar,   non lo sé comedir,
con qué caras podamos   a nuestras tierras ir.

»Los que mal nos quisieren   avrán de nos vengança, 1617
verán nuestros amigos   cada día grant lança
ellos avrán peor,   nos nulla mejorança;
non se devrié nul omne   pagar de tal andança.

»Quando al ome viene   alguna ocasión   1618
o de muert' o de pérdida   o de grant lisïón
llóranlo los amigos   que han compasïón,
por esto sólo tienen   que le dan un grant don.

»Luego que de las lágremas   es ome alimpiado,   1619
el clamor e el duelo   luego es olvidado;
destas es el manar   muy aína quedado,
ca asoman aína   e sécanse privado.

»Avrán nuestras mugeres   connusco grant pesar,   1620
que non avremos braços   con que las abraçar,
que la que quando sano   non me sabié amar,
non me querrié agora   con el ojo catar.

»De solaz e de mesa   seremos desechados,   1621
darnos han com' a gafos   lugares apartados;
serán por los parientes   los fijos denostados,
ellos avrán grant cueita,   nos seremos lazrados.

»El omne que non ha   de cueita a exir,   1622
quanto más pudïesse   se devié encobrir:
al omne que non veen   non saben escarnir,
es bien atales omnes   solitarios bevir.

»Segund que yo entiendo,   el omne mal lazrado   1623
allí do lo conoçen   y es más enbargado,
do non saben quien es   non ha tanto cuidado,
ave qualque refugio   contra el su mal fado.

»Acordémosnos todos,   pidamos un pedido;   1624
barones, nos dexemos   tod' aqueste roído,
dennos en qué bivamos   nuestro vito complido,
de Dios e de los omes   será por bien tenido.»

Fue luego en pie Téseus,   Eütiçio callado,   1625
—natural de Atenas,   omne bien razonado—;
contradíxolo todo   quanto avié fablado,
non dexó un artículo   que non fues recontado.

Dixo: «Si me quisierdes,   señores, atender,   1626
quiérovos brevemente   esto contradizer;
maguer que só de todos   de menor conoçer,
a quanto que él dixo   yo cuidol responder.

»Todos nuestros amigos   nos ha él denostados,   1627
a mugeres e fijos   ánoslos mal pintados:
si todos los amigos   son tan mal afeitados,
todos, ellos e nos,   fuemos mal ora nados.

»El amigo derecho,   que non es desleal,   1628
nunca él es trocado   nin por bien nin por mal;
por ocasión quel venga   non sale de señal,
en cueita e en viçio   siempr' está en egual.

»Si ocasión nos vino   o ocasión prisiemos,   1629
non nos pararon tales   porque mal mereçiemos,
nin nos pararon tales   por mal que fizïemos,
sinon porque al rey,   nuestro señor, sirviemos.

1625a   *Téseus*. En el *Alexandreis* de Châtillon figura Teseus (v. 3037,
—3078—, ed. cit., pág. 524). En ambos manuscritos del *Alexandre* aparece *Re-
çens*, forma que puede ser considerada errata insertada en el manuscrito antiguo
del que procederían las dos versiones hoy conservadas —O y P— de nuestro
texto, y no lectura que figurase en el original por seguir nuestro autor una copia
adulterada del texto latino utilizado como fuente en este pasaje, hipótesis esta
menos verificable, dado que no tenemos —parece— testimonio alguno de la
existencia de variantes similares a la que nos ocupa en otros manuscritos medievales del *Alexandreis* de Gautier. Debido a ello efectuamos la corrección. Según
Quinto Curcio el nombre de este personaje es Theatetus.

»El omne que en fazienda   e en lit va cutiano,   1630
pierde por aventura   ojo, nariz o mano;
non lo tiene a onta   porque non sea sano,
antes se preçia dello   e tienes por loçano.

»Si nuestros enemigos,   a qui nos guerreamos,   1631
algunt mal nos fizieron   que non ge lo buscamos,
non nos cae en onta   que vergüenza ayamos
por que a nuestra tierra   sin dubda non vayamos.

»El omne en su tierra   bive más a sabor,   1632
fázenle quando muere   los parientes onor,
los huessos e el alma   han folgança mejor
quando muchos parientes   están aderredor.

»Los omes de la tierra   al que les es estraño,   1633
en cabo del fossar   lo echan orellano,
danle como a puerco   en la fuessa de mano,
nunca más dize nadi: "Aquí yaze fulano."

«Mas el omne que es   de cruda voluntat   1634
cuídase que los otros   son sines pïedat;
como assí entiende,   lleno de crüeldat,
tiene que en los omnes   non a de caridat.

»Non serién las mugeres   tanto desvergonçadas   1635
que, por dubdo del siglo   non fuessen defamadas,
non lieven a l' iglesia   candelas nin obladas,
e non fagan clamores,   tañer a las vegadas.

»Los fijos e las fijas   dulçes son de veer,   1636
han de la su compaña   los parientes plazer,
encara non los pueden   tanto aborreçer
que descubiertamente   los puedan falleçer.

»Amigos, quim quisiere   creer e escuchar,   1637
non plantará majuelo   en ageno lugar,

_____

1634b   *sines*. Corrección de Nelson *(op. cit.,* pág. 524). P, omite. O, *sen.*

420

buscará como pueda   a su tierra tornar,
rudo es qui su casa   quiere desamparar.»

Finó su razón Téseus,   quiso que se viniessen,   1638
mas pocos ovo y   que creer lo quisiessen;
acordáronse todos   que esto le pidiessen:
que les diesse consejo   por que allí biviessen.

Consejóles el rey   que assí lo fiziessen,   1639
dióles omnes logados   que allí los sirviessen,
heredades llaneras   de que se mantoviessen,
de oro e de plata   quanto levar pudiessen.

Quando ovo el rey   todo esto livrado,   1640
deçendió pora India,   un regno acabado,
por entender de Dario   si era y tornado
e conquerir las gentes   por complir su mandado.

Dario, en est comedio,   malament desolado,   1641
era en Bactra ya   con poca gent llegado,
—cibdat de muy gran preçio,   valié un grant condado—,
ond prendié todavía   esfuerço acabado.

Querié el omne bueno   a los bractos entrar,   1642
—pueblos buenos e muchos,   yazién çerca la mar—;
queriéles su quebranto   dezir e rencurar,
que exiessen con él   el regno amparar.

Estava aguisando   por entrar en carrera,   1643
vínole una carta   ençerrada en çera,
que prisiesse consejo   por alguna manera,
ca la huest de los griegos   dentro en Media era.

1641b *Bactra.* También llamada Bactres, era una ciudad situada en Asia Central antigua, en las riberas del río Bactras, afluente del Oxus, y estribaciones del Paropamisus, cuyo nombre dio origen al que se aplicó —Bactriana— a todos los territorios que le eran colindantes. Fue tomada por Alejandro Magno en el transcurso de sus campañas asiáticas. Los primeros reyes de Persia la tuvieron por residencia, y suele ser nombrada en las tradiciones orientales como la ciudad más antigua del mundo. Nelson (ed. cit, pág. 526) rectifica *Ecbatana,*

Non le podién venir   mensaje más cuitado,   1644
al que se lo aduxo   óvole poco grado;
ovo a demudar   quanto tenié asmado.
desque non era ora   de prender pan mudado.

Llegó gentes sobejos,   todos bien adobados,   1645
—más de çincuenta vezes   mill omnes bien armados—;
querié la vez terçera   aún echar los dados,
mas era otra guisa   escripto de los fados.

Çerca vinié la ora   del día maledito   1646
en que non podié seer   de la su muerte quito;
un paxariello que   echava un grant grito,
andava cada noche   redor la tienda fito.

Çerca trayé de sí   qui l' avié de matar,   1647
del que él por derecho   non se podié guardar;
mas lo que Dios ordena,   assí ha de passar,
él mismo non se pudo   de traïción curiar.

En su casa trayé   los falsos traïdores,   1648
los que avié de siervos   él fecho ya señores;
ya lo ivan asmando   entre sus coraçones,
—devrié quebrar la tierra   con tan falsos varones—.

E tú, Dario mesquino,   tan mal seso oviste   1649
el día que a essos   tan grant poder les diste;
al falso Narbazanes   por tu mal conoçiste,
mas, que mucho digamos,   en fado lo oviste.

Libráronte los fados   de los tus enemigos,   1650
diéronte a matar   a los falsos amigos;
si quisieres creer   los proverbios antigos,
non dariés tal poder   a villanos mendigos.

Mandó ante sí Dario   sus varones venir,   1651
fizo cara fermosa,   queriése encobrir;

pero se aparta demasiado de la lectura de P *(baracta)* —en O se omite el
nombre.

dixó el *bendicite*   por la orden complir,
respondiéronle *«Dominus»*,   supieron recodir.

«Amigos» —diz—, «est siglo   e este temporal   1652
siempre assí andido,   oras bien oras mal;
suele en pues el uno   siempre venir lo al:
el mal en pues el bien,   el bien en pues el mal.

»La rueda de ventura   siempre assí corrió,   1653
a los unos alçó,   a los otros premió;
a los muchos alçados   luego los deçendió,
a los que deçendió   en cabo los pujó.

»Assaz só deçendido   por mis graves pecados,   1654
yazemos so la rueda,   yo e vos, malfafados
son los avenediços   a los muros pujados,
somos de lo que fuemos   nos e ellos camiados.

»Mas cuido que la rueda   non podrá seer queda,   1655
tornará el bissiesto,   mudará la moneda,
será nuestra ventura   pagada e más leda,
avrán los venediços   a pecharnos la rienda.

»Por verdat vos lo digo,   assí vos lo convengo,   1656
quando vos bivos sodes   e çerca mí vos tengo,
quanto de mi emperio   en nada non me mengo;
nunca seré vengado   si por vos non me vengo.

1651c *bendicite. Benedicite.* Fórmula de saludo eclesiástica cuya respuesta era
Dominus, tal y como figura en el verso d de esta misma estrofa, y que ha mantenido su vigencia en muchas Órdenes religiosas, incluso en momentos posteriores a la reforma introducida en la Iglesia por el concilio Vaticano II (así, en la
comunidad de monjes jerónimos de Brihuega era costumbre emplearla antes de
las comidas —un sacerdote se dirigía con ella al resto de los presentes en el re-
fectorio y los demás le contestaban en la forma, *Dominus,* que recoge el texto del
Alexandre—).
1653a *La rueda de ventura.* Cfr. nota a 895a.
1655b *tornará el bissiesto.* Cfr. «Vocabulario», s. v. *bissiesto.*
mudará la moneda. La moneda dará la vuelta y mostrará su cara (cambiará la
suerte).
1655c *leda.* Enmienda de Nelson (ed. cit., pág. 529). En P, *eda.* En O,
queda.

423

»La vuestra lealtat   que avedes complida,   1657
en omnes deste siglo   nunca fue tan oída;
del Crïador del çielo   la ayades gradida,
—el que todo lo sabe   e nada non olvida—.

»Por lealtat avedes   grant lazerio levado,   1658
los parientes perdidos,   el miedo olvidado;
guardastes vuestro rey   muchas vezes rancado;
del Crïador vos sea   esto gualardonado.

»Si oviesse Maçeo   tal lealtat complida,   1659
non serié Babilonia   tan aína perdida;
el que a su señor   da tan mala caída,
después aya mal siglo,   agora mala vida.

»Los que de nos salieron,   a los griegos passaron,   1660
nunca en este siglo   atan mal barataron;
el rëy Alexandre,   qui la mano besaron,
non los preçiará nada,   que sabe que falsaron.

»Pero con esto todo   al vos quiero dezir: 1661
devemos envisar   lo que es de venir;
nunca puede al omne   el mal tanto nozir
si antes que avenga   lo sabe perçebir.

»Si non fïasse tanto   en vuestra compañía,   1662
de lo que dezir quiero   nada non vos diría;
mas sé que sodes todos   omnes sin villanía,
de toda mi fazienda   ren non vos cobriría.

»Los griegos son venidos   pora mí conseguir,   1663
non es sazón nin ora   que podamos fuïr;
más quiero esperarlos,   en el campo morir,
que con tan fiera carga   en est siglo bevir.

»En el su cosiment   non quiero yo entrar,   1664
non quiero de su mano   benefiçio tomar,

1660c *la mano besaron*. Signo de sumisión y acatamiento.

con la cabeça pueden   el emperio llevar,
non pueden otra guisa   comigo pleitear.

»Los que fasta agora   me avedes guardado,   1665
guardat bien vuestro preçio   que avedes ganado
faziendo com' el bueno   que muere aguisado,
esse acaba vida   con preçio acabado».

Nol respuso ninguno   de todos sus varones,   1666
ca eran espantados   de las tribulaçiones;
Narbazanes e Bessus   rebolvién los griñones,
ca llenos de venino   tenién los coraçones.

Respondiól' Artabazus,   mas non fue todo nada,   1667
dixo: «Señor, bien dizes,   es cosa aguisada;
pésanos de la onta   que tú aves tomada,
o morremos nos todos   o será bien vengada.

»Los unos son tu sangre,   los otros tus crïados,   1668
todos pora servirte   somos aparejados;
aún tan rafezmient   non seremos rancados,
ante que tú mal prendas,   seremos nos dampnados.»

Levantós Narbazanes,   cuidó seer artero,   1669
fízosele el falso   a Dario consejero.
«Oyasme» —dixo—, «rey»,   —el falso lisonjero—,
«dart' e, como yo cuido,   un consejo çertero.

»Rëy, eres caído   en mal por tu ventura,   1670
bolviste con los griegos   guerra en ora dura,
es llegada la cosa   a fiera amargura,
e tú aún contiendes   en la mala tesura.

»Ate toda ventura   a ti desamparado,   1671
al rëy Alexandre   se l' ha aprofijado;

1665d. *con.* Corrección de Nelson (ed. cit., pág. 531). En P y O, e.
1667c *aves.* Nelson *(op. cit.,* pág. 532). En P y O, *as.*

es de tan fiera guisa   el bissiesto mudado,
será tarde o nunca   en su lugar tornado.

»Maguer omne non puede   la cosa acabar,   1672
non la devié por esso   tan aína dexar;
deve muchos consejos   rebolver e buscar;
rëy, faz una cosa,   si quieres acordar.

»Da el regno a Bessus,   que es de grant natura,   1673
faga él la batalla   con aquesta gent dura;
como en Dïos fío,   mudaremos ventura,
tú fincarás honrado   e serás sin ardura.

»En cabo quando fuere   la cosa acabada,   1674
tornarás en tu tierra   la cosa amatada;
si fuere por ventura   la tu gent arrancada,
la desonra en ti   non te cadrá en nada».

El consejo a Dario   pesól de coraçón,   1675
entendió bien que ramo   era de traïçión,
cuidól dar del espada,   —e fiziera razón—,
mas dixol' Artabazus   que non era sazón.

«Señores» —dix' Artabazus—,   «al tiempo en que stamos 1676
non es buena razón   que baraja bolvamos;
entiendo bien que todos   con un sol cuer andamos,
fasta que Dïos quiera   mejor es que suframos.

»Dexa correr la rueda,   da al tiempo passada,   1677
encubre tu despecho   e alça tu espada;
quand toda nuestra cosa   tenemos mal parada,
avrán los traïdores   encontra nos entrada.

»Los griegos andan çerca,   fierament encarnados;   1678
as los pueblos perdidos,   los barones menguados;
e si los que fincaran   ovieres despagados,
sepas, seremos todos   nos e tú, afollados».

1671c   *bissiesto mudado.* Cfr. «Vocabulario», s.v. *bissiesto.*
1672d   *si quieres.* Nelson (ed. cit., pág. 533). En P, *creo que ti querras.* En O, *se quisieres.*

Bessus, por encobrirse,   mostróse por irado,   1679
rebtava Narbazanes   que dixo desguisado;
mas por esso si Dario   non s' oviesse callado,
fuera de tod' en todo   muerto e degollado.

Non podién su nemiga   complir los perjurados,   1680
vergüença, más que miedo,   lo tenié enbargados;
quando vinién ant' él   eran envergonçados,
ca ojos de señor   fuertes son e pesados.

Asmaron un consejo   malo e algarivo: 1681
por alguna manera   que lo prisiessen bivo,
metiéssenl' en cadena,   toviéssenlo cativo,
—bien pareçié que era   el Crïador esquivo—.

Por amatar las bozes   e quedar los roídos,   1682
vinieron ant' el rey   los falsos desmentidos,
llorando de los ojos,   los cuerpos desguarnidos,
dizíen que de todo   eran ya repentidos.

Creyólo el buen omne   que dezían verdat,   1683
entendió la palabra,   mas non la voluntat,
lloró e perdonóles,   firmóles amistat,
—Dios perdone al omne   de tan grant pïedat—.

Otro día mañana,   la tierra alumbrada,   1684
mandó mover el rey   Dario su alvergada;
temiénse de los griegos,   de la mala espantada;
queríen ir prender   más segura posada.

Ivan ya entendiendo   todos la traïción   1685
fablavan entre dientes   todos una razón,
los unos dizíen «sí»,   los otros dizíen «non»,
era entre los pueblos   fiera la bulliçión.

Un prínçip de los griegos,   omne muy ventüroso,   1686
Padrón era su nombre,   al que dé Dios buen poso,
entendió el consejo   malo e peligroso,
dixo: «Señor, Túm valas,   santo e poderoso.»

Acostóse al rey   quando vio aguisado,   1687
ques temié de los otros   que serié varruntado,
dixo: «Señor, merçed,   non te sea pesado,
quiérote dezir cosa   que non es a mi grado.

»Quiérente tus vassallos   a traïción matar,   1688
oy a seer el día   que lo as a provar;
fueras Dios, non es omne   que te pueda prestar,
sepas, çiertamente   non puedes escapar.

»Narbazanes e Bessus,   traïdores provados,   1689
ambos son sobre ti   por matarte jurados,
andan con sus poderes   sobre ti asemblados,
cuenta, son sobre ti   quando serán çenados.

»Lo que yo mejor veo   quiérote consejar: 1690
por nada tú non vayas   con ellos albergar,
manda las nuestras tiendas   çerca ti assentar,
con la merçed de Dios   te cuido amparar.

»Si yo non entendiesse   la mala çalagarda,   1691
sepas que non querría   prenderte en mi guarda;
mas, si esto non fazes,   por aquesta mi barva,
nunca viste tu noche   en tus días más parda.

»Dexé a Alexandre   e vin' a ti servir,   1692
señor, si a ti pierdo,   non avré a do ir,
ante que tú muriesses,   querría yo morir;
rëy, yo non sabría   otra cosa dezir.»

Respondióle con esto   el buen emperador: 1693
«Padrón» —dixo—, «gradéscotelo,   téngotel' en amor;
assí como tu quieres   guardar a tu señor,
assí seas guardado   siempre del Crïador.

»Más quiero yo morir   o ocasión prender   1694
que ante que mal faga   mis omnes malmeter;
si de Dios es judgado   que assí ha de seer,
non podremos por seso   ninguno estorçer.

»Yo los crié a ambos   de chiquillos moçuelos,   1695
tan grant bien les querría   como a mis fijuelos,
fízelos poderosos   más que a sus avuelos,
non devrién contra mí   echar tales anzuelos.

»En los que yo crié   non podría dubdar,   1696
cuidaría en ellos   mortalmente pecar;
quequiere que me venga,   quierom' aventurar,
pero el tu consejo   non podrié mejorar.

»Gradesco tu consejo,   tu buena voluntat,   1697
nunca podrié nul omne   fer mayor lealtat,
deve seer contada   siempre la tu bondat,
qui de ti mal dixiesse   faría grant maldat».

A tan leal vasallo   dél Dïos paraíso,   1698
que por salvar señor   tan grant voluntad miso;
mas la virtud de Dios   otra guisa lo quiso,
ovo a passar Dario   lo que ovo promiso.

Narbazanes e Bessus,   —¡non fuessen aparados!—,   1699
que en tan mal consejo   son amos acordados,
cómo avién de fer   estavan ya fablados,
del consejo primero   un poco ya camiados.

Luego l' ovieran muerto,   mas pensaron al fer: 1700
quando escureçiesse,   de bivo lo prender,
darlo a Alexandre   por mejor lo aver,
si non se les pudiesse   otramient defender.

Quando vino la tarde   que quisieron posar,   1701
non se quisieron ellos   al rëy acostar;
mandaron en su cabo   sus tiendas assentar,
mas nunca se quisieron   los falsos desarmar.

Conoçiá ya por ojo   Dario la traïçión,   1702
conoçió la palabra   quel dixiera Padrón,
veyé que nol ficava   ninguna guarniçión,
alço a Dios las manos,   fizo una oración.

«Señor» —dixo—, «que sabes   todas las voluntades,   1703
a qui non se encubren   ningunas poridades,
quáles son los imperios   e todas las çibdades;
Señor, non pares mientes   en las mis malvestades.

»Bien sé que non te fiz   derecho nin serviçio,   1704
segunt el que devía,   nin complí mi ofiçio;
só mucho pecador,   lleno de mucho viçio,
quando tú me desamas,   yo bevir non cobdiçio.

»Pero, como yo creo,   segunt mi conoçençia,   1705
non deseredé huérfano,   nin falsé convenïençia,
siempre amé la paz   e escusé entençia,
siempre desvïé guerra   e amé avenençia.

»Nunca fiz' adulterio   con mugeres casadas,   1706
nunca desaforé   biudas nin maridadas;
Señor, las tierras yermas   he todas bien pobladas,
e son todas las gentes   del pueblo mejoradas.

»Señor, si miento esto   que yo a ti te digo,   1707
derecho es que muera   como tu enemigo;
mas, si yo fiz justiçia   o tu mandado sigo,
Señor, derecho es   que seas oy comigo.

»Si de ti non les fuesse   a estos ordenado,   1708
non sería por ellos   yo tan mal desonrado;
mas entiendo que só   de ti desamparado,
morré de mala guisa   como mal venturado.

»Quando que de la muerte   non puedo escapar,   1709
quïérome yo mismo   con mi mano matar:
de mano de vil omne   non devo yo finar,
"rëy mató a Darío",   dirán en el cantar».

1707d   *es que.* Ruth I. Moll, *op. cit.,* pág. 122.
1709a   *Quando que.* Ruth. I. Moll, *ibídem.*
1709d   *cantar.* Alusión —inexistente en el *Alexandreis* de Châtillon (cfr. versos 3348-3393 —3390-3434—, ed. cit., págs. 530-531)— a los cantares de gesta, compuestos para divulgar las hazañas de los hombres importantes. Darío supone que obras de esta clase serán escritas sobre su persona.

Fue prender un venablo   grand e bien amolado,   1710
oviéraslo sin duda   por el cuerpo entrado,
mas seyé en la tienda   un moçuelo castrado,
dio grandes apellidos,   ca fue muy espantado.

Como avié la cosa   estado retraída,   1711
tenién todos que era   la traïçión complida;
toda la gent menuda   fue luego desmarrida,
pensaron de fuïr   cad'un a su partida.

Omnes de su mesnada   fueron luego uviados,   1712
travaron del venablo   fierament espantados,
muerto seriá el rey   si non fuessen llegados,
porque fuera salieron   teniénse por errados.

Narbazanes e Bessus   fueron luego venidos,   1713
espadas sobre manos,   de sus armas guarnidos;
fueron todos los otros   de la tienda salidos,
faziénlos arredrar   a fuerça e amidos,

Fue el rëy ligado   con muy fuertes dogales,   1714
metiéronlo en fierros   los falsos desleales,
tolliéronle las pórporas,   vistiéronle sayales,
—de Dios sean cofondidos   atales serviçiales—.

Sabet, non lo dexaron   en la tienda estar,   1715
fizïeronlo ellos   a los otros levar;
pero por mayor onra   e mayor bienestar,
con cadenas de oro   lo fizieron atar.

El buen rey en su casa   avié cabtividat,   1716
el justo de los falsos   avía grant crueldat,
al omne pïadoso   falleçiél pïedat,
en lugar de justiçia   regnava falsedat.

Narbazanes e Bessus,   verament dos pecados,   1717
quando en el buen rey   fueron apoderados,
de fincar en el llano   non fueron más osados,
fuéronse a las sierras   por seer más segurados.

Los juïcios de Dios   assí suelen correr: 1718
quiere dar a los malos,   a los buenos toller,
lieva todas las cosas   segund el su plazer,
por mostrar que él ha   sobre todos poder.

A los buenos da cueita,   que bivan en pobreza;   1719
a los malos da fuerça,   averes e riqueza;
al fol da el meollo,   al cuerdo la corteza;
los que non lo entienden   tiénenlo a fereza.

El rëy Alexandre,   una barva façera,   1720
vinol' en est comedio   barrunte verdadera:
era en Bactra Dario,   cosa müy çertera,
queriá lidiar con él   aún la vez terçera.

Maravillóse mucho,   tóvolo a fazaña,   1721
dizié que nunca fizo   omne cosa tamaña,
dixo, non tenié éste   en los ojos lagaña,
que de tal voluntad   querié vengar su saña.

Mandó mover las huestes,   las tiendas arrancar,   1722
avié puesto de ir   a Bactra a çercar,
la villa destroïr,   a Dario cativar,
desende adelante   su guerra ençerrar.

Vínol' un mensajero   luego que fue movido,   1723
que supiese que Dario   era dende exido,
e era sin dubdança   a los bactros foído,
ca todos sus esfuerços   le avién falleçido.

Dixo: «Nin por aquesto   non puede escapar,   1724
doquiere que se vaya   yo lo iré buscar,
nos podrá en el siglo   en tal lugar alçar
que por media la barva   non sea a tomar.»

1724   Una de las mayores afrentas de que podía ser objeto un varón era, en la Edad Media, ser cogido por la barba, dado que en esta época dicho componente de la fisionomía humana masculina era tomado como símbolo de la virilidad (Cfr. nota a 168b).

Subió por una sierra   por salir a destajo,   1725
lo que non podié fer   si non con grant trabajo,
ca era el diablo   más duro que un majo,
non dava por lazerio   quanto valié un ajo.

Avié de la carrera   ya un poco andado,   1726
vínole por ventura   más çertero mandado;
que Dario era preso,   malamente cuitado,
contógelo por orden   cómo avié passado.

Dío una grant boz,   alta como pavón: 1727
«Crïador, tú vïeda   tamaña traïción,
deviés fondir el mundo   con quantos que y son
antes que fuesse fecha   atal tribulaçión.»

Demandó a cabillo   todas sus potestades.   1728
«Oit» —dixo—, «amigos,   quantos aquí estades:
un mandado me vino,   quiero que lo oyades,
como creo, non cuido   que sabor end' ayades.

»A Dario han traído   vassallos traïdores,   1729
yaze en grandes fierros,   sufre muchos dolores,
han puesto por matarlo   por aver los onores,
que sean, si pudiessen,   del emperio señores.

»Valámosle, amigos,   ¡si Dïos vos bendiga!,   1730
grant preçio nos caeçe   vengar tan grand nemiga,
nunca fue de los buenos   la traïçión amiga,
valámosle, amigos,   ¡sí nos Dïos bendiga!

»Por valer tan grant cueita   esnos grant bienestança,   1731
más que si lo prisiéssemos   a escudo o a lança;
por Dios que non fagades   ninguna demorança,
caernos ha a todos,   si murier', en viltança».

Movierons' a andar   a una grant pressura,   1732
non avién de comer   nin de dormir ardura,
quebravan los cavallos   con la grant cansadura,
non los podié vençer   frío nin calentura.

433

De noche nin de día   vagar nunca se dieron, 1733
fasta que en el término   do fue preso vinieron;
pero un poquillejo   aquí se retenieron,
ca non podién saber   a quál parte fuyeron.

Vinieron a pressura   al rëy dos varones, 1734
eran de los de Dario   bien ricos infançones,
querían de los griegos   más seer compañones
que seguir la compaña   de tales traïdores.

Reçibiólos el rey,   tornáronse vassallos, 1735
ca eran bien guarnidos   d' armas e de cavallos;
sabieron a los griegos   estos tan bien guiallos
que fueron çerca Dario   ante de medios gallos.

Dixieron essos ambos,   como bien acordados: 1736
«Acojámonos, rey,   vayamos cabdellados,
los falsos traïdores   están aparejados,
podemos rafezmientre   seer muy engañados.»

«Otorgo» —dixo'l rey—,   «que dizes derechura, 1737
vayamos nuestras hazes   paradas a ventura,
ca el traïdor omne   es de mala natura,
non ha entre los omnes   tan mala crïatura».

Ordenó bien sus hazes,   ca lo avié usado, 1738
en un poco de tienpo   fue todo ordenado,
mas ante que oviesse   un migero passado,
fue el alva venida,   e el día uviado.

Narbazanes e Bessus   quando la seña vieron, 1739
de atender al rey   esfuerço non ovieron;
diéronse a guarir,   esperar nol quisieron,
—non era maravilla,   ca negra la fizieron—.

Mandaron en cavallo   a Dario cavalgar, 1740
por amor que pudiessen   más aína andar,
maguer non lo querién   de la prisión dexar,
ca tenién que la cosa   podrié en mal tornar.

Dixo Dario: «Más quiero   la muert' aquí prender   1741
o del rey Alexandre   en su prisión caer
que sola una ora   convusco vida aver,
ca vos devié la tierra   todos bivos sorver.

De subir en cavallo   nol pudieron rancar,   1742
cavalgarl'en azémila   temién mucho tardar,
de lexarlo a vida   temiénse mal fallar,
ovieron lo peor   en cabo a asmar.

Oviéronlo con saña   lüego a çegar,   1743
oviéronlo de colpes   mortales a colpar,
dexáronlo por muerto,   pensaron de andar,
non los podién cavallos   ningunos alcançar.

Narbazanes e Bessus,   maleditos vayades,   1744
por doquiere que fuerdes   mal apresos seades,
el comer que comierdes   con dolor lo comades,
ca *per secula cuncta*   mal enxemplo dexades.

Los falsos por su cosa   peor la acabar,   1745
mataron los cavallos   que lo solién tirar,
desent los carreteros   que los solién levar,
tenién que no avrié   quien ge lo rencurar.

Quand' ovieron los malos   la traïçión complida,   1746
fue luego entre ellos   la discordia naçida;
pensaron de füir   cad' un a su partida,
nunca jamás se vieron   en toda la su vida.

Los unos de los otros   çerca çerca sedién,   1747

1744   Una vez más el tema de la traición hace su aparición en el *Alexandre* (cfr. nota a 186) . La particularidad en este caso reside en que el autor toma directamente partido en contra de los personajes de su obra. Las imprecaciones no tienen ahora un carácter general. Van dirigidas contra los personajes del relato que son agentes de los hechos censurados. Mediante esta técnica se logra vivificar aún más el relato, acercar más la materia al lector. La captación del mensaje para el receptor del texto se ve por ello facilitada.

1744d   *per secula cuncta.* Por todos los siglos.

vino al rey un omne,   Letabién le dizién,
díxole que a Dario   aún bivol tenién,
ca él non lo sabié   que muerto lo avién.

Ixieron de galope,   diéronse a correr,   1748
mas, como diz' el vierso,   cuidar non es saber,
todo era ya puesto   cóm' avié de seer,
que Dario de la muerte   non podié estorçer.

Vino a poca d' ora   mensaje más çertero: 1749
que muerto era Dario,   el su firme guerrero;
quando ovo la cosa   dicha el mensajero,
vidiérongelo todos   que non fue plazentero.

Antuvióse el rey,   cuidólos alcançar.   1750
Narbazanes e Bessus   nos la podrién lograr;
mas ovo un destorvo,   quiérovoslo contar,
ca non quiero que digan   que só medio juglar.

De compañas de Dario,   omnes de fuert ventura,   1751
ixieron cavalleros,   todos bien de natura;
tres mill eran por cuento,   fizieron todos jura
de fincar en el campo,   perder toda rencura.

Non querién a sus casas   sin su señor tornar;   1752
quand' él era finado,   querién todos finar,
o sintién por ventura   que eran de rebtar;
si ante fueron malos,   queriénse mejorar.

Pero pudieran antes   aguisarlo mejor   1753
quando finar querién,   morir con su señor;
si lo oviessen fecho,   non les fuera peor,
mas era otra guisa   puesto del Crïador.

Pero yo bien comido   que fueron engañados,   1754
non cuidaron que tanto   farién los endiablados,

1747b *al rey.* Nelson *(op. cit.,* pág. 551). En P y O se menciona el nombre
del protagonista, *Alixandre, Alexandre.*
Letabien. O, *Seguben.*

436

que, como eran ellos   de verbo abondados,
con algunas de guisas   los ternién amansados.

Como quiere que sea,   ellos bien lo fazían   1755
quando de traïçión   escusarse querían;
assaz lo demostravan   que culpa non avían,
que si culpados fuessen,   con los otros irían.

Fueron a las feridas,   bolvieron el torneo,   1756
non firié más aprissa   Judas el Macabeo;
diz' el rey Alexandre: «Segund lo que yo creo,
de bevir estos omes   non han mucho desseo.»

Como todos avién   voluntad de finar,   1757
firién entre los griegos,   faziénlos ensañar;
griegos fueron sañosos,   pensaron de tornar,
non dexavan las porras   seer ya de vagar.

El omne porfidioso   que non quiere foïr,   1758
viene por penitençia   en el campo morir;
como non ha cobdiçia   ninguna de bevir,
non ha peor en mundo   bestia de referir.

Apriessa morién ellos,   mas bien se lo buscavan,   1759
pero quanto podién   en balde non estavan;
dolavan en los griegos,   cabeças non tornavan,
todos morién de buelta   ca apriessa se matavan.

El rëy Alexandre,   que tanto avié fecho,   1760
en tan poco de rato   non füe peor trecho;
vengaran por muy poco   los otros su despecho,
ovieran los de Dario   alcançado derecho.

1756b *Judas el Macabeo.* Hijo de Matatías, sublevado contra Antíoco IV, que
había dictado persecución contra los hebreos a causa de la religión que practica-
ban. Sucedió a su padre en la dirección de los rebeldes contra aquel rey y obtuvo grandes y continuas victorias, como consecuencia de las cuales adquirió un
extraordinario renombre como guerrero, de tal manera que prácticamente se
convirtió en un prototipo de luchador esforzado —de ahí la comparación que
con su persona se hace en nuestro *Libro de Alexandre.* Sus hechos se encuentran

Pero non vos tengamos   en luengos xaramiellos: 1761
fueron desbaratados   vassallos e cabdiellos,
fueron muertos e pressos   viejos e mançebiellos,
avién grandes e chicos   caídos los martiellos.

Quando fue la fazienda   fecha e delibrada,   1762
la mesnada de Dario   fincó bien quebrantada;
pero con la victoria   que les avié Dios dada,
ovieron toda cueita   aína olvidada.

El rëy Alexandre,   maguer era irado,   1763
non avié el dolor   de Dario olvidado;
andava el buen omne   dolient' e aquexado,
que non podié saber   do lo avién dexado.

Folgaron tod' un día,   que non podién andar,   1764
avién mucho lidiado,   non se podién mudar;
mandó el rey a todos   desguarnir e folgar,
mejar a los llagados,   los muertos soterrar.

Buscando por los muertos,   ¡tan espessos yazién!,   1765
la carrera de Dario   fallar non la podién;
porque non la fallavan   grant cordojo avién,
al que ge la mostrasse   albriçias le darién.

Todos ya enojados   yazién de cansadura,   1766
fallóla Polistratus   en una val escura
buscando agua fría,   —fazié grant calentura—,
óvola a fallar   por muy grant aventura.

Los cavallos con cueita,   que eran mal feridos,   1767
andidieron musiando   fasta fueron caídos;
quando de tod' en todo   fueron ya enflaquidos,
cayeron ant' el rey   todos piedes tendidos.

---

relatados en los capítulos 3-9, 1-22 del libro primero de los *Macabeos (Biblia,*
ed. cit., págs. 586-610).

Por medio un vallejo   corrié un regajal,   1768
naçié de buena fuente,   clara e perenal,
deçendié a un prado,   regava un pradal,
—por verdat vos dezir,   era fermoso val—.

Polistratus buscando   la cabeça del río,   1769
—como siempre do naçe   suele seer más frío—,
en un campiello plano,   un agua manantío,
trobó las bestias muertas   e el carro vazío.

Yazién çerca del rey   muertos los carreteros,   1770
yazién del otro cabo   muertos los escuderos,
yazié el omne bueno   entr' estos compañeros,
él yazíe en medio,   los otros orelleros.

Como era el carro   ricament' adobado,   1771
com' era el rey Dario   de pareçer granado,
sópolo Polistratus,   fue dent çertificado,
corrió a Alexandre   luego con est mandado.

Fizo el rey grant duelo   por el emperador,   1772
—si fuesse su hermano,   non lo farié mejor—;
lloravan sus varones   todos con grant dolor,
todos dizién: «¡Mal aya   Bessus el traïdor!»

Tolléronle la sangre   e los paños untados,   1773
vistiéronle vestidos,   valdoquis muy honrados,
calçáronle espuelas   con çapatos dorados,
non comprarían las luas   aver de dos casados.

Pusiéronle corona   clara e bien broñida,   1774
—en cabeça de omne   nunca fuera metida—,
de fin' oro obrada,   de piedras bien bastida,
mejor non la toviera   en toda la su vida.

El rëy Alexandre   púsolo en el lecho,   1775
pusol çebtro en mano,   —e fizo grant derecho—,
tornó en pïedat,   olvidó el despecho,
non seríe tan bien   si al oviesse fecho.

Non podié con el duelo   las lágremas tener,   1776
ívalas a menudo   con el manto toller,
del cabeçal del lecho   non se querié bolver
si non a la sazón   que oviés de comer.

Llorando de los ojos,   començó de plañer,   1777
diziendo: «¡Ay, Dario,   qué oviste d' aver!
cuideste de mi mano   foïr e estorçer,
ovieste en peores   en cabo a caer.

»Si fuesse de ventura   e lo quisiés' el fado   1778
que a cosiment fuesses   de los griegos echado,
ovieras sines dubda   sabido e provado
que non ha señorío   en siglo tan tenprado.

»Avriás a mi señero   por señor a catar,   1779
podriás de mí ayuso   el imperio mandar,
yo a ti te lo diera   todo a ordenar,
de ti nunca querría   otra renta levar.

»Tú fezist' el exemplo   que diz de la cordera: 1780
que temió de los canes,   ixió a la carrera,
fuyó contra los lobos,   cayó en la tordera;
tu fuste engañado   por la misma manera.

»Nunca en Alexandre   tu devías dubdar;   1781
si tú a él tornasses,   él te sabrié honrar;
caíste en desierto,   en aviesso lugar,
oviéronte las bestias   todas a devorar.

»Escapeste de todos   los peligros del mar,   1782
fuera, en el sequero,   ovist' a peligrar;
podieste 'l flumen todo   fast' en cabo andar,
ovist' en cabo dello   en lo seco a afogar.

»Dario, tod' el tu preçio   siempre será contado,   1783
sól de lidiar comigo   tú fuste tan osado,
non te cae en onta   maguer fuste rancado,
ca yo só Alexandre,   el del nombre pesado.

440

»Pero en una cosa   eres bien venturado: 1784
que fincó tu emperio   todo bien consejado;
porfijaré, si bivo,   el tu fijo amado,
buscaré a las fijas   casamiento honrado.

»Quanto yo te prometo,   bien lo cuido complir;   1785
si Dios me diere vida,   non lo cuido fallir;
si esto non cumpliere,   quiérome maldezir,
de qual muerte tú mueres,   me faga Dios morir.

»Assí me dexe Dios   mi voluntad complir,   1786
a Asia sobjudgar,   África conquerir,
las torres de Marruecos   a mi mano venir,
como de lo que digo   yo non cuido fallir.

»Desent assí me dexe   a España passar,   1787
Sevilla e Toledo,   Galizia sobjudgar,
Francia e Alemaña,   sí com passar la mar,
como, si Dios quisiere,   yo te cuido vengar.

»En cabo assí pueda   passar a Lombardía,   1788
la grant çibdat de Roma   meter en mi valía,
entrar señor del mundo   en Corinto la mía,
como de lo que digo   falleçer non querría.

»Vassallos que tal cosa   fazen a su señor,   1789
en mí, cuando pudiessen,   non farían mejor;
el que nunca oviere   merçed al traïdor,
nunca aver le quiera   merçed el Crïador.»

Fazié duelo sobejo,   dizié buenas razones,   179(
fazié de fiera guisa   llorar a sus barones;
rogavan sobre 'l cuerpo   muchas de proçessïones,
non serié más honrado   entre sus crïazones.

Apelles, en comedio,   obró la sepoltura,   1791
la tunba de primero,   después la cobertura,
las basas en tres guisas,   de comunal mesura,
tant' eran bien juntadas,   non pareçié juntura.

Debuxó el sepulcro   a grandes maraviellas: 1792
cómo corrié el sol,   la luna e las estrellas,
cómo passan las noches,   los días en pues ellas,
cómo fazen las dueñas   en mayo las corellas.

Quáles tierras son buenas   de panes e de vinos,   1793
quáles pueblos son ricos   e quáles son mesquinos,
de quál lugar a quál   responden los caminos,
cómo an de andar   por ellos peregrinos.

Y estavan los griegos,   sí fazién los latinos,   1794
e Saúl el vïejo   con todos sus vezinos;
cómo yazién los mares   e los ríos vezinos,
cómo sorven los ríos   los grandes a los chicos.

Libia era de miesses   rica e abondada;   1795
la tierra de Amón   de lluvia muy menguada,
rïégala Egipto,   tiénela muy bastada
el marfil es en India,   onde es tan nonbrada.

Es de piedras preçiosas   África bien poblada,   1796
en ella yaz Marruecos,   essa çibdat contada;
es Greçia por Atenas   de seso alumbrada;
Roma yaz sobre Tibre   de buen muro çercada.

1793d-1794abc   Estos versos no han sido copiados en el manuscrito P.

1794b   *Saúl el viejo*. El célebre rey que inauguró la institución monárquica entre los judíos, cuyos hechos se narran en el libro primero de *Samuel*.

1793d   Enmendado por Nelson *(op. cit.,* pág. 561).

1795d   *India*. En ambos manuscritos del *Alexandre* la lectura que encontramos es *Judea*, lectura a todas luces incorrecta dado el contexto en el que se incluye. El *Alexandreis* de Châtillon (ed. cit., página 538, v. 3741 —3782—) nos ofrece una lección, *Indos didat ebur,* que pudo ser adaptada por nuestro autor en la forma que figura en nuestra edición. El paso de *India* a *Judea,* perfectamente explicable dada la similitud de ambas palabras y las dificultades que los copistas debían encontrar en ocasiones para entender la letra de los manuscritos que habían de utilizar para realizar su labor, o sus prisas o falta de cuidado en llevarla a la práctica, se produciría en la copia de la que proceden en última instancia los dos manuscritos actualmente conservados del *Alexandre:* ello explicaría su coincidencia en el error cometido en este punto.

1796d   *Tibre*. El famoso río Tiber que atraviesa la ciudad de Roma.

Los pueblos de España   cómo son tan laugeros;   1797
pareçién los françeses   valientes cavalleros;
Chanpaña, la que vieda   los vinos delanteros;
Saba, do el ençenso   lo miden a çesteros.

Cómo se preçian mucho   por Artús los bretones,   1798
cómo son los normandos   orgullosos varones,
ingleses son fermosos,   de blandos coraçones,
lombardos cobdiçiosos,   alimanes fellones.

Y escrivió la cuenta   que de cor la sabié: 1799
el mundo quand fue fecho   quántos años avié,

1797c *Chanpaña*. Antigua provincia de Francia, situada entre Lieja y Lu-
xemburgo —al norte—, Lorena y el Franco Condado —al este—, Borgoña
—al sur—, y el Orlanesado —al oeste. Su mayor fama la debe a sus célebres vinos espumosos a los que dio su nombre.

1797d *Saba*. Cfr. nota al verso 290d.

1798 *Artús*. Los manuscritos O y P no presentan esta lectura. Su corrección es obra de M.ª Rosa Lida —«Notas para el texto del *Alexandre* y para las
fuentes del *Fernán González*», *RFH*, VII, 1, 1945, págs. 47-51— que se basa en
el verso 3747 —3788— (ed. cit., página 538) del *Alexandreis* de Châtillon para
realizarla. Mediante ella logra restablecer el significado correcto en este verso de
nuestra obra, no demasiado inteligible en O —*Artes*—, y suprimir la irregularidad métrica y la redundancia con respecto al verso posterior que contiene la
lectura —*orgullosos*— incluida en el manuscrito P. Artús, o Arturo, es el famoso
rey legendario del País de Gales, fundador de los caballeros de la mesa redonda,
que vivió en la primera mitad del siglo VI. Sus hazañas han sido utilizadas como
tema de una gran cantidad de obras literarias de diversos países, obras cuyo
conjunto ha sido tradicionalmente llamado *Ciclo del rey Arturo*. Gracias a la mención insertada en este verso, «el *Alexandre*» —tal y como M.ª Rosa Lida escribe
en el artículo anteriormente mencionado (pág. 48)— «constituye un testimonio
más, emanado de la clerecía docta, de la difusión del ciclo artúrico en la literatura castellana», testimonio —añadimos— que en absoluto se ve empañado por el
hecho de que nos encontremos ante una traducción de un verso perteneciente a
una obra utilizada como fuente, dado que nuestro autor de ningún modo está
realizando en este pasaje una versión totalmente literal de la misma —añade y
suprime noticias según su voluntad—: la circunstancia de que haya mantenido
esta noticia a diferencia de otras ocasiones pone precisamente de relieve el conocimiento que existía de este personaje en la Edad Media castellana, la divulgación que se había producido de sus hazañas en la Península —tanto como
para obligar a nuestro escritor a incluir su nombre en su propia obra, dado que
sería considerado de interés y le resultaría familiar a sus lectores—, tal y como
la gran hispanista desaparecida supo muy bien señalar.

1799 Nos hallamos ante una de las estrofas que ha sido más debatida por

de tres mill nueveçientos   e doze non tollié,
agora quatroçientos   e seis mil enprendié.

   Fízole un pitafio   escurament dictado,   1800
—de Daniel lo priso,   que era y notado—;
como era Apelles   clérigo bien letrado,
todo su ministerio   tenié bien decorado.

   «Hic situs est aries typicus, duo cornua cuius   1801
fregit Alexander totius malleus orbis;
duo cornua duo regna sunt,
persarum et medorum.»

   «Aquí yaz' el carnero   los dos cuernos del qual   1802
quebrantó Alexandre,   de Greçia natural;
Narbazanes e Bessus,   compaña desleal,
estos dos lo mataron   con traïción mortal.»

---

los críticos que se han ocupado del estudio de nuestra obra, debido a su posible
importancia para determinar cuál es la fecha de su composición —véase en la
«Introducción» el apartado correspondiente. Ante la diferencia de lecturas de
los dos manuscritos —O y P— que contienen nuestro texto y la imposibilidad
de conocer, en la actualidad, cuál de esas dos versiones es la adecuada, o de presentar otra lección, como conjetura propia, que pudiera acercarse más al posible
original, mantengo la lectura de P, dado que —como advertimos— hemos
tomado este manuscrito como base para nuestra edición.

   1800b   La profecía de Daniel sobre la destrucción del imperio persa por
Alejandro Magno se contiene en el capítulo 8 de su libro *(Biblia,* ed. cit., páginas 1079-1080).

   1801ab   Estos versos han sido literalmente copiados del *Alexandreis* de Châtillon (ed. cit., pág. 538, vv. 1758-1759 —1799-1800—), con la sola diferencia de que en aquel *typicus* se encuentra antepuesto a *aries* (no modifico este de-
talle en mi edición dado que ambos manuscritos O y P así lo contienen).

   1801cd   La frase contenida en estos dos versos no figura en el *Alexandreis,*
ha sido añadida por nuestro autor, si bien la toma del versículo 20 de la citada
profecía de Daniel *(Daniel,* 8; *Biblia,* ed. cit., pág. 1079).

   1801d   En el manuscrito O este verso no coincide con la lectura de P.
Aquel *persarum et mediarum (medorum* en O) que figura en éste ha sido situado en
aquél en el verso c de esta misma estrofa. En el espacio que queda libre se inserta una frase —*assi quieren dezir estos viersos*— que sirve de enlace con la estrofa
posterior —traducción no literal de la presente—, frase que no es totalmente
necesaria en el contexto en que está incluida, que puede deberse a la mano del

La obra fue complida,   el sepulcro alçado,   1803
fue sobre los fusiellos   igualment assentado,
non pareçié juntura,   —itant' era bien lavrado!—,
tal cosa mereçié   pora rey tan honrado.

Fizo'l rëy demientre   el cuerpo balsamar;   1804
quando fue balsamado,   al sepulcro llevar;
fízolo a grant honra   cobrir e condesar,
—Dios le preste el alma,   si s' él querié rogar—.

Nunca en este siglo   devrié omne fiar,   1805
que sabe a sus cosas   tan mala çaga dar;
a baxos nin a altos   non sabe perdonar,
non devriemos por éste   el otro olvidar.

Anda como rüeda   que non quier' aturar,   1806
el omne malastrugo   non se sabe guardar,
trae buenos falagos,   sábenos engañar,
nunca en un estado   puede quedo estar.

Quand' ha el omne puesto   en algunt buen lugar,   1807
dize: «cede majori»,   pensal de despenar,
fazlo tal qual naçió   a la tierra tornar,
va luego buscar otros   que pueda engañar.

Quando el omne ha   dest siglo a passar,   1808
valía d' un dinero   non le dexan llevar,
quando gana el omne   halo tod' a dexar,
hanlo sus enemigos   mortales a lograr.

---

copista de O, deseoso de explicitar aún más los nexos de unión entre el texto latino y su versión castellana presentada a continuación, por lo que en nuestra
edición no la hemos adoptado.
    1805-1830   Nueva manifestación del tema del menosprecio del mundo
—tratado con mucha mayor extensión que en anteriores ocasiones— fundamental en el significado general que posee el *Libro de Alexandre* (Cfr. nota
a 999-1001.)
    1807b   *cede majori.* Retírate ante otro mayor (más importante) que tú.
    1809d   Ejemplo de «subversión» máxima (para la época).

Tuelle con sus falagos   al omne el sentido,   1809
lo quel devriá membrar,   échalo en olvido;
es la carne señora,   espíritu vençido,
faze barrer la casa   la muger al marido.

Encarna el pecado   en el onbre mesquino,   1810
buélvelo con cobdiçia,   sácalo de camino,
fázele olvidar   la materia ond vino,
el siglo por escarnio   fázele el buçino.

El omne si quisiesse   con recabdo andar,   1811
devié entre su cuer   la materia asmar:
cómo viene de tierra,   a tierra es a tornar;
esto non puede fuerça   ninguna estorvar.

Dario, tan alto rey,   omne de tan grant conta,   1812
en cabo abés ovo   una fosa angosta;
nol valió su imperio   quanto una langosta;
quien en est mundo fía,   él mísmo se denosta.

El omne dev' asmar   lo que es por venir,   1813
quál gualardón espera   en cabo reçebir;
si mala vida faze,   mal ave a padir,
el bueno verá gloria   qual non sabrá pedir.

Catando contra tierra   como mal acordados,   1814
olvidamos la forma   a qui fuemos crïados,
cómo fuemos a Dios   a su beldat formados,
andamos, como bestias,   de seso engañados.

1810b   *camino.* El camino de la salvación.

1811c   Recuerdo de una de las famosas frases que, según el *Génesis* (3, 19; *Biblia,* ed. cit., pág. 32), dijo Dios a Adán inmediatamente antes de expulsarle, con Eva, del Paraíso: «Con el sudor de tu frente comerás el pan hasta que vuelvas a la tierra, pues de ella has sido tomado; *ya que polvo eres, y al polvo volverás.*»

1814c   Idea procedente del *Génesis* (3, 22; *Biblia,* ed. cit., pág. 33) «Díjose Yavé-Dios: "He aquí al *hombre hecho como uno de nosotros"»,* y antes (1, 26; *ibídem,* pág. 29): «Díjose entonces Dios: "Hagamos al *hombre a nuestra imagen y semejanza".»*

Quando nos de riqueza   nos fazemos loçanos,   1815
metémoslo so tierra,   ençerramos las manos,
más amamos a ella   que a nuestros christianos,
perdémosla en cabo   como omes livianos.

Llegamos con cobdiçia,   olvidamos mesura,   1816
nin a Dios nin a próximo   non femos derechura;
desanpáranos Dios,   que non ha de nos cura,
veemos sobre nos   mucha de grant rencura.

Labradores non quieren   derechament dezmar,   1817
aman unos a otros   escatimas buscar,
buscan su día malo   quand' están de vagar,
suele mucho cobdiçia   entre ellos regnar.

Anda grant falsedat,   entre los menetrales,   1818
las obras fazen falsas,   los puntos desleales,
perjúranse privado   por ganar dos mencales,
pierden al Crïador   por estas cosas tales.

Saben fer los bufones   muchas malas baratas,   1819
buelven sus mercaduras   con muchas malas ratas,
non podrié dezir omne   todas sus garavatas,
morir quieren el día   que non ganan çapatas.

Muchos con grant cobdiçia   tórnanse usureros,   1820
dan dos e cogen quatro   como de sus pecheros,
venden los malastrugos   las almas por dineros,
el día del juïzio   non les valdrán bozeros.

Los rëys e los príncipes   con negra de cobdiçia   1821
fazen un grant mercado   e venden la justiçia;
más aman fer thesoros   que vedar estultiçia,
es el mundo perdido   por essa avariçia.

Clérigos nin calonges,   çertas nin las mongías.   1822
non andan a derechas,   por las çapatas mías;
por mal pecado todos   andan con travesías,
por end' a derechura   non van las sermonías.

Si los que son ministros   de los santos altares   1823
sirviessen dignamente   cad' uno sus lugares,
non serién tan crüeles   los prínçipes seglares,
nin veriemos nosotros   tantos malos pesares.

Somos los simples clérigos   errados e viçiosos,   1824
los prelados mayores   ricos e desdeñosos,
en prender son agudos,   en lo al perezosos,
por ende son los santos   irados e sañosos.

En las elecçïones   anda grant bienconía,   1825
unas vienen por premia,   otras por simonía,
non demandan edat   nin sen nin cleriçía,
ende non saben fer   nulla derechuría.

Como non han los omes   dubda de los pecados,   1826
casan con sus parientas,   andan descaminados;
fazen malas rebueltas   casadas con casados;
somos por tales cosas   de Dios desanparados.

Los que son assí fechos   ixen después ladrones,   1827
asman siempre nemigas,   fazen las traïçiones,
dexan malos enxemplos   como malos varones,
recúdeles la sangre   a diez generaçiones.

Quando se catan bien   vassallos e señores,   1828
cavalleros e clérigos,   en buelta labradores,
abades e obispos   con los otros pastores,
en todos ave tachas   de diversas colores.

Por esso el pecado   ave tan grant poder,   1829
faze enamistades   a los omes bolver,
hermanos con hermanas   fázelos contender,
busca como nos pueda   peor escarneçer.

Faz contra los señores   los vasallos armar,   1830
lo que es fiera cosa,   fazelos amatar;

1824a *Somos los simples clérigos.* Verso importante, pues en él se declara la «profesión» del autor del *Alexandre* (cfr. «Introducción»).

del siglo que veemos   tan sin regla andar,
quanto mejor pudiéssemos   nos devriemos guardar.

Los griegos quand' a Dario   ovieron soterrado,   1831
tovieron que avían   su pleito acabado;
todos querién tornar   a sus casas de grado,
si del rey Alexandre   les fuesse otorgado.

Movióse por la hueste   en est comedio un ruido,   1832
que, desque Dario era   muerto e sobullido,
el rëy Alexandre   que nunca fue vençido,
querrié tornar a Greçia,   su lazerio complido.

Las nuevas por la hueste   fueron tan abivadas,   1833
non serién más creídas   si fuessen pregonadas;
fueron a poca d' ora   las estacas rancadas,
enselladas las bestias,   las troxeras guisadas.

Entendiólo el rey   e fue mucho irado,   1834
quando murió su padre   non fue más acuitado;
demandó a cabillo   el su noble senado,
ante de media ora   fue todo allegado.

Quando fueron llegados,   empeçó de fablar: 1835
«Varones, ¿qué es esto   que vos quiere matar?,
en mal punto naçimos   e passamos la mar
si con tan mal recabdo   avemos a tornar.

»Nos agora tenemos   la cosa aguisada,   1836
pora nuestro lazerio   darle buena finada;
tollédesme la tierra   que m' avedes ganada,
de la mi grant füerça   tornado só en nada.

»En lugar de victoria,   despreçio levaremos,   1837
en lugar de ganançia   con pérdida iremos;
quando en Greçia fuéremos,   varones, ¿qué diremos?,
de lo que prisïemos   ¿qué recabdo daremos?»

1836b *darle*. Nelson, *op. cit.*, pág. 572.

Dixieron los varones: «Señor, non nos maltrayas,   1838
nos todo lo faremos   como tú sabor ayas
nos seguirte queremos   doquiere que tú vayas,
a todo nuestro grado   non queremos que cayas.

»Mas falaga los pueblos   que ya quieren mover,   1839
faz lo que a nos dizes   a ellos entender,
todos querrán en cabo   complir el tu plazer,
ca non querrán por ren   so serviçio perder.»

Mandó poner la cádera   en que solié judgar   1840
en medio de la plaça,   en el mejor lugar;
mandó grandes e chicos   redor de sí posar,
el buen emperador   empeçó de fablar.

«Bien entiendo, amigos,   las vuestras voluntades: 1841
grant tiempo ha passado   que comigo andades,
querriédes vos tornar   a vuestras heredades;
¡sí Dïos me bendiga!,   con derecho andades.

»Avedes vuestra tierra   quita de servidumbre,   1842
sodes bien alimpiados   de toda la calumbre,
sodes vos demostrados   por de grant firmedumbre,
más vale de vos pocos   que d' otros muchedumbre.

»Más avedes de tierras   vos comigo ganadas   1843
que nunca otro rey   ovo villas pobladas;
avedes ricamente   vuestras barvas honradas,
Dario dirié las nuevas   sil fuessen demandadas.

»Si esto que ganamos   fuesse bien recabdado,   1844
o de seer estable   fuesse yo segurado,
lo que vos querríedes   faría yo de grado,
ca el sabor de Greçia   non l' he yo olvidado.

»Querría mis hermanas   e mi madre veer,   1845
avrién ellas comigo,   yo con ellas, plazer;
mas veo dos contrarios   detrás remaneçer
por do podremos toda   la ganançia perder.

Buena es la conquista   mas non es bien finada,   1846
si vençida es Persia,   aún non es bien domada,
si a nuestras costumbres   non fuere confirmada,
contad que non tenemos   nuestro fecho en nada.

»Vagar doma las cosas   —dizlo la escriptura—,   1847
doma aves e bestias   bravas por su natura,
la tierra que es áspera,   espaçio la madura;
entendet esto mismo   de toda crïatura.

»Los que se nos rindieron   por derecho temor,   1848
si entre nos e ellos   non oviere amor,
quando nos traspongamos   avrán otro señor,
seremos nos caídos   en tan mala error.

»Vayamos con aquellos   algunt poco faziendo.   1849
irán nuestros lenguajes,   nuestro fuero sabiendo,
de ñuestra compañía   irán sabor prendiendo;
después podremos ir   alegres e ridiendo.

»La segunda contraria   vos quiero demostrar,   1850
en que todos devemos   mucho mientes parar:
devemos nuestra cosa   de tal guisa ligar
que nuestros sucçessores   non nos puedan rebtar.

»Maguer Dario es muerto,   nos nada non ganamos   1851
quando los traïdores   a vida los dexamos;
tornarán en el regno   luego que nos vayamos,
destruïrán los falsos   lo que nos escusamos.

»Como están las gentes   de nos escarmentadas,   1852
non serán solamente   de contrastar osadas,
mandarán el emperio   las manos perjuradas,
las que oy a diez años   devián seer cortadas.

»Mas si vuestra fazienda   queredes bien poner,   1853
fagamos lo que suele   nuestro maestro fer:
que quier la carne mala   de la otra toller,
que la que es büena   non pueda corromper.

»Cortemos yerva mala   que non faga raíz,   1854
fagamos que non pueda   alçar la su çerviz;
el omne traïdor,   fijo de meretriz,
merçed ha qui lo mata,   el escripto lo diz.

»Quando a ir oviéremos,   vayamos segurados,   1855
si non, seremos todos   represos e rebtados;
si estos destruïmos,   iremos más honrados,
serán nuestros bernajes   todos bien acabados.

»Vos nunca ovïestes   voluntad nin sabor,   1856
si aver lo pudiestes,   parçir al traïdor;
Pausona con los otros   que mataron señor
diéronvos tal derecho,   non pudieron mayor.

»Por lealtad büena   que siempre mantoviestes   1857
e que a traïdor   parçir nunca quisiestes,
fuestes de Dios guiados   mejor que non pidiestes,
devriedes aún fer   lo que siempre feziestes.»

Recudiéronle todos: «Rey, bien lo entendemos;   1858
dizes grant derechura,   nos complir lo queremos,
do tú ir quisïeres   nos contigo iremos,
mas a los traïdores   espaçio non les demos.»

Entendió Alexandre   que estavan pagados,   1859
mandóles mover luego   ant que fuessen esfriados;
fueron todos movidos,   en carrera entrados,
contra los traïdores   ivan escalentados.

Entraron en Yrcania,   fue luego conquerida,   1860
pero fue en comedio   mucha sangre vertida;
el falso Narbazanes   prisiéronlo a vida,
tovieron que avién   fecha buena corrida.

1860a   *Yrcania.* Hircania. Comarca del Asia antigua, situada al sur y sur-este del mar Caspio, llamado también *Mar Hircanio,* y que limitaba también con Escitia, Partia y Media. Sus tigres y la rudeza de sus habitantes le dieron fama en la época. Formó una satrapía persa.

Avié y un ric' omne   que non devié naçer,   1861
ovo con sus falagos   al rëy a vençer,
como al fierro 'l fuego,   fizol' amolleçer,
Narbazanes por él   de muert' ovo estorçer.

Sabe Dios que me pesa   de toda voluntat,   1862
Dios al entremediano   nol aya pïedat;
segund mi conoçençia,   cuido dezir verdat:
menoscabó el rey   mucho de su bondat.

Allí vino al rey   una rica reína,   1863
señora de la tierra   quel dizién femenina;
Talestris la dixieron   desque fue pequeñina,
non trayé un varón   sólo por melezina.

Trayá treçientas vírgenes   en cavallos ligeros,   1864
que non vedarién lid   a sendos cavalleros;
todas eran maestras   de fer colpes çerteros,
de tirar de ballestas   e echar escuderos.

Las donas amazonas   non biven con maridos,   1865
nunca en essa tierra   son varones caídos,
han en las sus fronteras   lugares establidos
ond tres vezes en año   yacen con sus maridos.

Si naçe fija fembra,   la su madre la cría;   1866
si naçe fijo fijo masclo,   al padre lo embía;
los unos a los otros   sacan por merchandía,
de lo que en la tierra   ha mayor carestía.

1863b   *tierra (...) femenina*. Según el *Alexandreis* (v. 3884 —3935—, ed. cit.,
pág. 511), se trata del Cáucaso.

1865   Falta el verso a en O, que incluye como d *assi de tal manna son todos
avenidos.*

1865a   *amazonas*. Pueblo formado exclusivamente por mujeres, descendiente
de Ares y la ninfa Harmonía, y cuyo reino se sitúa al norte, bien en las laderas
del Cáucao, bien en Tracia, bien en Escitia. Al mando de todas ellas tenían una
reina. Tan sólo permitían la presencia de los hombres en su territorio que les
servían como criados. Algunos autores afirman que se unían con extranjeros
para evitar que desapareciese su raza. Si el hijo que tenían de ellos era del sexo
femenino, lo conservaban junto a ellas. Si era varón, o lo mutilaban (lo volvían

Todas vinién vestidas   de capas traveseras,   1867
sus ballestas al cuello,   turquesas e çerveras,
saetas e quadriellos   de diversas maneras;
todas sabién ferir   corriendo cavalleras.

Como avién su vida   siempre mala manera,   1868
avién a meter mano   en toda fazendera,
la part del lado diestro   andava más çertera,
ca essa manol suele   andar más correndera.

Fazen otra barata   por mal non pareçer: 1869
queman la teta diestra,   que non pueda creçer;
la otra, porque puede   más cubierta seer,
por crïar los infantes,   déxanla pobleçer.

Fasta la media pierna   les da la vestidura,   1870
non caerié en tierra   por palmo de mesura;
calçan bragas muy prietas   con firme ligadura,
semejan bien varones   en toda su fechura.

Finque todo lo al,   la estoria sigamos,   1871
del pleito de la reina   en esso entendamos;
merçed al Crïador,   sólo dezir podamos,
assaz emos razón,   materia que digamos.

Venié apuestament   Talestris la reína,   1872
vistié preçiosos paños,   todos de seda fina,
un açor en su mano,   que fue de la marina,
—serié a lo de menos   de siet mudas aína—.

Avié müy buen cuerpo,   era bien estilada,   1873
correa de tres palmos   la çiñía doblada,

---

cojo o ciego...) o lo mataban o lo entregaban a su padre (de esta última «modali-
dad» se hace eco el *Alexandre)*, según versiones. A las niñas les era amputado
uno de los pechos para lograr que adquiriesen una mayor destreza en el manejo
del arco o de la lanza, con el fin de evitar que les sirviese de estorbo. Sentían
una especial atracción por los combates. Adoraban especialmente a la diosa Artemisa (Diana) y se les atribuye la fundación de Éfeso y el gran templo dedicado
a esa diosa que existía en esa ciudad. (Cfr. Grimal, *op. cit.*, págs. 24-25.)

nunca fue en est mundo   cara tan bien tajada,
non podrié por nul preçio   seer más mejorada.

La fruent' avié muy blanca,   alegre e serena,   1874
plus clara que la luna   quando es düodena,
non avié çerca della   nul preçio Filomena,
de la que diz' Ovidio   una grant cantilena.

Avié las sobreçejas   como listas de seda,   1875
eguales, bien abiertas,   de la nariz hereda;
fazié una sombriella   tan mansa e tan queda
que non serié comprada   por ninguna moneda.

La beldat de los ojos   era fiera nobleza,   1876
las pestañas iguales,   de comunal grandeza,
quando bien las abrié   era fiera fadeza,
a christiano perfecto   tolrié toda pereza.

Tant' avié la nariz   a razón afeitada   1877
que non podriá Apelles   reprenderla en nada;
los labros abenidos,   la boca mesurada,
los dientes bien iguales,   blancos como cuajada.

1874c   *Filomena.* Filomela, hija de Pandión, rey de Atenas y hermana de Procne. Procne estaba casada con Tereo, un tracio que fue llamado por su padre para que le ayudase a combatir contra los tebanos, con los que se hallaba en guerra por un asunto de fronteras. Consiguió Atenas la victoria y Pandión le otorgó a Tereo la mano de su hija. Tereo se enamoró de Filomela, su cuñada, y la violó sin que la joven pudiese hacer nada por impedirlo. Para que Filomela no pudiera denunciar a su agresor, éste le cortó la lengua. Pese a esto, Filomela le contó a su hermana, sirviéndose de un bordado, lo ocurrido, y ambas pensaron el modo en que podían vengarse. Procne mató a su propio hijo, Itis, y lo sirvió de comida a su marido. Tereo, cuando advirtió lo sucedido, salió en busca de las dos hermanas, que ya habían huido, con intención de matarlas. A punto estuvo de conseguir su objetivo, pero los dioses, compadecidos de las mujeres, y atendiendo a sus súplicas, las convirtieron en pájaros: Procne fue transformada en ruiseñor y Filomela en golondrina. (Cfr. Grimal, *op. cit.,* pág. 202.)

1874d   *diz' Ovidio. Metamorfosis,* VI, 426 y ss.

1875b   *hereda.* Isabel Uría propone como lectura correcta *erecta* (vid., «De la nariz *hereda. Libro de Alexandre,* c. 1875b», en *Archivum,* xxxiv-xxxv, Oviedo, 1984-85, págs. 377-383).

Blanca era la dueña,   de muy fresca color,   1878
avié y grant entrega   a un emperador;
la rosa del espino,   que es tan genta flor,
al maitín al ruçio   non pareçrié mejor.

De la su fermosura   non quiero más contar,   1879
temo de voluntad   fer alguno pecar;
los sus enseñamientos   non los sabriá fablar
Orfeus el que fizo   los árboles cantar.

El rëy Alexandre   salióla reçibir,   1880
muchol plogó a ella   quando lo vio venir;
estendieron las diestras,   fuéronselas ferir,
besáronse los ombros   por la salva complir.

El rey fue palaçiano,   prísola por la rienda,   1881
por mejor ospedarla,   levóla a su tienda;
después que fue yantada,   a ora de merienda,
entról a demandar   el rey de su fazienda.

«Quiero saber, reína,   ond' es vuestra andada,   1882
o por quál razón sodes   vos aquí arribada;
quequiere que pidades   seredes escuchada,
la vuestra petición   non será repuntada.

1879d   *Orfeus*. Evidentemente se refiere a Orfeo, famoso cantor mítico griego, hijo de Eagro y Calíope, que era capaz de extraer a su lira sones tan maravillosos que los animales se detenían, extasiados, a escucharle. De sus aventuras, suficientemente divulgadas, se menciona siempre su participación en el viaje de los Argonautas y, sobre todo, su bajada a los infiernos en busca de su mujer Eurídice cuya muerte había sido provocada por la picadura de una serpiente. (Cfr. Grimal, *op. cit.*, págs. 391-393.)

1880   *besáronse los ombros*. El beso en los hombros era símbolo de paz. La iglesia lo utiliza en el rito de la paz que antiguamente se celebraba dentro de la misa, rito que actualmente, si bien modificado, ha vuelto a incluirse en la liturgia.

1881a   *prísola por la rienda*. El rey, en atención a Talestris, coge por la rienda el caballo en el que iba montada, realizando un acto que era propio de los escuderos. Se «rebaja» ante ella para rendirle un homenaje, para darle un signo externo del placer que le produce su visita.

»Si averes quisierdes,   grado al Crïador,   1883
yo vos daré abondo   mucho de buen amor;
si de morar connusco   ovierdes vos sabor,
honrarvos han los griegos   con su emperador.»

«Graçias»—dixo Talestris—,   «al Rey de la promesa,   1884
non vin ganar averes,   ca non só juglaresa,
de bevir con varones   mi lëy non me dexa,
mas quiero responderte,   descobrirte mi quexa.

»Oí dezir tus nuevas,   que traes grant ventura,   1885
grant seso e grant fuerça,   esfuerço e mesura;
témete tod' el mundo,   es en grant estrechura,
vin veer de quál cuerpo   ixié tan grant pavura.

»Demás quiero un dono   de tu mano levar: 1886
aver de ti un fijo,   non lo quieras dexar;
non avrá en el mundo   de linaje su par,
non te deves por tanto   contra mí denodar.

»Si fijo barón fuere,   a ti lo embiaré;   1887
si Dios de mal me curia,   bien te lo guardaré;
fasta naçido sea   nunca cavalgaré;
si fuere fija fembra,   mi regno le daré.»

Dixo el rëy: «Plazme,   esto faré de grado.»   1888
Dio salto en la selva,   corrió bien el venado,
recabdó bien la reina   ricament su mandado,
alegre e pagada   tornó al su regnado.

Bessus en est comedio   estava espantado,   1889
avié por encobrirse   el nombre demudado,
en las sierras de Bactra   andava afotado,
pero trayé el miedo   al pescueço colgado.

1884a   *Rey de la promesa.* Dios, que, ya desde la caída de Adán y su expul-
sión del paraíso *(Génesis,* 3; *Biblia,* ed. cit., págs. 31-33), prometió a los hombres
entregarles a Cristo para que redimiese sus culpas y les mostrase el camino de la

Avié grandes poderes   el falso allegado,   1890
por lidiar con los griegos   estava aguisado;
mas quando a postremas   todo fue delivrado,
non ganó correduras   que fuesse bien pagado.

Vino al rey barrunte,   óvolo a saber,   1891
non ovo con mensaje   nunca mayor plazer;
mandó cavalgar luego,   las mesnadas mover,
querié vengar a Dario   a todo su poder.

Como avién las gentes   fechas fiera ganançia,   1892
trayén oro e plata   a fiera abondançia,
dizién que verdat era   sin otra alabançia:
non lo podrién mover   palafrenes de Françia.

La carga era grande,   non la podién mover,   1893
aviénla bien lazrada,   non la querién perder;
non podién las jornadas   tan bien aproveçer,
tanto como solién   non se fazién temer.

Asmó el rey senado   entre su coraçón   1894
de llegar los averes   todos en un montón;
quando fuessen llegados,   ponerles un tiçón,
que se fundiessen todos,   tornassen en carbón.

Fizo luego consejo   con todo su senado,   1895
díxoles que mostrassen   quanto avién ganado,
que él sacarié lo suyo   todo de muy buen grado.
«Señor» —dixieron todos—,   «faremos tus mandado».

Sacó el rey lo suyo   a almoneda primero,   1896
non quiso retener   valía d'un dinero;
desent sacaron todos   quisquier de su çillero,
quando fue allegado,   fízole grant rimero.

---

salvación, según el pensamiento cristiano en el que, por supuesto, se halla inmerso nuestro autor. Nelson interpreta: *«gracias», dixo Thalestris al rey, «de la promesa»;* (ed. cit., pág. 583).

El rëy con su mano   ençendió una faja,   1897
diole a todo fuego,   nol dolié nin migaja,
non dexó de quemar   una mala meaja,
avié tan poco duelo   como si fuesse paja.

Pesávales a todos   del daño grant que era;   1898
maguer eran pesantes,   encubrién su dentera:
desque lo suyo mismo   metié en la foguera,
non le podién dezir   una letra señera.

En cabo confortáronse,   tovieronlo por bien,   1899
conoçieron que cargar   embargósa trayén,
sólo que sanos fuessen   otro se ganarién,
por mal aver buen preçio   perder non lo querién.

El pecado que nunca   se echó a dormir,   1900
el que malas çeladas   suele siempre ordir,
la bestia maledita   tanto pudo bollir
que bastió atal cosa   ond' ovo a reïr

Çerca era de Bactra   el buen emperador,   1901
do andava alçado   Bessus el traïdor;
oviérase por pocas   preso mal baticor
onde él nos temié   nin avié nul pavor.

Fiziéronle creer   que lo querién matar   1902
aquellos en qui él   solié mucho fïar,
maguer nos lo queremos   encobrir e callar,
en Filotas es toda   la cosa a quebrar.

Filotas de esfuerço,   fue prínçip' acabado,   1903
non ovo Alexandre   un miembro más lazrado;
pero quanto en esso   fue pobre muy menguado,
non se sopo guardar   del laço del pecado.

Omes de raíz mala   asmaron malvestat;   1904
por matar al buen rey   fizieron hermandat
sopo de cada uno   Filotas la verdat,
óvolo por tres días,   el fol' en poridat.

Como diz' el proverbio   que non ha encubierta   1905
que en cabo de cosa   a mal non se revierta,
supo por otras partes   Alexandre la çierta,
parçir non ge la quiso   por boz nin por refierta.

Pero que non pudiessen   dezir por aventura   1906
que falsó Alexandre   por saña derechura,
provógelo por testes   que fazía locura;
él negar non lo pudo   por su mala ventura.

Demandó a Filotas   por seer lapidado,   1907
non pasó por mejor   el su padre honrado;
maguer muchos lo salvan   que yo non les he grado,
qual fizieron tal ayan,   ca non só su pagado.

A cabo de seis días,   el duelo olvidado,   1908
dio consigo en Bactra   el rey escalentado;
por caer sobre Bessus   andaba fazendado,
con ganançia del siglo   non serié tan pagado.

El falso ant' el rey   non pudo contender,   1909
alçóse a las sierras   por mejor estorçer;
mas tanto non se pudo   alçar nin esconder,
en essa quinta ovo   en cabo a caer.

Avié el rey consigo   un hermano de Dario,   1910
fiava en él mucho,   era su secretario;
metiólo en su mano   por fer mayor escarnio,
él se lo justiçiasse   como a mal falsario.

1905ab   *proverbio*. Citado en el *Libro de Buen Amor:* «Como dize el proverbio, palabra es bien çierta / que "non ay encobierta que a mal non revierta"» (ed. Jacques Joset, Madrid, Espasa Calpe, Clásicos Castellanos, 1974, 2 vols.; tomo I, pág. 204, v. 542ab).
1907b   Parmenión, padre de Filotas, murió junto a su hijo en esa misma ocasión y por la misma causa (cfr. nota a 317d).
1908a   *seis*. En el manuscrito P figura *siete*. *Doze,* en O. Pero el *Alexandreis* de Châtillon afirma que fueron seis los días transcurridos: «Sex ubi, consumpto post tristia fata Philotae / praeteriere dies, propero rapit agmina cursu / in Bessum Macedo (...)» (ed. cit., pág. 547, vv. 4218-4220 —4259-4261—). Por ello introducimos la rectificación.

El alma fue maldicha,   el cuerpo justiçiado,   1911
primero escarnido,   después cruçificado;
el alma fue perdida,   el cuerpo desmembrado,
yaz dentro en infierno   con Judas abraçado.

Bien avié guerreado   el buen emperador,   1912
érase bien provado   por buen batallador;
vençiera e vengara   al buen emperador,
mas del regno de Çitia   aún avié sabor.

Luego movió desent   sañoso e irado,   1913
como el aguaducho   quando viene finchado;
en ribera de Tanais,   un río señalado,
mandó fincar las tiendas   al su pueblo lazrado.

Tanais es de Çitia   e de Bactra mojón,   1914
Tanais las departe   e faze división;
Eüropa e Asia   y fazen partiçión;
agua es muy cabdal,   non le saben fondón.

Fecho avién los griegos   puentes a maestría,   1915
ond passassen el flumen   al cab del terçer día;
mas antes que saliessen   de la albergería,
vino a Alexandre   una mensajería.

Viniéronle de Çitia   al rëy mensajeros,   1916
veinte eran por cuenta,   e todos cavalleros,
omnes de santa vida,   sinples e verdaderos,
non sabié ningunt dellos   contar doze dineros.

1912d   *Çitia*. Escitia. Extendido por el noroeste de Europa y el noroeste de
Asia, era llamado así el país que habitaban los escitas. Se distinguía entre *Escitia
de aquende el Imaus* o *Scythia Intra-Imaum* —que comprendía parte de la Rusia eu-
ropea, entre los montes Urales y el río Volga, la Siberia occidental y parte de
Turquestán—, *Escitia de allende el Imaus* o *Scythia Extra-Imaum* —situada en parte del Turquestán chino actual, Sungaria y la zona occidental de Mongolia—, y
Pequeña Escitia o *Scythia Minor* —que abarcaba la mayor parte del Quersoneso
Táurico y el país situado más al norte hasta Borístenes; si bien igualmente se llamó *Pequeña Escitia* a una zona de la Mesia situada entre el Ponto Euxino (Mar
Negro), al este, el Danubio, al norte y al oeste, y al sur, el Hemo.
1913c   *Tanais*. Antiguo nombre del río Don.

Quando fueron venidos   ant' el emperador,   1917
empecó de fablar   el que era mayor;
todos lo escuchavan,   ca end' avién sabor,
era muy bien lenguado   e buen disputador.

Dixo: «Rëy, si fuesse   tan grand el tu poder   1918
com' el coraçón has   e fazes pareçer,
non te podrién los mares   nin las tierras caber,
a Júpiter querriés   el emperio toller.

»Si toviesses la mano   diestra en orïente,   1919
la siniestra en cabo   de todo occidente,
todo lo al yoguiesse   en el tu cosimente,
tú non seriés pagado,   segund mío ençiente.

»Quando oviesses todos   los pueblos sobjudgados,   1920
iriés çercar los mares,   conquerir los pescados;
quebrantar los infiernos   que yazen sofondados,
conquerir los antípodes   —non saben ond son nados—.

»En cabo si oviesses   licencia o vagar.   1921
aún querriás de tu grado   en las nuves pujar,
querriás de su ofiçio   el sol deseredar,
tú querriás de tu mano   el mundo alumbrar.

»Lo que a Dios pediste   bien lo has acabado: 1922
de Dario eres quito,   de Bessus bien vengado;
levántate del juego   mientre estás honrado,
si se camia la mano   serás bien derribado.

1918d   Júpiter era el dios de los cielo y ese es, y no otro, el *imperio* al que en
este verso se hace referencia. Nótese que la afirmación incluida aquí como advertencia irónica hecha por el embajador escita al rey Alejandro se verá cumplida en estrofas posteriores (2496-2514) y que es precisamente la realizacion de
este hecho —el intento de dominar también sobre los cielos—, considerado
como el culmen de la soberbia, lo que provocará la caída definitiva de nuestro
héroe al final del relato.

1920d   *antípodes.* Antípodas.

1922d   Comparación —junto con el verso anterior— con el juego de las
cartas. El sentido es: si se modifica tu suerte, perderás todo y conocerás el sabor
de la derrota.

462

»Conquistada as Persia,   Medïa e Caldea,   1923
Frigïa, Bactra, Libia,   Egipto e Judea;
muchas otras provinçias   tiene la tu carrera;
aún tú non te quieres   partir de la pelea.

»Quieres mucho sobir,   avrás a deçender;   1924
quieres mucho correr,   avrás tú de caer;
semejas al idrópico   que muere por bever,
quanto más va beviendo,   él más puede arder.

»El omne cobdiçioso   que nos sabe guardar,   1925
por una çeresuela   se dexa despeñar,
çiégalo la cobdiçia,   fázelo assomar,
fázelo de la çima   caer en mal lugar.

»De çiertot conteçrá,   si nom quieres creer,   1926
puedes por lo de menos   tod' el demás perder;
lo que más te cuïdas   entre manos tener,
sólo que te non vean,   hante de falleçer.

»Los que tú has ganados,   non los tus naturales,   1927
tiénente grant despecho,   non te serán leales,
ca veen que han preso   de ti muchos de males,
han su señor perdido   e otras cosas tales.

»Rey, esto te abonda,   quiéralo el senado;   1928
assaz ovist contienda   en lo que as ganado;
si tú al contendieres,   serás mal consejado,
ca afogar te puedes   con tan gruesso bocado.

»En guerrear connusco   non te ganarás nada,   1929
non ayas contra nos   achaquia nin entrada,
non te faremos pérdida   nin chica nin granada,
non nos devriés tener   rencura condesada.

»Rëy, si tú supieses   quál vida mantenemos,   1930
non avriás de nos cura,   segundo que creemos;
por los montes bevimos,   que casa non sabemos,
quanto val' un dinero   de propio non avemos.

»Non es nuestra costumbre   tesoro condesar,   1931
sól nunca non nos miembra   de lo de cras pensar;
en nulla merchandía   non sabemos andar
sinon quanto podemos   de la tierra sacar.

»De la tierra sacamos   nuestro vito cutiano,   1932
las sus tetas mamamos   ivierno e verano;
sinon el que fiziere   fecho fol o villano:
non bivría connusco   aunque fues nuestro hermano.

»Si nos aviene pérdida,   en paz nos la sofrimos,   1933
Dios lo da, Dios lo tuelle,   nos esto comedimos;
nos cosa sobejana   a Dios nunca pedimos,
quequier que él nos da,   nos essol gradeçimos.

»Sobre nulla porfía   nos puesta non tenemos,   1934
contienda nin porfidia   nos nunca la queremos;
a Dios sus derechuras   todas ge las rendemos,
nunca a nuestro próximo   sobervia le fazemos.

»Nuestros anteçesores   en tal vida bivieron,   1935
por buena e por santa   esta sola tovieron;
nos essa mantenemos   que ellos mantovieron,
ca veemos que vida   perfecta 'stableçieron.

»Aún con todo esto   al te quiero dezir: 1936
somos gentes ligeras,   malas de conquerir,
somos bien aguisados   de tornar e füir,
de dardo e de saeta   bien sabemos ferir.

»De embargo ninguno   non somos embargados,   1937
de aver nin de ropa   non andamos cargados,
de morar non avemos   lugares costumbrados,
sabemos que del mundo   non seremos echados.

»El que perder non teme,   nin cobdiçia ganar,   1938
aquel puede sin miedo   e sin dubda lidiar,
ca los que algo tienen,   cobdiçian condesar,
muchas cosas les pueden   a ellos embargar.

464

»Rëy, nos non queremos   contigo guerrear,   1939
por ende te rogamos   que nos dexes folgar;
contra nos non te quieras   por poco denodar,
pagámosnos si esto   quisieres otorgar.»

Calló el omne bueno   que avié bien fablado,   1940
de grado del conçejo   oviera recabdado;
non dio el rey por ello   un mal puerro assado,
díxoles que por verba   non serié espantado.

Entróles por la tierra,   fuelos acometer,   1941
priso mayores daños   que non cuidó prender,
pero non se pudieron   en cabo defender,
prendiendo malas pérdidas   óvolos a vençer.

Tornó el rey a Persia,   Çitia sobjudgada,   1942
la gent brava e fiera   remansó bien domada;
el rëy Alexandre   e la su gent dubdada,
grant sazón ha non fizo   tan fiera cavalgada.

Muchos pueblos estavan   por las tierras alçados,   1943
que nunca de los griegos   non eran ensayados;
mas quand' a los de Çitia   vieron tan bien domados,
vinién a la melena   todos cabezcolgados.

Era escontra todos   el rey tan atemprado   1944
que non podrié ninguno   seer su despagado;
tanto avié con todos   en grant amor entrado
que si su padre fuesse   non serié más amado.

El cabrón cornaludo   de la barva honrada   1945
ya avié, *Deo gratias*,   la tierra ajuntada,
ca avié toda Asia   a su poder tornada,
fuera end toda India,   non le fincava nada.

_____

1945a   *El cabrón cornaludo.* Recuérdese la profecía de Daniel: de ella se extrae
este calificativo que se aplica a Alejandro en estos momentos (cfr. notas a
1800b, 1801ab y 1801cd).

Asmó d' ir veer India   cóm' era assentada,   1946
buscar al rëy Poro   dentro en su posada,
en medio de su regno   ferle la salmorada
de prenderlo a vida   o matarlo a espada.

Pero antes que fuesse   en carrera entrado,   1947
quiso complir a Dario   lo que l' avié jurado,
porfijarle el fijo,   el que avié críado,
ferlo rëy de Persia   quando fuesse armado.

Quando vío aquesto   la persïana gent,   1948
que era Alexandre   de tan buen cosiment,
rindieron *Deo grätias*   al rey omnipotent.
tenién que era Dario,   el su señor, present.

Fizo mayor mesura   el cosido varón.   1949
onde ganó de todos   los pueblos bendíçión;
quiso complir a Dario   la fecha promisión,
que non fuesse llamado   mintroso nin chufón.

El mes era de mayo,   un tiempo glorïoso,   1950
quando fazen las aves   un solaz deleitoso,
son cubiertos los prados   de vestido fermoso,
da sospiros la dueña,   la que non ha esposo.

1950-1954   Estas estrofas del *Alexandre* no están basadas, a diferencia de las situadas en la posición anterior a la suya, en el *Alexandreis* de Châtillon. Tampoco son, como se había creído, totalmente inventadas por nuestro autor. Hanssen, que les ha dedicado un artículo («Las coplas 1788-92 del *Libro de Alexandre*», *RFE*, II, 1915, págs. 21-30), se plantea este problema. Tras resaltar las semejanzas existentes entre las mismas y algunos romances tradicionales, como el famoso del prisionero —cuyo primer verso («que por mayo era por mayo») guarda gran similitud con el verso 1950a de nuestra obra—, y explicitar la posible filiación que entre aquellos y el *Libro de Alexandre* pudiera establecerse, supone la existencia de una canción tradicional de primavera en el siglo XIII que sería utilizada por nuestro escritor como modelo para redactar esta parte de la obra. Tal canción —que Hanssen reconstruye basándose precisamente en estas estrofas de nuestro *Libro*— o una variante de la misma, sería empleada igualmente para componer el *Romance del prisionero* y muchos otros que incluyen contenidos similares. Ello explicaría las semejanzas encontradas.

Tiempo dulç' e sabroso   por bastir casamientos,   1951
ca lo tempran las flores   e los sabrosos vientos;
cantan las donzelletas   sus mayos a convientos,
fazen unas a otras   buenos pronunçiamientos.

Faze en el sereno   las buenas ruçiadas,   1952
entran en flor las miesses,   ca son ya espigadas;
fazen las dueñas triscas   en camisas delgadas,
estonz casan algunos   que pués messan las barvas.

Andan moças e viejas   embueltas en amores,   1953
van coger en la siesta   a los prados las flores,
dizen unas a otras   buenos pronunçiadores,
e aquellos más tiernos   tiénense por mejores.

Los días son bien grandes,   los campos reverdidos,   1954
son los paxarïellos   de mal pelo exidos,
los távanos que muerden   non son aún venidos,
luchan los monagones   en bragas, sin vestidos.

El rëy Alexandre,   un cuerpo acabado,   1955
a la sabor del tiempo,   que era tan temprado,
fiz corte general   con coraçón pagado,
non fue varón en Persia   que non fues' y juntado.

A menos que supiéssedes   sobre qué fue la cosa,   1956
bien podriedes tener   la razón por mintrosa;
mas quiérovos dezir   toda la otra glosa,
descobrirvos el testo,   enpeçarvos la prosa.

Quiérovos brement   dezir el brevïario,   1957
non vos quiero d' un poco   fer luengo sermonario:
quiere casar el rey   con la fija de Dario,
con Rosana la genta,   fembra de grant donario.

1957d *Rosana*. Roxana. Hija del último emperador de los persas, Darío
—otras fuentes afirman que Oxiartes príncipe de Bactriana, era su padre—,
tomada como esposa por Alejandro. Con el héroe macedonio tuvo un hijo, lla-

Las bodas fueron fechas   ricas e abondadas,   1958
andavan las carreras   de conducho pobladas,
sedién noches e días   las mesas aguisadas,
de tovajas cubiertas,   de conducho cargadas.

Avié grant abondança   de carnes e pescados,   1959
de toros e de vacas,   de caças e venados;
aduzién los conduchos   todos bien adobados,
cad' uno con sus salsas   les eran presentados.

Eran grandes e muchas   las mudas e los dones,   1960
non querién los juglares   çendal nin çiclatones,
destos avié y muchos,   fazién diversos sones,
otros que meneavan   ximios e çaratones.

Duraron estas bodas   quinze días complidos,   1961
eran todos los días   los tavlados feridos,
tenién que de la guerra   non eran mal exidos,
teniénse los varones   de Persia por guaridos.

Y fizo a Apelles   tal tálamo obrar   1962
que el aver de Dario   non lo podrié comprar;
tanto quiso el rey   a la dueña honrar,
serié dentro en Roma   honrado tal altar.

---

mado Alejandro el joven, o Hércules, que nació cuando aquel ya había fallecido.
Muerto Alejandro, Roxana y su hijo fueron asesinados por Cratero, uno de los
generales del gran conquistador.

1962b   *aver de Dario. Midas* en el manuscrito O. Las riquezas de Darío tal
vez, como supone Jacques Joset en su edición del *Libro de Buen Amor* (Madrid,
Espasa Calpe, Clásicos Castellanos, 1974, tomo II, pág. 132, nota al verso
1215d), se convirtieran en proverbiales dado que en la obra de Juan Ruiz se inserta un verso, el 1215d *(ibídem)*, en el que aparecen mencionadas en un contexto similar al presente del *Libro de Alexandre* («muchos bueïs castaños, otros
hoscos e loros: / non lo comprarié Dario con todos sus tesoros» —verso 1215cd—).
No obstante, como Jacques Joset igualmente se encarga de indicar, es posible
que la mención del Arcipreste se deba a un recuerdo concreto del *Libro de Alexandre* (quizá de este verso concreto que nos ocupa, aunque Joset no lo cita, quizá —más probablemente (la anterior posibilidad resulta excesivamente concreta)— de las referencias a los tesoros del emperador persa en general, incluidas
en diversas ocasiones en nuestro *Libro).*

    Que vos quisiere omne   dezir la maestría   1963
si non aquel quel vio,   semejarié follía;
a los que non solién   mesurar cada día,
encara pora essos   serié sobrançería.

    Quando ovo el rey   las bodas çelebradas,   1964
las cartas fueron luego   fechas e seelladas;
todas las fazïendas,   todas las cavalgadas,
fueron en essas cartas   escriptas e notadas.

    Embïólas a Greçia   a la su madre cara,   1965
a las sus hermanillas   que él niñas dexara,
al su maestro bueno,   el de la barva sara,
el que muchos castigos   buenos le enseñara.

    Quando fueron las cartas   en Greçia arribadas,   1966
fueron bien reçebidas,   fueron luego catadas,
fueron madres e fijas   alegres e pagadas,
el maestro con gozo   bien saltó tres passadas.

    Las dueñas greçïanas,   con grandes alegrías,   1967
renovaron las bodas   otros tantos de días,
metieron en cançiones   las sus cavallerías,
por que serán contadas   fasta que venga Elías.

    El rëy, maguer novio,   non quiso grant vagar,   1968
calçóse las espuelas,   pensó de cavalgar,
deçendió pora India,   fue a Poro buscar,
maguer era cansado,   non quiso detardar.

    El pecado que nunca   puede seer baldero,   1969
por dapnar a los buenos   busca siempre sendero;
como es muy longana,   antiguo e artero,
vertió y de su sal,   de su falso salero.

1965b   *sus hermanillas.* Cfr. nota a 259a.
1967b   Alusión a los cantares de gesta.
1967d   *fasta que venga Elías.* Hasta el fin del mundo. Como puede suponerse,
Elías es el célebre profeta judío llevado al cielo en un carro de fuego y cuyos hechos son relatados en la *Biblia* en el libro de los *Reyes* (ed cit., págs. 388-459).

Fiziéronle creer   al rey gran falsedat: 1970
que Clitus e Hermólaeus,   leales por verdat,
dizién en su persona   cosa de liviandat;
fízolos matar ambos,   mandó grant crüeldat.

Amistat de los rëys   non la tengo por sana,   1971
que creen rafezmente   mucha palabra vana;
regálanse aína,   de noch' a la mañana,
contra omne en balde   por deslanar la lana.

Hermólaeus e Clitus   que ante terçer día   1972
eran de muy grant preçio   e de muy grant valía,
yazién mal esquivados,   sin nulla compañía;
¡mala fue nado qui   en este mundo fía!

Fue luego el roído   por India levantado,   1973
que era Alexandre   en la tierra entrado;
nol plazió al rey Poro,   fue muy mal espantado,
súpole el mensaje   áspero e pesado.

Mandó por toda India   los pregones andar,   1974
las cartas seelladas   por más los acuitar:
ques llegassen aína   todos a un lugar,
ca menester les era   de consejo tomar.

1970b *Clitus.* Cfr. nota a 311b.

Hermolaeus. En ambos manuscritos de nuestra obra figura como lectura *Ardofilus*, totalmente distinta a la versión incluida en el pasaje correspondiente del *Alexandreis. Hermolaeus* leemos en el escrito de Châtillon (ed. cit., 551, v. 4409 —4450 real—). Introducimos la corrección en el Alexandre, pese a la mencionada coincidencia de O y P sobre el particular y pese a que Migne recoge el nombre que aparece en el *Alexandreis* en letra cursiva (indicando, parece, con ello que es suya la inclusión), porque con ello evitamos que se produzca una confusión entre el nombre de este personaje y el *Ardófilus* que se menciona en el verso 1013b como uno de los combatientes persas muerto por Clitus en el primer combate contra Darío (estrofa 1014). No obstante, tal vez la mutación no sea directamente imputable a nuestro autor. Quizá pudo existir alguna copia de la obra de Gautier que contuviese el nombre de Ardófilus, con lo cual quedaría explicada la variante del texto español. Aunque también pudo suceder que esta variante, el cambio, fuese introducida por el texto que se encuentra en la base de las dos tradiciones de manuscritos que confluyen en O y P.

Los pueblos con el miedo   fueron luego llegados,   1975
temiendo lo que vino,   fueron todos armados;
trayén los elefantes   de castillos cargados,
que son bestias valientes   e muy apoderados.

El elefant' es bestia   de muy grant valentía,   1976
sobr' él arman engeños   de grant carpentería,
castillos en que puede   ir grant cavallería,
al menos treinta omnes   o demás non mintría.

Siempre ha sines grado   derecho a estar,   1977
las piernas ha dobladas   non las puede juntar,
por ninguna manera   non se puede echar,
si cae por ventura   nos puede levantar.

Quando quiere folgar,   que es mucho cansado,   1978
busca un árbol grande   que sea fortallado,
pone y su çerviz,   duerme assegurado,
todos de su natura   traen este vezado.

Si barruntar lo puede   el omne caçador,   1979
corta con una sierra   el árbol a redor,
déxale un poquiello   el omne sabidor,
tanto que de su sombra   non avriades sabor.

1975c   *castillos*. Era frecuente en la época que los reyes de la India utilizasen
elefantes para combatir a sus enemigos. Buen testimonio de ello es el libro de
los *Macabeos* en la *Biblia*, en el que se describe el ejército que Antíoco Eupator
lleva a luchar contra los judíos. Entre sus fuerzas se cuentan los referidos animales, que aparecen armados para la batalla con unas «fuertes torres de madera,
bien protegidas y sujetas al elefante, y en cada una dos o tes hombres valerosos
que combatían desde las torres y su indio conductor» (I *Macabeos*, 6, 37; *Biblia*,
ed. cit., pág. 606). Esas torres son las llamadas *castillos* en nuestro texto.
1977-1979   Julius Berzunza, en su artículo «A digression in the *Libro de
Alexandre:* The story of the Elephant *(Romanic Review,* XVIII, 1927, páginas 238-245), estudia la procedencia de la leyenda que se narra en estas estrofas. No se encuentra en el *Alexandreis* y en España tan sólo en nuestra obra
hace su aparición. Estudia diacrónicamente la historia (Aristóteles, Diodoro
Sículo, Casiodoro, Teobaldo... la mencionan) y trata de establecer por qué vía,
influencia francesa o tradición oral, pudo llegar hasta nuestro autor, punto en el
que concluye que fue la segunda de ellas —la tradición oral— la que le propor-

Luego la bestia loca   viene a su vezado,   1980
fírmase en el árbol,   es luego trastornado,
levantar non se puede,   es luego degollado,
fazen de los sus huesos   el marfil esmerado.

De tales elefantes   con tales guarnimientos   1981
trayé en su compaña   Poro más de treçientos;
de tornos con fuçijos,   fuertes aguisamientos,
trayé catorze mill   e demás ochoçientos.

De cavalleros solos,   todos de buen derecho,   1982
de treinta mill a suso   serién a un grant trecho;
más avrié de peones   por fazer todo fecho
que non fojas en monte   nin yervas en barvecho.

Ovieron estas nuevas   al rëy a sonar: 1983
que querié con él Poro   batalla entablar;
con grant gozo que ovo   enpeçó a saltar,
mandó al mensajero   rica albriçia dar.

Mandó luego la carta   ditar al chançeller,   1984
enbïola a Poro   que avrié grant plazer;
dixol que grant lazerio   non quisiés' él prender,
que él se lo irié   aína allá veer.

El rëy Alexandre,   un buen trasnochador,   1985
de veerse en campo   avié tan grant sabor
que non lo retenié   nin frío nin calor;
por todo dava poco,   ¡tant' era sofridor!

Tant' avié grant cobdiçia   con Poro se fallar,   1986
de día nin de noche   non quedó de andar;
al omne que le diera   la carta a levar,
—lo que fue fiera cosa—,   óvolo d' alcançar.

---

cionó a éste los datos que hallamos insertados en las estrofas que estamos co-
mentando.

1983   Estrofa no recogida en el manuscrito O.

1985b   *de veerse en campo,* Nelson *(op. cit.,* pág. 606). En P y O, *de veerse con él
en campo.*

Los griegos por ventura   demás avrián andado,   1987
mas fallaron un río,   Idaspis es llamado,
verano e ivierno   nunca le fallan vado,
en ancho e en fondo   es grand desmesurado.

Assí acaeçió,   Dios lo quiso guïar,   1988
quiso Dios muy aína   la cosa aguisar:
quando por la ribera   quisieron alongar
vieron de part d'allá   los de Poro estar.

Firiera Alexandre   en ellos de buen grado,   1989
mas non podién passar,   que non fallavan vado;
los labros se comié,   ¡tant' estava irado!,
catando contra Poro   maldiziá al pecado.

Maguer passar pudiessen   por alguna manera,   1990
podriélos referir   Poro de la ribera;
nunca podrién asmar   consejo nin carrera
que llegassen a ellos   por aver lit soltera.

Estava una isla   en medio levantada,   1991
era de todas partes   de agua bien çercada,
de fiera guisa era   áspera la entrada,
ca 'l río era fondo   e luenga la passada.

Non quiero de la isla   agora más fablar,   1992
ca otra vez avremos   en ella a tornar;
de dos amigos buenos   vos quiero ementar,
avremos a oïr   un poco de pesar.

Avié entre los griegos   dos mançebillos caros,   1993
al un dizién Nicánor,   e al otro Simacos,
eran de grant esfuerço   e de linaje altos,
tal par de tales omes   es en lugares claros.

1987b *Idaspis.* Hidaspes. Nombre que recibía el río Yelem de la India en la antigüedad.

1993b *Nicánor.* No debe confundirse este personaje con el hijo de Parmenión de igual nombre cuya muerte en estos momentos del relato se había producido, tal y como se notifica en la estrofa 1400. (Cfr. nota a 318c.)

Fueron en una ora   e un día naçidos,   1994
amos eran eguales,   lealmente medidos,
semejávanse mucho,   visitián unos vestidos,
pora bien e por mal   eran bien abenidos.

Quando diziá el uno: «Fulán, fagamos esto»,   1995
luego sedié el otro   aguisado e presto;
nunca fazié el uno   tan poquillo de gesto
que dixiesse el otro: *«Non est in die festo.»*

Si oviessen alguna   cosa a barruntar,   1996
o lengua d'aprender,   o conducho ganar,
o villa combater,   o las huestes velar,
uno nunca sin otro   non los verién andar.

Demás uno con otro   tan grant bien se querién   1997
que el uno del otro   partir non se podién;
en uno comién ambos   e en uno yazién,
encara los vestidos   en uno los tenién.

Quando querié el uno   alguna ren dezir,   1998
presto era el otro   por luego lo complir;
más querié qualsequiere   peligrar o morir
que de su compañón   un falliment oir.

Enpeçó una cosa   Símacus a asmar,   1999
entendiólo Nicánor,   mas non pudo folgar;
estava barruntando   que querié ensayar,
queriél la delantera   de buen grado furtar.

«Dexirt'e—dixo Símacus—,   «somos mal engañados, 2000
que nos e nuestro rey   estamos afrontados;
valdriénos más que fuéssemos   en India soterrados
si por quatro passadas   fuéremos mortiguados.

1996a   Nelson, ed. cit, pág. 609.
1998d   Nelson, *ibídem,* pág. 610. En P y O, *que un fallimento de su.*

»Alguna maestría   avemos a buscar,   2001
que podamos a Poro   de la riba redrar;
si conplir lo pudiéssemos,   podemosnos honrar,
podremos, si muriemos,   con grat preçio finar.

»Si nos este riviello   pudiéssemos passar,   2002
como quier que podiéssemos   a la isla entrar,
avriámosle a Poro   buscado grant pesar,
nos avriamos más poco   después a trebejar».

Aún non avié Símacus,   el vierbo acabado,   2003
entendiólo Xicánor,   fue luego levantado.
Diz: «Yo te juro, Símacus,   mi amigo preçiado,
que esso que me dizes   tenía yo asmado.»

Non posaron en tierra,   çiñieron las espadas,   2004
pusieron armas pocas,   mas non de las pesadas,
metiéronse a nado   por las ondas iradas,
por entrar en la isla   fueron a denodadas.

Quando esto vïeron   cavalleros de Greçia,   2005
que fazién estos ambos   tamaña atrevençia,
entraron en pues ellos   a müy grant femençia,
non andava en medio   ninguna garridençia.

Arribó a la isla   Símacus más primero,   2006
avién ya los de Poro   entrado el otero,
firió luego en ellos   a guis de cavallero,
redrólos de la riba   más de medio migero.

Fueron los indïanos   adiesso acorridos,   2007
mas demientre los otros   fueron todos venidos;
allí fueron los colpes,   allí los alaridos,
non valián guarniçiones   más que otros vestidos.

Las nuves de los dardos   tan espesas corrién,   2008
quebrantavan el aire,   todo el sol tollién;
los de parte de Poro   de voluntad firién,
mas los otros y todos   la belmez le tenién.

Símacus, que bien aya,   que basteçió la cosa   2009
avié a part' echado   mucha barva cabosa;
su amigo Nicánor,   como sierpe raviosa,
quebrantava los cueres   de la gent porfidiosa.

Los griegos, maguer buenos,   non pudieron durar,   2010
como eran poquillos,   ovieron a lazrar;
tanto se les pudieron   los otros encargar,
ovieron a Andrógeos,   el infant, a matar.

Los griegos por Andrógeos   fueron mucho irados,   2011
porque lo avién menos   teniénse por menguados;
fiziéronse un cuño,   escudos enbraçados,
bolviéronse con ellos   todos cabezcolgados.

Mataron muchos dellos,   fiziéronlos quedar,   2012
nunca mejor apresos   fueron en un lugar,
pudiéranse con tanto   bien honrados tornar,
mas óvolos esfuerço   loco a engañar.

El ome estrevudo   que non trae cordura,   2013
piérdese rafezmientre   en una angostura,
non torna con ganançia   nin con nulla presura;
dezirvos he lo mío: téngolo por locura.

Todos en la fazienda   estavan ençendidos,   2014
avián mucho lidiado,   estavan enflaquidos;
entraron los de Poro   muchos omnes guarnidos,
tres tantos que non fueron   de primero venidos.

2010d   *Andrógeos. Androgeos* en el *Alexandreis* de Châtillon (v. 4567 —en Migne, 4526—, ed. cit., pág 554), pero *Antigonus* en ambos manuscritos del *Alexandre*. Corregimos el texto por las mismas razones expuestas en la anotación a 1970b (aunque en esta ocasión no aparece en letra cursiva la lectura insertada en la obra de Gautier en la edición de Migne). Con esta corrección se evita la confusión de este personaje con el Antigonus mencionado en el verso 318c (cfr. nota), que no sólo no morirá todavía, sino que seguirá apareciendo como protagonista de algunos episodios incluidos en nuestro texto. Nelson enmienda *Andromachus* (ed. cit., pág. 612).

Luego que fueron suso,   pensaron de dolar,   2015
murieron luego quinze   de omnes de prestar;
fueron y los amigos   que oyestes contar,
non pudieron los otros   aver ningund vagar.

Los amigos leales   solos eran fincados,   2016
muertos eran los otros,   mas bien eran honrados;
sedién entre' ellos amos   solos, desamparados,
como entre los lobos   corderos rezién nados.

Bien estavan seguros   que non estorçerién,   2017
que acorro ninguno   otro non atendién;
eran mucho cansados,   que lidiar nos trevién,
aún por todo esso   tornar non se querién.

Un pesar avién ambos   e un dolor señero: 2018
temién ambos veer   la muert del compañero;
ninguno por la suya   non dava un dinero,
entrariá qualsequier   de grado delantero.

Si querién a Nicánor   por ventura ferir,   2019
adelantavas Símacus   el colpe reçebir;
Nicánor esso mismo,   más querié él morir
que un pesar de Símacus   nin veer nin oír.

Mientre uno a otro   estavan aguardando,   2020
vinieron dos venablos   por el aire bolando:
ambos cayeron muertos,   fue quedado el vando,
las indïanas gentes   non se fueron gabando.

Mejores dos amigos,   de mayor lealtad,   2021
que assí fuessen ambos   de una voluntad,
nin naçrán nin naçieron;   cuido dezir verdad:
entre pocos christianos   corre tal amistad.

_____

2021d   La afirmación incluida en este verso pone de relieve la conciencia
del tiempo que existía en nuestro autor. No confunde la Edad Antigua con la
propia. Comprende y es consciente de las diferencias. Las alusiones a la realidad
medieval que en otras ocasiones incluye no pueden ser interpretadas como ana-

Por la huest de los griegos   grand' era el dolor,   2022
fiera era la pérdida,   el dessarro mayor,
non prisieron un día   tan malo desabor,
ca de la mançebía   essos eran la flor.

Poro con la vitoria   fízose muy loçano,   2023
tenié que non avié   qui les tornasse mano;
mas por toda la pérdida   el rëy greçiano
tanto dava por ello   como por un tavano.

Una cueita tenié   al coraçón fincada,   2024
que por ninguna guisa   non podié fer passada,
ca fïava en Dios   e en la su espada
que si passar pudiesse,   la cosa era livrada.

Poro era grant omne,   avié grant coraçón,   2025
trayé un elefante   mayor que un durmón,
de los fieros gigantes   trayé generaçión,
era sól de veerlo   una fuerte visión.

Como trayé consigo   muchos fieros gigantes,   2026
pavor avién los griegos,   eran desacordantes,
teniénse por errados   que se non fueron antes,
todos avíen miedo   de seer malandantes.

Mas el rey Alexandre,   de lazerio usado,   2027
que por ningund peligro   nunca fue desmayado,
andava bien alegre,   firme e esforçado,
nunca dava un figo   por el afán passado.

Com' era de grant seso,   d' enviseça estraña,   2028
sopo bien encobrir   su pessar e su saña;
ovo estonz a asmar   una cortesa maña,
—mientre omnes oviere   lo ternán por fazaña—.

cronismos, sino como buscadas medievalizaciones, tal y como algunos críticos
han venido últimamente defendiendo (Cfr. «Introducción»).
   2025 *gigantes*. Cfr. nota a 1369b y a 6c.

Avié en su compaña   el rey aventurado   2029
muchos vassallos buenos,   mucho buen acostado,
muchos buenos amigos   e mucho buen crïado;
quales omnes avié,   assí era guardado.

Entre los otros todos   avié un cavallero,   2030
fue de su crïazón,   era su mesnadero;
semejávale tanto   al buen señor guerrero
como si lo oviesse   fecho bon carpentero.

En cuerpo e en cara,   en toda su fechura,   2031
en andar, en estar,   e en cavalgadura,
semejavan hermanos   en toda su figura;
sólo por tant' en esso   avián buena ventura.

Avié en Alexandre   Poro ojo fincado,   2032
a qual parte que iva   era bien aguardado;
siquier fuesse en caça,   siquiere en venado,
aguardávalo Poro,   el ojo remellado.

Naves avié e barcas   en que podién passar,   2033
mas por ninguna guisa   non se sopo furtar,
ca Poro lo veyendo   podriélos trebejar,
refiriéndoslos él   non podríen passar.

Quando vío que fuerça   non le podié prestar,   2034
oït el porfidioso   qué ovo a asmar:
mandó seer Atalus   do él solié andar,
con es mismo adobo   que él solié estar.

Poro fue engañado,   nol sopo entender,   2035
suvós' en su atalaya   como solié seer,

2030   Estrofa rectificada por Nelson basándose en el *Alexandreis (op. cit.,*
pág. 617). En P y O figura *quatro* en el verso a, en lugar de *un*, y, en consecuencia, en el resto, todos los verbos, sujetos y atributos se hallan en plural.

2034c   *Atalus.* Atalo, hijo de Andrómeno y general macedonio que a las órdenes de Alejandro Magno tuvo una destacada intervención en las batallas de
Isso y Arbelas.

mas tan bien se sabié   Atalus componer
que nunca lo pudieron   asmar nin conoçer.

Fuese del almofalla   el rëy escolando,   2036
ixió de la ribera   com quis va deportando,
con pocas de compañas,   como qui va caçando,
assí le fue a Poro   las pajuelas echando.

Vino en est comedio   una niebla escura,   2037
tanto era de çiega   que non avié mesura,
pora 'l rey Alexandre   fue muy buena ventura,
que encubrióle essa   toda su travessura.

Atalus redor sí   mandó fer un ruïdo,   2038
cuidó que fuessen beilas,   fue Poro deçebido,
metióse en las naves   el rëy perçebido,
ovo en poca d' ora   al Idaspis troçido.

Ovo luego con él   tantos buenos passados;   2039
non valién çinco sueldos   los que eran fincados;
estavan los varones   de Poro desnudados,
yaziénse desguarnidos   e todos desarmados.

El rëy Alexandre   quando fue arribado,   2040
non les quiso dar plazo   fasta terçer mercado;
él movió delantero   com' era castigado,
pero de sus varones   era bien aguardado.

Aún sedié guardando   Poro la babusana,   2041
sedié assegurado   sobre feüza vana;
vínol' el mandadero   a la meridïana,
que era engañado   de la gent greçïana.

2038a   Nelson, *ibídem,* pág. 618. P, *son Atalaus rrededor de sy.* O, *la Atalaya redrosse.*

2040c   *com' era castigado.* Recuérdense los consejos que Aristóteles dio a Alejandro antes de que éste comenzase sus empresas guerreras (estrofas 51-85; el consejo concreto al que en esta estrofa se hace referencia se halla en el verso 76a).

Donde a poca d' ora   fues la niebla tollendo,   2042
fue la gent' assomando,   las armas reluziendo,
fuéronsele a Poro   albas negras faziendo,
lo que siempre dubdava,   ya lo iva veyendo.

Fue con la sobrevienta   Poro mal engañado,   2043
estableçió sus hazes   en un rato privado;
como antes estava   todo bien recabdado,
en un ratiello poco   todo fue delivrado.

Dio en la delantera   quatro mill cavalleros,   2044
por carta escogidos,   sobra buenos braçeros,
çiento carros bastidos   de buenos ballesteros,
que fueron escogidos   por seer delanteros.

Estos solos podrién   a todos defender,   2045
que nunca Alexandre   los pudiesse romper;
mas su mala ventura   que los suel confonder,
por ond carrera mala   ovieron a prender.

Avié tan fiera lluvia   ante noche passada   2046
que la tierra en lodo   era toda tornada;
los varones por ello   avién mala andada,
non corrién sueltamente   e non les valié nada.

El rëy Alexandre   quando fue allegado,   2047
firió, luego en ellos   como rayo irado,
Buçifal por el lodo   non avié nul cuidado,
fue de mala manera   rebuelto el mercado.

Firié con él a una   la su bella mesnada,   2048
el señor era bueno   e ella esforçada;
como avién los otros   la ora embargada,
non pidién rebolverse   nin fer espolonada.

Las hazes eran bueltas,   los colpes abivados,   2049
grandes eran las bozes   e muchos los colpados;
eran pora ferir   todos tan denodados
como si les·echassen   perdón de sus pecados.

Cuidóseles a todos   don Hiulcos mejorar,   2050
en un elefant fiero   vino al rey colpar;
esperóle el rey,   sópose bien guardar,
nada de lo que quiso   non pudo recabdar.

Tan bien sopo el rey   la cosa aguisar,   2051
con Dios que le querrié   valer e ayudar,
de la su mano ovo   don Hiulcos a finar,
en compaña de Poro   non remaneçió par.

Toviéronse los griegos   por muy bien estrenados,   2052
fueron pora lidiar   todos más abivados,
davan e reçibién   como escalentados,
soltávanse los sueños   que avíen soñados.

Queriá ya Alexandre   a Poro allegar,   2053
que non querié cabeça   en ninguno tornar;
pero en este día   nos pudo acabar,
oviéronse con tanto   del campo a alçar.

Otro día mañana,   el mundo alumbrado,   2054
tornaron al trebejo,   el campo fue poblado,
enpeçavan el pleito   do lo avién dexado,
—serié ningunt juglar   a duro escuchado—.

El rëy Alexandre   a Poro demandando,   2055
metiése por las hazes   ira de Dios echando;
Poro a la diestra haz   se fue más acostando,
do iva más a firmes   la lid escalentando.

Ariston e Polídamas,   dos vassallos leales,   2056
aguardavan al rey   como sus naturales;
eran en la fazienda   guerreros tant mortales
que desbalçaron muchos   de príncipes cabdales.

Rúbricus e Ariston   ovieron a justar,   2057
quebrantaron las lanças,   ovieron a dolar,
sabié mejor Ariston   del espada colpar,
fue engañado Rúbricus,   óvolo a lazrar.

482

Cuidóse a Polídamas   Candaçeus ferir,   2058
treviése en su fuerça,   cuidólo destruir;
ovo un griego, Glaucus,   de cuesta a exir,
travessólo por guisa,   ond' ovo a morir.

En bien ivan los griegos   poniendo las feridas,   2059
avién de fiera guisa   las hazes arrompidas,
los carros foçixados   con todas sus guaridas,
non le valién a Poro   tres arvejas podridas.

Los griegos de los otros   trayén grant mejoría,   2060
cavallos bien ligeros,   uso e maestría,
que si los elefantes   trayén grant valentía,
non avién de correr   nulla podestadía.

Como trayén los griegos   los cavallos ligeros,   2061
firiénlos e tornavan,   faziénse revezeros;
los de los elefantes,   fuera los ballesteros,
los otros non valién   todos sendos dineros

Como vinién los griegos   de despecho cargados,   2062
ívanse pora ellos   a mantillos echados;
como de tal non eran   los de Poro usados,
fuéronse acogiendo   los que eran fincados.

Poro quando la cosa   vío ir tan a mal,   2063
fizo de elefantes   un tan fiero corral
que non serié tan firme   de piedra nin de cal
el rëy era bueno   e bueno el real.

Nunca de tantas guisas   lo podién ensayar   2064
que romper lo pudiessen   nin a Poro entrar;
non lo podién prender   nin lo podién dexar
nin sabién qué se fer,   nin sabién a tornar.

Vinián los elefantes   con sus barvas lenguadas,   2065
avién a Alexandre   muchas gentes dapnadas,

2059a *poniendo las feridas.* Hiriendo.

echávanles el boço   bien a quinze passadas,
abatié uno dellos   quatro a las vegadas.

Avremos —non vos pese—,   la cosa destajar: 2166
ovo esta fazienda   quinze días durar,
avién todos los días   por todo a lidiar,
pero al rëy Poro   non se podién llegar.

Alexandre, de seso   sossacador estraño,   2067
pora los elefantes   sossacó buen engaño:
mandó fer a Apelles   imágenes d'estaño,
dos tantos que non ha   de días en el año.

Estas fueron aína   fechas e aguisadas,   2068
mandólas calentar,   inplirlas de brasadas,
metiéronlas delant   con carretas ferradas,
ca, si tales non fuessen,   serién luego quemadas.

Fueron los elefantes   luego a su vezado   2069
tenién que eran omnes,   echavan el forcado,
mas el que una vez   allá l'avié echado,
non tornarié a omne,   non serié tan cuitado,

Demás otra fazaña   oí ende dezir: 2070
que mandó Alexandre   los puercos adozir,
fuyén los elefantes   quand los veyén groñir,
que nunca ante ellos   osavan refollir.

Mandó luego entrar   delante los peones,   2071
con destrales agudos   e buenos segurones,
dar a los elefantes   cortarles las jamones,
que abriessen carrera   sobre los sus griñones.

El mandado del rey   fue ricamente tenido,   2072
non quisieron los omnes   echarlo en olvido,
metiéronse a ellos   de coraçón complido,
ovieron en un rato   grant portillo abrido.

Firién todos de buelta,   griegos e indïanos,   2073
por mejor non passavan   medos e persïanos,
todos avién buen cuer,   todos trayén las manos,
los que de Poro eran,   pocos andavan sanos.

Ovo y Alexandre   a Poro açechar,   2074
en medio de la muela   en un firme lugar,
en un tan grant bestión   como un castellar,
mas avié en comedio   grant muro a passar.

Ellos por alargarse,   los otros por redrarlos,   2075
estavan todos firmes,   señores e vassallos;
non podién entre muertos   meterse los cavallos,
avíen los señores   sin grado a dexallos.

Fuelos el viento malo   a los indios firiendo,   2076
sofrir non los pudieron,   ya s'ivan desordiendo,
fueron tornando cuestas,   los cavallos bolviendo,
nol plogó ren a Poro   quando lo fue veyendo.

Siempre esto solemos   de faziendas oïr: 2077
por pocos que se mueven   han muchos a foïr,
non los dexa el miedo   su derecho complir,
son desque se müeven   malos de referir.

Fueron los indïanos   durament descosidos,   2078
aviélos la vitoria   de su blasmo feridos,
muchos avié que eran   sin feridas vençidos,
mas non podién quedar   desque eran movidos.

Assaz contendió Poro,   cuidólos retener,   2079
enpeçó a altas bozes   a todos maltraer:
«Amigos, en mal preçio   vos queredes poner,
nunca en este mundo   lo podredes perder.

»Amigos, vuestro rey   non lo desamparedes,   2080
si Poro aquí finca,   vos mal prez levaredes;

_____
2074a   _y._ Nelson, _ibíd,_ pág. 626.

tornat a la fazienda,   ca rafez los vinçredes,
por quanto 'l mundo dure   vos oy vos honraredes».

        Tanto non pudo Poro   dezir nin predicar,   2081
non los pudo por guisa   ninguna acordar;
en cabo quando vió   que non querién quedar,
tornó él en el campo,   enpeçó de lidiar.

        Parientes e amigos   quel' eran más carnales,   2082
—estos eran al menos   quinze señas cabdales—,
más quisieron morir   que seer desleales,
bienandant fuera Poro   si todos fueran tales.

        Fincaron en el campo   como firmes varones,   2083
faziendo en los griegos   daños e lisïones;
recudién firmement   a las sus questïones,
tanto que les pesava   bien en los coraçones.

        Corrién ríos de sangre   apriessa por el prado,   208[
era de omnes muertos   ricament' enfenado;
los bivos de los muertos   non avién nul cuidado,
el que murié firiendo   teniése por honrado.

        En cabo non pudieron   tanto se denodar   2085
que ovo el grïego   su barva a honrar;
ovieron a la seña   de Poro allegar,
ca avién a los otros   tollidos del lugar.

        Fue toda la fazienda   sobre Poro caída,   2086
era en angostura,   temié perder la vida,
avié el omne bueno   toda su gent perdida,
non veyé en el siglo   nunca otra guarida.

        Muerto fuera o preso,   ca era abatido,   2087
el elefant' en tierra   mortalmente ferido;
más fue en tal estorvo   Alexandre caído,
nunca l'ovo peor   después que fue naçido.

───────────

2085c *enseña.* P, *esensia,* considerado por Julia Keller *(op. cit.,* pág. 88) equivocación del copista que sustituiría *ensenia* por la palabra —desconocida— que
figura en su manuscrito; O, *syña.*

486

Buçifal el caboso,   de las manos ligeras,   2088
que solié sin pereça   delivrar las carreras,
avié colpes mortales   por medio las çincheras,
ixién los estentinos, semejavan süeras.

Allegóse a Poro   Táxilis, su hermano,   2089
vassallo d'Alexandre, ca besara su mano.
«Rëy» —diz—, «seriá seso   e consejo muy sano
que a merçet tornasses   del rëy greçiano.

»Es omne de mesura   e de grant pïedat,   2090
quiquiere se lo puede vençer con umildat,
dexarnos ha bevir   en nuestra heredat;
rëy, si al fizieres,   será grant torpedat».

Fue Poro cantra Táxilis   sañoso e irado,   2091
ca porque lo dexara   era su despagado;
remetiól un venablo   que le avié fincado,
echólo muerto frío   en la yerva del prado.

Buçifal con la muerte ovo a recreer,   2092
entendiólo el rey,   ovo a deçender;
fue leal el caboso,   non se dexó caer
fasta que vio al rey   en sus pies se tener.

Buçifal cayó muerto   a piedes del señor,   2093
remaneçió apeado   el buen emperador;
mintriemos si dixiéssemos   que non avié dolor,
mandólo soterrar   a müy grant onor.

Después fizo el rey,   do yazié soterrado,   2094
poblar una çibat   de muro bien obrado,
dixiéronle Buçífalia,   nombre bien señalado,
porque fuera assí   el cavallo llamado.

2094c *Buçífalia.* Bucefalia, ciudad asiática fundada por Alejandro Magno, a
orillas del río Hidaspes —afluente del Indo— y dentro de los dominios del rey
Poro, en el mismo lugar en que cayó muerto su caballo Bucéfalo, tal y como es
afirmado en el *Libro de Alexandre.*

Mientre que el buen rey   el cavallo camiaba,   2095
Poro tomó consejo,   ca vio que mal estava;
cavalgó un cavallo   que sobra bien andava,
quand' el otro cató,   él bien lexos estava.

Tóvose Alexandre   por muy mal escarnido,   2096
porque se l' era Poro   de las manos exido,
ca tenié que su pleito   oviera bien complido
si a Poro oviesse   consigo retenido.

Poro en el poblado   non se osó fincar,   2097
alçóse en la sierra   por más salvo estar;
mas el rey Alexandre   nol quiso dar vagar,
luego fue en el rastro,   queriégelo vedar.

Pero Galter, el bueno   en su versificar,   2098
sediá ende cansado   e queriá destajar,
dexó de la materia   mucho en es logar;
quando lo él dexó,   quiérolo yo contar.

De Poro cóm fuyó,   él non escrivió nada,   2099
nin cómo fiz torneo   la segunda vegada,
de muchas maravellas,   mucha bestia granada,
que venció Alexandre   una lança provada.

El rëy Alexandre,   que nunca falló par,   2100
quísolo su ventura   en todo acabar;
quiso Dios por su ruego   tal virtud demostrar
que serié a Sant Pedro   grant cosa a ganar.

2095   *que.* Adición de Nelson, *ibídem,* pág. 631.

2098b   Variante del tópico utilizado para finalizar una obra, o un apartado de una obra, consistente en poner como excusa el cansancio del autor, y aquí empleado no para concluir una parte de la creación personal de nuestro escritor, sino para justificar la existencia de lo que éste considera una laguna en el texto que está en esos momentos usando como fuente.

2098d   La ampliación al texto de Châtillon insertada a partir de la estrofa siguiente se basaba en noticias extraídas de la *Historia de Preliis* (cfr. Willis, *The relationship...* «Apendix D», págs. 9394).

Tras unas altas sierras,   Caspïas son llamadas,   2101
que, fueras un portillo,   non avié más entradas,
falló muchas de gentes   en uno ajuntadas,
fue tan grand muchedumbre   que non serién contadas.

Todos en un lenguaje   fablavan su razón,   2102
trayén costumbres propias   todos en su missión,
encontra orïente   fazién su oración,
pero bien semejavan   de flaca conplisión.

Demandó Alexandre,   que querié entender,   2103
qué gentes eran estas   o qué podién seer.
«Rëy» —dixo un sabio—,   «non ayas qué temer,
non te puede por estas   nul embargo naçer.

»Judíos son que yazen   en su cabtividat,   2104
gentes a qui Dios fizo   mucha de pïedat,
mas ellos non supieron   guardarle lealtat,
por ende son caídos   en esta mesquindat.

«Omnes astrosos, son   de flacos coraçones,   2105
non valen por en armas   más que sendos cabrones,
de suzia mantenençia,   astrosillos barones,
cobdiçian dineruelos   más que gato pulmones».

2101-2116   Sobre la leyenda recogida en estas estrofas, una de las más populares y divulgadas que circularon en la Edad Media en torno a la figura de Alejandro (ha sido recogida, por ej., en un libro tan lejano a la literatura medieval castellana, pero a la vez tan conocido en Castilla —y en España en general— ya desde el siglo XIV, como es el *Libro de las Maravillas del Mundo* de Juan Mandeville, caballero inglés que dedicó parte de su vida a realizar una serie de viajes por el mundo, todos los cuales tuvo a bien relatarlos en su obra —cfr. la edición prologada por J. Ernesto Martínez Ferando, Madrid, Joyas Bibliográficas, 1968, 2 vols., vol. 2, págs. 89-90—), véase Gary, *The Medieval Alexander*, Cambridge University Press, 1967, págs. 130-134.

2101a   *Caspïas*. Puertas Caspias, estrecho desfiladero que se encuentra en Asia, al sur del Mar Caspio, y sirve de separación a Hircania de Partia. Está casi totalmente cerrado por un escarpado monte. Tan sólo existe una salida a un punto concreto en el que el terreno forma una especie de puerta, que en la antigüedad se hallaba protegida por fuertes cadenas y por un muro que ante ella se construyó. Muy próxima a éstas se encontraba la fortaleza de Daricla.

Contóle la estoria   e toda la razón,   2106
las plagas de Egipto,   la muert de Faraón,
cómo fue por la ley   Moïses el barón,
en quál cueita tovieron   después a Aarón.

Díxol cómo entraron   tierra de promissión,   2107
cómo ovieron reys   de su generaçión;
mas bolvieron en cabo   con Dios disenssïón,
ond' ovieron caer   en la su maldiçión.

En cabo cómo vino   un rëy de Caldea,   2108
desbarató la hueste,   entró toda Judea,
fizo la çibdat santa   plus pobre que aldea,
ixió a los judíos   a mal essa pelea.

Fueron los malastrugos   por sus grandes pecados   2109
los unos destroídos,   los otros captivados
los que bevir pudieron,   mesquinos e lazrados,
fueron aquí metidos,   yazen aquí çerrados.

Demás les es a todos   por premia devedado,   2110
—ca fue de los profetas   assí profetizado—,
que muger nin varón   non sea tan osado
de passar esta foz,   sól non sea pensado.

2106b   *Éxodo*, 7-14 *(Biblia*, ed. cit., págs. 96-106).
2106c   *Éxodo*, 19-31 *(ibídem*, págs. 111-128).
2106d   Se refiere al episodio del becerro de oro, confeccionado por Aarón
para los judíos cuando estos —que comenzaban ya a impacientarse debido a la
tardanza de Moisés en bajar de la cima del Sinaí, en donde en esos instantes estaba recogiendo las tablas de la ley—, le suplicaron que así lo hiciera. *(Éxodo*, 32; *ibídem*, págs. 128-129.)
2107a   Hechos narrados en el libro de *Josué (ibídem*, págs. 264-290).
2107bcd   Relatado en *Samuel*, I, 8-31, y II *(ibídem*, págs. 331-386), en los
dos libros de crónicas —*Paralipómenos*— *(ibídem*, páginas 461-525) y en los dos
de los *Reyes (ibídem*, págs. 388-459).
2108a   *rey de Caldea.* Nabucodonosor, que sometió a los judíos cuando
Sedecías reinaba sobre ellos (cfr. 2 *Reyes*, 25 —*ibídem*, págs. 458-459, y *Jeremías*, 34-39 —*ibídem*, págs. 979-985— y 52 —*ibídem*, págs. 998-999; *vid*. nota
a 991b).
2110b   *los profetas. Ezequiel*, 38-39 *(Biblia*, ed. cit., págs. 1051-1052), especialmente, 39, 11-16 *(ibídem*, pág. 1053).

«Otorgo» —diz' el rey—,   «derecho es provado: 2111
pueblo sobre qui fizo   Dïos tant' aguisado
e fue contra su ley   tan mal aconsejado,
fasta la fin del mundo   devrié yazer çerrado».

Mandó con argamasa   el portiello çerrar,   2112
que nunca más pudiessen   nin salir nin entrar,
oviessen y las pascuas   por siempre çelebrar,
que los que lo oyessen   dubdassen de pecar.

Ovo un firme seso   en cabo a asmar: 2113
rogó al Crïador   que Él quisiesse dar
consejo por que siempre   oviessen a turar,
que obra de man fecha   non podié firm' estar.

Quando ovo el rey   la oración complida,   2114
maguer era pagano,   fuele de Dios oída;
moviéronse las peñas   cad' un de su partida,
soldáronse en medio,   fue presa la exida.

Pero diz' el escripto,   que bien es de creer,   2115
fasta la fin del mundo   que han y de yazer;
avrán çerca la fin   ende a estorçer,
avrán el mundo todo   en quexa a meter.

Quando Dios tanto fizo   por un ome pagano,   2116
tanto o más farié   por un fiel christïano;
por nos non lo perdamos,   desto só yo çertano:
qui en Dios ave dubda   torpe es e villano.

2114b   *maguer era pagano.* Cfr. «Introducción».

2115a   *el escripto.* San Juan, *Apocalipsis,* 20, 7-10 *(ibídem,* pág. 1484).

2116   En esta estrofa —en la que claramente se muestra la conciencia de la
diferencia temporal entre la época histórica de Alejandro Magno y la propia de
nuestro autor, que éste poseía—, se declara la intencionalidad que mueve al escritor a introducir todo el relato anterior dentro de su obra: dar un ejemplo de
la manera de actuar Dios en el mundo, de enseñar cuán grande es su misericor-
dia y cómo atiende siempre a los que se dirigen a él con fe y le confían sus peti-
ciones. Es una función didáctica y moral —trata de mostrar una verdad de orden religioso— la que posee este episodio.

Encalçando a Poro,   que andava alçado,   2117
era de fiera guisa   el rey escalentado,
com' un alán cabdiello   que anda encarnado
teniendo la batalla   que fizo el venado.

Andava en su busca   en un rico lugar,   2118
falló los sus palaçios   do él solié morar;
tal era su costumbre,   allí solié folgar
la sazón que querié   su cuerpo deleitar.

La obra del palaçio   non es de olvidar,   2119
maguer non la podamos   dignamente contar;
porque mucho queramos   la verdat alabar,
aún avrán por esso   algunos a dubdar.

El logar era llano,   ricament' assentado,   2120
abondado de caça,   siquiere de venado,
las montañas de çerca,   do paçié el ganado;
verano e ivierno   era logar temprado.

Fueron de buen maestro   los palaçios sentados,   2121
fueron maestramente   a quadra compassados;
en peña biva fueron   los çimientos echados,
por agua nin por fuego   non serién desatados.

Eran bien enloçidas   e firmes las paredes,   2122
non y le fazién mengua   sávanas nin tapedes;
el techo era pinto   a laço e a redes,
todo de oro fino,   como en Dios creedes.

Las puertas eran todas   de marfil natural,   2123
blancas e reluzientes   como un fin cristal;
los entalles sotiles,   bien alto el poyal;
casa era de rey,   más bien era real.

Quatroçientas columpnas   avié en essas casas,   2124
todas de fino oro,   capiteles e basas,

2121a *Sentados.* Nelson *(op. cit.,* pág. 637) P y O assentados.

492

non serién plus luzientes   si fuessen bivas brasas,
ca eran bien broñidas,   bien llanas e bien rasas.

Muchas eran las cámaras,   todas con sus sobrados,   2125
de çipres eran todos   los maderos obrados,
eran tan sotilment   entre sí enlaçados
que non entendié omne   do eran enpeçados.

Pendié de las columpnas   derredor de la sala   2126
una viña muy rica,   de mejor non nos cala,
levava fojas d' oro,   grandes como la palma,
—querriá aver las mías   tales, isí Dios me vala!—.

Las uvas de la viña   eran de gran femençia,   2127
piedras eran preçiosas,   todas de grant potençia,
toda la peor era   de grant manifiçençia,
el que plantó la viña   fue de grant sapïençia.

Como entre las uvas   son diversas naturas,   2128
assí eran las piedras   de diversas figuras;
las unas eran verdes,   las otras bien maduras,
nunca les fizo mal   ielos nin calenturas.

Allí trobarié omne   las unas tardaniellas,   2129
las otras nugaruelas   que son más tempraniellas,
las blancas alfonsinas   que tornan amariellas,
las alfonsinas negras   que son más cardeniellas.

Las buenas calagrañas   que se querién alçar,   2130
las molejas que fazen   a las viejas trotar,
torrontés, amorosa,   buena pora lagar,
quantas non podrié omne   dezir nin agrimar.

Dexémosvos la viña   que es atan loçana   2131
que llevava vendimia   tardana e temprana;

2129b *nugaruelas*. En el manuscrito P figura *migaruelas (maores* en O), lectura considerada incorrecta por Julia Keller —*op. cit.,* pág. 129—, y corregida por ella en la forma que nosotros recogemos en nuestra edición.

digamos de un árbol   que sediá en la plaça,
que yazié y riqueza   fiera e adïana.

En medio del enclaustro,   lugar tan acabado,   2132
sediá un rico árbol   en medio levantado,
nin era mucho gruesso   nin era muy delgado,
de otro fino era   sotilmente obrado.

Quantas aves en çielo   han bozes acordadas,   2133
que dizen cantos dulçes,   menudas e granadas,
todas en aquel árbol   pareçién tragitadas,
cad' un de su natura,   en color devisadas.

Todos los instrumentos   que usan los juglares,   2134
otros de mayor preçio   que usan escolares,
de todos avié y   tres o qüatro pares,
todos bien atemprados   por formar sus cantares.

A la raíz del árbol,   bien a quinze estados,   2135
vinién unos cañones   que yazién soterrados,
eran de cobre duro   por en esso lavrados,
todos eran en árbol   metidos e soldados.

Sollavan con bufetes   en aquellos cañones,   2136
luego dizián las aves   cada una sus sones,
los gayos, las calandras,   los tordes e gaviones,
el ruiseñor que dize   las fermosas cançiones.

Luenga serié la conta   de las aves contar,   2137
la noche va viniendo,   quiérovos destajar;
ya no sé quál quissiesse   de las otras echar
qüando la çigarra   non quiero olvidar.

Bolvién los estrumentos   a buelta con las aves,   2138
modulavan a çierto   las cuerdas e los claves,
alçando e premiendo   fazién cantos süaves,
tales que por Orfeo   de formar serién graves.

2137b   Cfr. nota a 294d.
2138d   *Orfeo.* Cfr. nota a 1879d.

Allí era la música   cantada por razón,   2139
las dulçes debailadas,   el plorant semitón,
las doblas que refieren   cuitas del coraçón,
bien podién tirar preçio   a una prosiçión.

Non es en tod' el mundo   omne tan sabidor   2140
que dezir vos pudiesse   quál era la dulçor;
mientre omne biviesse   en aquella sabor,
non avrié set nin fambre,   nin ira nin dolor.

Podedes vos por otra   cosa maravillar: 2141
si quisiesse las medias   solas farié cantar,
si quisiesse, la terçia,   si quisiesse, un par;
sotil fue el maestro   que lo sopo labrar.

Óvolo Alexandre   por fiera estrañeza,   2142
dixo que nunca viera   tan estraña riqueza;
todos tenién que era   muy adaute nobleza,
nunca avién oído   de tan noble apteza.

Por todas essas nuevas   nin por essos sabores   2143
non perdié Alexandre   los malos baticores;
todas sus voluntades   e todos sus amores
yazién en solo Poro   e en sus valedores.

Mientre que él estaba   en este grant pesar,   2144
non sabién a quál parte   lo saliessen buscar,
ovo una barrunta   çertera a llegar:
dixo que lo podrié   en Bactria fallar.

Díxol que adobava   poderes e missiones   2145
por venirse al campo   lidiar con sus varones;
cuidava adozir   tantas de legïones
que los ahontarié   com' a malos garçones.

2141a   Nelson, ed. cit., pág. 642.
2141b   *las medias.* La mitad (de los instrumentos).
2143d   Nelson, *ibídem,* pág. 643.

Non priso ningund plazo,   metióse en carrera,   2146
avié con el sabor   la voluntat ligera;
mas tanto quiso fer   tesura sobrançera
que perdió de sus gentes   muchas en la carrera.

Luenga era la vía,   avié muchas jornadas,   2147
seca e peligrosa,   avié malas passadas,
de sirpientes raviosas   e bestias entecadas,
de que prisieron muchas   de malas sorrostradas.

Moviése, por amor   de ante recabdar,   2148
por tal tierra que omne   nunca pudo passar,
tierra que non podrié   omne tanto andar
que pudiesse un baso   d' agua limpia fallar,

Quando fueron andando,   cuitólos la fervor,   2149
de la tierra, el polvo,   del çielo, la calor;
siquiera los vasallos,   siquiere el señor,
bevrién agua del río   de muy buena amor.

Ellos avién grant cueita,   mas las bestias mayor,   2150
faziéles mal la suya,   mas las dellas peor;
bien avié de seer   de juegos sofridor
el que non se dexasse   de tan mala sabor.

Los omnes con la cueita   lamién en las espadas,   2151
otros bevién sin grado   las orinas botadas;
andavan los mesquinos   con las lenguas sacadas,
nunca fueron en mundo   gentes tan aquexadas.

Falló en una piedra   Zoyllus un pielaguiello,   2152
finchó de agua limpia   apenas un capiello,
dióla toda al rey,   nol fincó un sorbiello,
nol dava mal serviçio   al rey el mançebiello.

El rey quando lo vio   enpeçó de reïr,   2153
vertióla por la tierra,   non la quiso sorvir,
dixo: «Con mis vassallos   cobdiçio yo morir,
quando ellos murieren,   non quiero yo bevir.»

Ovieron deste fecho   las gentes grant plazer,   2154
fueron tan confortadas   como con buen bever,
todos dizién: «Tal rey   fágalo Dios valer,
que sabe a vassallos   tal lealtad tener.»

Fallaron en comedio   muchas malas sirpientes,   2155
unas con aguijones,   otras con malos dientes,
unas vinién bolando,   otras sobre sus vientres,
dañávanle al rey   muchas de las sus gentes.

Ovieron por ventura   un omne a fallar,   2156
mostróles una fuente   en un fiero lugar,
mas dat qui se pudiesse   a ella allegar,
avié buenas custodias   que la sabién guardar.

Muchas fieras sirpientes   curiavan la fontana,   2157
onde diz que non era   la entrada muy sana,
non serié entradera   a la meredïana;
—quiquiere se la beva,   yo non he della gana—.

Quand' oyeron las gentes   de la fuent retraer,   2158
fueron en mayor quexa,   queriénse ya perder;
movieron a la fuente   por amor de bever,
non los podié el rey   por nada retener.

Faziéles la grant cueita   el miedo olvidar,   2159
fueron todas movidas   por ir al fontanar;
quando vío el rey   que podién peligrar,
óvol Dïos un seso   bueno a demostrar.

Como era el rey   sabidor e letrado,   2160
aviá muy buen engeño,   maestro bien ortado,
era büen filósofo,   maestro acabado,
de todas las naturas   era bien decorado.

Sabié de las sirpientes   que trayén tal manera   2161
que al omne desnudo   todas le dan carrera,
non avién mayor miedo   de una grant foguera,
—en escripto yaz' esto,   es cosa verdadera—.

_____

2161d *en escripto yaz' esto*. Posiblemente se esté refiriendo a la *Historia de*

Mandó el rey a todos   tollerse los vestidos,   2162
paráronse en carnes   como fueron naçidos;
las sierpes davan silvos   muy malos, percodidos,
teniénse por forçadas,   fazién grandes ruïdos.

El consejo del rey   de Dios fue enbïado,   2163
fue el pueblo guarido,   de la sed terminado,
tovieron su carrera   qual avién enpeçado,
fue tenido el rey   por omne más senado.

Ovieron en un río   amargo a venir,   2164
—non leemos su nombre,   non vos lo sé dezir—,
ancho era e fondo,   non lo podién troçir,
todos pidién la muerte,   non les querié venir.

Yazién a todas partes,   por todas las riberas,   2165
montes grandes e fieros,   de fieras cañaveras;
crïavan muchas bestias   de diversas maneras,
con quien ovieron muchas   faziendas cabdelleras.

Dieron salto en ellos   unos mures granados,   2166
eran los maleditos   suzios e enconados,
tamaños como vulpes,   los dientes regañados;
los que predién en carne   luego eran livrados.

Ovieron los cavallos   el miedo a sentir,   2167
con coçes e con palmas   tornaron a ferir,
fiziéronlos sin grado   derramar e fuïr,
non osaron ningunos   contra ellos salir.

Desent salieron puercos   de los cañaverales,   2168
que avién los colmillos   mayores que cobdales;
a diestro e siniestro   davan colpes mortales,
dañaron más de treinta   de príncipes cabdales.

Preliis, obra que, tal y como Willis recoge *(The relationship...*, pág. 94), está siendo
utilizada como fuente en estos pasaies del *Alexandre.*

Oviéronlos maguera   en cabo a vençer,   2169
fiziéronlos fuïr,   fuérons' a esconder;
si, por pecados malos,   quisiessen contender,
oviéranse los griegos   en cuita a veer.

A buelta de los puercos   ixieron otros bravos,   2170
avién, como conejos,   de yus tierra sus caños,
avié cad' uno dellos   tres parejas de manos,
—por tales dizien mostros   los buenos escrivanos—.

El medio dia passado,   fue la siesta viniendo,   2171
fueron las moscas grandes   e las bispas rugiendo,
fueron de fiera guisa   las bestïas metiendo,
tanto que a los omnes   se ivan cometiendo.

Fueron de fiera guisa   las bestias enbravidas,   2172
faziénlas enbravir   las amargas feridas,
que eran de agujas   tanto de percudidas,
semejavan elosnas   en alquitrán metidas.

Al que una vegada   firién los abejones,   2173
non serié más cuitado   si beviesse poçones;
sintién el mal sabor   dentro los coraçones,
dizién: «¡Malditos sean   atales aguijones!»

Como non eran cosas   que pudiessen colpar,   2174
nin les podián foïr   nin les podián tornar;
ovo un buen consejo   el rey a sossacar,
con Dios esso les ovo   en cabo a prestar.

Mandó a todos muchas   de las cañas prender,   2175
fazer grandes manojos,   quanto podián erzer;
quand los ovieron preso,   mandólos ençender,
ovieron con aquello   las moscas a vençer.

De viésperas ayuso,   las moscas derramadas,   2176
cuidáronse las gentes   seer aseguradas,
vinieron de murçiélagos   mucho grandes nuvadas,
—avezillas sin pluma   fierament' entecadas—.

Podién seer tan grandes   com' unos gallarones,   2177
alçavan e premién   tan bien como falcones,
davan grandes feridas,   ca avién aguijones,
entrávales la ravia   bien a los coraçones.

Tornaron a las pajas   quando la cueita vieron,   2178
ca entendieron que ante   provecho les tovieron;
quedaron los murçiélagos   quando aquesto vieron,
las pajas essa noche   ençendidas sovieron.

De muchas otras bestias   vos podriamos contar   2179
que ovo Alexandre   en India a fallar;
mas a esta sazón   querémoslas dexar,
queremos ir a Poro   conseguir e buscar.

Pero de una bestia   vos quiero fer emiente,   2180
mayor que elefante   e mucho más valiente,
era de raíz mala   e de mala simiente,
venié bever al río   quand' el día caliente.

Semejava cavallo   en toda su fechura,   2181
avié la tiesta negra   como mora madura;
en medio de la fruent',   en la encrespadura,
tenié tales tres cuernos   que era grant pavura.

Los griegos de la bestia   ovieron grant pavor,   2182
mas dióles grant esfuerço   el buen emperador:
«Esforçadvos, amigos,   avedes buen señor;
esta mala fantasma   non avrá nul valor.»

En la primera muepta   oviéronse guardar,   2183
mas ovo en la segunda   veint' e çinco matar,
descalavró çincuenta   aún a mal contar,
pero en cabo óvola   el rey a delivrar.

El rëy Alexandre,   guerrero natural,   2184
plus duro que un fierro   nin que un pedrenal,
todo viçio e cueitas   preçiava por egual,
ca fuera por buen preçio   non dava ren por al.

500

Con todos los lazerios   nunca podié folgar,   2185
d'aquí a que se ovo   con Poro a fallar;
lüego que en Bactrïa   uviaron assomar,
ellos fueron alegres,   Poro ovo pesar.

Poro quando los vio   tan irados venir,   2186
dixo: «Estos diablos   non dubdan de morir;
nin sirpientes nin omes   non les pueden nozir,
non somos pora omnes   si nos han de guarir.»

Movió luego sus gentes   que tenié aguisadas,   2187
paróseles delant   con sus hazes paradas;
bien fazién pareçençias   amas a denodadas,
que se avién las treguas   un a otro echadas.

Los reys tenién sus hazes   firmes e cabdelleras,   2188
delanteras bien firmes   e buenas costaneras,
gentes bien acordadas   que moviessen façeras;
quiquiere lo entendrié   que lo avién a veras.

Non andavan en medio   nullos entremedianos,   2189
querién ellos e ellos   delivrarl' a sus manos;
semejava lo al   trebejuelos livianos,
como niños que juegan   pella por los solanos.

El rëy Alexandre   ya los querié ferir,   2190
mas enbïole Poro   una razón dezir:
que seríe grant daño   tantas gentes morir,
seriéé mejor que amos   lo' fuessen departir.

El buen emperador   que las sierpes domava,   2191
chico era de cuerpo,   maguer grande andava;
por end se trevié d' él   Poro com' él s' asmava,
mas non l' exió la cosa   como él se cuidava.

Plaçiól con estas nuevas   al natural guerrero,   2192
otorgó la batalla   e fue muy plazentero.
non quiso plazo luengo   dar nin otro mañero,
mandó tornar aína   a Poro el trotero.

Enbïóle dezir   que, quando puesto era,   2193
pensasse de venir,   entrasse en carrera,
que él non tornarié   nin exirié del era
fasta que bien oviesse   mondado la çivera.

Poro, quando lo vio,   exióle al sendero;   2194
«Dígasme» —diz—, «Taxiello,   mi leal mensajero,
que nuevas tú me traes   d' aquel mi contrastero,
que se preçia él mucho   por muy buen cavallero».

Dixo el mensajero   la palabra çertera: 2195
«Señor, recabdo traigo,   palabra verdadera:
el rëy Alexandre   en canpo te espera;
señor, si por ti finca,   somos en grant dentera.»

Poro avié grant cuerpo   e muy grant valentía,   2196
non yazié en un omne   mayor cavallería;
cuidó a Alexandre   meter en covardía,
por ende avié dicho   tan grant sobrançería.

Vío que si tardasse,   que le estaría mal;   2197
echó la lança al cuello,   exió al arenal;
ovieron a caer   entrambos en egual;
plogó a Alexandre,   a Poro otro tal.

Las gentes por veer   cosa tan missionada,   2198
fazienda tan cabdal,   lucha tan guerreada,
estávanlos catando   cad' un de su encontrada,
ca era grant peligro   e cosa muy pesada.

Cad' un de su partida   fazién sus oraçiones,   2199
fincavan los ynojos,   prometién oblaçiones,
apretavan los puños,   premién los coraçones,
corrián las bivas lágremas   por medio los griñones.

Ya eran ajuntados   amos los reys señeros,   2200
ivan asaborgando   sus cavallos ligeros,

2194   Estrofa no recogida en el manuscrito P.

ívanse mesurando   como omnes arteros,
ca preçiávanse ambos   por buenos cavalleros.

Tornó Poro de cara   e fuelo a ferir,   2201
entendiólo el otro   e fuelo reçebir;
diéronse tales colpes   al ora de venir
que farién a Sansón   de memoria exir.

Cad' un en su derecho,   estos colpes exidos,   2202
cuitados de los colpes,   maguer eran guarnidos,
entre sus coraçones   ya eran repentidos
porque en tal porfaçio   eran entremetidos.

Amos, uno con otro,   eran mal enbargados,   2203
los cavallos e ellos   eran escarmentados;
si fuessen los escudos   de fablar aguisados,
ellos sabrién dezir   los çerteros mandados.

Fueron todas las gentes   de los colpes quexadas,   2204
metieron grandes bozes   amas las albergadas,
querién ferir al çielo,   inplién las vallejadas,
andavan por los montes   las bestias espantadas.

Fue con las grandes bozes   Poro mal engañado,   2205
tornó, que catarié   contra él su fonsado;
Alexandre por griegos   non ovo nul cuidado,
travessólo de cuesta,   fue Poro derrocado.

Quando fue derrocado,   compeçó de clamar: 2206
«Merçed, rey Alexandre,   non me quieras matar;
tórnome tu vassallo   en aqueste lugar,
quiero fer tu mandado,   en nada non pecar.

»El tu buen cosimente   que tú sueles aver,   2207
—mucho vales por ello—,   non lo quieras perder;

2201d *Sansón.* Evidentemente se trata del famoso juez israelí cuyas conocidas hazañas son narradas en el libro de los *Jueces,* capítulos 13-16 *(Biblia,* ed. cit.,
págs. 307-312).

llévame a tu tienda,   mándame guareçer,
cuídotelo, con Dios,   aún bien mereçer.»

Ovo el rey camiada   la mala voluntat,   2208
olvidó el despecho,   movióló p̈iedat;
deçendió del cavallo   con grant simplicitat,
enpeçó de dezir   vierbo de amistat.

«Poro oviest mal seso,   feziste grant locura,   2209
de meterte comigo   a tan grant aventura,
bien te devriés membrar   que diz la escriptura
que desbuelve grant masa   poca de levadura.

»Deviásme conoçer   e deviásme dubdar,   2210
deviás aver vergüença   comigo te tomar;
qui te dio el consejo,   non te queriá vengar,
ca non es Alexandre   tan rafez de domar.»

Respuso cuerdamente   Poro, maguer colpado: 2211
«Rëy» —diz—, «bien entiendo   que era engañado;
fasta que tú viniesses   bien tenía asmado
que non serié mi par   en el mundo fallado.

»Mas só desta creençia   movido e camiado;   2212
si yo era muy fuerte,   con más me só fallado;
qui a Poro creyere,   non será segurado
que a caer non aya   e seer desguardado.

»A ti quiero Alexandre   esto lo esponer: 2213
alto estás agora,   en somo del docher,
non seas segurado   que non puedas caer,
ca son fado e viento   malos de retener.

2213-2214   Una vez más, y a través de una advertencia que un personaje
hace a otro —como en el caso de los escitas (cfr. estrofas 1916-1940)— la
técnica de adelantar acontecimientos que serán relatados más ampliamente con
posterioridad, hace su aparición. Su función es la misma que explicitamos en
ocasiones anteriores.

»Puede qui lo quisiere   esto bien escrevir,   2214
de Dario e de Poro   enxemplo adozir:
ovieron de grant gloria   a cuita a venir
natura es del mundo   deçender e sobir».

Faziése Alexandre   mucho maravillado,   2215
omne tan maltraído   seer tan acordado;
asmó que quando era   alegre e pagado,
de seso e d' esfuerço   fue omne acabado.

Fízolo el buen rey   aína guareçer,   2216
diole mejor emperio   que non soliá aver,
fueron tales amigos   quales devián seer;
retrayén otras cosas   que non son de creer.

Avié toda su cosa   el rey bien acabada.   2217
avié maguer lazrado,   a India sobjudgada;
de los regnos de Asia   non le fincava nada,
fueras una çibdat   que estava alçada.

Sudraca era villa   firme e bien poblada,   2218
yazié en lugar plano,   mas era bien çercada;
cogió un mal enfoto,   fizo jura sagrada:
que nunca de los griegos   fuesse asseñorada.

Tovo 'l rey Alexandre   que era grant escarnio,   2219
ques toviés' una villa   más que Poro e Dario;
dixo: «Prometo e juro   paor este el mi gladio
que non dexe en ella   calleja nin nul barrio.»

Fue luego a lidiarla   con muchas algarradas,   2220
çercóles las exidas,   tajóles las entradas;
mas, com' eran las torres   firmes e bien labradas,
sufrién bien las feridas,   estavan reveladas.

2214cd El tema de la fortuna (cfr. nota a 895a), que coadyuva a conseguir
hacer más efectiva la enseñanza moral que se desea los lectores extraigan del relato, de nuevo es insertado en el texto, si bien con la particularidad en estos
versos de que ahora no es el autor el que se encarga de destacarle ante los ojos

Las puertas eran firmes,   non las podién quebrar,   2221
la paret era dura,   non la podién cavar,
nin la podién prender,   nin la podién dexar,
ovo bien quinze días   en esso a durar.

Dixo el rey por esto: «Non pued' assí seer»;   2222
mandó las escaleras   en el muro poner,
quiso la delantera   él mismo y tener,
óvose en las menas   someras a meter.

Ya era el buen rey   en la tapia somera,   2223
subíen en pues él   mucha gente ligera,
de la grant pesadura   fallió la escalera,
cayeron todos yuso,   quebró mucha mollera.

El rey fincó señero   en somo del castiello,   2224
sedié entre dos menas   en angosto portiello,
tenié en el escudo   fito mucho quadriello,
mas era la loriga   leal e el capiello.

Los vassallos veyán   al señor mal seer,   2225
nol podián por manera   ninguna acorrer,
non tenián escaleras   nin las podián aver,
non se sabián por guisa   ninguna conponer.

Todos dizían: «Señor,   valer non te podemos,   2226
mas merçed te pedimos   los que bien te queremos
que salgas contra fuera   que nos te reçibremos;
señor, si tú te pierdes,   nos todos nos perdemos.

_____

de sus lectores, sino que es un personaje de la obra el que lo expone a otro como observación personal. La moralización no es, pues, en esta ocasión presentada a través de un intermediario, sino de forma directa, a través del protagonista de los hechos. Con ello se pretende aumentar su efectividad: no es ya un observador de los sucesos —el autor que en esos momentos asume ese papel— el encargado de adoctrinar, sino el propio individuo que, aunque sea en la ficción, ha «vivido» los acontecimientos. Del juicio extraído del examen de los hechos ajenos se ha pasado a la exposición directa de una experiencia «personal».

»Por un mal castillejo   que non vale un figo,   2227
mal es si tú te pierdes   e quantos son contigo.»
Respuso Alexandre: «Pues en esto vos digo:
qui me da tal consejo,   non m' es leal amigo.

»Non es pora buen rey   tal cosa fazedera,   2228
podiendo entrar dentro   de salir contra fuera;
sea como Dios quiera,   que biva o que muera,
que quiero dar batalla   a esta gent guerrera.»

Dio salto en la villa   su espada en mano,   2229
fue fiera maravilla   como escapó sano;
mas com' era en priessa   argudo e liviano,
cobró en un ratillo   el buen rëy greçiano.

El pueblo de Sudraca,   quando fue acordado,   2230
fue el rey Alexandre   en piedes levantado,
firieron en él todos   a coto assentado,
non firié más apriessa   pedrisco en tavlado.

Estido el buen rey   como buen sofridor,   2231
trayé a las vegadas   el braço en redor;
al que podié prender,   faziél mala sabor,
de essa lo embiava   pora 'l siglo mayor.

Dios e la su ventura   que lo quiso prestar,   2232
vío un olmo viejo   çerca de sí estar,
non le podién el tronco   diez onbres abraçar,
fuese a las espaldas   de él a acostar.

Como de las espadas   non avié que temer,   2233
podié de los delante   mejor se defender;
mas tan fiera prïessa   sabién en él poner,
si çient manos oviesse,   avrié pro que veer.

Avié ante sí tantos   de los muertos echados,   2234
aviélos, maguer solo,   tan fuert' escarmentados,
semejavan majuelos   de çepos arrancados;
d' apareçer ant' él   sól non eran osados.

     Ya era de la priessa   el rey tan enflaquido,   2235
aviá de la su fuerça   las tres partes perdido;
non vinié de ninguna   parte el apellido.
aviélo su ventura   en fuert lugar metido.

     Vino una saeta,   que sea maledita;   2236
quandos cató, teniéla   al costado muy fita;
por poco le fiziera   tal colpe la sagita
qual fizo don Fineas   en la medïanita.

     Ixió tanta de sangre,   ca fue grand el forado,   2237
que podié un cavallo   seer bien desangrado;
fueras que lo querié   otra guisa el fado,
de bevir otrament   non era aguisado.

     Quatro de sus vassallos,   Timeus el braçero,   2238
segundo Peucestes,   Leonatus el terçero,
el quarto fue Ariston,   un mortal cavallero,
estos por su ventura   le uviaron primero.

2236d   *don.* Nelson, *op. cit.*, pág. 663.
     2238b   *Peucestes.* Ilustre general macedonio que interviene en la expedición
contra Asia a las órdenes de Alejandro Magno, a quien salvó la vida durante el
asalto a la ciudad de los Oxídracos. Tras la muerte del conquistador, le fue encomendado el gobierno de Persia, el cual le fue arrebatado con posterioridad
por Antígono a causa de haber prestado su apoyo a Eumenes.
     Leonatus. Leonato, uno de los principales lugartenientes de Alejandro y gene-
ral de su ejército, nacido en Pella. Durante la campaña contra Asia fue ayudante
de campo del emperador macedonio. Fue uno de los miembros que formaron el
consejo secreto que juzgó a Filotas. Quiso impedir que Alejandro le quitase la
vida a Clito sin lograr resultados positivos. Evitó que el héroe macedonio fuese
muerto en el asalto a la capital de los malios. Le fue confiada, al mando de la caballería, la protección de la flota a lo largo del curso del río Indo. Efectuado el
regreso de Alejandro a Persia, le fue encargada la misión de someter a los orites
y lograr que no se interrumpiese la comunicación con la escuela mandada por
Nearco. En recompensa por estos servicios prestados, se le concedió una corona de oro. Muerto el conquistador, se le confió el gobierno de Frigia la Menor y
las costas del Helesponto en el reparto de las satrapías. Intentó utilizar la guerra
lamiaca en su provecho. Pasó a Europa con idea de auxiliar a Antípatro y obtener con ello una serie de ventajas, pero en Tesalia los griegos lograron derrotarle y en la batalla perdió la vida.

Luego que allegaron   non se dieron vagar,   2239
como qui fer lo quiere,   pensaron de dolar;
fiziéronlos del rey   un poquillo redrar,
ovo ya quantïello   espaçio de folgar.

Si como eran quatro,   fuessen siete señeros,   2240
menester non avrié   el rey más compañeros;
mas los proverbios viejos   siempre son verdaderos:
que çient lobos rafez   comen a dos corderos.

Lidiaron firmement   quanto lidiar pudieron,   2241
por defender su rey   todo poder metieron;
mas que much vos digamos,   tanto non contendieron
que en cabo de cosa   a morir non ovieron.

Lëy es bien usada   que debda de señor   2242
non es en siglo premia   tamaña nin mayor,
ond' ovieron los griegos   de retrecha pavor,
metiéronse a muerte,   olvidaron temor.

Mientre los quatro príncipes   la grant priessa les dieron   2243
los otros en el muro   todavía rompieron;
entraron a grant priessa   desque lugar ovieron,
a los que alcançavan   parçir non les quisieron.

Non yaze nul provecho   en alongar razón: 2244
fue el rey acorrido   a estraña sazón,
fueron los de Sudraca   feridos a perdón,
non dexaron a vida   nin muger nin varón.

Quando todo fue fecho,   la cosa aguisada,   2245
non fallavan el rey,   podién d' él saber nada;
era de fiera cueita   la greçisca mesnada,
tenién que su fazienda   era toda livrada.

Pero tanto ovieron   contender e buscar   2246
fasta que lo ovieron   en cabo a fallar;
bien los veyá el rey   mas non podiá llamar,
ca estava en ora   que se querié passar.

Sacáronlo en braços   a un lugar çercado,   2247
ca es grant folgamiento   el çierço en verano;
él, maguer non fablava,   faziéles con la mano
que non oviessen cueita,   ca nunca fue más sano.

Quando fueron catando   entre las guarniçiones,   2248
fallaron de la sangre   muchos de quajadones;
quebráronles a todos   luego los coraçones,
entró mal cuer de salto   entre los sus varones.

Ovieron en tod' esto   a fallar la ferida,   2249
fallaron la saeta   que yazié escondida;
prometieron atanto   que non avié medida
qui les sopiesse dar   consejo de guarida.

Cristóbulus, un mege   —era bien conoçido—,   2250
dixo: «Yo lo daré   a quinz días guarido;
mas dubdo porque veo   que es much' enflaquido,
témome a ventura   de seer mal caído.»

Cobró el rey su lengua   e todo su sentido,   2251
cató diestro e siniestro   con su ojo vellido,
entendió que Cristóbulus   estava desmaído,
díxol que semejava   villano descosido.

Díxol que non dubdasse   de fer su maestría,   2252
que non morrié por esso   antes del puesto día.
«Señor» —dixo Cristóbulus—,   «volenter lo faría,
más, si a ti plaçiesse,   una cosa querría.

»El fierro yaze fondo,   en aviesso lugar,   2253
la llaga es angosta,   non lo podriá sacar;
avemos en la carne   un poco a tajar,
que podamos el pobre   e el fierro sacar.

»Rëy, es buen consejo   que te deves ligar: 2254
que quando te tajare   non te puedas tresnar,
ca podriá con la tresna   omne rafez errar,
podrié poco de yerro   la fazienda dañar».

510

Dizié el rey: «Semeja   cosa desaguisada,   2255
de yazer rëy preso   con su barva ligada;
ternía mi fazienda   toda por mal honrada
si mi poder perdiesse   sola una vegada.

»Quequiere que tú fagas   bien lo cuido sofrir,   2256
que tajes e que quemes,   non me verás bollir;
Cristóbolus, ¿qué dubdas?,   rafez só de guarir,
avrás buen gualardón   de mí a reçebir.»

El mege fue alegre,   del rey assegurado,   2257
buscó unas navajas   de buen fierro temprado,
tajó a todas partes   enxanpló el forado,
sacó fuera el fierro   que yazié afondado.

Sufriélo bien el rey,   estido bien pagado,   2258
si yaziesse durmiendo,   non serié más quedado,
nin en nariz rugada   nin en rostro camiado,
nunca lo entendió   nul omne por cuitado.

Ovo atan grant cueita   pero a devenir   2259
que ovo de su seso   sin grado a exir;
cayó amorteçido,   ovo a enflaquir,
tanto que a las bozes   non sabié recodir.

Fue por la albergada   el llanto levantado,   2260
todos tenién del rey   que era ya passado;
quanta fue la tristeza   nunca serié asmado
si non fuesse de omne   que lo oviés provado.

Cueita de buen señor,   ¿quí la puede asmar?;   2261
quién una vez la gosta,   siempre ha de llorar;
qui non la ha provada,   devié a Dios rogar
que nunca ge la dexe   en est mundo provar.

El maestro al rey   sópolo bien guardar,   2262
púsol buenos emplastos   por la dolor temprar;
quiso Dios que la cosa   ovo bien a prestar,
con la merçed de Dios   ovo a mejorar.

Quando vieron que era   el rëy mejorado,   2263
el llanto e el duelo   fue en gozo tornado;
el que anda en mar   perdido e lazrado,
non serié más alegre   quando fues' arribado.

Fue a pocos de días   el rëy bien guarido,   2264
demostrólo a todos   por seer más creído;
entonz dixieron todos: «Señor, tú seas gradido,
que fezist' a Cristóbolus   maestro tan conplido.»

El omne, qual vezado,   se veza a prender   2265
si de mucho andar,   si de mucho yazer;
tómalo en natura,   quiere esso tener,
todos biven en esso,   segund mi pareçer.

El rëy Alexandre,   en vida aventurado,   2266
com de chiqueza fue   de lazerio usado,
aún sano non era,   nin el colpe çerrado,
porque non guerreava,   estava enojado.

Avié en essa quexa   muy grant malenconía,   2267
ond' avié grant pesar   toda su compañía;
como non era sana   aún la maletía,
tenién por aventura   que farié recadía.

Tod' era ya guisado,   naves e marineros,   2268
bateles e galeas   e conduchos pleneros;
Poro e Abisario,   dos reyes cabdelleros,
essos avién de ir   en los más delanteros.

Asmava el buen omne   atravessar la mar,   2269
que nunca pudo omne   el cabo a fallar,
buscar algunas gentes   de otro semejar,
de sossacar manera   nueva de guerrear.

2268c *Abisario*. Abisares, príncipe indio y rey de Abisara en la época en
que Alejandro Magno realizaba sus conquistas por el territorio asiático. Prestó
juramento de fidelidad al gran conquistador macedonio, se tornó su vasallo y
puso bajo su mando todas las tierras que en esos instantes estaba encargado de
gobernar.
2269c   Se refiere a los antípodas.

Saber el sol dó naçe,   el Nilo ónde mana,   2270
el mar qué fuerça trae   quand lo fiere ventana;
maguer avié grant seso,   acuçia sobejana,
semejava en esto   una grant valitana.

La gente d' Alexandre   era muy acuitada   2271
porque prendié carrera   que nunca fue usada;
la llaga que non era   aún muy bien sanada,
por est' era en cueita   toda la su mesnada.

Prisieron su consejo   todos los mayorales,   2272
dixieronle al rey   palabras comunales:
«Señor, mal nos semeja   buscar cosas atales,
las que nunca pudieron   fallar omnes carnales.

»Si de nuestro lazerio   tú non has nul cuidado,   2273
miémbrete de ti mismo   cóm fueste mal colpado;
si fazes recaída,   tente por afollado,
non te valdrá un figo   quanto que has lazrado.

»La tu fiera cobdiçia   non te dexa folgar,   2274
señor eres del mundo,   non te puedes fartar;
nin podemos saber   nin podemos asmar
qué cosa es aquesta   que quieres ensayar.

»Pero con todo esto,   de ti non nos tememos: 2275
sól que tú seas sano,   todo lo vençeremos;
de bestias nin de sierpes   nos dubdo non avremos,
a ti teniendo çerca   nos a tod nos trevemos.

»Pero tan fieras cosas   sabes tú ensayar   2276
que non te podriá omne   ninguno aguardar;
las cosas non recuden   todas a un lugar,
el omne sabidor   dévese mesurar.

»Si meterte quisieres   en las ondas del mar,   2277
o en una foguera   te quieres afogar,
o de una grant peña   te quieres despeñar,
en qualsequiere dellas   lo avrás a lazrar.

»Los rëys has conquistos,   las sierpes has domadas,   2278
las montañas rompidas,   las bestias quebrantadas,
quieres bolver contienda   con las ondas iradas,
de trebejo nin vista   non son ellas usadas.

»Non es honra nin preçio   pora omne honrado   2279
meters' a aventura   en lugar desguisado;
non le cayera preçio   a Éctor el famado
de irse abraçar   con un puerco lodado.»

Quando ovo el prólogo   Craterus acabado,   2280
otorgó Tolomeo   que dixiera guisado;
fue en essa boz todo   el pueblo acordado:
«Señor por Dios que finques   fasta que seas sanado.

«Lo que dixo Craterus   todos te lo dezimos,   2281
en pesar non te caya,   grant merçed te pedimos;
tú cata do nos llevas   o a quál siglo imos,
que nos a ti catamos   e tu señal seguimos.»

Fue el rëy alegre,   tóvolo en grant grado,   2282
entendió de sus gentes   que era bien amado;
respondióles fermoso,   ca era bien lenguado,
farié, si al fiziesse,   tuerto e grant pecado.

«Parientes e amigos,   assaz lo demostrades   2283
en dichos e en fechos   que de cor me amades;
siempre assí feziestes   e oy lo afirmades,
si non, non lazrariades   assí como lazrades.

»Gradesco esto mucho   que agora dixiestes,   2284
mas mucho más gradesco   lo que siempre feziestes;
los fijos e mugeres   por mí los aborriestes,
nunca lo que yo quis   non lo contradixiestes.

2280a   *Craterus.* Cfr. nota a 979d.
2280b   *Tolomeo.* Cfr. nota a 311b.

    »Dexastes vuestras casas   e vuestras heredades,   2285
passados ha diez años   que comigo lazrades,
muchos vos he cansado   e cansados andades,
por mi serviçio nada   vos non menoscabades.

    »Maguer a mí servistes,   quand' a Poro domastes,   2286
quand' a Dario vincistes   e las bestias rancastes,
la estoria troyana   con esto la çegastes,
honrastes a vos mismos,   nuestro preçio alçastes.

    »Fazedes grant derecho   si de mí vos temedes   2287
por algunt mal achaque   que perder me podredes;
mas yo en mí non tengo   el cuer que vos tenedes,
otro esfuerço traigo,   el que vos non sabedes.

    »Non conto yo mi vida   por años nin por días,   2288
mas por buenas faziendas   e por cavallerías;
non escrivió Omero   en sus alegorías
los meses de Achiles,   mas sus barraganías.

───────────

    2285b   *passados ha diez años.* Obsérvese cómo el autor establece (en el *Ale-
xandreis* no figura esta referencia —*vid.* versos 4949-4982 (4991-5023 reales),
ed. cit., pág. 562—) un paralelismo entre la duración temporal de las hazañas
de Troya y la duración temporal de las hazañas de Alejandro Magno. Mediante
ello —junto con la mención y comparación explícita insertada en la estrofa posterior (verso c) y la comparación de Alejandro con Aquiles incluida en la estrofa 2288 y realizada por el propio héroe macedonio— queda mucho más patente
una de las funciones que tiene la digresión dentro de nuestro *Libro*, convertirse
en modelo a través del cual los hechos del protagonista pueden ser juzgados, tal
y como Michael —veíamos (cfr. nota a 332-772)— señalaba, y su perfecta inte-
gración dentro del conjunto. Igualmente se logra con ello enaltecer aún más la
figura del protagonista y de sus acompañantes: sus hazañas no sólo son compa-
rables a las narradas dentro de los «prestigiosos» textos «cultos» de la épica clásica, sino que, después de haber superado los difíciles trances relatados, sobrepasan en mérito a los héroes homéricos, han sido capaces de superar las propias
gestas de los personajes clásicos. Todo ello en última instancia redunda
—aunque en el texto no se halle planteado de esta manera— a su vez en beneficio del autor —y de la obra que transmite y notifica tan admirables relatos—,
que inconscientemente (o conscientemente tal vez) equipara, al poner en boca de
sus personajes esas afirmaciones y trazar tales paralelismos, su producción —y
no sólo eso sino que considera que aventaja— a las grandes epopeyas de la antigüedad clásica, unas epopeyas que las personas cultas de su época no cesaban de
nunca de admirar.
    2288ab   Estos dos versos han sido incluidos, casi literalmente, por el desco-

»Dizen las escripturas,   —yo leí el tratado—,   2289
que siete son los mundos   que Dïos ovo dado:
de los siete el uno   apenas es domado,
por esto yo non conto   que nada he ganado.

»Quanto avemos visto   antes non lo sabiemos,   2290
si al non aprendemos,   en balde nos biviemos;
por Dario e por Poro   que vençido avemos,
yo por esto non cuido   que grant cosa fiziemos.

»Enbiónos Dios por esto   en aquestas partidas: 2291
por descobrir las cosas   que yazen sofondidas;
cosas sabrán por nos   que nos serían sabidas,
serán las nuestras nuevas   en crónicas metidas.

»Los omnes que non saben   buen preçio aprender,   2292
esto tienen en gloria: en balde se yazer;
mas dizlo el maestro,   mándalo retener:
qui prodeza quisiere,   afán deve sofrer.

»Con todos vos a una   queriéndome seguir,   2293
buscaré los antípodes,   quiérolos conquerir;
estos están yus tierra,   com' oyemos dezir,
mas yo non lo afirmo,   ca cuido de mentir.

»Porque vos me querades   encara falleçer,   2294
—lo que yo nunca cuido   d' oir nin de veer—,
aquí son las mis manos   que me suelen valer,
que se saben en priessa   fierament rebolver.»

---

nocido autor del *Poema de Fernán González* dentro de su obra: «Non cuentan
d'Alexandre las noches nin los días / cuentan sus buenos fechos e sus cavalleryas» (ed. Zamora Vicente, Madrid, Espasa-Calpe, Clásicos Castellanos, 1963,
pág. 105, v. 351ab).
    2289cd   En estos versos se perfila ya definitivamente el pecado de soberbia
que —llevado por la codicia— va a cometer Alejandro al querer hacerse dueño
de toda la creación e igualarse con ello al propio Dios. Los temores que los embajadores escitas —estrofa 1924— expusieron en forma de advertencia al protagonista van a verse inmediatamente confirmados. La caída final del héroe comienza a prepararse.

Aún avié el rey   mucho más que fablar,   2295
metieron todos bozes,   fiziéronlo callar.
«Señor» —dixeron todos—,   «piensa de cavalgar,
todos te seguiremos   por tierra e por mar».

Mandó luego el rey   los fuegos ençender,   2296
fer fumos como era   costumbre de mover;
pensaron luego todos   las tiendas de coger,
aguisar sus faziendas,   sus cosas componer.

Entraron por las naves,   pensaron de andar,   2297
el mar era pagado,   non podié mejorar,
los vientos non podién   más derechos estar,
ivan e non sabién   escontra quál lugar.

Aguisaron sus piértegas   bien derechas e sanas,   2298
descogieron las áncoras,   alçaron las ventanas;
eran con el buen viento   las naves muy livianas,
las gentes por el tiempo   teniénse por loçanas.

Fueron a poca d'ora   en alta mar entrados,   2299
andudieron grant tiempo   radíos e errados;
eran los marineros   fierament embargados,
ca non sabién guïar   do non eran usados.

Como rafez se suelen   los vientos demudar,   2300
camióse el orage,   ensañóse la mar;
enpeçaron las ondas   a premir e alçar,
non las podiá el rey   por armas amansar.

Quando ivan las naves   más adentro entrando,   2301
ívanse los peligros   tanto más embargando;
«Señor» —dizián las gentes—,   «tanto irás buscando
que lo que te dixiemos   irlo as ensayando».

Todos estos peligros   non los podián domar,   2302
non se querié por ellos   repentir nin tornar;
fizo Dïos grant cosa   en tal omne crïar,
que non lo podián ondas   iradas espantar.

Passó muchas tempestas   con su mala porfidia,   2303
que las nuves avién   e los vientos enbidia;
dizién los marineros   cómol fincarié India,
a esta cosa mala   que con las mares lidia.

Ulixes en diez años   que andudo errado,   2304
non vío más peligros   nin fue más ensayado;
pero quando fue fecho   e todo delivrado,
ixió como caboso   el rey aventurado.

Una fazaña suelen   las gentes retraer,   2305
—non yaze en escripto,   es malo de creer—,
si es verdat o non,   yo non y dé qué fer,
mager, non la quïero   en olvido poner.

Dizién que por saber   qué fazién los pescados,   2306
cómo bivién los chicos   entre los más granados,
fizo cuba de vidrio   con muzos bien çerrados,
metióse él de dentro   con dos de sus crïados.

Estos fueron catados   de todos los mejores,   3207
por tal que non oviessen   dono los traïdores,
ca que él o que ellos   avién aguardadores,
non farién a su guisa   los malos reboltores.

Fue de buena betumne   la cuba aguisada,   2308
fue con buenas cadenas   presa e encalçada,

_____

2303a   *porfidia.* Nelson, *ibíd.,* pág. 678. P y O, *porfía.*

2304ab   Nótese cómo una vez más ha sido establecido el paralelismo con
personajes que protagonizan las hazañas narradas por Homero —paralelismo no sólo en hechos sino en duración (diez días) de esos hechos—, paralelismo
que de nuevo es utilizado —y esta vez es el autor el que lleva a la práctica el
equiparamiento— para señalar que los sucesos vividos y ejecutados por Alejandro y relatados en nuestra obra, sobrepasan a todos los contenidos en las epopeyas de la antigüedad. Las consecuencias últimas de esta mención son las mismas señaladas en la anotación al verso 2285b.

2305b   *non yaze en escripto.* Pese a esta afirmación, señala Willis *(The debt...,*
págs. 31-39) que la fuente de este episodio posiblemente sea el *Roman d' Alexandre,* aunque también ha sido narrado en la *Historia de Preliis.*

fue con priegos bien firmes   a las naves pregada,
que fundir nos podiesse   e estoviés colgada.

    Mandó que lo dexassen   quinze días durar,   2309
las naves con tod' esto   pensassen de andar;
assaz podrié en esto   saber e mesurar,
e meter en escripto   los secretos del mar.

    La cuba fue echada   en que el rey yazié,   2310
a los unos pesava,   a los otros plazié;
bien cuidavan algunos   que nunca y saldrié,
mas destajado era   que en mar non morrié.

    Andava el buen rey   en su casa çerrada,   2311
sedié grant coraçón   en angosta posada,
veyé toda la mar   de pescados poblada,
non es bestia en siglo   que non fues' y trobada.

    Non bive en el mundo   ninguna crïatura   2312
que non cría el mar   su semejant figura;
traen enemistades   entre sí por natura,
los fuertes a los flacos   danles mala ventura,

    Estonçes vio el rey   en aquellas andandas   2313
cóm' echavan los unos   a los otros çeladas;
dizié que ende fueran   presas e sossacadas,
fueron desent' acá   en el siglo usadas.

    Tanto es acogían   al rëy los pescados   2314
como si los oviesse   por armas sobjudgados;
vinién fasta la cuba   todos cabeztornados,
tremién todos ant' él   como moços mojados.

2314 Con esta estrofa se da por realizado el dominio de Alejandro sobre
los mares, al resaltar que todos sus habitantes le «rinden pleitesía». Con ello se
inicia la culminación del proceso de progresivo engrandecimiento del héroe, comenzado al principio de la obra, en los momentos en que se relatan sus primeras victorias con las armas. (Cfr. «Introducción».)

Jurava Alexandre   por el su diestro lado   2315
que nunca fue de omnes   mejor acompañado;
de los pueblos del mar   tovos por bien pagado,
contava que avié   grant imperio ganado.

Otra fazaña vió   en essos pobladores: 2316
vío que los mayores   comién a los menores,
los chicos a los grandes   teniénlos por señores,
maltrayén los más fuertes   a todos los menores.

Dize el rey: «Sobervia   es en todos lugares,   2317
es fuerça en la tierra   e dentro en los mares,
las aves esso mismo,   nos catan por eguales;
Dios confonda tal viçio   que tien tantos lugares.

»Naçió entre los ángeles,   fizo muchos caer,   2318
derramó por las tierras,   diole Dios grant poder,
la mesura non puede   su derecho aver,
ascondió su cabeça,   non osa pareçer.

»Qui más puede más faze,   non de bien mas de mal; 2319
qui más ha más quïere,   muere por ganar al;
non verié de su grado   ninguno su egual;
mal pecado, ninguno   non es a Dios leal.

»Las aves e las bestias,   los omnes, los pescados,   2320
todos son entre sí   a vandos derramados;
de viçio e de superbia   son todos entecados,
los flacos de los fuertes   andan desafíados.»

2318a   San Juan, *Apocalipsis*, 12, 7-12 *(Biblia,* ed. cit., pág. 1475).
2317-2320   Alejandro, con estas palabras, se muestra como hombre ciego
—ciego porque se ha dejado dominar por la codicia— que sabe observar perfectamente los hechos en los actos ajenos, pero no se da cuenta de que, con sus
propias acciones, está incurriendo en los mismos errores que censura, tal y
como el propio autor se encarga en la estrofa 2321 de resaltar. Las advertencias
que anteriormente le hicieran los escitas se están cumpliendo sin que el protagonista se percate —para su mal, porque con eso no hace sino provocar su propia
destrucción— de ello.

Si como lo sabié   el rëy bien asmar   2321
quisiesse a sí mismo   a derechas judgar,
bien devié un poquillo   su lengua refrenar,
que tan fieras grandías   non quisiesse bafar.

De su grado el rey   más oviera estado,   2322
mas a las sus criazones   faziéseles pesado;
temiendo ocasión   que suel venir privado,
sacáronlo bien ante   del término passado.

Fueron con su señor   alegres las mesnadas,   2323
vinién todas veerlo   menudas e granadas,
besávanle las manos   tres o quatro vegadas,
dizién: «Agora somos,   señor, resuçitadas.»

Quiero dexar el rey   en las naves folgar,   2324
quiero de su sobervia   un poquillo fablar,
quiérovos la materia   un poquillo dexar,
pero será en cabo   todo a un lugar.

La Natura que cría   todas las crïaturas,   2325
las que son paladinas   e las que son escuras,
tovo que Alexandre   dixo palabras duras.
que querié conquerir   las secretas naturas.

Tovo la rica dueña   que era sobjudgada,   2326
que le querié toller   la lëy condonada;
de su poder non fuera   nunca deseredada,
sinon que Alexandre   la avié aontada.

2323b   Nelson, *ibíd.*, pág. 682. P, *vinieron.* O, *vinioron.*

2324d   En este verso hallamos una prueba palpable de que nuestro autor era perfectamente consciente de la función que cumplían dentro de su obra las digresiones que iba introduciendo (cfr. «Introducción», el apartado correspondiente a la «Unidad» del *Libro).* En este caso la digresión sobre Natura (estrofas 2325-2457) —a diferencia de otras ocasiones contenida en el *Alexandreis* de Châtillon (vv. 5000-5162 —5042-5003 reales—, ed. cit., págs. 563-566)—, tiene como función justificar la muerte de Alejandro que inmediatamente se va a producir, explicar las circunstancias externas —si bien consecuencia de sus actos—al protagonista que van a determinar su próxima caída.

En las cosas secretas   quiso él entender,   2327
que nunca omne bivo   las pudo ant saber;
quísolas Alexandre   por fuerça conocer,
nunca mayor sobervia   comidió Luçifer.

Aviéle Dïos dado   regnos en su poder,   2328
non se le podié fuerça   ninguna defender,
querié saber los mares,   los infiernos veer,
lo que non podié omne   nunca acabeçer.

Pesó al Crïador   que crió la Natura,   2329
ovo de Alexandre   saña e grant rencura,
dixo: «Este lunático   que non cata mesura,
yol tornaré el gozo   todo en amargura.

»Él sopo la sobervia   de los peçes judgar,   2330
la que en sí tenié   non la sopo asmar;
omne que tantos sabe   judiçios delivrar,
por qual juïcio dio,   por tal deve passar.»

Quando vio la Natura   que al señor pesava,   2331
ovo grant alegría,   maguer triste andava;
movióse de las nuves,   de do siempre morava,
por meter su rencura,   quál quebranto tomava.

Bien veyé que por omne   nunca serié vengada,   2332
ca moros e judíos   temién la su espada;
asmó que le echasen   una mala çelada,
buscar cómo le diessen   colaçión enconada.

Pospuso sus lavores,   las que solién usar   2333
por nuevas crïaturas   las almas guerrear;
deçendió al infierno   su pleito recabdar,
pora 'l rey Alexandre   mala carrera dar.

De la cort del infierno,   un fambriento lugar,   2334
—la materia lo manda—,   quiero ende fablar:
mal suelo, mal poblado,   mal trecho, mal lugar,
es dubdo e espanto   sólo de començar.

2334-2424   La descripción del infierno insertada en estas estrofas constituye, como en otras ocasiones, una gran digresión incluida dentro de otra digresión más amplia. No está, a diferencia del conjunto en el que se incluye, totalmente basada en el *Alexandreis* de Châtillon: nuestro autor —tal y como Ian Michael, en un artículo en el que compara detenidamente los respectivos pasajes de ambas obras («The description of hell in the Spanish *Libro de Alexandre*», publicado en *Medieval Miscellany presented to Eugène Vinaver*, Manchester University Press, 1965, págs. 220-229), ha logrado demostrar—, toma como motivo la descripción que encuentra en el original latino que está utilizando como fuente, pero la modifica —si bien mantiene la mayoría de los motivos que Châtillon introduce en su obra—, reordena (hay detalles presentados en orden diferente) y amplía —sobre todo en la parte en que habla de los pecados capitales— a base, no de una fuente literaria determinada *(Roman d' Alexandre...)*, sino de su propia cultura cristiana medieval (ella explica la mezcla de elementos paganos —procedentes de Gautier— y cristianos que hallamos en el fragmento). Su estructuración es enteramente similar a la que ha sido conferida a todo el conjunto narrativo que forma el *Libro de Alexandre*, como sucedía en anteriores digresiones (guerra de Troya, Babilonia): posee una introducción (estrofa 2334), un núcleo narrativo (estrofas 2335-2423) y una «despedida» (estrofa 2424). Su función —que la une al conjunto, pese a la individualidad que, vemos, posee— erfectamente clara en la mente del autor (verso 2334b), no es para nosotros menos evidente. Al igual que anteriores digresiones, la descripción del infierno encuentra justificación en varios frentes: por un lado sirve para comunicar a los lectores una serie de noticias cuyo conocimiento ampliaría su nivel de instrucción —función didáctica—; por otro, y al encerrar un tema que entra en el campo de la religión, proporcionaría a los mismos una enseñanza de tipo moral (al notificarles los horrores que se contienen en el infierno les ayudaría más a sentir temor ante la posibilidad de padecerlos, con lo que, indirectamente, les exhortaría a poner los medios para evitar ese trágico final para la existencia propia —máxime cuando se especifican qué tipo de «pecados» , que ejercen su dominio sobre el mundo, se cuentan entre sus más ilustres moradores—) —del didactismo puro se pasa al didactismo moralizador—; pero, ante todo, tiene un valor argumental. Ian Michael *(The Treatment...,* pág. 266) se ocupa de esta última cuestión y hace las siguientes afirmaciones, que, en mi opinión, resultan insuficientes, no especifican en su totalidad cuál es la función argumental que posee este componente de nuestro texto:

> the description of hell can also be seem to have a real themarie function: it elaborates in general terms the sin of comited by the protagonist and poins to the consequences of sin.

En realidad —me parece—, la digresión sobre el infierno —muy adecuadamente situada en las estrofas posteriores a las que relatan la comisión del pecado de soberbia por parte de Alejandro—, cumple la función de resaltar la magnitud que posee tal pecado (hecho perfectamente plasmado en el episodio de los «siete viçios cabdales», en el que se especifica que la soberbia es la reina de todos ellos) y hace pensar al lector en la posibilidad de que ese «error» personal del héroe puede generar su propia condenación final —defendida por el propio Michael en otro artículo suyo sobre nuestro texto («Interpretation of the *Libro de Ale-*

El Crïador que fizo   todas las crïaturas   2335
con diversos donaires   e diversas figuras,
ordenó los lugares   de diversas naturas
do reçiben las almas   lazerio e folguras.

Fizo pora los buenos   que lo aman servir,   2336
que su aver non dubdan   con los pobres partir,
el santo paraíso   do non pueden morir,
do non podrán un punto   de lazeria sofrir.

Allí serán en gloria   qual non sabrán pedir,   2337
qual non podrié nul omne   fablar nin comedir,
metrán toda su fuerça   en a Dios bendezir,
al que fue, al que es,   al que a de venir.

Nunca sintrán tiniebla,   frío nin calentura,   2338
verán la faz de Dios,   una dulz catadura,
non se fartarán della,   ¡tan' es la su dulçura!,
qui allí eredare   será de grant ventura.

Para los otros malos   que tienen mala vida,   2339
que han toda carrera   derecha aborrida,
fue fecho el infierno,   çibdat mala complida,
assaz mal aforado   sin ninguna exida.

---

xandre: The author's attitude towards his hero's death», *Bulletin of Hispanic Studies,* XXXVII, 1960, págs. 205-214)— (recordemos que la soberbia se cuenta entre los habitantes del infierno), con lo que se crea un estado de tensión en el lector, tensión que se ve considerablemente acrecentada por la enumeración, casi pormenorizada, de las penas existentes en tan terrible lugar. En estas coordenadas creo que podemos juzgar la inclusión de esta digresión en nuestra obra, explicarnos las causas que llevaron a su autor a insertarla dentro del relato como «excursus» (pero considerado necesario por las razones susodichas) a él.

2334c   *mal lugar.* Derek J. Lathan, en su artículo «*Infierno, mal lugar:* an Arabicism?» *(BHS,* XLV, 1968, págs. 177-180), estudia esta expresión que referida a *infierno* y unida a este sustantivo, frecuentemente aparece en las obras del Mester de Clerecía y, tras aportar una serie de pruebas, llega a la conclusión de que el origen de la misma puede encontrarse en la lengua árabe: se trataría de un transvase de expresiones similares existentes en árabe al castellano medieval.

Fondo yaz' el infierno,   nunca entra y lumbre,   2340
de sentir luz ninguna   non es la su costumbre,
los muros son de sufre,   presos con tal betubne
que non los derromprié   ninguna fortedumbre.

Silvan por las riberas   muchas malas sirpientes,   2341
están días e noches   aguzando los dientes,
assechan a las almas,   non tienen a al mientes,
por esto peligraron   los primeros parientes.

Quando veyén venir   las almas pecadrizes,   2342
tíranles de los labros,   préndelas las narizes,
fázenles encorvar   sin grado las çervizes;
las que allí non fueren,   ténganse por felizes

Nunca fartarse pueden,   están muertas de fambre,   2343
están todas cargadas   de mala vedegambre,
non apretarién tanto   cadenas de arambre;
¡Dios libre tod christiano   de tan mala pelambre!

En todas sus comarcas   non naçen nunca flores,   2344
sinon espinas duras   e cardos puñidores;
cuevas que paren fumo   e amargas olores,
peñiscales agudos   que son mucho peores.

Dexemos de las islas,   digamos del raval,   2345
aún después iremos   entrando al real;
vién población suzia   fuera al mercadal,
los siet viçios cabdales   que guardan el portal.

Morava Avariçia   luego en la frontera,   2346
esta es de los viçios   madrona cabdellera;
quant' allega Cobdiçia,   que es su compañera,
estálo escondiendo   dentro en la puchera.

Quanto doña Cobdiçia   podié ir aporgando,   2347
ívalo Avariçia   en tierra condesando;
quand' algo le pidién   querié quebrar jurando;
muchos son en est siglo   que tienen el su vando.

An una crïadiella   amas estas errores,   2348
Ambiçio es su nombre,   que muere por onores;
trae malos sossacos,   encubiertas peores,
non biven de su grado   amigos nin señores.

Avién estas fanbrientas   compañas desleales,   2349
logros, furtos, rapiñas,   e engaños mortales;
estos mandan las rúas,   yazen por los ravales,
andan a las vegadas   vestidos de sayales.

Ovo por contosina   una mala vezina,   2350
Enbidia, la que fue e   siempre será mesquina;
un viçio que non sana   por nulla melezina,
ques prende con quisquiere   por cabellos aína.

Quando veyé al próximo   bien aver o letiçia,   2351
matarse quiere toda   con derecha maliçia;
mas si vee algunos   que caen en tristiçia,
esto have por gozo,   ca nunca al cobdizia.

Toda cosa derecha   razona ella mal;   2352
delante dize bien,   de çaga dize al;
pesal con puerco gruesso   en ageno corral,
si matarlo quisiesse,   non les menguarié sal.

Escontra la Cobdiçia   está cabeztornada,   2353
tiene de mal corage   la voluntad tornada,
por lo que a ella plaze   está desaborada,
si la quemasse fuego,   serié ella pagada.

Como de mala çepa   naçen malos grañones,   2354
naçen de este viçio   viçiosas crïazones:
maldiguezas, tristiçias   e otras traïçiones;
despiertas cada día   con malos aguijones.

Quand vee el buen fecho,   quiérelo encobrir,   2355
si encobrir nol puede,   quiérelo destroïr;

2351d *have.* Nelson, *ibíd.,* pág. 689. P y O, *ha.*

faze a muchos omnes   mala vida bevir,
por ond' ovo 'l diablo   en Saül a venir.

Mantiene doña Ira   la terçera posada,   2356
con coraçón ravioso,   de refiertas cargada,
rodiendo las estacas,   la su visión turbada;
non querié quel dixiesse   omne ninguno nada.

Está tanto de çiega   que non sabe ques diga,   2357
diziendo villanía,   alueyas e nemiga,
como se acaeçe   si algún la castiga:
tornal como si fuesse   su mortal enemiga.

Estaval' a los piedes   Herodes su crïado,   2358
el que ovo con ira   a los niños matado;
daval muy grandes muessos al siniestro costado
don Lamet el que ovo   a su guïón matado,

Quiere la cosa mala   quebrar por el despecho,   2359
el que el barón bueno   don Job le ovo fecho;
qui se desdiz atanto,   non cadrá otro pecho,
nunca contendrá tanto   que aya end derecho.

1355d   Saúl, ante las brillantes victorias de David sobre los filisteos, enormemente admiradas por el pueblo judío, sintió envidia del que hasta entonces
había sido su favorito, comenzó a apartarse de él y decretó, al fin, que fuera perseguido. Llevado por esa envidia cometió grandes atropellos que provocaron su
caída final, tal y como en el libro primero de *Samuel* (18-31; *Biblia*, ed. cit,
págs. 344-358) se relata. A estos conocidos sucesos se hace referencia en este
verso.

2358ab   *San Mateo*, 2 (*Biblia*, ed. cit., págs. 1154-1155).

2358d   *don Lamet*. Patriarca hebreo, descendiente de Caín y padre de Noé,
mencionado en el *Génesis*, 4, 17-24 y 5, 25-31 (*Biblia*, ed. cit., págs. 34-35). «Según los comentarios medievales de la Biblia, Lamech, después de matar a Caín,
mató al muchacho de quién él mismo se servía para que lo guiara en su cegue-
ra» (Julia Keller, *op. cit.*, pág. 108). A este suceso se hace referencia en nuestro
verso.

2359b   *don Job*. Evidentemente se trata del famoso personaje cuya paciencia
se hizo proverbial y cuyos hechos se narran en la *Biblia* (ed. cit., págs. 645-682)
en el libro que lleva su nombre.

Un enxemplo vos quiero   en esto adozir,   2360
cómo sabe enbidia   al omne deçebir,
cóm' ella en sí misma   quiere grant mal sofrir
por amor que podiesse   al vezino nozir.

Diz que dos compañeros   de diverso senblant,   2361
el uno cobdiçioso,   el otro enbidiant,
fazián amos carrera   por un monte verdiant,
fallaron un ric' omne,   de cuerpo bien estant.

Díxoles grant promesa   ant que end se partiesse, 2362
que pidiesse el uno   lo que sabor oviesse;
a esse darié tanto   quanto que él pidiesse,
al otro doble tanto   que callando 'stoviesse.

Calló el cobdiçioso,   non quiso dezir nada,   2363
por amor que llevasse   la raçión doblada;
quand' entendió el otro   esta mala çelada,
quiso quebrar d' enbidia   por medio la corada.

Asmó entre su cuer,   pidió un fuert pedido,   2364
qual nunca fue en siglo   nin visto nin oído;
«Señor» —diz—, «tú me tuelle   el ojo más querido,
dobla al compañero   el don que yo te pido».

Fízose el buen omne   mucho maravillado,   2365
del omne enbidioso   fue mucho despagado,
vío que la enbidia   es tan mortal pecado
que non es por nul viçio   omne tan mal dapnado.

Cavalleros e clérigos   que fazen simonías,   2366
non serán ende menos,   por las çapatas mías;
el plomo regalado   beven todos los días,
non creo que gusanos   críen en las enzías.

Pare esta diablesa   un fijo traïdor,   2367
Odio, el que vïeda   Dïos nuestro señor;
de todos los pecados   este es el mayor,
el que muere con él   conteçel grant error.

Esta faz a los omnes   omeçidios obrar,   2368
fázeles a las madres   los sus fijos matar,
esta faz las iglesias   sagradas vïolar,
sabe a los perlados   de mesura sacar.

Quand' a otro non puede   ferir nin alcançar,   2369
quiérese a sí mismo   con su mano matar;
de tan mal enemigo,   tan malo de rancar,
el que salvó el mundo   nos deve escapar.

Assí quiso don Pluto   su palaçio complir,   2370
que non pudiesse omne   por nulla part fuïr;
paró otras barreras   por omne enbaïr,
que de una o d' otra   non pudiesse guarir.

Muchos son que Cobdiçia   non los puede vençer,   2371
encara non los puede   Enbidia corromper,
de Ira non se temen,   sábense defender,
mas puédelos en cabo   Luxuria cofonder.

Por ende el pecado,   sabidor de tod mal,   2372
pobló doña Luxuria   en el quarto fastial,
suzia e descarnida,   más ardient que leral,
con su poder corrompe   todo el mercadal.

Sedié acompañada   de suzias crïazones;   2373
forniçios, adulterios,   e otras poblaçiones,
el viçio sodomítico   con las sus abusiones,
muchas otras orrescas   tan malas e peores.

Como los viçios son   de diversas maneras,   2374
arden en sus posadas   otras tantas fogueras,
fierven sobre los fuegos   otras tantas calderas
en que arden e cuezen   las almas forniqueras.

2370a   *don Pluto.* Plutón, sobrenombre de Hades, hijo de Crono y de Rea, hermano de Zeus, Poseidón, Hera, Hestia y Deméter, y dios de los muertos, como es bien conocido. (Cfr. Grimal, *op. cit.,* págs. 220-221.)

2373c   *viçio sodomítico.* Sodomía, relaciones carnales entre personas de un mismo sexo.

Sacavan los casados   que son a bendiçión,   2375
que lealtat mantienen   fembra con su varón;
allí tienblan e queman   quantas fallidas son,
sinon los que escusan   la vera confissión.

Otro viçio que llama   Sant Pablo Inmundiçia,   2376
éste prende del fumo   déçima e promiçia;
aún de lo que finca,   que non tomo Cobdiçia,
prende raçión doblada   a plenera justiçia.

Están y rostrituertas,   ricament' afumadas,   2377
muchas barvas que fueron   tenidas por honradas;
otras estás desnudas   que fueron perjuradas,
estas tienen las lenguas   de gusanos cargadas.

Tienen el lugar quinto   Gola e Glotonía,   2378
estas fazen al omne   fer mucha villanía,
haven con la Luxuria   estas su cofradía,
las unas sin las otras   non bivrían un día.

Gola esta en medio,   sus dedos relamiendo,   2379
allent la Glotonía,   regüeldos revertiendo,
allende la Beudez,   tornando e beviendo,
los mienbros con vergüença   descubiertos yaziendo.

Toda su mantenençia   traen con los garçones,   2380
con mugeres livianas   que non aman sermones,
comiendo a escuso   de noch' a los tiçones,
yaziendo por tavernas,   tastando los tapones.

Non llamo glotonía   comer omne fartura,   2381
en oras convenientes   por tener la natura,
mas comer sobejano   e bever sin mesura;
estos dizen los físicos   que dañan la natura.

Si Adam non oviesse   estado tan glotón,   2382
non oviera Mesías   presa atal pasión;

_____

2382a   Evidentemente se refiere a la falta cometida por Adán al comer la

si Lot tanto beviesse   como manda Catón,
non farié en sus fijas   fijos tan sin razón.

    Los omnes que se vezan   tal vida mantener,   2383
son malos ganadores,   non lo han do aver,
tórnanse a furtar   iglesias derromper,
han por atal manera   las almas a perder.

    Aman mucho los dados   e han a descreer,   2384
nunca van a iglesia   penitençia prender;
mucho más les valdrié   que fuessen por naçer
e seer bestias mudas   que tal vida veer.

    Otros son por el mundo   que son tan taverneros   2385
que por comer a solas   entran en los çilleros;
non parten con los pobres   nin con los compañeros,
alçan lo que les sobra   fuerte en los bolseros.

---

fruta del árbol prohibido *(Génesis,* 3; *Biblia,* ed. cit., páginas 31-33).

2382c   *Lot.* Se trata del famoso sobrino de Abraham, que acompañó a su tío cuando abandonó éste la tierra de Ur, y habitó en la ciudad de Sodoma hasta la época en que se llevó a cabo su destrucción. Su vida se narra en el *Génesis,* 11, 10-32 —19 *(Biblia,* ed. cit., páginas 41-49). La anécdota que nuestro autor menciona en el verso siguiente es la relatada en el capítulo 19 —versículos 30-38— de dicho libro *(ibíd.,* pág. 49). Allí se cuenta cómo Lot, tras la destrucción de Sodoma, fue a vivir con sus dos hijas a un monte sin que nadie más los acompañase; cómo las hijas, temerosas de morir sin descendencia y ante la inexistencia de un varón con el que poder tener un hijo, tramaron un ardiz para quedar embarazadas: emborracharon a su padre y yacieron con él sin que éste lo advirtiese; cómo este hecho tuvo por consecuencia que ambas lograran sus propósitos: la mayor tuvo un hijo al que puso por nombre Moab, y la pequeña otro, al que llamó Ben Ammí.

    Catón. Dionisio Catón, poeta latino al que se atribuye la recopilación de una serie de sentencias morales que, en un total de ciento setenta y cuatro máximas, se hallan incluidas en cuatro libros. Cada sentencia ha sido expresada en dos hexámetros. Esta obra tuvo un extraordinario éxito en la época medieval. De ella, y en el caso concreto de España, se hicieron diversas versiones, más o menos fieles al original, que circularon por toda la Península, una de ellas redactada en cuaderna vía. (Cfr. Antonio Pérez y Gómez, «Versiones castellanas del Pseudo Catón», en *El Catón en Latín y en Romance,* de Gonzalo de Santa María, Valencia, Incunables Poéticos Castellanos, 1964; y Martín García, *Traslación del doctor Catón,* Valencia, Incunables Poéticos Castellanos, 1954.)

2383d   *han. haven.* Nelson, *ibíd.,* pág. 697. P y O, *han, an.*

Estos son con el Dives   en infierno fondidos,   2386
teniendo agua çerca,   yazen de set perdidos,
veyendo los comeres,   están muy desfambridos,
querrién seer ant muertos   más que seer naçidos.

De viçios tan villanos   devémosnos guardar,   2387
Acçidia es su nombre,   suele mucho dañar,
ésta suele al omne   venir con grant pesar,
por tal duelo que faze,   ha omne a errar.

Veemos muchas vezes   esto acaeçer,   2388
que quando omne pierde   pariente o aver,
omne que bien lo quiere   tant se quiere doler
que vien' a tal sazón   que quiere recreer.

Derraiga e descree   e dexasse morir,   2389
presto es el diablo,   viénelo reçebir,
liévalo al infierno,   mándalo bien servir,
fazlo en la resina   e en plomo bollir.

Miénbrame que solemos   leer en un actor   2390
que tornóse Nïobe   en piedra por dolor,

2386a   *Dives.* Sobrenombre, como Plutón, de Hades.

2390a   *un actor.* Posiblemente Ovidio, que en sus *Metamorfosis,* VI, 146
y ss., en lo referente al mito de Níobe, y *Heroidas,* 2, en el de Filis, relata los sucesos que a continuación se mencionan.

2390b   *Níobe.* Hija de Tántalo y hermana de Pélope, estaba casada con An-
fión, del que tuvo siete hijos y siete hijas —aunque el número exacto varía con
los autores—, de los que se sentía tan orgullosa que un día se declaró, por ellos,
superior a Leto, madre de Apolo y Artemisa. Leto, furiosa, pidió a sus hijos que
la vengasen. Apolo y Artemisa se dispusieron a cumplir los deseos de su madre
y mataron a todos —algunos autores dicen que dos lograron salvarse— los
hijos de Niobe con sus flechas. Niobe, profundamente dolorida, huyó y fue a
reunirse con su padre Tántalo, quien se encontraba en el monte Sípilo, en Asia
Menor. Allí los dioses la transformaron en una roca, pero ni aun así Niobe
abandonó la expresión de su dolor: siguió llorando sin consuelo y sus continuas
lágrimas formaron un manantial. (Cfr. Grimal, *op. cit.,* págs. 381-382.)

2390c   *Filis.* Hija del rey de Tracia, Fileo, estuvo enamorada de un hijo de
Teseo, Acamante o Demofonte —según versiones—, quien, a su regreso de

Filis tornó en árbol   por el su buen señor;
semejanme errados   de Dios nuestro señor.

Mas asmo otra cosa,   non cueido y pecar: 2391
otra guisa se deve   esto interpretar,
que yo creer non puedo   que pudiesse estar,
que pudiessen los omnes   en tal cosa tornar.

Non quiso el actor   dezir que son dapnados,   2392
que los que a infierno   son una vez levados,
dixo, por encubierta   que son en él tornados,
assaz puede el omne   dezir que son dapnados.

Sé que querrá alguno   darme un estribot,   2393
querráme dar enxemplo   de la muger de Lot,
es assaz pora seso   un contrarïo mot,
mas podié terminarlo   un cativo arlot.

Sobre todos del siglo   nos devemos guardar,   2394
del que sabe sin lança   e espada matar;
quando omne se cuida   más seguro estar,
estonçe suele él   las sus redes echar.

Troya, hizo escala con sus naves en aquel país y fue recibido por el rey. El hijo de Teseo se casó, o dio palabra de matrimonio, con Filis, pero hubo de partir para Atenas a arreglar unos asuntos. Marchó a esta ciudad no sin antes prometer firmemente a Filis que regresaría pronto. Filis le entregó una pequeña arca para que la llevase con él, pero le pidió que no la abriera. La enamorada esperaba ansiosamente el regreso de su amado. Demofonte o Acamante se estableció en Creta, se casó con otra mujer y olvidó a Filis. Cansada de aguardar y viendo que el tiempo transcurría sin que tuviera noticias de su amado, Filis se ahorcó. Demofonte, el mismo día de la muerte de Filis, abrió el arca. De ella salió un fantasma que dio tal susto al héroe que lo dejó sin vida. No obstante, otra versión cuenta que Filis fue transformada en almendro, pero permanecía este árbol seco y sin hojas. Demofonte regresó a Tracia y tuvo noticias de la transformación. Fue hasta el árbol y se abrazó a él. El almendro comenzó a retoñar. (Véase Grimal, *op. cit.,* pág. 200.)

2393b   *muger de Lot.* Como es bien sabido, según el *Génesis* (19, 26; *Biblia,* ed. cit., pág. 49), la mujer de Lot miró, desobedeciendo las órdenes de Dios, hacia atrás cuando se estaba llevando a cabo la destrucción de Sodoma para observar el espectáculo y quedó convertida en estatua de sal.

Muchos son que se suelen   de los viçios guardar,   2395
en fechos e en dichos   se guardan de pecar,
non los podrié en nada   omne escatimar,
mas suele una gloria   en ellos abitar.

Son pocos que la sepan   sentir nin conoçer,   2396
son pocos que en ella   non ayan que veer;
sabe con los mayores   sus cubiertos traer,
que en los viles homes   nunca puede caber.

Si un poco quisierdes   saber mi entender,   2397
mejor vos lo querría   dezir e esponer;
sábenlo por ventura   algunos entender;
por onde nos devemos   un poco retener.

El diablo, amigos,   que nunca pued dormir,   2398
siempre anda bullendo   pora nos reçebir,
quantas trae de redes   podísteslo oïr
si quisiestes en ello   las orejas abrir.

Avisa a los unos   cómo son cobdiçiosos   2399
faz los otros irados,   los otros enbidiosos,
los otros ventaneros,   los otros luxuriosos,
enbébdalos e mátalos   con tales azedosos.

Los buenos e los santos   que non quieren fallir,   2400
que oran, alimosnan   e piensan de servir,
saben con sus sermones   los otros convertir,
pesal tanto con estos   que se quiere morir.

Sabe un letüario   a estos bien guisar;   2401
pégaseles quedillo   al siniestro quexar,
faz' al que es buen omne   del buen fecho membrar,
tanto que se deleita   en ello glorïar.

Fázelo a los pueblos   bendezir e laudar,   2402
muévelo el mal viento,   fázelo levantar,
fázelo el diablo   en sequera nadar,
piensa cómo lo faga   si pudiesse pecar.

Por esta vía era   Zozimas engañado   2403
quando tenié que era   en bondat acabado;
fuera que lo querié   Dios tornar en su estado,
si non, tod su lazerio   avrié mal enbregado.

Este diablo suele   al omne enbeudar,   2404
que non ha nul poder   escontra Dios tornar;
este fizo al rey   de Babilón errar,
por ond' ovo grant tiempo   con las bestias andar.

Estos son los siet viçios   que dizen prinçipales,   2405
estos son los pecados   que dizen criminales,
estos siet por el mundo   fazen todos los males,
muchas barvas honradas   lievan en sus dogales.

A todos estos tiene   la Sobervia ligados,   2406
todos son sus ministros   que traen sus mandados;
ella es la reína,   ellos son sus crïados,
a todos siet los tiene   ricament doctrinados.

Por esso en la cuenta   non es ella echada: 2407
porque es de los viçios   emperadriz llamada;
ella les da a todos   govierno e soldada,
por egualar con estos   es cosa desguisada.

Sobre todos los otros   puja el su ostal,   2408
tiene que en el mundo   non pued' aver egual,
anda en grant cavallo   por medio 'l mercadal,
desdeñando a todos,   diziéndoles grant mal.

2403   *Zozimas* en el manuscrito O, *Zonias* en P. Se trata, como explica Nelson *(ibid.,* pág. 702, nota), de Zosimus, «santo del siglo v o vi que se asocia en
particular con Santa María Egipciaca».
2404c   *rey de Babilón.* Nabucodonosor, que fue castigado por Dios a vivir
entre las bestias del campo y alimentarse de las hierbas de los prados —tal y
como en el verso posterior se afirma—, castigo que se cumplió tras haber sido
anunciado en sueños con anterioridad y revelado por el profeta Daniel *(Daniel,*
4; *Biblia,* ed. cit., páginas 1073-1075).

Andase alabando   que si non fues por ella,   2409
que nunca Dios oviera   de Luçifer querella,
Adam tan mal metido   non seriá a la pella,
nin tan bien non serié   de Ester la punçella.

A omnes e a ángeles   está dando refierta,   2410
tiene con grant corage   la fruente descubierta,
non sabe su desdén   sobre qui lo revierta,
empeitra su cavallo   a quiquier que açierta.

Que mucho yo vos quiera   de los viçios dezir,   2411
podedeslo y todos   vos mismos comedir:
quiero yo, si queredes,   atender e oïr,
dexar de los de fuera,   del real escrevir.

En medio del infierno   fumea el fornaz,   2412
arde días e noches,   nunca flama non faz;
allí está el rey   enemigo de paz,
faziendo a las almas   juegos que non les plaz.

Allí arden las almas   por el mal que fizieron,   2413
unas más, otras menos,   segunt que mereçieron;
sienten menos de pena   las que menos fallieron,
sufren mayor lazerio   las que peor bivieron.

Una cosa es fornaz   que siempre es ardiente,   2414
mas non sienten sus penas   todas igüalmente;
cunte com' a los omnes   con el sol muy caliente:
unos han con él quexa,   otros non han y miente.

Ardiendo en las flamas   trienblan de gran frïura,   2415
yaziendo en las nieves   mueren de calentura;
non han en los infiernos   ninguna tempradura,
tiene cada rincón   abondo de rencura.

2409d *Ester.* La famosa heroína judía cuyos hechos son narrados, dentro de
la *Biblia,* en el libro de su nombre (ed. cit., páginas 581-593).

Dizen que yaze Tiçio   en essa cofradía,   2416
al que comen los buitres   doze vezes al día;
doze vezes lo comen,   doze vezes se cría,
si una vez finasse,   avrié grant mejoría.

Podrié más rafezmente   essas penas sofir,   2417
si sopiesse en cabo   que podrié d' y exir;
mas esta es la cueita: que non podrá morir,
nin podrá de las penas   nunca jamás salir.

Estas nuestras fogueras   amargan como fiel,   2418
serién contra aquessas   más dulçes que la miel;
devrié dar por Dïos   omne la una piel,
que le fuesse propiçio   el señor Sant Miguel.

Arden días e noches   maldiziendo su fado,   2419
el que les da las penas   con esto es pagado;
las mesquinas que arden   avriénle muy grant grado
sólo que las dexasse   tornar del otro cabo.

Las almas de los niños   que non son bateadas,   2420
que son por el pecado   original dampnadas,
non arden con las otras,   están más apartadas,
pero en grant tiniebra,   de luz desfeüzadas.

2416a   *Tiçio.* Ticio, gigante hijo de Zeus y de Elara. Zeus, temeroso de los celos de Hera, encerró a su amante en las profundidades de la tierra en los momentos anteriores al nacimiento de su hijo. Por eso el gigante salió, producido el parto, de la tierra. Hera se sirvió de él para vengarse de Leto, que había dado a Zeus dos hijos: Apolo y Artemis. Hizo la iracunda diosa nacer en Ticio una tremenda pasión por Leto, unos enormes deseos de violarla. Zeus intervino en defensa de su amante. Le arrojó un rayo y lo precipitó en los Infiernos, lugar en el que era torturado por dos águilas (o dos serpientes) que le comían constantemente su hígado, órgano que se volvía a crecer hasta recuperar su tamaño habitual, con las distintas fases de la luna. (Cfr. Grimal, *op. cit.,* pág. 514.) Es frecuente hasta el Siglo de Oro que en España este gigante sea confundido con Prometeo.

2418d   *Sant Miguel.* Arcángel que, según el *Apocalipsis* (12, 7; *Biblia,* ed. cit., pág. 1475), mandaba las tropas de los ángeles fieles a Dios, que lograron expulsar a Lucifer y sus seguidores del cielo cuando éstos se rebelaron contra su creador.

Assaz es fiera pena,   non conosco mayor,   2421
de nunca veer ome   la faz del Crïador;
como al que la vee   es gloria e dulçor,
assí es a los otros   pena e grant dolor.

Los justos otros tiempos   yazién en es lugar,   2422
ante que los viniesse   Ihesu Christo salvar;
mas quiso —¡aleluya!—,   entonçes ençerrar,
nunca más lo esperen,   ca pueden y badar.

Que mucho vos queramos   del infierno dezir,   2423
non podriemos el diezmo   de su mal escrevir;
mas devemos a Dios   la su merçed pedir,
que nunca nos lo dexe   ensayar nin sentir.

Tant' avemos, señores,   la razón alongada,   2424
dexamos la Natura   sola, desamparada;
mas tornemos en ella,   fagámosla pagada,
contendamos con ella   fasta ont sea tornada.

Deçendió al infierno   recabdar su mandado,   2425
el infierno con ella   fue luego espantado,
paróse a la puerta   su boço enboçado,
que non la embargase   el infierno enconado.

Mandó luego la dueña   a Belçebut llamar,   2426
fue aína venido,   non lo osó tardar,
pero camió el ábito   con que solié andar,
ca temié que la dueña   poders' yá espantar.

Priso cara angélica,   qual la solié aver   2427
quando enloqueçió   por su bel pareçer.
«Señora» —diz—, «¿qué puede   esta cosa seer?
yo nunca vos cuidava   en tal lugar veer».

Mas d' aquesto non quiso   escuchar la reína,   2428
ca querié recabdar   e tornarse aína;
non querié luengamente   morar en la sentina,
ca era toda llena   de mala calabrina.

«Cueita me faz prender   a mí esta carrera,   2429
cueita es general,   ca non me es señera;
si fuere la menaza   de Alexandre vera,
non vale nuestro reino   un vil cañavera.

»El rëy de los griegos,   un sobervio varón,   2430
ave 'l siglo echado   en grant tribulaçión;
vençió al rey de India   e al de Babilón,
a Media e a África   con la su subjeçión.

»Non los osan los reys   en campo esperar,   2431
non le pueden las bestias   nin las sierpes durar,
temen la su espada   todos de mar a mar,
non es omne naçido   quel pueda contrastar.

»Non se tovo por esto   encara por pagado,   2432
el secreto del mar   a tod' escodriñado,
por todos los peligros   nunca fue quebrantado,
encara en India 'sta   öy más apagado.

»Quando non falla cosa   quel pueda contrastar,   2433
dize que los infiernos   quiere escodriñar,
todos los mis secretos   quier despaladinar,
a mí e a vos todos   en cadenas levar.

»Tú pudiest los parientes   primeros deçebir,   2434
por ond' en tu cadena   ovieron a morir;
si este vençïere   lo que cuida conplir,
de la tu ocasión   avremos qué dezir.

»Quando fust por tu culpa   de los çielos echado,   2435
non aviés do entrar,   eras desamparado;
yo te di est lugar   por ond' eres dubdado,
por vengar mi despecho   deves seer pagado.»

Don Satanás non quiso   la voluntat tardar,   2436
batió amas sus manos,   pensóse de tornar;
por ond nunca passava   mandava pregonar
que penssasen las leys   sus cosas aguardar.

Non echó Satanás   la cosa en olvido,   2437
demudó la figura,   echó un grant bramido;
fue luego el conçejo   del infierno venido,
el que vinié más tarde   teniése por fallido.

«Quiérovos yo, conçejo,   unas nuevas contar,   2438
en las quales devedes   todos mientes parar:
fazienda vos acreçe,   quiérenvos guerrear,
si mientes non metierdes,   puédenvos quebrantar.

»El rëy de los griegos   es muy fiero exido,   2439
omnes, sierpes e bestias,   todo lo ha vençido;
con el poder agora   es tanto enloquido
que miedo e vergüença,   todo lo ha perdido.

»Non le cabe el mundo,   nil puede abondar,   2240
dizen que los antípodes   quiere venir buscar;
desent tiene asmado   los infiernos proiçiar,
a mí con todos vos   en cadenas echar.

»Pero en una cosa   prendo yo grant espanto: 2441
cantan las escripturas   un desabrido canto,
que parrá una virgen   un fijo müy santo
por que han los infiernos   a prender mal quebranto.

»Si es éste o non,   non vos lo sé dezir,   2442
mas un valient contrario   vos avrá de venir;
tollernos ha las almas,   esto non pued fallir,
robarnos ha el campo,   nol podremos nozir.

»Como quiere que sea,   devemos aguisar   2443
cómo carrera mala   le fagamos tomar;
quisequiere que esto   pudiesse acabar,
gualardón le daría   que non sabriá asmar.»

La cort fue amargada,   enpeçó de reñir   2444
como canes que quieren   un a otro salir;

_____

2441b   *cantan las escripturas. Isaías,* 7, 14 *(Biblia,* ed. cit, pág. 895).

pero non le sabía   ninguno recodir,
non respondió ninguno   que lo quisiés conplir.

Levantóse enmedio   una su crïadiella,   2445
Traïçión la llamaron   luego de bien chiquiella,
—nombre de grant color   e de mala manziella—,
ésta lo trastornó   de la çelestial siella.

Andava por la casa   mucho entremetida,   2446
tenié cara alegre,   la voluntad podrida;
mas la mano siniestra   teniéla escondida,
de medezinas malas   teniéla bien bastida.

«Conçejo» —diz la mala—,   «quiero que me oyades, 2447
quiérovos escusar a todos,   bien sepades;
nunca de essa cueita   vos nada non ayades,
yo lo porné de guisa   que pagados seades.

»Esto cuido aína   complir e aguisar,   2448
que yol sabré tal falsa   bastir e destemprar
que sólo que la uvie   de los rostros tastar,
nin a sí nin a otro   non podrá consejar.

»Tengo todo mi pleito   ricament' acabado: 2449
al alcayde Antípater,   mi amigo fïado,
téngolo ricament   de soldada cargado;
ferlo ha volenter,   ca lo tien ya asmado.

»Tenía ya sus cartas   con su sello çerrado,   2450
el rëy Alexandre   por él a enbïado,
ca es omne de días,   teniálo por senado,
queriál pora consigo,   ont' es bien engañado.

»Ya está en carrera,   de su casa exido,   2451
será en Babilonia   en tal tiempo venido,
verná luego al rey   ardient' e ençendido,
será al quinto día   todo su pan molido».

2449b   *Antipáter.* Cfr. nota a 1503b.

Fue Belçebut pagado,   plaziól de su crïada,   2452
de todo el conçejo,   fue mucho alabada,
rogóla que le diesse   de temprano çevada,
que fuesse recabdando   de buena matinada.

Movióse la maliella,   non lo quiso tardar,   2453
metióse en carrera,   pensó de aguisar,
ovo en la posada   del conde a entrar,
del traïdor que pueda   mal siglo alcançar.

Aún la ora era   de gallos por venir,   2454
el traïdor velava,   que non queriá dormir;
tanto pudo la mala   basteçer e bollir
fasta que y lo fizo   en ello comedir.

Demostróle la suzia   toda la maestría,   2455
quál espeçie le diesse,   quál hora, en quál día;
firiéronse las palmas   por firmar pleitesía,
él fincó como malo   e ella fue su vía.

¡Ay, conde Antípater,   non fuesses pareçido!   2456
As mal pleïto fecho,   mal seso cometido;
será fasta la fin   el tu mal retraído,
más te valdriá a ti   que non fuesses naçido.

Quieres toller del mundo   una grant claredat,   2457
quieres tornar a Greçia   en grant tenebredat;
traïdor, ¿por qué amas   tan fiera malvestad?,
guárdate que non fagas   con Bessus hermandat.

El rëy Alexandre,   cuerpo tan acabado,   2458
avié en es comedio   todo el mar buscado,
cabo non le fallava,   érase ya tornado,
ya lo iva trayendo   el poder del pecado.

Ordenó sus faziendas   con sus buenos varones,   2459
conpassó tod' el mundo,   cómo son tres quiñones,

2456-2457   Cfr. nota a 1744.

cómo son cada uno   de diversas regiones,
de diversas maneras,   de diversos sermones.

    Asmó de la primera,   mas non le valió nada,   2460
tornar en Babilonia,   essa çibdat famada,
ordenar toda Asia,   la que aviá ganada,
que si se fuesse end,   estudiés recabdada.

    Troçir luego a África,   conquerir essas gentes,   2461
Marruecos con las tierras   que le son soyaçientes,
ganar los Montes Claros,   lugares convenientes,
que non son mucho fríos   nin son mucho calientes.

    Desque oviés a África   en su poder tornada,   2462
entrar en Eüropa,   toda la mar passada,
enpeçar en España,   una tierra señada,
tierra de fuertes gentes   e bien encastillada.

    Desent conquerir Françia,   una gente loçana,   2463
ingleses, alemanes,   lonbardos con Toscana,
ferse llamar señor   en la çibdat romana,
tornarse pora Greçia   con voluntat bien sana.

    Bien dixo el salmista   en esto grant verdat: 2464
que lo que omne asma   todo es vanidat,
asma omne grant salto   entre su voluntat,
yuando cata non puede   salir a la meitat.

    Si quanto omne asma   oviesse a complir,   2465
non podrié Alexandre   más que yo conquerir;
mas como es grant salto   pora 'l çielo sobir,
tan grant ribaço cae   entre fer e dezir.

    Ya avié el buen rey   la cosa destajada,   2466
avié en su taliento   la cosa compassada,

2463b *Toscana*. Región situada en la parte central de Italia, en los mismos
lugares que ocupaba Etruria en la antigüedad.
2464a *el salmista. Eclesiastés*, 1, 2 *(Biblia,* ed. cit., pág. 797).

mandó alçar los fumos,   mover el albergada,
ir pora Babilonia   en ora entecada.

Dïez años avié   en Asïa estado,   2467
mas avié, *Deo gratias*,   su pleito acabado;
avié ricas çibdades   en comedio poblado,
Alexandria la buena,   do él fue trasladado.

Si quisiesse el fado   prestarle mayor vida,   2468
poblara por ventura   Troya la destroída;
mas sabe Dios los omnes   tener en tal medida
que non da a ninguno   prosperidat complida.

Ant que a Babilonia   por ojo la veamos,   2469
ante que en compaña   del traïdor cayamos,
de las cosas que vio,   que escriptas fallamos,
maguer que non de todas,   de algunas digamos.

Non podriemos contar   todas las sus visiones,   2470
todas las que vïeron   él con los sus varones,
serié luenga tardança   ca son luengas razones,
non cabríen en cartas   bien de quinze cabrones.

2467d   Alejandro fue trasladado, una vez muerto, a Alejandría por Tolomeo, cumpliendo así su deseo expreso de que sus restos descansasen en esa ciudad. Mediante esta mención surge de nuevo en la obra la técnica de adelantar, con sólo una sugerencia, acontecimientos futuros con el fin de mantener el interés del lector.

2468cd   Nótese cómo en toda esta parte aumenta la carga moralizadora que se superpone al relato de los sucesos. Con ello el autor quiere ir preparando convenientemente el ánimo de sus lectores, llamando su atención constantemene sobre los últimos acontecimientos que se van a desarrollar, que se están ya desarrollando, con el fin de que reciban con más aprovechamiento la enseñanza moral que al final de la narración se les va a presentar ante sus ojos. Desea que los lectores se vayan fijando en los datos concretos que van a servir de soporte a toda una interpretación general para convencerles de su total veracidad.

2469c   *que escriptas fallamos*. Según Willis (*The relationship...*, págs. 93-94), nuestro autor se basa para redactar las estrofas siguientes, en las que se narra otra serie de aventuras protagonizadas por Alejandro (2469-2495), en relatos insertados en la *Historia de Preliis*.

2470d   *cartas de (...) cabrones*. Pergamino: Sobre la importancia que se dio a esta mención para datar el *Alexandre*, cfr. «Introducción», apartado dedicado a la «Fecha de composición».

Non podriemos de todas   las bestias ementar,   2471
con quien muchas de vezes   ovieron a lidiar;
podriamos muchos días   en poca pro andar,
querríavos de grado   la cosa destajar.

Entre la muchedumbre   de los otros bestiones,   2472
falló omnes monteses,   mugeres e barones;
los unos más de días,   los otros moçajones,
andavan con las bestias   paçiendo los gamones.

Non vistié ningún dellos   ninguna vestidura,   2473
todos eran vellosos   en toda su fechura,
de noche como bestias   yazién en tierra dura,
qui non los entendiesse,   avrié fiera pavura.

ovieron con cavallos   dellos a alcançar,   2474
ca eran muy ligeros,   non los podién tomar;
maguer les preguntavan,   non les sabién fablar,
que non los entendián   e avián a callar.

Falló el avezilla   que Fenis es llamada,   2475
sola es en el siglo,   nunca será doblada,
ella mesma se quema   desque es medïada,
de la çeniza muerta   naçe otra vegada.

Quando se siente vieja,   aguisa su calera,   2476
ençiérrase e quémase   dentro en la foguera,
finca el gusanillo   como grano de pera,
cría como de nuevo,   esta es cosa vera.

2475a   *Fénix.* Ave fabulosa que los autores suponen originaria de Etiopía. Tiene el aspecto de un águila, pero de mayores proporciones. Su plumaje siempre es mencionado como maravilloso y cubierto de los más hermosos colores. Es única en su especie y, debido a ello, no puede utilizar los mismos procedimientos de otras aves para su reproducción. Cuando advierte que se halla próximo el fin de sus días, recoge plantas aromáticas y construye con ellas una especie de nido. Hecho esto (otros autores dan una diferente versión de los últimos sucesos), lo quema y se recuesta sobre él. De las cenizas surge un nuevo ave fénix. (Cfr. Grimal, *op. cit.,* págs. 196-197.) Juan de Mandeville, en su mencionada obra (pág. 45), recoge la leyenda del ave fénix.

Fue yendo el buen rey,   teniendo su camino,   2477
rico de buen esfuerço,   pobre de pan e vino;
fallaron grant abondo   de venado montino,
qui con tal señor fuesse,   nunca serié mesquino.

Fallaron un palaçio   en una isla llana,   2478
era dentro e fuera   de obra adïana,
oviéronlo poblado   Febus e su hermana,
a la que los actores   suelen llamar Dïana.

Fallaron un buen omne   que la casa guardava,   2479
reçibiólos fermoso,   levólos ond' estava,
pris' al rey por la mano,   demandól cóm' andava,
de quál parte vinié   o quál cosa buscava.

Comíe el buen omne   ençenso, ca non al;   2480
guardava el buen templo   en medio del corral,
era todo obrado   e era natural,
çercával una viña   que era otro tal.

«Rëy» —dixo el fraire—,   «sim quisieres oïr,   2481
quiérote una cosa   demostrar e dezir:
desque acá te quiso   tu fado aduzir,
puedes de tu ventura   con çertedumbre ir.

»Yo te sabré dos árboles   en est monte mostrar   2482
que non puedes tal cosa   entre tu cuer asmar
que ellos non te digan   en qué puede finar;
si en plazer te cabe,   puédeslo ir provar.

»El uno es el sol,   es assí adonado,   2483
el otro es la luna,   es assí encantado
que pronunçia al omne   quando tiene asmado;
verá que non traen anbos   linaje devissado.

»Mas si ir quisïeres   en esta romería,   2484
mester ha que seades   limpios de terçer día,

2480-2493 En el manuscrito P no han sido copiadas estas estrofas.

descalços vos convien   d' entrar en esta vía,
ca es grant santidat   e grant podestadía».

Diz' el rëy al fraire: «Capellán, bien sabades   2485
que bien limpios andamos   desso que vos cuidades;
mas si vos nos guïardes   a essas santidades,
darvos emos ofrendas   que mañas vos querades.»

Priso 'l rey paños viles,   tal como de romero,   2486
guïándolos el fraire,   metiólos en sendero;
pero levó consigo,   por non andar señero,
Pérdicas e Antígonus,   Tolomeus el terçero.

Entraron por los montes,   pensaron de andar,   2487
fasta que a las árvoles   ovieron de llegar;
pero ante ovieron   las vides a fallar
que bien saben ençenso   e bálsamo levar.

Quando fueron llegados   a la grant santidat,   2488
predicóles el fraire   de la proprïedat;
díxoles que armassen   entre su voluntat,
de quál cosa quisiessen   sabrién çierta verdat.

Conpeçó Alexandre   entre su cuer asmar   2489
sil podrié en el mundo   nulla cosa 'scapar,
si podrié con victoria   a su tierra tornar,
cómo yazié puesto   cómo avié d'estar.

Respusol' el un árvol   muy fiera razón;   2490
«Rëy, yo bien entiendo   la tu entençión;
señor serás del mundo   a poca de sazón,
mas nunca tornarás   en la tu región.»

2490cd Estos dos versos son literalmente copiados en *El Victorial* de Gamés (ed. cit., pág. 17) —dentro del resumen en prosa de los sucesos relatados
en estas estrofas del *Alexandre* que se incluyen en él—, si bien la versión que
nos ofrece Gamés presenta dos variantes con respecto a la transmitida
por el manuscrito O, tal y como puede observarse a continuación. La lectura
proporcionada por Gamés es la siguiente:

señá serás del mundo, *en* poca de sazón,
mas nunca tornarás en *tu* región.

Fabló el de la luna,   estido 'l sol callado: 2491
«Matart' an traedores,   morrás apoçonado,
rëy» —diz—, «sé tú firme,   nunca serás rancado,
el que tiene las yervas   es mucho tu privado».

Dixo el rey al árvol: «Si me quieres pagar, 2492
demóstrame su nombre,   quién me deve matar;
si non, si me dixiesses   sólament' el lugar,
por alguna manera   me podría guardar.»

«Rey» —dixo el árvol—,   «si fuesses sabidor, 2493
fariés decabeçar   luego al traedor;
el astre end del fado   non avrié nul valor,
avría grant rancura   de mí el Crïador».

«Rëy» —dixo el fraire—,   «assaz aves oído, 2494
si más te contendieres,   serás por fol tenido».
Fue luego el consejo   del fraire reçebido,
tornaron a la casa   onde avién exido.

Teniendo su carrera   que avié enpeçada, 2495
fallaron los açéphalos,   la gent descabeçada;
traen ante los pechos   la cara enformada,
podrién a sobrevienta   dar mala espantada.

2491ab   *El Victorial (ibídem)* también recoge, al igual que los dos inmediatamente anteriores, estos versos, si bien su lectura difiere en esta ocasión mucho
más de la que el manuscrito O nos transmite. La versión de Gamés es la siguiente:

Por esto que te digo, non seas desmayado,
matarte an traydores, que ansí es hordenado.

Como vemos, tan sólo el primer hemistiquio del verso b coincide con la lección
insertada en el manuscrito O.
2493d   Una vez más observamos que los dioses clásicos han sido hechos depender directamente de los mandatos de Dios, con el fin de no crear un enfrentamiento entre las ideas religiosas de la antigüedad y la religión cristiana, y dar
siempre predominio a esta última sobre las primeras. Mediante esta curiosa
mezcla se consigue salvar también el criterio de autoridad que a los textos clásicos se les otorgaba, criterio que obligaba a considerarlos como fuentes de enseñanzas y cúmulo de noticias históricas, reales por lo tanto.

Alexandre el bueno,   potestat sin frontera,   2496
asmó y una cosa   yendo por la carrera:
cómo aguisarié   poyo o escalera
por veer tod' el mundo   cóm yazié o quál era.

Fizo prender dos grifos   que son aves valientes,   2497
abezólos a carnes   saladas e rezientes,
tóvolos muy viçiosos   de carnes convenientes,
fasta que se fizièron   gruesos e muy valientes.

Fizo fer una casa   de cuero muy sovado,   2498
cuanto cabrié un omne   a anchura posado;
ligóla a los grifos   con un firme filado,
que non podrié falsar   por un omne pesado.

Fízoles el conducho   por tres días toller,   2499
por amor que oviessen   talento de comer;
fízose él demientre   en el cuero coser,
la cara descubierta,   que pudiesse veer.

Priso en una piértega   la carne espetada,   2500
en medio de los grifos   pero bien alongada;
cuidávanse çevar,   mas non les valió nada,
los grifos por prenderla   dieron luego bolada.

Quanto ellos bolavan,   él tanto se erçía,   2501
el rëy Alexandre   todavía sobía;
a las vezes alçava,   a las vezes premía,
allá ivan los grifos   do el rëy quería.

2496-2514 ´Alejandro, tras la realización de esta proeza, se convierte en el
dominador de otro de los mundos que en la época eran considerados inaccesi-
bles para el hombre: el mundo de los «cielos». Con ello se aproxima cada vez
más a la cumbre de su poder —tan sólo resta terminar el dominio sobre la tierra para culminar el proceso de su ascenso sobre todos los humanos. Con ello
se prepara con mayor patetismo el relato de su rápida caída, especialmente re-
saltada por nuestro autor con el fin de hacer más fácil la aceptación de las conclusiones que ante sus lectores desea extraer de los hechos y presentar como enseñanza. Como fuente para este pasaje ha sido utilizado el *Roman d' Alexandre*
(cfr. Willis, *The debt...*, págs. 39-41).

Cuitávalos la fambre   que avién encargada,   2502
corrién pora çevarse,   mas non les valié nada;
bolavan todavía   e cunplién su jornada,
era el rey traspuesto   de la su albergada.

Alçávales la carne   quando querié sobir,   2503
ívala declinando   quando querié deçir,
do veyán ir la carne   allá avién de ir,
—non los riebto, ca fambre   mala es de sofrir—.

Tanto pudo el rey   a las nuves pujar,   2504
veyé montes e valles   de yus de sí estar,
veyé entrar los ríos   todos en alta mar,
mas cóm yazié o non,   nunca lo pud' asmar.

Veyé en quáles puertos   son angostos los mares,   2505
veyé grandes peligros   en muchos de lugares,
veyé muchas galeas   dar en los peñiscales,
otras salir a puerto   adobar de yantares.

Mesuró toda África   cóm yazié assentada,   2506
por quál parte serié   más rafez la entrada,
luego vio do podrié   aver mejor passada,
ca avié grant exida   e larguera entrada.

Luengo serié de todo   quanto que vio contar,   2507
non podrié a lo medio   tod' el día bastar;
mas en un ora sopo   mientes allí parar
lo que todos abades   non lo sabrián asmar.

Solémoslo leer,   dizlo la escriptura,   2508
que es llamado mundo   del omne por figura;
qui comedir quisiere   e asmar la fechura,
entedrá que es bien   a razón sin pressura.

2506c   *do podrié aver.* Ruth I. Moll, *op. cit.,* pág. 114.

2508-2513   En estas estrofas, en las que se incluye una descripción del globo terráqueo, nuestro autor traza las semejanzas y correspondencias entre el mundo y el hombre basándose en el mapamundi insertado en las *Etilomologías* de San Isidoro, tal y como Francisco Rico, en su magnífico trabajo anterior-

Asïa es el cuerpo,   segunt mi oçïent,   2509
sol e luna los ojos,   que naçen de orient,
los braços son la cruz   del Rey omnipotent,
que fue muerto en Asia   por salut de la gent.

La pierna que deçende   del siniestro costado   2510
es el reino de África   por ella figurado;
toda la mandan moros,   un pueblo muy dubdado,
que oran a Mafómat,   profeta muy honrado.

---

mente citado *(El pequeño mundo del hombre. Varia fortuna de una idea en las letras es-*
pañolas, Madrid, Castalia —España y los españoles—, 1970, págs. 50-59), ha llegado a establecer. A primera vista el pasaje tiene un carácter superfluo y parece
haber sido incluido sólo por pura erudición. Nada más lejos de la realidad.
Como sucede en otras ocasiones, el autor introduce esta especie de «excursus»
en su relato porque resulta pertinente dentro del contexto en el que se incluye.
El fragmento —dicho con otras palabras— tiene una evidente función argumental, es una pieza clave —tal y como Rico claramente determina— dentro de
la estructura de la obra. Recuerda que el ansia de conocimiento es uno de los
móviles fundamentales de la actividad de Alejandro (al que tantas veces se le
llama «arca de savieza» en el texto): su curiosidad científica, y, más concretamente, geográfica, va indisolublemente unida a sus campañas guerreras, prece-
de a estas últimas. La contemplación del mundo como imagen del hombre logra saciar esta ansia de saber y dominar con la inteligencia —un dominio que es
previo al que en breve se va a realizar con las armas—, y logra también —añadimos nosotros— ofrecer ante los ojos de los lectores —y del propio protagonista— los territorios sobre los cuales se va a llevar a la práctica la hegemonía
total del héroe, destacando su magnitud y su importancia, todo lo cual revierte
en ensalzar aún más la figura del hombre que logre poseerlos. El vuelo por los
aires —continúa Rico— implícitamente consigue reforzar además el modo de
plantear el desenlace como castigo a un pecado de soberbia cometido por el
protagonista: Alejandro logró elevarse hasta las alturas y vio el mundo como figura del hombre; ganó y conoció al mundo, pero no supo comprender al hombre que era él mismo, tal y como queda bien patente —añadimos— en el
episodio de su descenso a los abismos del mar.
    2508a   *dizlo la escritura.* Según Rico *(ibídem),* San Agustín, San Gregorio
Magno, San Pablo, los *Salmos* de la *Biblia...* se refieren a este tema.
    2510cd   En el manuscrito O se contienen dos variantes de estos versos que
pueden ser significativas dado que muestran una diferencia total en la manera
de enjuiciar al pueblo árabe y al profeta que fundó su religión. Así, mientras en
P junto a la palabra *moros* se incluye *un pueblo muy dubdado* como aposición que
no implica un juicio negativo para el sustantivo al que se aplica, en O aparece *un*
pueblo renegado, aposición que sí conlleva una valoración negativa del mencionado sustantivo. Del mismo modo, en el verso d se incluye un ataque en el manuscrito O contra Mahoma —*un traedor provado*— y una defensa —*profeta muy*

Es por la pierna diestra   Eüropa notada,   2511
ésta es más católica,   de la fe más poblada,
tienen Petrus e Paulus   en ella su posada,
ésta es de la diestra   del bispo santiguada.

La carne es la tierra   espessa e pesada,   2512
el mar es el pellejo   que la tiene çercada,
las venas son los ríos   que la tienen temprada,
fazen diestro e siniestro   mucha tornaviscada.

Los huessos son las peñas   que alçan los colados,   2513
cabellos de cabeça,   las yervas de los prados;
crían en esta tierra   muchos malos venados,
que son por majamiento   de los nuestros pecados.

Desque ovo el rey   la tierra bien asmada,   2514
que ovo a su guisa   la voluntat pagada,
abaxóles el çevo,   guïólos de tornada,
fue en poca d' estonda   entre la su mesnada.

La ventura del rey   que lo querié guïar   2515
ante que deste mundo   oviesse a passar,
en el poder del mundo   quísolo acabar,
mas ovo assaz poco   en esso a durar.

Grand era la su fama   por el mundo exida,   2516
que era toda África   en grant miedo metida;
teniése Eüropa   mucho por falleçida,
que la obedïençia   non avía complida.

---

honrado— en P. Ante la imposibilidad de saber cuál de las dos lecciones pudo
ser la original (en una de las dos se habría introducido una modificación por
parte, quizá, del copista, que discreparía en este punto con las ideas insertadas
por el autor en su texto), mantengo la versión de P, debido a que es el texto que
venimos utilizando como base para nuestra edición.

2510d   *Mafómat.* Mahoma.

2511d   Siguiendo a Ruth I. Moll *(op. cit.,* pág. 115), adoptamos el orden con
que en el manuscrito O aparece este verso (en P ocupa el tercer lugar en la estrofa).

2516a   Con los sucesos que a continuación se relatan (entrega de las parias y
sometimiento del mundo entero a la voluntad de Alejandro) el héroe llega a la

Acordáronse todos,   plaçió al Crïador,   2517
por reçebir al rey   de Greçia por señor;
enbïáronle luego   al buen emperador
parias e omenages   e signos de pavor.

Enbïáronle parias,   ruegos multiplicados,   2518
de cada una tierra   presentes señalados;
los que ivan con ellos   eran omnes honrados,
omnes eran de seso   e muy bien razonados.

Enbïaron de Marruecos   un yelmo natural,   2519
en el yelmo escripto,   vassallage leal,
ca el rey Alexandre   non cobdiçiava al,
si non el señorío   con poca de señal.

Enbïóle España   ofreçer vassallage,   2520
enbióle por parias   un potro de linage,
que avié desta maña   el rey de grant corage
tomarles poca renta   sil fazién homenage.

Non se tovo por esso   Françia por aontada,   2521
enbïól' un escudo   en funda bien obrada;
sobre' scrito Alemaña,   e fue bien acordada,
enbïóle por parias   una rica espada.

El señor de Seçilia   —ique Dïos lo bendiga!—,   1522
enbïóle por parias   una rica loriga;
los que ivan más tarde,   —creo que verdad diga—,
tenién que avién fecho   fallimient o nemiga.

Por estos çinco regnos   que avemos contados   2523
devemos entender   los que non son notados;

---

cumbre de su poder. Todo el proceso ascendente que a lo largo de la obra se ha
venido desarrollando se ve culminado aquí. El desenlace está a punto de producirse.

2520a   *vassallage.* Cfr. nota a 1537a.
2521c   *Alemaña.* Alemania.
2522a   *Seçilia.* Sicilia.

todos eran en esta   manera acordados,
que sólo de las nuevas   eran mal espantados.

Como son muchas tierras   —contar non las podría—, 2524
ivan con estas parias   mucha cavallería;
nunca passó un tiempo   tan fiera romería
que más gent non passava   en esta legaçía.

Levavan con las parias,   por seer más creídas,   2525
todos cartas çerradas,   por a.b.c. partidas;
tantas fueron de gentes   a los puertos venidas
que eran sobra mucho   las naves encaridas.

Fueron en Babilonia   las gentes allegadas;   2526
maguer la villa grande,   adur avién posadas;
las moscas e las viejas   sedién maravilladas
de tan estrañas gentes   que eran ajuntadas.

Llegáronle las nuevas   al rey aventurado,   2527
que era en su busca   el mundo allegado,
que le querién fer todos   omenage de grado,
ofreçerle las parias   e jurar su mandado.

El rëy con las nuevas   ovo grant alegría,   2528
ovo luego movido   la su cavallería,
non cuidava veer   la ora e el día
que oviesse ganado   toda la monarchía.

Fue pora Babilonia   a müy grant pressura,   2529
por reçebir grant gloria   e grant buena ventura;
dávale la cobdiçia   alas e calentura,
non sabié quál çelada   le tenié la Natura.

El rëy Alexandre,   cuerpo tan acabado,   2530
vas reçebir grant gloria,   mas eres engañado;

2525b *por a.b.c. partidas*. Cfr. nota a 1537b.
2530-2532 Cfr. nota a 1744.

tal era tu ventura   e el tu prinçipado
como la flor del lirio   que se cae privado.

Esta set que te faze   acuitar el camino   2531
toda te la destaja   un mal baso de vino;
desque el tu Antípater   en Babilonia vino
siempr' en tu muerte anda   con Jobas, mal vezino.

Quando fueres en somo   de la rueda alçado,   2532
non durarás un día,   que serás trastornado;
serás entre la rueda   e la tierra echado,
lo que veiste en Dario   será en ti tornado.

Avié el rey venido   çerca de la çibdat,   2533
saliólo reçebir   toda la vezindat,
llegáronse de gentes   una infinidat,
semejava un poco   el val de Josaphat.

Fenchiánle las carreras   de ramos e de flores,   2534
de blancas e vermejas   e de otras colores;
muchos eran los cantos,   muchos los cantadores,
muchos los instrumentos,   muchos los tañedores.

Non eran los adobos   todos d' una manera,   2535
gentes de muchas partes   trayén mucha venera;
el rëy con la priessa   non podié ir carrera,
plaziél' al que uviava   besar la estribera.

_____

2533c *infinidat.* En el manuscrito P figura *difinidat* (O, *finidat*), lectura juzga-
da por Julia Keller *(op. cit.,* pág. 76) errónea y sustituida por ella en la forma que
nosotros incluimos en nuestra edición.

2533d *val de Josaphat.* Valle de Josafat, situado entre Jerusalén, el torrente de
Cedrón, el Monte de los Olivos y la meseta por donde cruza el camino de Damasco. En él, según la doctrina cristiana, se realizará el encuentro de todos los
muertos (su nombre significa «Juicio de Dios») en el día del Juicio Final. En la
Biblia es mencionado tan sólo una vez. En Joel hallamos dicha referencia (3, 2;
Biblia, ed. cit., pág. 1100): afirma este profeta que, tras el regreso de Judá y Jerusalem del cautiverio, Dios reunirá en ese valle a todas las gentes para litigar un
juicio contra ellos y a favor de Israel. Antes del siglo IV en ningún otro texto se
hace mención del susodicho lugar, pero a partir de esa fecha la tradición judaica
y cristiana «y la musulmana después» coinciden en confinarlo dentro de los límites que al principio hemos señalado.

Cad' un en su lenguaje   diziá al Crïador: 2536
«Loado sea Dios   que nos dio tal señor.»
Los que bien lo amavan   avián end grant sabor.
mas non se la camiava   el cuer al traïdor.

Entró por la çibdat,   fue pora la posada,   2537
—si entrado non fuesse   fascas non perdrié nada—;
mas ante fueron vísperas,   la siesta bien quedada,
que toda la gent fuesse   en la villa entrada.

Otro día mañana,   fuera al mercadal,   2538
mandó fer el buen rey   conçejo general;
mandó possar la cáthedra   en un alto poyal,
en un lugar çercano,   so un rico çendal.

Ante que a las parias   entremos reçebir,   2539
quiérovos de la obra   de la tienda dezir;
segunt que lo entiendo,   cuídolo departir,
qui mejorar pudiere,   avréle qué gradir.

2537b   Todas las inclusiones de este tipo que hallamos en esta parte —amén de adelantar acontecimientos, siguiendo una técnica que en otras ocasiones hemos comentado— tienden a crear un clima de expectación, a dar un tono casi lúgubre al relato, a formar un ambiente dramático, a preparar convenientemente el desenlace definitivo.

2539-2600   Nos hallamos en estas estrofas ante otra de las grandes digresiones insertadas en el texto: la famosa descripción de la tienda de Alejandro, imitada por el Arcipreste de Hita en el no menos conocido fragmento dedicado a describir la tienda de don Amor (cfr. ed. de Jacques Joset, Madrid, Espasa-Calpe, Clásicos Castellanos, 1974, 2, vols, vol. II, págs. 147-167, estrofas 1266-1301). Está basada, en parte, en el *Roman d' Alexandre* francés (cfr. Willis, *The debt...*, págs. 41-46). Su inclusión no es un hecho gratuito en la obra ni responde a simples deseos de mostrar erudición. Tiene una función argumental dentro del relato, tal y como Ian Michael *(The treatment...*, págs. 267 y 269) ha señalado:

There is a strong functional reason for the location of this description at the point where all Alexander's conquest, including the sea and air, are over, for it both firmly establishes the gradew of his wordly achievement in the poisoning scene that inmediately follows.

Thus the juxtaposition of these three biblical examples with the three classical examples, Hercules, the Trojan heroes and Alexander, may

Larga era la tienda,   redonda e bien tajada,   2540
a dos mill cavalleros   dariá larga posada,
Apelles el maestro   la ovo debuxada,
non farié otro omne   obra tan esmerada.

El paño de la tienda   era rico sobejo,   2541
era de seda fina,   de un xamit vermejo;
com' era bien texido,   egualment' e parejo;
quando el sol rayava,   luziá como espejo.

El çendal fue de boiri,   sotilmente obrado,   2542
de pedaços menudos   en torno compassado;
como era bien preso   e bien endereçado,
nol devisarié omne   do era ajuntado.

---

imply the vanity of their deeds also. After all, the poet often stressus else-
where in the *Alexandre* the vanity of this world and the transitory na-
ture of man's works. Such an interpretation of the desciption of tent
would, I submit, not only explain the details it contains but also its re-
location in the total plan of the poem.

Sirve para hacer presente al lector el grado de gloria mundana que ha conseguido Alejandro hasta esos momentos, a lo largo de toda su vida, para recordar todas sus conquistas y victorias, para resaltar su hegemonía sobre la tierra, para
mostrar, de una manera gráfica, cómo la culminación de todo el proceso de adquisición de honra que hasta aquí se ha venido desarrollando, se ha producido
en esos momentos (con lo cual se indica que el desenlace está a punto de acaecer, se destaca aún más el hecho final de la caída con vistas puestas en dejar todavía más probada, y basada en hechos, la moralización última, las conclusiones, que el autor quiere presentar); a la vez que se utiliza casi como excusa para
realizar un resumen (no completo puesto que faltan algunos episodios) —nos
encontraríamos, pues, ante una recreación artística de uno de los principios de
la retórica que aconsejaba resumir al final de la obra los asuntos tratados en ella
(cfr. Curtius, *op. cit.*, tomo I, págs. 136-139)— del contenido de la obra. Véase
sobre esta digresión el excelente trabajo de Juan Manuel Cacho Blecua, «La
tienda en el *Libro de Alexandre*», en *Actas del Congreso Internacional sobre la lengua y
la literatura en tiempos de Alfonso X*, Murcia, Universidad, 1985, págs. 109-134.

2539d   Nótese la semejanza de la idea contenida en este verso con la que
Juan Ruiz incluye en su *Libro de Buen Amor* (estrofa 1629, ed. cit., tomo II, página 274): «el que sea capaz de mejorar esta descripción, que lo haga; yo se lo
agradeceré». La diferencia reside en que el Arcipreste al exponerla se refiere a
todo su texto, mientras el autor del *Alexandre* tan sólo la aplica a una de las partes de su obra.

Guarniólo el maestro,   de alto a fondón,   2543
de piedras de grant preçio,   todas bien a razón;
non falleçiá ninguna   de las que ricas son,
toda la plus sotil   era de grant missión.

Tenié en la cabeça   tres pomas de buen oro,   2544
qualsequiere de todas   valié un grant tesoro,
nunca tan ricas vío   nin judío nin moro,
si en el mundo fuessen,   saberlas devrié Poro.

Non querría el tiempo   en las cuerdas peder,   2545
ca avriá grant estonda   en ellas a poner;
eran de fina seda,   podián mucho valer
las laçadas de oro   do avién a prender.

Las estacas cabdales   que las cuerdas tiravan,   2546
toda la otra obra   essas la adobavan;
las unas a las otras   en ren non semejavan,
como omnes espessos   tan espessas estavan.

Las de la otra orden,   que tiran las ventanas,   2547
de todas las mejores   semejavan hermanas;
de oro eran todas,   de obra muy loçanas,
tenién todas en alto   sendas ricas mançanas.

Querría a la obra   de la tienda entrar,   2548
en estas menudençias   non querría tardar,
avemos un estonda   assaz que deportar,
irsenos ha guisando   demientre la yantar.

Bien pareçié la tienda   quando era alçada,   2549
suso era redonda,   a derredor quadrada,
de baxo fasta alto   era bien estoriada,
qué cosa conteçió   o en quál temporada.

2544d   *saberlas devrié Poro.* Poro, que en sus palacios había sabido reunir tan
enormes riquezas, tanta maravilla y suntuosidad, conocería todo lo que existiese
en el mundo de similar categoría a lo que guardaba entre sus posesiones. Tal es
el sentido de este verso.

Era en la corona   el çielo debuxado,   2550
todo de crïaturas   angélicas poblado;
mas el lugar do fuera   Luçifer derribado,
todo estava yermo,   pobre e desonrado.

Crïava Dios al omne   por enchir es lugar,   2551
el Malo con enbidia   óvogel' a furtar,
por el furto los ángeles   ovieron grant pesar,
fue judgado el omne   por morir e lazrar.

Çerca estas estorias   e çerca un rincón,   2552
alçavan los gigantes   torre a grant missïón,
mas metió Dios en ellos   atal confusïón
por que avién de ir   todos en perdiçïón.

Las ondas del diluvio   tanto querién subir,   2553
por alto del Tyburio   querién fascas salir;
Noé bevié el vino,   non lo podié sofrir,
yazié desordenado,   queriélo encobrir.

El un de los fastiales,   luego en la entrada,   2554
la natura del año   sedié toda pintada;
los meses con sus días,   con su luna contada,
cad' uno quál fazienda   avié acomendada.

Estava don Janero   a dos partes catando,   2555
çercado de çecinas,   çepas acarreando;
tenié gruessas gallinas,   estávalas assando,
estava de la percha   longaniças tirando.

2551   *Génesis*, 2-3 *(Biblia,* ed. cit., págs. 30-32).

2552   Cfr. nòta a 990cd.

2553ab   *Génesis,* 6-9, 1-17 *(Biblia,* ed. cit., págs. 35-38).

2553cd   *Génesis,* 9, 18-29 *(ibídem,* pág. 39).

2554-2566   Véase la reconstrucción de estas estrofas realizada por Emilio Alarcos en *«Libro de Alexandre:* Estrofas. 2554-2566» *(Archivum,* XXXIII, 1983, págs. 13-18).

2555a   *a dos partes catando.* Alusión —o relación buscada— a Jano, el dios romano que era representado con dos caras, que simbolizaba el tránsito de una situación a otra (o el paso de un lugar a otro diferente...), que por ello presidía el cambio de un año a otro, y cuyo nombre fue tomado por los romanos para bautizar el primer mes del año *(Ianuarius,* étimo del *Enero* castellano).

Estava don Febrero   sus manos calentando;   2556
oras fazía sol,   oras sarraçeando,
verano de ivierno   ívalos desenblando,
porque era más chico,   sediése querellando.

Março avié grant priessa   de sus viñas labrar,   2557
priessa con podadores   e priessa con cavar;
fazié aves e bestias   ya en çelos andar,
los días e las noches   faziélas egualar.

Abril savaca huestes   pora ir guerrear,   2558
ca avié ya alcáçeres   grandes pora segar;
fazié meter las viñas   pora vino levar,
creçer miesses e yervas,   los días alongar.

Sediá el mes de mayo   coronado de flores,   2559
afeitando los campos   de diversas colores,
organeando las mayas   e cantando d' amores,
espigando las miesses   que siembran labradores.

Madurava don Junio   las miesses e los prados,   2560
tenié redor de sí   muchos ordios segados,
de çerezas maduras   los çeresos cargados,
eran al mayor siesto   los días allegados.

Sedié el mes de Julio   logando segadores,   2561
corriénle por la cara   apriessa los sudores,
segudavan las bestias   las moscas mordedores,
fazié tornar los vinos   de amargas sabores.

Trillava don Agosto   las miesses por las eras,   2562
aventava las parvas,   alçava las çiveras,
iva de los agrazes   faziendo uvas veras,
estonz faziá autumpno   sus órdenes primeras.

Setiembre trayé varas,   segudié las nogueras,   2563
apretava las cubas,   podava las mimbreras,
vendimiava las viñas   con falçes podaderas,
nin dexava los páxaros   llegar a las figueras,

Estava don Otubre   sus miéssegos faziendo,   2564
ensayava los vinos   quales irién diçiendo,
iva como de nuevo   sus cosas requiriendo,
iva pora sembrar   el ivierno viniendo.

Novienbre seguidié   a los puercos las landes,   2565
cayera de un roble,   levávanlo en andes,
enpieçan al cresuelo   velar los abezantes,
que son las noches luengas,   los días non tan grandes.

Matava los püercos   Dizienbre por mañana,   2566
almorçava los fígados   por amatar la gana,
tenié niebla escura   siempre por la mañana,
ca es en esse tiempo   ella muy cutïana.

Las estorias cabdales,   fechas de buen pintor,   2567
la una fue de Hércules,   firme campeador,
en el segundo paño   de la rica lavor,
la otra fue de Paris,   el buen doñeador.

Niñuelo era Hércules,   assaz poco moçuelo,   2568
adur abrié los ojos,   yazié en el breçuelo,
entendiól la madrastra   que serié fuert niñuelo,
querrié fer a la madre   veer del fijo duelo.

Enbïava dos sierpes,   queriénlo afogar,   2569
perçibiólas el niño   que lo querién matar,
ovo con sendas manos   a ellas allegar,
afogólas a amas,   ovo ella pesar.

Desent iva crïando,   sintiése muy valiente,   2570
vençié muchas batallas,   conquirié mucha gente,
quitava a Anteon   muy aviltadamente,
plantava sus mojones   luego en occidente.

2564a. *miéssegos*. Bartolomé Mostaza («Estaba don Odrubrio sus miessegos faziendo», en *Ya*, 2-XI-1988) considera esta palabra un dialectismo sanabrés, procedente de *meiere*, mingere, latinos, o del gallego *mexare*, «mear». Significaría «meadas», en alusión a las lluvias.
2568-2569   Cfr. nota a 27a.

Paris rabió Elena,   fizo grant adulterio,   2571
reçibiéronlo en Troya,   mas fue por su lazerio;
non quisieron los griegos   sofrir tan grant fazerio,
juraron de vengarse   todos en el salterio.

Vinién çercar a Troya   con agüeros catados,   2572
estavan los de dentro   firmes e aguisados,
eran de todas partes   represos e lazrados,
pero ellos e ellos   estavan desfeuzados.

Los diez años passados   que la çerca durava,   2573
avié a morir Éctor,   Aquilles lo matava,
pero aún la villa   en duro se parava,
ca el término puesto   aún non se llegava.

Avié aún Achiles   en cabo a morir,   2574
ond' avién el cavallo   los griegos a bastir,
avién con grant engaño   Troya a conquerir,
oviéronla por suelo   toda a destroïr

Quand' el rey Alexandre   estas gestas veyé,   2575
creçiél' el coraçón,   grant esfuerço cogié,
dizié que por su pleito   un clavo non darié,
si non se mejorasse,   morir se dexarié.

En el paño terçero,   de la tienda honrada   2576
era la mapamundi   escripta e notada;
bien tenié qui la fizo   la tierra decorada,
como si la oviesse   con sus piedes andada.

Tenié la mar en medio   a la tierra çercada,   2577
contra la mar la tierra   non semejava nada,
era essa en essa   más yerma que poblada,
della yazié pasturas,   della yazié labrada.

Las tres partes del mundo   yazién bien devisadas: 2578
Asïa a las otras   aviélas engañadas;

2571c *fazerio*. Nelson, ed. cit., pág. 740. P, *lazerio*. O, *contrario*.

Eüropa e África   yazién muy renconadas,
deviendo seer fijas,   semejavan annadas.

Assí fue el maestro   sotil e acordado,   2579
non olvidó çibdat   nin castillo ortado,
nin río nin otero   nin yermo nin poblado,
non olvidó enperio   nin ningunt buen condado.

Tajo, Duero e Ebro,   tres aguas muy cabdales,   2580
Cogolla e Moncayo,   enfiestos dos poyales,
en España avié   estos çinco señales,
con mucho buen castillo   e villas naturales.

Qué mejores querades   que Burgos e Panplona,   2581
Sevilla e Toledo,   Soria, León, Lisbona;
por Gascoña corrié   el río de Garona,
en essa yaz Burdeos,   vezina de Bayona.

La çibdat de París   yazié en media Françia,   2582
de toda clerezía   avié grant abondançia;
Tors yazié sobre Leire,   villa de grant ganançia,
más delant corrié Ródano,   río de abondançia.

Yazién en Lombardía   Pavía e Milana,   2583
pero otras dexamos,   Tolosa e Vïana,

2580b   *Cogolla.* Monte de la provincia de Logroño —en el que se halla el famoso monasterio de San Millán, tan ligado a la figura de Berceo—, que forma
parte de la sierra de San Lorenzo.

Moncayo. Evidentemente se trata del famoso monte situado entre las provincias de Soria y Zaragoza y perteneciente al Sistema Ibérico.

2580c   *avié.* Nelson, *ibíd.,* pág. 742. P, *ave.* O, *ha.*

2581c   *Gascoña.* Gascuña, antigua provincia francesa recorrida, como se
dice en el verso, por el río Garona, y situada al suroeste de esa nación. Su nombre procede de *Vasconia,* y es también conocida como País Vasco francés.

2582b   París contaba, ya desde el siglo XII, con un importante centro cultural, después transformado en universidad, en el que los estudios de teología ad-
quirieron especial esplendor.

2582c   *Tors.* lectura de O. P, *dos.*

Leire. El río Loira.

2583a   *Milana,* Milán.

2583b   *Tolosa.* Lectura de O. *Bergonia* en P.

Vïana. Ciudad de la provincia de Navarra.

Bolonia sobre todas   pareçe palaçiana,
de leÿs e decretos   essa es la fontana.

En cabo de Toscana,   Lombardía passada,   2584
en ribera de Tibre   yazié Roma poblada;
yazié el que la ovo   primero çimentada.
de su hermano mismo   la cabeza cortada.

Si quisiésemos todas   las tierras ementar,   2585
otro tamaño livro   podríe y entrar;
mas quiero en la cosa   a destajo andar,
ca só yo ya cansado,   querríame folgar.

Los castillos de Asia,   con las sus heredades,   2586
ya nos fablamos dellos,   si bien vos acordades,
los tribus, los gigantes,   los tiempos, las edades,
todos yazién en ella   con sus propiedades.

Alexandre en ella   lo podié perçebir   2587
quánto avié conquisto,   quant podié conquerir;
non se le podié tierra   alçar nin encobrir
que él non la supiesse   buscar e combatir.

Escrivió el maestro   en el quarto fastial   2588
las gestas del buen rey,   súpolas bien contar:
de quántos años era,   quánd enpeçó reinar,
cómo supo el cuello   de Nicolao domar.

2583c   Bolonia contó con la primera universidad que en Europa comenzó a funcionar como tal. El emperador Federico I de Alemania le dio sus estatutos en 1158. Estuvo especialmente dedicada al estudio de la jurisprudencia, y hasta 1352 no contó con facultad de teología.

2584b   *Tibre*. El río Tíber.

2584cd   Alusión a los famosos héroes romanos, y hermanos gemelos, Rómulo y Remo, descendientes de Eneas y fundadores de Roma según la leyenda. Algunas versiones de ésta hacen primer rey de la ciudad, y fundador suyo único, a Rómulo, quien había matado a su hermano, tras haber trazado los muros, por haberse atrevido a profanar el recinto recién diseñado. A estos sucesos se hace referencia en estos dos versos. (Cfr. Grimal, *op. cit.*, págs. 466-467 y 469-471.)

2586b   Estrofas 281-294.

2588d   Estrofas 129-141.

Quál muerte fizo dar   al falso de Pausón,   2589
el que al rey Felipo   mató a traïçión;
cómo destruyó Tebas   e sobre quál razón;
cómo ovo Atenas   pïedat e perdón.

Cómo passó a Asia   a Dario a buscar;   2590
cómo a Troya ovo   en Frigia a fallar;
la fazienda de Tiro   non la quiso lexar,
cómo sopo su onta   el rëy bien vengar.

El torneo de Mémnona   que valió lit campal,   2591
que bien duró tres días,   fazienda fue cabdal;
cómo a los judíos   otorgó su señal;
cómo desbolvïó   la laçada real.

La fazienda de Dario,   el buen emperador,   2592
quáles fueron en ella   muertos por su señor,
cómo murió cascuno,   quál fue el matador,
la prisión de los fijos   e de la su uxor.

La grant emperadriz   cómo fue soterrada,   2593
e la su sepoltura   cómo fue debuxada;
cómo rancó a Dario   la segunda vegada;
cómo fue Babilonia   conquista e poblada.

2589ab   Estrofas 177-185.
2589c   Estrofas 216-243.
2589d   Estrofas 211-215.
2590a   Estrofas 245-275.
2590b   Estrofas 321-333.
2590c   Estrofas 1092-1119.
2591a   Estrofas 822-826.
2591c   Estrofas 1131-1163.
2591d   Episodio del nudo gordiano (estrofas 828-837).
2592   Estrofas 1002-1083.
2593ab   Estrofas 1235-1249.
2593c   Estrofas 1348-1454.
2593d   Estrofas 1456-1560.

La traïción de Dario,   cómo murió traído,   2594
cómo fue soterrado   e Bessus escarnido;
fue el su casamiento   más en cabo metido,
el campo de la tienda   con esto fue complido.

Non quiero de la cáthedra   fer grant alegoría,   2595
non quiero detener   en palabra el día,
quanto podié valer   preçiar non lo sabría
non la podriá comprar   el aver d' Almaría.

Quando fue el buen rey   a la tienda entrado,   2596
paróse en la cáthedra,   un lugar tan honrado,
mandó traer las parias   quel avién envïado,
e leer por conçejo   las cartas del ditado

Quando fueron las cartas   abiertas e leídas,   2597
los omenages fechos,   las parias reçebidas,
alçó a Dios los ojos   e las manos tendidas,
dixo unas palabras   fermosas e sabridas.

«Rey de todos los reys,   que non conoçes par,   2598
en cuya mano yaze   el toller e el dar,
el alçar e premir,   el ferir e sanar;
señor, laudado seas,   que lo deves estar.

»Señor, siempre te devo   bendezir e laudar,   2599
que tan bien me derçeste   mi cosa acabar,
que por pavor, Señor,   sin otro mal llevar,
vienen todas las tierras   la mi mano besar.

»Non te lo devién menos   las tierras gradeçer,   2600
porque non ensayaron   quál es el mi poder;
si en otra porfidia   se quisiessen meter,
non se podrián por guisa   ninguna conponer.»

2594a   Estrofas 1641-1746.
2594b   Estrofas 1772-1804 y 1908-1911.
2594c   Estrofas 1950-1963.
2595a   *cáthedra*. Nelson, *ibíd.*, pág. 745. En P, *tienda*. En O, *cátedra*.

Quando fue la fazienda   toda bien delivrada,   2601
fue bien ora de nona,   medio día passada;
emperador del mundo   a proçessión honrada
con *Te Deum laudamus*   tornó a su posada.

Fue la noche venida   mala e peligrosa,   2602
amaneçió mañana   çiega e tenebrosa,
vinié robar el mundo   de la su flor preçiosa,
que era más preçiada   que nin lirio nin rosa.

Las estrellas del çielo   por el día tardar   2603
andavan a pereça,   dávanse grant vagar;
tardava el luzero,   nos podié despertar,
apenas lo pudieron   las otras levantar.

Essa noche vidieron   —solémoslo leer—,   2604
las estrellas del çielo   entre sí conbater,
que como fuertes signos   ovo en el naçer,
vïeron a la muerte   fuertes apareçer.

Antípater el falso,   ministro del pecado,   2605
essa noche lo puso   quando ovo çenado,
que en el otro día   quando fuesse yantado,
con el primer bever   fuesse enpoçoñado.

Fue el sol levantado   triste e doloriento,   2606
tardarié, si pudiesse,   de muy buen talïento,
forçólo la Natura,   siguió su mandamiento,
amaneçió un día   negro e carboniento.

2601d *Te Deum laudamus.* Oración de acción de gracias.

2602-2604 El tema de los augurios vuelve a aparecer en la obra. La naturaleza de nuevo toma parte activa para anunciar graves acontecimientos: del mismo modo que el nacimiento de Alejandro estuvo precedido de sucesos extraordinarios en la naturaleza, la muerte se anuncia con hechos prodigiosos. El ciclo completo de incidencias que forman la vida del héroe está a punto de cerrarse. (Cfr. nota a 8-11 e «Introducción».)

2606 Esta estrofa se encuentra situada tras la 2607 en el manuscrito O.

El rëy con la gloria   e con el buen plazer,   2607
mandó que adobassen   temprano de comer,
querié los omnes nuevos   por huéspedes aver,
querié de cada uno   las mañas entender.

Fue ant de medio día   el comer aguisado,   2608
el palaçio muy linpio,   ricament enfenado;
fue el pueblo venido,   por orden assentado,
el rëy sobre todos,   como bien enseñado.

Metió en todo mientes   de mucha grant femençia,   2609
entendió de cad' uno   toda su mantenençia;
quando vino en cabo,   terminó su sentençia:
que eran españoles   de mejor cabtenençia.

Jobas el traïdor,   que non devriá naçer,   2610
súpose en serviçio   mucho entrameter,
ovo todos los otros   ministros a vençer,
tanto que Alexandre   avíe grant plazer.

Por ocasión del mundo   que avié a prender   2611
la copa con que siempre   solié el rey bever;
óvola por ventura   él mismo a toller,
nunca dexarla quiso   a nul otro tener.

Quando vino la ora   que queríen dormir,   2612
ca ovieron grant día   passado en dezir,
mandó el rey del vino   a Jobas adozir,
plaziól' al traïdor   e gozólo oïr.

Deslavó bien la copa   e finchóla de vino,   2613
revolvió como pudo   en ella el venino;
vestido d' escarlata   sobre paños de lino,
presentóla al rey   el genojo enclino.

2611c   *mismo.* En el manuscrito P figura *puximo,* palabra desconocida que
Julia Keller *(op. cit.,* pág. 153) juzga errata que suplantó a la palabra *mismo.*
2611d   *nul.* Nelson, *ibíd.,* pág. 749.

La ora fue llegada,   non podiá al seer,   2614
queriá la fortedumpne   la cabeça torçer;
priso el rey la copa,   non la deviá prender,
avié los días fechos,   conpeçó de bever.

Adur uvió la copa   de los rostros toller,   2615
luego sintió la ravia   que lo quiso prender,
demandó una péñola   por vómito fazer,
que, si tornar pudiesse,   cuidava guareçer.

El falso traïdor,   alma endïablada,   2616
avié esto asmado,   teniéla ervolada;
púsogela en mano   de mal fuego cargada,
—¡también podrién al malo   darle grant cuchillada!—.

Metió el rey la péñola   por amor de tornar,   2617
non podrié peor fuego   en su cuerpo entrar,
enveninó las venas   que pudo alcançar,
en lugar de guarir,   fízolas peorar.

¡Maldito sea cuerpo   que atal cosa faze!   2618
¡Maldita sea alma   que en tal cuerpo yaze!
¡Maldito sea cuerpo   que tal cosa le plaze!
¡Dios lo eche en laço   que nunca se deslaçe!

Fue la diablería   luego escalentando,   2619
por las venas del cuerpo   fuese apoderando,
ívasele el alma   en el cuerpo angostando,
ívasle la memoria   fierament' aquedando.

Como Dios non quería,   nol podiá res valen,   2620
non le pudieron físicos   ningunos acorrer;
entendió el buen omne   qué avié de seer,
mandóse sacar fuera,   en el campo poner.

Grand era la tristeza   entre las crïazones,   2621
andavan mal cuitados   todos los sus varones,
llegávales la ravia   bien a los coraçones,
nunca fueron tañidos   de tales aguijones.

Esforçóse el rey,   maguer era cuitado,   2622
posóse en el lecho,   paróse assentado,
mandó posar a todos   por la yerva del prado,
fízoles buen sermón   e bien adeliñado.

«Parientes e amigos   que redor me seedes,   2623
quiérovos bien e preçio,   ca vos lo mereçedes;
por vos gané imperio,   vos me lo contenedes,
lo que me prometistes   complido lo avedes.

»Con omnes e con bestias   avedes campeado,   2624
nunca fuestes vençidos,   Dios sea end laudado;
a tal señal avedes   a vuestro rey llegado
a qual nunca llegó   omne de madre nado.

»Los que vos apremiavan,   avedeslos premiados;   2625
los que se vos alçaron,   avedeslos baxados;
avedes de los otros   recabdos recabdados,
parias e omenages   e escriptos notados.

»Grado al Crïador   e a nuestras sudores,   2626
sodes del mundo todo   cabeças e señores;
de quantos nunca fueron,   vos sodes los mejores;
nin fueron nin serán   tales guerreadores.

»Desque esto he visto,   que en el tiempo mío   2627
füe el mundo todo   en nuestro señorío,
desaquí a que muera   será como yo fío,
non daría un baso   por end d' agua del río.

»Ante tengo de Dios,   que me faz grant amor,   2628
que estando honrado,   en complido valor,
assí quiere que vaya   pora 'l siglo mayor,
ante que pesar prenda   nin ningunt desabor.

»Suélens' en una 'stonda   las cosas demudar,   2629
el cavallo ligero   suelen entrepeçar;
si sola una onta   oviesse a tomar,
avrié todo mi preçio   en non res a tornar.

»Del omne que se passa   mientre está honrado,   2630
ésse dizen los sabios   que es aventurado;
si se va acostando,   trastórnase privado,
tod va agua ayuso   quanto que ha lazrado.

»Seré del Rey del çielo   altament reçebido,   2631
quando a mí oviere,   teners' a por guarido;
seré en la su corte   honrado e servido,
todos me laudarán   porque non fui vençido.

»En otra cosa prendo   esfuerço e pagamiento: 2632
farán sobre mí todos   duelo e plañimiento,
todos vistrán sayales   por fer su complimiento,
quando me ementaren,   avrán confortamiento.

»En cabo quando fueren   a sus tierras tornados,   2633
demandarles han nuevas,   dirán estos mandados,
serán fechos los duelos,   los plantos renovados,
todos dirán: "Señor,   avédesnos dexados."

»Quiero mi firmamento   ante todos poner,   2634
que después non ayades   sobre qué contender,
ca sé que abenençia   non podredes aver,
podredes en pelea   en un rato caer.

»Quiero partir mi regno   mientre convusco seo: 2635
Greçïa dó a Pérdicas,   ca sé que bien la empleo,
comiéndole mi madre,   servirl' a como creo;
el regno de Egibto   dólo a Tolomeo.

»Pero en todo esto   meto tal condiçión: 2636
que si de mi Rosana   nacier fijo varón,
suyo sea el regno,   ca esto es razón,
qui non l' obedeçiere,   fará grant traïçión.

2633-2634   Entre estas dos estrofas han sido incluidas en el manuscrito O
las cartas de Alejandro a su madre que recogemos en el «Apéndice I».
2636b   Nelson, *ibíd.*, pág. 755.

»Si fuere fija fembra,   buscarle casamiento,   2637
obedeçerla todos,   conplir su mandamiento;
Simeón, mi notario,   prenda aguisamiento,
e meta en escripto   todo mi testamiento.

»Demás por el serviçio   que a mí a metido,   2638
dóle a Capadoçia,   regno grand e complido;
Felipo, mío fraire,   non tenga que l' olvido:
pora en Pentapolis   lo tengo esleído.

»Otorgo a Antígonus   Liçïa e Panfilia,   2639
dóle en aténençia   encara toda Frigia;
a mi amo Antípater   mandó toda Çilicia;
a Jobas e Cassánder,   fasta 'l río de Libia.

»Sin esto, a los otros,   que ayan egualdat,   2640
ellos prendan señor   segunt su voluntat;

2637c   *Simeón.* O, *Simón.*

2638b   *Capadoçia.* Cfr. nota a 839b.

2638c   *Felipo, mío fraire.* Filipo III de Macedonia, llamado Arrideo e hijo natural de Filipo II, padre de Alejandro. Tenía perturbadas sus facultades menta-
les, debido, según algunos, al veneno que le suministró Olimpias con el fin de
asegurar a su hijo en el trono. Muerto Alejandro, fue proclamado rey, pero el
gobierno era ejercido por Pérdicas. Siete años duró su reinado. Estuvo casado
con Eurídice. Olimpias lo mandó asesinar.

2638d   *Pentapolis.* Varios grupos de ciudades fueron en la antigüedad conocidos por este nombre. Posiblemente, y aunque los hechos que se narran en esta
parte de la obra son totalmente ficticios, se pueda, dada la época en que se produce la muerte de Alejandro Magno y los territorios que dominaba en esos momentos, estar haciendo referencia a una de las dos siguientes: o bien a la Pentápolis de los filisteos —formada por Gaza, Ascalón, Azoth, Gadara y Accarón—,
o bien a la Pentápolis dórica, del Asia Menor —integrada por Cnido, Cos y, en
la isla de Rodas, Lindos, Jalisos, Camiros.

2639a   *Liçïa.* Nelson, *op. cit.,* pág. 756. En P y O, *Libia.*
Panfilia. Cfr. nota a 289b.

2639c   *Çilicia.* Cilicia (mencionada con anterioridad), región de Asia Menor,
situada entre el Tauro y el Mediterráneo y frente a la isla de Chipre. Limítrofes
con ella eran Capadocia, Licaonia, Pisidia (norte), Siria (este), Mediterráneo (sur
y oeste) y Pisidia (oeste). Existían en ella tres desfiladeros, todos ellos relacionados con la figura del gran héroe macedonio: las puertas cilicias, cruzadas por
Alejandro; las puertas de Amán, utilizadas por Darío cuando se dirigía a Isso; y
las puertas sirias, atravesadas por Alejandro tras la batalla de Isso.

2639d   *e Cassánder,* Nelson. *ibíd.*

mando a Meleáger   Siria por heredat;
en Ponto a Lisimacus   pongo por potestat.

»El otro Tolomeo   que dizen el menor,   2641
dóle Siria la Magna, · que sea end señor;
Babilonia con todas   las tierras de redor,
mando que caten todos   por rey a Nicanor.

»Todas las otras tierras   que por sí se rindieron,   2642
suéltolos que se bivan   como antes bivieron;
quando escontra mí   tan bien se mantovieron,
de merçed les aver   grant carga me pusieron.

»Dó pora mi sepulcro   de oro çient talientos,   2643
bien pueden ende fer   todos sus complimientos;
pora los saçerdotes   e pora los conviontos,
de oro fino mando   dos vegadas quinientos.

»Quiero en Alexandria   aver mi sepultura,   2644
la que fiz' en Egibto   rica sobre mesura;
creo que Tolomeo   averlo ha en cura,
téngase, si lo cumple,   por de buena ventura.»

Fue el rey en tod' esto   la palabra perdiendo,   2645
la nariz aguzando,   la lengua engordiendo;

2640d *Ponto*. El Ponto Euxino, nombre que los griegos daban al Mar Negro.

Lisimacus, Nelson, *ibíd*., pág. 757. P, *Alímacus*. O, *Almacus*.

2641d *Nicanor*. General de Alejandro —al que no debemos confundir con
el hijo de Parmenión de igual nombre (cfr. nota a 318c), que ya había fallecido
en esos momentos (cfr. estrofas 1382-1400), ni con el compañero de Símacus
que había perdido la vida en la campaña contra Poro (estrofas 1993-2021)—
que tomó parte en la expedición organizada contra India. Tras volver a Susa, le
fue encomendada la misión de dirigirse a Olimpia con motivo del decreto dado
por Alejandro en el que se ordenaba a todas las ciudades griegas que recibiesen
a los desterrados políticos. Ante la negativa de Atenas a cumplir este mandato,
Nicanor fue encargado de marchar a la ciudad y convencer a Demóstenes de
que depusiese su actitud. De regreso a Susa, fue nombrado gobernador de los
países conquistados junto al río Indo. Participó en las luchas de los diácodos,
entabladas tras el fallecimiento del héroe macedonio. Se vio obligado a salir de
Babilonia, huyendo, cuando Seleuco con sus tropas penetró en esa ciudad.

dixo a sus varones: «Ya lo ides veyendo,
arrenunçio el mundo,   a Dios vos acomiendo.»

Acostó la cabeça   sobre un façeruelo,   2646
non serié omne bivo   que non oviesse duelo;
mandó que lo echassen   del lecho en el suelo,
ca avié ya travado   del alma el anzuelo.

Non pudo el espíritu   de la ora passar,   2647
del mandado de Dios   non pudo escapar,
desanparó la carne   en que solié morar,
remaneçió el cuerpo   qual podedes asmar.

2646c   La noticia que se incluye en este verso ha sido objeto de debate entre algunos críticos de nuestro texto, de discrepancias sobre cuál debe ser su auténtica interpretación. Para M.ª Rosa Lida *(La idea de la fama en la Edad Media
castellana,* México, FCE, 1952, págs. 196-197), ha de interpretarse como un gesto simbólico «que recuerda la humildad de San Fernando» —quien realizó, según cuenta la *Primera Crónica General,* un acto similar en los instantes anteriores
al fin de su vida—, que demuestra la existencia de un deseo en el autor de redimir a su personaje en el último momento, de «conformarle *in articulo mortis* con
la moral cristiana» (pág. 196), con lo cual —continúa— «viene a otorgar validez
a la conducta toda del héroe» (páginas 196-197). Ian Michael *(The treatment...,*
págs. 109-111; si bien ya había abordado esta misma cuestión en un trabajo anterior: «Interpretation of the *Libro de Alexandre:* The author's attitude towards
his hero's death», *BHS,* XXXVII, 1960, págs. 205-214), tras señalar que este
dato se halla basado en una mención que se contiene en el *Roman d' Alexandre*
francés (pág. 109), indicar que la realización de este hecho concreto se atribuye
no sólo a San Fernando, sino a San Luis de Francia o a Fernando I de Castilla, y
mostrar la diferencia esencial que existe entre la muerte de Fernando III y la de
Alejandro (Fernando III se despoja de sus vestidos reales para morir y se tiende
en el suelo; Alejandro sólo hace lo segundo), afirma que no existe ningún símbolo de humildad cristiana en el hecho que, se constata, nuestro héroe realizó,
ni, por lo tanto, hay suficientes elementos de juicio para suponer que el autor
decide al final conciliar a su protagonista con los principios del cristianismo, dar
por expiado su pecado de soberbia y aprobación a toda su conducta anterior
—si así fuese, hubiera sido más explícito en este punto. Tampoco el verso
2645d («arrenunçio el mundo») arroja alguna luz sobre el asunto: la renuncia al
mundo no implica arrepentimiento por el pecado de soberbia. La noticia, tal y
como está insertada en el *Alexandre,* tan sólo —termina— puede servirnos
como base para afirmar que ha sido incluida en la obra con el fin de describir
un modo de morir propio de los reyes del siglo XIII. (Evito tomar partido sobre
la cuestión debido a que su análisis y discusión necesitaría mucho mayor espacio
que el que en una simple nota de una edición podemos encontrar. Me limito a
dejar constancia de la existencia de este problema.)

El gozo fue tornado   en bozes e en planto;   2648
«Señor» —dizián los unos—,   «¿quién vio atal quebranto?,
a vos aviamos todos   por saya e por manto;
señor, imaldito sea   quien nos guerreó tanto!».

«Señor» —dizián los otros—,   «¿dó iremos guarir?   2649
quando a ti perdemos,   más nos valdrié morir;
señor, agora eras   en sazón de bevir,
quando el mundo todo   te avié a servir».

«Señor» —dizién los otros—,   «agora ¿qué faremos?,   2650
tornar en Eüropa   sin ti non osaremos;
señor, los tus crïados   oy nos departiremos,
quanto el mundo sea   non nos ajuntaremos».

Dizián del otro cabo: «Ay, emperador,   2651
¿cómo lo quiso esto   sofrir el Crïador,
por dar tan grant poder   a un mal traïdor
por fer atantos huérfanos   de tan gentil señor?»

«Señor» —dizián los otros—,   «mala fue tal çelada,   2652
que valer non te pudo   toda la tu mesnada:
anda con el tu duelo   toda muy desarrada,
nunca prendieron omnes   tan mala sorrostrada».

Dizién los omnes buenos   que las parias traxieron: 2653
«Señor, çiegos se vean   quantos mal vos fizieron;
quando nos demandaren   los que nos esleyeron,
¿qué respuesta diremos   de lo que nos dixieron?

»Señor, por estas nuevas   que nos les levaremos,   2654
nin nos darán albriçias   nin grado non avremos;
omnes tan sin ventura,   señor, nunca sabemos:
nos ayer te ganamos   e öy te perdemos.

»Non devié este día,   señor, amaneçer,   2655
que nos faze a todos   tan buen padre perder;
señor, la tu ventura   que tú soliás aver,
mal te desamparó   pora nos cofonder.

»Viniemos a tu corte   alegres e pagados,   2656
partirnos hemos ende   tristes e desmayados;
señor, mal somos muertos   e mal somos cuitados,
en mal tiempo nos dieron   salto nuestros pecados.

»Señor, con la tu muerte   más gentes as matadas   2657
que non matest' en vida   tú nin las tus mesnadas;
señor, son todas tierras   con tu muert fatiladas,
ca eran con ti todas   alegres e pagadas.»

Por toda la cibdat   era grand el dolor;   2658
los unos dizián: «¡Padre!»,   los otros: «¡Ay, señor!»;
otros dizían: «¡Rey!»,   otros: «¡Emperador!»;
todos, grandes e chicos,   fazién muy grant dolor.

Rosana sobre todos   era muy debatida,   2659
a los piedes del rey   yazié amorteçida,
teniélo abraçado,   yazía estordida,
aviá mucha de agua   por la cara vertida.

Maguer que non podié   la cabeça alçar,   2660
bien fazié demostrança   que lo querié besar;
non la podién del cuerpo   toller nin despegar,
quand' omne bien asmasse,   non era de rebtar.

«Señor» —dizián las dueñas—,   «nos somos malfa-
                                              [dadas, 2661
ca fincamos señeras,   fenbras desconsejadas;
non somos cavalleros   que prendamos soldadas,
avremos a bevir   como malventuradas.

»Señor, tú nos honravas   por sola tu bondat,   2662
non catavas a nos,   mas a tu pïedat;
señor, nunca en omne   fue atal caridat
por fer sobre cativas   tamaña egualdat».

Dexemosnos del planto,   ca cosa es passada,   2663
quiero ir destajar   por ir a la finada;
tengo la voluntat   con el duelo turbada,
maguer que me estudio,   non puedo dezir nada.

Como diz' el escripto   de Dios nuestro señor,   2664
que mal tienen en uno   ovejas sin pastor,
entró en los varones   çisma e mal fervor,
querié ir cada uno   basteçer su onor.

Entendió Tolomeo   de qué pie cosqueavan,   2665
pareçié bien por ojo   que movidos andavan,
fízol soterrar mientre   allegados estavan,
ca el cabdal sepulcro   aún non lo labravan.

Estió en Babilonia   grant tiempo soterrado,   2666
fasta que ovïeron   el sepulcro labrado;
mas fue en Alexandria   en cabo trasladado,
metiólo Tolomeo   en sepulcro honrado.

Non podriá Alexandria   tal tesoro ganar,   2667
por oro nin por plata   non lo podrié comprar;
si non fuesse pagano,   de vida tan seglar,
deviélo ir el mundo   todo a adorar.

Si murieron las carnes   que lo han por natura,   2668
non murió el buen preçio,   que y encara dura;
qui muere en buen preçio,   es de buena ventura,
que lo meten los sabios   luego en escriptura.

Grado al Crïador   que es Rëy de gloria,   2669
que bive e que regna   en complida victoria,
acabada avemos,   señores, la estoria
del buen rëy de Greçia,   señor de Babilonia.

_____

2665c   *allegados.* Nelson, *ibíd.,* pág. 762. P y O *llegados.*
2667c   *si non fuesse pagano.* Nueva prueba de la falta de anacronismo en el
texto: el autor es consciente de la diferencia de tiempo existente entre la época
de Alejandro y la suya propia. (Cfr. nota a 2021d e «Introducción».)
2668   Sobre el tema de la fama en el *Libro de Alexandre,* véase M.ª Rosa
Lida, *La idea de la fama en la Edad Media Castellana,* México, FCE, 1972, páginas 167-197.

Señores, quien quisiere   su alma bien salvar,   2670
deve en este siglo   assaz poco fíar;
deve a Dios servir,   dévelo bien pregar,
que en poder del mundo   non lo quiera dexar.

La gloria deste mundo,   quien bien quiere asmar,   2671
más que la flor del campo   non la deve preçiar,
ca quando omne cuida   más seguro estar,
échalo de cabeça   en el peor lugar.

Alexandre que era   rëy de grant poder,   2672
que nin mares nin tierra   non lo podién caber,
en una foya ovo   en cabo a caer
que non pudo de término   doze piedes tener.

Quiérome vos con tanto,   señores, espedir;   2673
gradéscovoslo mucho   quem quisiestes oïr;
si falleçí en algo,   devedes me parçir,
só de poca çïençia,   devedes me sofrir.

Pero pedir vos quiero   çerca de la finada,   2674
—quiero de mi servicio   de vos prender soldada—:
dezid el Paternoster   por mí una vegada;
a mí faredes pro,   vos non perdredes nada.

2670-2672   En estas tres estrofas explicita mucho más concretamente la enseñanza moral que desea el autor que sus lectores extraigan de los hechos relatados. Muestra cómo todo el relato se desea poner en función de la exposición de
una idea, se quiere utilizar como ejemplificación de una enseñanza de tipo moral. (Cfr. «Introducción».)

2672b   *nin.* Nelson, *ibíd.,* pág. 764.

2674b   *soldada.* La costumbre de solicitar de los lectores el pago por la labor
realizada es tomada del Mester de Juglaría por los escritores cultos. Es un rasgo
juglaresco —incluido en sus obras por otros autores de la clerecía (recuérdese el
famoso «vaso de bon vino» de Berceo)— que muestra una vez más la falsedad
de la escisión tajante tradicionalmente establecida entre los dos «mesteres», tal y
como en otras ocasiones hemos ido exponiendo (cfr. nota a 168b, por ejemplo).

Si queredes saber   quien fiz' este ditado,   2675
Gonçalo de Berçeo   es por nonbre llamado,
natural de Madrid,   en Sant Millán crïado,
del abat Johan Sánchez   notario por nonbrado.

2675   Sobre la diferencia de lectura que presenta el manuscrito O en esta estrofa con respecto a P y la imposibilidad de determinar por el momento cuál de las dos versiones puede ser la original o si ambas son fruto de modificaciones introducidas por el copista respectivo, véase en la «Introducción» el apartado dedicado al «Autor» del *Alexandre.*

2675d   Tras este verso en el manuscrito O se contiene la siguiente frase: *Finito libro reddatur sena magistro.*

Apéndices

Apéndice I

Cartas de Alejandro a su madre contenidas
en el manuscrito O —en los folios 150r.-151v.
e intercaladas entre las estrofas 2633-2634
(2468-2469 en ese manuscrito)—, perteneciente a la Biblioteca Nacional de Madrid.

Este es el testamento de Alexandre quando sopo que moririé del tóxigo quel dieron a bever; e de la carta que envió a su madre, en quel mandava que non oviesse miedo e que se conortasse; e la tenor de la carta dezía assí:

«Madre, devedes punnar en no semeiar a las mugieres en flaqueza de sus coraçones assí como punné yo de non semeiar a los fechos de los omnes viles. Sabet que yo nunca pensé enna muerte, nen ove cuydado della, porque sabía que non podía estorçer della. Otrossí, non devedes aver cuydado nen duelo nenguno, ca vos nunca fustes tan torpe que non sopiéssedes que de los mortales era yo. Et sabet que quando yo fiz esta carta, fue mío asmamiento de vos conotar con ella. Pues madre, ruégovos yo que non fagades contra el mío asmamiento. Ca devedes saber que a lo que yo vo es meior que lo que yo dellexo. Pues alegradvos con mi ida, e apareiadvos de seguir todo los míos bonos fechos, ca ya destaiada es la mi nombradía del regnado, e del seso, e del bon conseio. Pues avívevos la mi nombradía con vostro bon seso e con vostra sofrençia e con vostro conorte, e non vos deve levar mío amor se non a las cosas que yo amé, e las cosas que yo quiero: que la sennal del omne que ama al otro es en quel faga su sabor e nol faga dessabor. E todo que los omnes aguardan el vostro seso e las cosas que podierdes e que faredes por tal de saber la vostra obediençia, e se queredes complir el mío talento. E sabet que todas las creaturas del mundo fázense e desfázense, e an començamiento e fin, e el omne después que naçe siempre va menguado, e yendo e tornando a sus allinnamientos, e el omne, maguer que pueble en este mundo, a ir es dél, e del regnado, maguer que dure, a dexar es. Pues prender exiemplo, madre, de los que son finados, de los reys e de los otros omnes de altos logares que se derribaron e se hermaron, e tantos bonos castiellos o bonas pueblas que se derribaron e se hermaron. E sabet que el vostro fijo que nunca se pagó de las menudeses de los omnes menudos e viles. Otrossy non vos pagar de la flaqueza de los sos coraçones de las madres de los otros reys, e esquivatvos siempre de las cosas que vostro fijo se esquivó siempre. Madre, assí como la vostra pérdida es muy grande, assí la vostra suffrençia e el vostro conorte sea muy grande, que aquel es omne sesudo, el que ha su conorte segunt la grandez de su pérdida. E sabet, madre, que todas las cosas que Dios fizo, naçen pequeñas e van creçiendo se non los duelos, que son de comienço grandes e van menguando, e dévenvos abondar estos conortes e estos castigamientos. E mandat, madre, fazer una villa muy grande e muy apuesta, e desque vos llegar el mandado de mi muerte, que sea la villa fecha, e mandar guisar un grant iantar e muy bono, e mandat dar pregón por toda la tierra, que todos los que non ovioron pesar nen pérdida que vengan hy a iantar, e aquella villa por tal que sea el llanto de Alexandre estremado de todos los llantos de los otros reys.»

E ella fízolo assí. E quando llegó la carta del mandado de muerte de su fijo Alexandre, era la villa fecha, e mandó fazer la iantar segundo el mandamiento de Alexandre, e nol vieno nenguno a aquel iantar.

Pues dixo ella: «¿qué an los omnes que non quieren venir a nostro convite?». E dixióronle: «Sennora, porque vos mandastes que non veniesse hy nenguno de quantos non ovioron duelo nen pérdida, e, sennora, non ha omne en el mundo que non oviesse pérdida o duelo, e por esso non venioron hy nengunos.» Pues dixo ella: «Ay, mío fijo, que mucho semeian los fechos de la vostra vida a los fechos del vostro finamiento, ca me conortades con el grant conorte complido.»

Esta es la otra carta que envió Alexandre a su madre por conortarla:

El que acompaña a los de la vida poco e a los de la muerte mucho, a su madre, la que non se solazó con él en este sieglo —que es cosa çertera—, e a poco de tiempo será con él en la casa que es vida perdurable. Salut de espedidor que se va.

Madre, oyt la mi carta, e pensat de lo que hy a, e esforçiatvos con el bon conorte e la bona sofrençia, e non semeiedes a las mugieres en flaqueza nin en miedo que an por las cosas que lles vienen, assí como non semeia vostro fijo a los omnes en sus mannas e en muchas de sus faziendas, e, madre, se fallastes en este mundo algún regnado que fue ficado en algún estado durable. ¿Non veedes que los árvoles verdes e fremosos que fazen muchas foias e espessas e lievan mucho frucho, e en poco tiempo quebrántanse sus ramos e cáense sus foias e sus frutos? Madre, ¿non veedes las yervas verdes e floridas que amaneçen verdes e anocheçen secas? Madre, ¿non veedes la luna que quando ella es más complida e más luziente estonçe le vien el eclipsis? Madre, ¿non veedes las estrellas que las encubre la lobregura, e non veedes las llamas de los fuegos luzientes e ascondidos que tan ayna se amatan? Pues parat mientes, madre, a todos los omnes que viven en este sieglo, que se pobló dellos el mundo e que se maravijan de los visos e de los sesos, e que son todas cosas, e que se engenrran, cosas que naçen, e todo esto es iuntado enna muerte e con el desfazer. Madre, ¿vistes nunca qui diesse e non tomasse?, ¿e quien emprestasse e non pagasse?, ¿e quien comendasse alguna cosa e gela diessen en fialdat, e que non gela demandassen?

Madre, se alguno por derecho oviesse de llorar, pues llorasse el çielo por sus estrellas, e los mares por sus pescados, e el aer por sus aves, e las tierras por sus yervas e por cuanto en ella ha; e llorasse omne por sí, que es mortal, e que es muerte, e que mengua su tiempo cada día e cada ora. Mas, ¿por qué ha omne de llorar por pérdida fascas que era seguro que antes que la perdiesse de lo non perder, e vínol cosa por que non cuydasse? ¿Pues por qué deve llorar o fazer duelo? Madre, ¿vistes fasta agora nenguno que fuesse fincable o durable, e que non fuesse a lugar do non tornasse? Pues que aquesto non es, non tiene prol el llorar al llorador, nen el duelo non tien prol.

Madre, siempre fustes sabedora que yo avié de morir, mas non sabiedes el tiempo ne la sazón. Pues esforçiadvos con la bona soffrençia e con el bon conorte, e non lloredes por mí, que a lo que vó es meior que lo que lexo, e más sen cuydado, e más sen lazerio, e más sen miedo, e más sen affán. Pues apareiadvos e guisadvos pora quando ovierdes a ir al lugar do vó. Ca la mi nombradía e la mi grant onrra en este sieglo destaiada es, e ficará la nombradía del vostro bon seso e de la vostra sofrençia, la vostra obediença al mandamiento de los sabios, e en esperar lo que Dios mandó del otro que es fincable.

Apéndice II

Ilustraciones y motivos ornamentales insertados en el manuscrito O del *Libro de Alexandre*.

El manuscrito O del *Libro de Alexandre,* conservado con la signatura V.ª 5-10 en la Biblioteca Nacional de Madrid, contiene una serie de ilustraciones de diferente tamaño e importancia[1]. La mayor parte de ellas son sencillos dibujos de muy reducidas dimensiones situados en los márgenes de algunos de sus folios, o bien —mucho más frecuentemente— en el interior de las letras mayúsculas que inician algunas de sus estrofas. La difícil elaboración y la complejidad son rasgos que no se cuentan entre sus características más resaltables. Por el contrario, la simplicidad, la falta de policromía y la sencillez del diseño son sus notas predominantes. La gama de motivos empleados para realizar tales dibujos no es excesivamente amplia. Las ilustraciones marginales consisten o en una mano humana que señala, en una ocasión con un puntero, hacia una de las estrofas (¿elegida al azar?) copiadas en el folio correspondiente[2], o en un rectángulo irregular que lleva un punto en su interior[3], o en una cara humana[4]. Los dibujos insertados como ornamentos de letras mayúsculas iniciadoras de estrofas son de dos clases. El primer grupo de ellos, y el más numeroso, estaría formado por todos aquellos que contienen motivos geométricos[5] (triángulos con un punto dentro, líneas curvas o espirales, círculos pequeños con un pun-

---

[1] Véase la descripción completa del manuscrito que realiza R. S. Willis en las páginas xiv-xx de su «Introducción» a *El Libro de Alexandre. Texts of the Paris and the Madrid manuscripts prepared by...,* Princeton University Press; reimpresión en Nueva York, Kraus Reprint Corporation, 1965.

[2] Véanse los folios 10r., 95v., 128r. (mano con vara) y 131 v.

[3] Folio 12v.

[4] Folios 62v. y 124v.

[5] Folios 2v., 3r., 5v., 10r., 11v., 13r., 13v., 14v., 15v., 17v., 66r., 67r., 67v., 68r., 124r., 124v. No obstante, algunos de estos dibujos pueden no ser interpretados como simples formas geométricas, sino como un intento de «vivificar» —casi diríamos, impropiamente— la letra correspondiente mediante la inclusión en ella de ojos —folios 1v. (letra A), 11r. y 15r. (letra M)— o de ojos y nariz (una D en el folio 2r.).

to en su interior, dos círculos de reducidas dimensiones situados uno sobre el otro y unidos por una recta...). El segundo lo integrarían aquellas letras en las que se han incluido caras o cabezas humanas[6]. Es de señalar como dato resaltable que la «decoración» de mayúsculas ha sido realizada en el manuscrito con carácter casi general hasta el folio 19, momento en el que el autor (de la copia, de los dibujos o de ambas cosas a la vez) tal vez se sintió cansado por la tarea y la abandonó para volver a iniciarla en los folios 66, 67 y 68, tras los cuales de nuevo se registra un vacío de dibujos de letras hasta el folio 124, último que contiene esa clase de ilustración.

Junto a estos pequeños detalles ornamentales, todos ellos monocromos (han sido dibujados en color marrón, aunque la mayoría de las letras mayúsculas que albergan a algunos de ellos han sido escritas con grandes caracteres pintados con tinta roja) existen otras ilustraciones mayores. Son, dejando a un lado los escudos que aparecen como colofón al texto de la obra (al final del folio 153v.), tres. Los dos primeros, estudiados en un artículo de David J. A. Ross publicado en la revista *Scriptorum*[7], se intercalan en los folios 45v. y 53v., entre las estrofas 761-762 y entre los versos 886a-886bcd respectivamente, y hacen referencia a episodios contenidos dentro del hilo narrativo general del *Alexandre* (así, la primera representa a Alejandro Magno junto a la tumba de Aquiles arengando a sus hombres[8]; la segunda hace referencia al accidente sufrido por el gran conquistador tras bañarse en el río Cidno[9] —se recoge el momento concreto en el que los hombres del emperador sacan a éste del río tras haber sufrido el desvanecimiento con el que se inicia su enfermedad—). Dos colores se utilizaron para su confección, el marrón y el azul, el segundo de los cuales se emplea exclusivamente en el trazado de la figura del emperador, quizá con el fin de destacarla del conjunto que la rodea. La tercera ilustración, dibujada en marrón exclusivamente, se inserta en el último folio del manuscrito, el 154r., en el cual la copia manual del texto del *Alexandre* había sido dada ya por finalizada. Se encuentra mucho más deteriorada que las anteriores. Consta de dos partes bien diferenciadas. En la mitad superior del folio aparece un jinete montado sobre su cabalgadura. La mitad inferior presenta, muy borrada por la acción de la humedad, una figura humana cuyos trazos no son perceptibles en su totalidad.

---

[6] Folios 3v. (letra C), 10v., 12r., 13r., 16r., 18r. (letra Q), 19r. (letra D).

[7] David J. A. Ross, «Alexander iconography in Spain: "El *Libro de Alexandre*"», *Scriptorium*, XXI, 1947, págs. 83-86.

[8] Véanse las estrofas 329-773 del *Alexandre*.

[9] Estrofas 880-913.

Va por medio la villa una agua cabdal,
que se llamava Tigris, tod una canal.
Nace en una sierra, desçende por un val,
paresçe sola agua, cuerpo çelestial.

Visto el rey salvo, de lavarse en ella,
vio a correr tan fermosa, que era maravilla.
O tiera muy amada, por muy grant maravilla,
que omne redol mundo, del río la querella.

E no se desarmar, e toller se los paños,
que quien gelo a mal, leer façer a los estraños.
dio salvo enel río, con ambos sus cavalleros.
quanto bien que vengo, quantas veçes en baños,

e como está el cuerpo, caliente e sudavienes.

Alexandre es sacado del río Cidno por sus hombres

Alexandre junto a la tumba de Aquiles arengando a sus hombres

Caballero dibujado en el último folio (154r.) del manuscrito
del *Libro de Alexandre*

enoſco ſe q̃ſieſſes. mio ſ̃ruiço prender.
q̃rria uos de g̃do. ſiruir de mio meſter
deue de lo que ſabe. om̃e largo ſeer.
ſe no podrie de culpa ſo de rieto caer.

ẽ eſter trago fermoſo. nõ eſ de iglaria.
ẽ eſter eſ ſen pecado. ca eſ de clerizia.
fablar curſo rimado p̃ la quaderna uia.
a ſillauaſ cuntadaſ. ca eſ mũt maeſtria.

q̃i oyr lo q̃ſier. a todo mio creer.
a ura de mi ſolaz. en cabo mũt plazer.
a prendra bonaſ geſtaſ. q̃ ſepa retraer.
a uer loan por ello. muchoſ a cõnoſçer.

nõ uoſ q̃ro mũt prolego. nẽ g̃deſ nouaſ faz̃
l nego ala materia me uoſ q̃ro coger.
el criador noſ leye. bien apeſo ſeer.
ſi en aq̃l pecarmoſ. el noſ deue ualer.

q̃iero leer un libro. de un bõ rey noble pagano
q̃ fue de mũt eſforço. de coraçon loçano.
conq̃ſto todel mund. metiol ſo ſu mano
terne ſelo cõ pere q̃ ſe lun eſcriuano.

d el prinçep alexandre. q̃ fue rey de greçia
q̃ fue franc rardit. ʒ de mũt ſabeuçia
u enço muy rano. de reyſ de mũt potençia
f uit a mũt q̃ naſçio q̃ue ſi par enla ſiffença.

e l infante alexandre. luego en ſu uiñez
c omeço a demoſtrar. q̃ ſerie de mũt viez̃
ſ̃ũca q̃iſo mamar. lede de mugier rahez̃
ſe no fue de lynage. ode mũt gentilez̃.

g randeſ ſignoſ cõtiron. q̃ſt eſtinfant naſço
el aire fue camiado. el ſol eſcureçio.
todel mar fue irado. latiã temeço.

Vocabulario

He tratado de recoger en este vocabulario las palabras que pueden plantear problemas de comprensión al lector de nuestros días, bien porque su uso ha decaído totalmente en el castellano, bien porque han sido objeto de cambios semánticos con el paso de los tiempos, bien porque la evolución normal del idioma ha modificado su forma externa. Mi única pretensión con ello ha sido facilitar la labor de acercamiento al *Libro de Alexandre,* ahorrar la molestia al lector de tener que acudir a diccionarios o vocabularios especializados, en los cuales este tipo de léxico ha sido recogido. Para su confección he utilizado como base el *Diccionario crítico etimológico de la lengua castellana* de J. Corominas (Madrid, Gredos, 1974, 4 vols.), si bien en otras ocasiones he acudido a otras fuentes de información, principalmente a la *Contribución al Vocabulario del Poema de Alexandre* de Julia Keller (Madrid, Tipografía de Archivos, 1932) —bastante incompleto en muchos aspectos—, el *Vocabulario medieval castellano* de Julio Cejador y Frauca (Nueva York, Las Américas Publishing Company, 1968 —ed. facsímil de la publicada en 1929—), el *Diccionario Histórico de la lengua española* (cuya publicación en fascículos por la RAE todavía no ha sido concluida), el *Vocabulario* incluido por Caroll Mardem en su edición del *Libro de Apolonio* (Princeton University Press, 1917-1922 —reimpreso en Nueva York, Kraus Reprint Corporation, 1965—, vol. II, págs. 67-135), el *Vocabulario* insertado por Manuel Alvar como complemento a su edición de *Poesía Española Medieval* (Barcelona, Planeta, 1969, págs. 983-1061), el *Diccionario de Autoridades* (Madrid, Gredos, 1969, 3 vols. —ed. facsímil—) y el *Diccionario de la lengua española,* publicado por la RAE (Madrid, Espasa-Calpe, 1970, 19.ª ed.). En el momento de efectuar la revisión de la primera edición de este libro, he tenido en cuenta y manejado el trabajo de Louis F. Sas, *Vocabulario del libro de Alexandre* (Madrid, Anejo XXXIV del *BRAE,* 1976).

A

ABARRER, saquear; destruir, asolar, dispersar, exterminar; arruinar, echar a perder; quebrantar, matar. Ej. 1114a.

ABASTADO, abastecido, provisto. Ej. 303d.

ABASTANÇA, provisión, abastecimiento. Ej. 1172c.

ABAXAR, bajar; disminuirse, moderarse. Ej. 140a, 2514c.

ABENENÇIA, avenencia. Ej. 344b, 1705d.

ABENIR, suceder, acceder, haber, convenir, lograr, llegar a un acuerdo. Ej. 56d, 1190d.

ABERNIEMOS, futuro de *abenir*, lograremos... Ej. 1314d.

ABES, difícilmente, con trabajo; escasamente, apenas. Ej. 177c, 1123d.

ABETAR, abajar, someter, engañar. Ej. 384b.

ABEVRAR, abrevar, dar de beber al ganado. Ej. 1467d.

ABEZANTE, que acostumbra; aprendiz, estudiante. Ej. 2565c.

ABEZAR, acostumbrar. Ej. 128d, 2497b.

ABONDANÇA, abundancia. Ej. 1466c, 1959a.

ABONDAR, proveer ampliamente. Ej. 289a, 1460d.

ABONDO, abundancia. Ej. 335c, 940c.

ABORRIDO, aborrecido. Ej. 2339b.

ABORRIR, aborrecer. Ej. 209c, 2284c.

ABRAMANTE, gigante. Ej. 1352d.

ABRIDO, abierto. Ej. 2072d.

ABSOLVIÇIÓN, solución; sentencia judicial favorable al demandado; absolución sacramental. Ej. 1229a.

ABTÉNTICO, auténtico, real. Ej. 1248b.

ABTEZAS, ornamentas, alhajas. Ej. 391c.

ABUSIÓN, mala costumbre, práctica viciosa o reprobable; abuso; mentira, engaño, patraña; extravío, deformación, herejía, idolatría, superstición. Ej. 2373c.

ABZE, *auze*, suerte, ventura. *Abze dura, mala:* desgracia. Ej. 573a.

ACABADO, perfecto. Ej. 455c, 1903a.

ACABAMIENTO, final, terminación. Ej. 912d.

ACABDELLAR, acaudillar, guiar, dirigir. Ej. 552c.

ACABEÇER, acabar, recabar; conseguir, lograr, llevar a cabo. Ej. 313b, 2328d.

ACARREAR, transportar algo en general, trasladarlo o llevarlo de un sitio a otro, a cuestas o con esfuerzo físico. Ej. 2555b.

ACÇIDIA, pereza. Ej. 2387b.

ACOGER, retirarse, irse, recogerse. Ej. 4b, 615d, 2314a.

ACOITAR, acuitar, afligir. Ej. 1188a.

ACOMENDAR, encomendar. Ej. 1457a, 2554d.

ACORDAR, poner en buen acuerdo; concertarse; recobrar el sentido, recuperar la cordura. Ej. 430d, 1166c.

ACORRER, socorrer, ayudar. Ej. 191d, 1022c.

ACORRO, socorro, ayuda. Ej. 1386b, 2017b.

ACOSTADO, sust. soldado a sueldo del rey. Ej. 2029b.

ACOSTAR, arrimar, acercar; ladear, inclinar, tender o poner las espaldas en el suelo, en posición yacente; meter en la cama. Ejemplos 698c, 2055c.

ACREÇER, acrecentar, aumentar. Ej. 2438c.

ACTOR, autor, escritor, creador; fuente histórica; instigador, promotor. Ej. 1196c, 2390a.

ACTORISTA, autor escritor. Ej. 1197a.

ACUÇIA, diligencia. Ej. 2270c.

ACUÇIAR, detallar; insistir en; cuidar con diligencia, estimular, apresurar; instigar, aprestar, meter prisa. Ej. 325a, 1156d.

AÇEDÍA, desazón, melancolía. Ej. 595c.

AÇEDREJ, ajedrez. Ej. 715b.

ACEÑA, molino harinero. Ej. 1466b.

AÇOTA, látigo. Ej. 801c.

ACHAQUE, acusación, causa, pretexto, enfermedad. Ej. 2287b.

ACHAQUIA, acusación, queja. Ej. 1929b.

ACHATES, ágata. Ej. 1483a.

ADALID, caudillo, jefe, guía. Ej. 618a.

ADAMANTE, diamante. Ej. 1475d.

ADARGUEROS, soldado armado de adarga (escudo). Ej. 80c.

ADARVE, espacio en lo alto del muro sobre el que se levantan las almenas, muro. Ej. 225a, 403d.

ADAUTE, adj. a propósito, adecuado, conveniente, agradable. Ejemplo 2142c.

ADEBDAR, adeudar; convertir en deudor. Ej. 374d, 1265c.

ADELANTADO, caudillo a quien se encomendaba el gobierno y defensa de un territorio fronterizo —en el caso de lucha era el primero en intervenir—; presidente o justicia mayor del reino, provincia o distrito determinados, y capitán general en tiempo de guerra. Ej. 844c, 1552a.

ADELIÑADO, compuesto, arreglado; aliñado, dispuesto, encaminado. Ej. 2622d.

ADELIÑAR, encaminar. Ej. 2622d.

ADERREDOR, alrededor. Ej. 117c, 1632d.

ADIANO, extremado, excelente, conveniente, cabal. Ej. 558c, 2131d.

ADIESSO, al punto, en el instante. Ej. 306a, 1324c.

ADOBADO, preparado, dispuesto. Ej. 448b, 1095d.

ADOBAR, preparar, ataviar. Ej. 245d.

ADOBO, adorno, atavío. Ej. 90a, 1081d.

ADONADO, provisto de virtudes naturales; potente, fértil en recursos; gracioso, donoso. Ej. 107b, 1245c.

ADORMIDO, dormido. Ej. 702d.

ADOZIR, ADUZIR, traer, conducir. Ej. 177a, 2145c.

ADUCHO, participio de *adozir,* traído, conducido. Ej. 747a, 998b.

ADUR, apenas, difícilmente. Ej. 2526b.

ADUXO, de *adozir* o *aduzir,* trajo, llevó. Ej. 305c.

ADVOCADO, abogado, perito en derecho que defiende en juicio los intereses de los litigantes, letrado. Ej. 1614d.

AER, aire. Ej. 1595d.

AFALAGAR, halagar. Ej. 74b.

AFÁN, situación enredada, dificultad, apuro. Ej. 2027d.

AFEITADO, hermoseado, pulido, acicalado. Ej. 967b, 1877a.

AFIADO, asegurado, fidedigno, seguro, leal. Ej. 2449b.

AFILAR, ahilar, hacer hilos, romper. Ej. 648d.

AFINCAR, instar con ahínco. Ej. 326c, 634c.

AFOGAR, ahogar. Ej. 27b.

AFOLLADO, destruido, afeado, desfigurado, lisiado. Ej. 487a, 1678d.

AFONDADO, aforça, ahondado, hundido. Ej. 2257d.

AFORADO, privilegiado. Ej. 2339d.

AFORÇADO, de *aforçar,* esforzado, valiente. Ej. 691c.

AFORZAR, forzar, violentar; esforzarse, esforzar, animar. Ej. 74c, 565c.

AFOTADO, confiado, audaz. Ej. 1889c.

AFRONTA, afrenta. Ej. 510b.

AFRONTADO, afrentado. Ej. 2000b.

AFRONTAR, enfrentar, enfrentarse; afrentar. Ej. 578a, 1019b.

AFUMADO, ahumado. Ej. 2377a.

AGORA, ahora. Ej. 191c, 2439c.

AGRAZ, uva verde. Ej. 454d, 2562c.

AGRIMAR, adivinar, acertar, dar con. Ej. 176c, 2130d.

AGUADUCHO, inundación. Ej. 1913b.

AGUARDADOR, miembro de una comitiva. Ej. 864b, 2307c.

AGUARDAR, mirar, observar, guardar; agradar, servir, honrar. Ejemplo 2032b, 2436d.

AGUÇIA, gran deseo, ansia diligencia. Ej. 52b.

AGUDO, afilado, en punta; vivo, presto. Ej. 2071b.

AGUIJAR, aprestar o hacer apretar el paso. Ej. 465c.

AGUISADO, conveniente, justo, razonable; dispuesto, preparado. Ejemplo 47c.

AGUISAR, disponer, arreglar convenientemente. Ej. 837d, 1890b.

AGUJA, aguijón. Ej. 2172c.

AGUZAR, afilar. *Aguzar los dientes:* preparar los dientes, disponiéndose a comer o despedazar. Ej. 2341b, 2645b.

AHONTADAMENTE, afrentosamente. Ej. 541c.

AHONTADO, deshonrado, afrentado. Ej. 418b, 1316d, 1425d.

AHONTAR, afrentar, deshonrar. Ej. 2145d.

AINA, de prisa, pronto. Ej. 159b, 1329a.

AIRAR, tener ira, encolerizarse con alguien. Ej. 466c.

AJOBAR, soportar, aguantar, apechugar con. Ej. 588a, 1039a.

AJUNTADO, juntado, reunido. Ej. 1945b.

AL, otro, otra cosa. Ej. 231a, 1173d.

ALABANÇIA, alabanza. Ej. 1892c.

ALÁN, alano, perro cazador de liebres. Ej. 2117c.

ALÁRAVE, árabe. Ej. 1189b, 1390c.

ALARGAR, dar longitud, soltar, aflojar. Ej. 2075a.

ALBERGADA, *vid.* ALVERGADA.

ALBERGAR, acampar, dar posada. Ej. 1690b.

ALBERGUERÍA, albergue. Ej. 1915c.

ALBO, blanco. Ej. 2042c.

ALBOGUE, instrumento de viento compuesto de dos cañas paralelas con agujeros, sostenidas por una armadura de madera. Ej. 1545c.

ALBOLLÓN, albañal, desagüe, cloaca. Ej. 1041b.

ALBRIÇIA, recompensa que se daba al portador de una buena noticia. Ej. 1983d, 2654b.

ALCAÇER, torre más alta de una fortificación; alcázar. Ej. 2558b.

ALCAL, juez. Ej. 59a.

ALCAVERA, linaje, tribu. Ej. 130d.

ALCOFOLAR, alcoholar, ponerse alcohol (polvo finísimo de antimonio empleado por las mujeres para ennegrecerse los ojos) en los ojos —costumbre tomada de los árabes. Ej. 378b.

ALÇAMIENTO, acción o efecto de alzar o elevar; predominio, primacía. Ej. 286c.

ALÇAR, levantar; construir, guardar, esconder; crecer. Reflex. apartarse, huir. Ej. 166b, 1068c.

ALEAR, mover alas; aletear; fig. mover algo de manera semejante al modo de moverse las alas. Ej. 477b, 698a.

ALEDANO, aledaño, colindante, limítrofe. Ej. 871c.

ALEGORÍA, relato, descripción. Ej. 2595a.

ALEXOS, lejos. Ej. 80a, 267d.

ALFIERZE, alférez, abanderado en el ejército, portaestandarte. Ejemplo 636a.

ALFONSINA, clase de uva. 2129c.

ALFOZ, distrito, comarca que depende de una ciudad o castillo. Ejemplo 478b.

ALGARA, acometida, incursión, correría en tierra enemiga para robarla. Ej. 774a, 1179c.

ALGARADA, vocerío grande causado por una algara (incursión brusca en tierra enemiga), vocerío grande provocado por un gran gentío; algara.

ALGAREADOR, soldado encargado de realizar las algaras. Ej. 80c.

ALGARIVO, extraño, extranjero; desgraciado, inicuo. Ej. 1681a.

ALGARRADA, máquina de guerra pequeña que disparaba proyectiles. Ej. 747c, 2220a.

ALGAZAR, algazara, ruido, griterío, vocerío. Ej. 645a.

ALGO, haber, cosa de gran valor, favor, cortesía, servicio. Ej. 72b.

ALIMÁN, alemán. Ej. 1798d.

ALIMOSNA, limosna. Ej. 1616a.

ALIMOSNAR, dar limosna. Ej. 2400b.

ALIMPIADO, limpio. Ej. 1619a.

ALIMPIAR, limpiar. Ej. 1236c.

ALIÑADO, dispuesto, preparado, encaminado. Ej. 1554d.

ALIÑAR, dirigir, dirigirse a; preparar; alinear, medir. Ej. 295b, 1387a.

ALJAMA, conjunto de personas; conjunto de judíos o de moros de una localidad, sinagoga. Ej. 1138d.

ALMAÑANEQUE, máquina de guerra para tirar piedras. Ej. 1106a.

ALMARIO, armario. Ej. 906a.

ALMENARA, luminaria, fuego que se enciende para señal. Ej. 1559c.

ALMOÇONES, pueblo de Asia. Ej. 1516d.

ALMOFALLA, campamento de un ejército, ejército. Ej. 888b, 2036a.

ALMOFRE, capucha que tenía la loriga para cubrir la cabeza y el cuello del guerrero. Ej. 486a, 1365d.

ALMONEDA, venta pública, venta del botín. En el texto «tiene sentido figurado, relacionando metafóricamente el montón que con los tesoros se habla de formar, con los de los objetos expuestos en la almoneda» (Keller, *op. cit.,* pág. 24). Ej. 1896a.

ALMUD, medida para áridos. Ej. 1259d.

ALONGADO, alejado, apartado, alargado. Ej. 144d.

ALONGAR, alejar, apartar, prolongar, alargar. Ej. 265b, 1988c.

ALTEZ, altura. Ej. 1583c.

ALTEZA, altura; linaje, dignidad. Ej. 1504b.

ALUEN, lejos. Ej. 513c.

ALUEYA, grito, sonido. Ej. 2357b.

ALVERGADA, campamento, hueste acampada; morada. Ej. 482d, 1684b.

ALLEGAR, acercarse, llegar; reunir. Ej. 126d, 2156c.

ALLENDE, al otro lado de. Ej. 95c.

AMARFIL, marfil. Ej. 857b.

AMATAR, matar, rematar; apagar. Ej. 352c, 850b, 1674b.

AMBLADOR, que anda bien, cómodo de cabalgar, que mueve a un tiempo (una cabalgadura) el pie y la mano de un mismo lado. Ejemplo 1500c.

AMIDOS, de mala gana. Ej. 1454b, 1713d.

AMOLADO, afilado; dispuesto. Ej. 564b, 1717a.

AMOLAR, afilar, rechinar. Ej. 28b, 1341b.

AMOLLEÇER, ablandar. Ej. 1861c.

AMORTEÇIDO, amortecido, medio muerto, desmayado. Ej. 2659b.

AMORTIDO, amortecido, desmayado, sin sentido, medio muerto. Ejemplo 710b.

AMORTIGUAR, dejar como muerto, matar. Ej. 672c.

AMOS, ambos. Ej. 371c, 1224b.

ÁNADE, pato. Ej. 1497a.

ANOMOMO, cinamomo. Ej. 1463c.

ÁNCORA, ancla. Ej. 275a, 2298b.

ANCORAR, anclar. Ej. 451b.

ANDADA, paso, camino, vida. Ej. 1156c, 2046c.

ANDES, andas; tablero que, sostenido por dos varas paralelas y horizontales, sirve para conducir efigies, personas o cosas. Ej. 2565b.

ANDIDO, de *andar*, anduvo. Ej. 339a, 1652b.

ANDUDIERON, ANDUDO... de *andar*, anduvieron, anduvo... Ej. 2299b.

ANEBLADO, oscurecido, cubierto de niebla. Ej. 756d.

ANGOSTAR, estrechar. Ej. 2619c.

ANGOSTURA, estrechura, paso estrecho; apuro, aprieto. Ej. 2013c.

ANNADO, entenado, hijastro. Ej. 2578d.

ANTIPARA, tapadera, disimulo; cárcel, biombo. Ej. 1348a.

ANTUVIAR, adelantarse al encuentro. Ej. 476a, 1014c.

AÑEL, cordero. Ej. 1242d.

AOJAR, hacer mal de ojo. Ej. 835d.

AONTADO, deshonrado, afrentado. Ej. 47a.

AOSAR, atreverse. Ej. 1590b.

APAGADO, contento, alegre. Ej. 2432d.

APAGAR, agradar; reconciliar. Ej. 74a.

APARADO, preparado. Ej. 1699a.

APAREJADO, dispuesto, preparado; apropiado. Ej. 772c, 173c.

APAREJAR, disponer, preparar. Ej. 1140a.

APARTAR, retirar, retirarse. Ej. 941b.

APEADO, a pie. Ej. 2093b.

APELLIDO, grito, voz, griterío; pregón. Ej. 547c, 1138a.

APESAR, pesar, ponerse pesado. Ej. 706b.

APOCAR, aminorar, reducir. Ej. 706c.

APOÇONADO, envenenado. Ej. 2491b.

APODERADO, poderoso, fuerte. Ej. 1425c, 1975d.

APODERAR, dar poder, tener poder, tomar poder. Ej. 19a, 1267b.

APORGAR, amontonar. Ej. 2347a.

APOSTIELLO, diminutivo de *apuesto;* a propósito. Ej. 935d.

APREMIADO, oprimido, sujeto, mortificado, bajado. Ej. 1216b.

APREMIAR, oprimir, violentar, mortificar. Ej. 2625a.

APRES, cerca, después. Ej. 434a, 1543a.

APRESADO, presuroso, apresurado. Ej. 1576a.

APRESO, dichoso, bien dirigido. Ej. 4c, 1209d.

APRIESSA, de prisa. 81a.

APRIMIR, oprimir. Ej. 1257c.

APRISE, APRISO... de *aprender,* aprendí... Ej. 43a, 1058d.

APROFIJAR, prohijar, recibir como hijo. Ej. 1671b.

APROVEÇER, aprovechar. Ej. 1893c.

APSYCTOS, «piedra negra, pesada y atravesada por venas encarnadas» (S. Isidoro, cfr. nota a 1484a). Ej. 1484a.

APTEZA, aptitud, grandeza, riqueza. Ej. 2142d.

AQUEDADO, quieto, sosegado. Ej. 1298d.

AQUEDAR, descansar; cesar, desistir, dejar de; estar quieto; permanecer; dejar quieto; sosegar. Ej. 263a, 2619d.

AQUEXADO, acongojado, pesaroso. Ej. 844d, 1763c.

ARAMBRE, alambre. Ej. 2343c.

ARBOLADA, arboleda. Ej. 807c.

ARBOLARIO, arboleda. Ej. 938c.

ARCA, tórax, caja torácica; cuerpo. Ej. 1060a.

ARDIDO, ARDIT, intrépido. Ej. 64c.

ARDURA, apuro, pena. Ej. 315a, 1673d.

ARECHO, erguido. Ej. 501b, 1234a.

ARGENTADO, plateado. Ej. 1216d.

ARGENTE, plata. Ej. 864c, 1386d.

ARGUDARSE, darse prisa, anticiparse, hacer algo antes que otro. Ejemplo 1040b.

ARGUDO, astuto, ingenioso. Ej. 618b, 2229c.

ARLOTE, pícaro, holgazán. Ej. 2393d.

ARRABADO, varonil. Ej. 15b.

ARRAMAR, derramar, esparcir, extenderse. Ej. 145b.

ARRANCADO, ganado, vencido, derrotado. Ej. 82a.

ARREADO, provisto, equipado. Ej. 872d.

ARREDRAR, alejar, apartar, hacer retroceder, separar, retraer, amedrentarse. Ej. 1015c, 1713d.

ARRENUNÇIAR, renunciar. Ej. 2645d.

ARRIBAMIENTO, llegada; llegada a un estado próspero. Ej. 928b.

ARRIBAR, llegar; llegar a puerto; llegar a estado próspero. Ej. 123d, 1502c.

ARRIEDRO, atrás, hacia atrás. *Arriedra parte:* lejos. Ej. 54b, 1030d.

ARROMPER, romper, destrozar. Ej. 2059b.

ARTERÍA, astucia. Ej. 413c.

ARTERO, astuto. Ej. 410a, 1669a.

ARTÍCULO, punto, parte, división. Ej. 1625d.

ARVEJA, guisante. Ej. 226a, 2059d.

ARZÓN, fuste delantero o trasero de la silla de montar. Ej. 1041d.

ASABORGAR, asaborar, dar sabor, llenar de sabor, complacer. Ej. 735c, 2200b.

ASCO, aversión, odio, miedo. Ej. 718d.

ASCONDER, esconder, oculto. Ej. 2318d.

ASCONDIDO, escondido, oculto. Ej. 1489b.

ASCUSO, a escondidas. Ej. 1064c.

ASEMBLAR, juntar. Ej. 637c, 1689c.

ASEO, crianza; arreglo, compostura. Ej. 942a.

ASMA, pensamiento. Ej. 1247c.

ASMAR, estimar, evaluar, apreciar, juzgar, pensar. Ej. 67b, 2504d.

ASPERIDAT, aspereza. Ej. 1609d.

ASSADURA, derecho que se pagaba por el paso de los ganados, consistente en la entrega de una asadura; asado. *Era fecha la assadura:* frase con sentido figurado, «ya estaba hecho» (J. Keller, *op. cit.*, página 32). Ej. 1376d.

ASSAZ, bastante, suficientemente. Ej. 39a, 1562a.

ASSECHAR, acechar. Ej. 2341c.

ASSENTADO, bien hecho, bien arreglado. Ej. 1311d, 1560a.

ASSEÑORAR, subyugar, dominar, señorear, apoderarse de algo. Ejemplo 2218d.

ASSOMAR, hundir como peso; aparecer en lo lato de un camino, un cerro, etc.; aparecer a lo lejos; empezar a mostrarse. Ej. 1925c.

ASTA, lanza. Ej. 414c.

ASTERITES, gema «blanca, tiene como encerrada dentro una luz como de estrella por anda por el interior y devuelve los rayos del sol con fulgor blanco; de esto toma su nombre» (S. Isidoro, cfr. nota a 1478). Ej. 1478a.

ASTRE, astro. Ej. 2493c.

ASTRIÓN, gema «parecida al cristal, en cuyo centro brilla como una estrella con el fulgor de la luna llena» (S. Isidoro, cfr. nota a 1487cd.). Ej. 1487c.

ASTROSO, desgraciado, funesto, despreciable. Ej. 17c, 2105a.

ATALAYA, centinela; lugar alto. Ej. 666c.

ATAMAÑO, tamaño, tan grande. Ej. 254d.

ATAMBOR, tambor. Ej. 848b.

ATAN, tan. Ej. 161c, 2131a.

ATANTO, tanto. Ej. 1236b.

ATEMPRADO, templado, comedido. Ej. 2134d.

ATENDER, esperar, quedar, escuchar. Ej. 733d.

ATENEDOR, seguidor, devoto. Ej. 1117d.

ATENENÇIA, amistad, concordia. Ej. 6d, 918c, 2639b.

ATENER, mantener, cumplir. Ej. 966b.

ATREVENÇIA, atrevimiento. Ej. 2005b.

ATUMPNO, otoño. Ej. 2562d.

ATURAR, detener, porfiar, empeñarse, persistir, aguantar, durar. Ejemplos 734d, 1611b.

AUTEZ, grandiosidad, suntuosidad. Ej. 1504b.

AUTUMNO, otoño. Ej. 657d.

AVANEO, abaneo, nombre que se daba a los habitantes de Argos. Ej. 1513d.

AVANTAJA, ventaja. Ej. 701d, 1283b.

AVE, de haber, ha. Ej. 675a.

AVER, dinero, riqueza, mueble, efectos. Pl. dineros, efectos. *Aver monedado:* moneda. Ej. 1063d, 1773d.

AVENEDIÇO, advenedizo, extranjero, forastero. Ej. 1654c.

AVENIR, suceder, acontecer; acceder, convenir, comprender, concordar; lograr; vencer. Ej. 849b, 1933a.

AVENTAR, dar al viento, lanzar, tirar. Ej. 1371a, 2562b.

AVENTURAR, ventura, casualidad (con *por*). Ej. 464a, 2267d.

AVIESSO, torcido, malo, extraviado. Ej. 841b, 2253a.

AVILTADAMENTE, afrentosamente. Ej. 2570c.

AVILTAR, afrentar. Ej. 500b.

AVOL, vil. Ej. 423a.

AVOLORIO, abolengo, descendencia de los abuelos, patrimonio de los abuelos. Ej. 376d.

AVORADO, agorado, que le han echado agüeros. *Mal avorado:* que tuvo malos agüeros, mal aventurado, desdichado. Ej. 525a.

AYUSO, abajo. Ej. 1779b, 2630d.

AZ, tropa ordenada, línea de batalla. Ej. 137c.

AZCONA, lanza, arma ofensiva arrojadiza. Ej. 305c.

AZEDOSO, acedo, desventurado. Ej. 2399d.

AZERO, acero. *Azero colado:* acero limpio, purificado y purgado de la escoria. Ej. 660b.

B

BABUSANA, figurón embutido de paja, en representación de un soldado, que se coloca en una fortaleza para impresionar al enemigo; esperanza vana. Ej. 2041a.

BADAR, esperar en vano. Ej. 2422d.

BAFA, fanfarronería, burla, fanfarronada. Ej. 600a, 793d.

BAFAR, echar el aliento, hablar, fanfarronear, burlar. Ej. 99a, 951d.

BAILA, baile. Ej. 998d.

BALDAR, pasarlo mal; anular, quebrantar, privar del uso de algún miembro. Ej. 645c.

BALDE, vano, inútil desocupado. *En balde, de balde:* en vano, sin causa, gratuitamente. *Estar en o de balde:* estar sin hacer nada. Ejemplos 1050a, 1759b.

BALDERO, ocioso, baldío, inútil. Ej. 337a, 1969a.

BALDONAR, despreciar, prodigar, denostar. Ej. 1407c.

BALSAMAR, embalsamar, untar o lavar con bálsamo. Ej. 650b, 1804b.

BARAJA, riña, contienda, litigio. Ej. 344a, 1676b.

BARATA, precio; ganancia; fraude; baratija; confusión, barullo. Ejemplos 860a, 1819a.

BARATADOR, que hace fraude, engañador, tramposo, traficante. Ejemplo 383d.

BARATAR, tratar, negociar, incluso con engaños; engañar. Ej. 1660b.

BARÓN, hombre principal, hombre. Ej. 757a, 795c, 1447b.

BARRAGANÍA, valentía, hecho esforzado de barragán. Ej. 69d, 2288d.

BARREAR, poner *barra* o barrera, cerrar. Ej. 231b.

BARRUNTAR, descubrir espiando, prever, conjeturar, presentir, notar. Ej. 306d, 1687b.

BARRUNTE, espía; acción de espiar, noticia que trae un espía; presentimiento, suposición, conjetura. Ej. 843a, 1084a.

BARVAPONIENTE, a quien apunta la barba, joven. Ej. 1192c.

BASTADA, abastecida. Ej. 1795c.

BASTEÇER, fortificar, reforzar; proveer, abastecer, preparar, aparejar, disponer; fraguar, urdir, inventar. Ej. 2664d.

BASTIDA, defensa, fortaleza, máquina de guerra. Ej. 1354c, 1577d.

BASTIR, abastecer, proveer; fortificar, construir, edificar; hacer, disponer, urdir. Ej. 173c, 1900d.

BATALLERO, combatiente, luchador. Ej. 738a.

BATEAR, bautizar. Ej. 2420a.

BATEL, bote, barco pequeño. Ej. 2268b.

BATICOR, angustia, pena, tristeza. Ej. 847d, 2143c.

BATIR, golpear mucho. Ej. 29d, 981b.

BAVEQUIA, necedad, estupidez, tontería. Ej. 700c.

BEFA, fanfarronería, burla, fanfarronada. Ej. 1197a.

BEILA, guardia, centinela. Ej. 2038b.

BEL, bello. Ej. 2427b.

BELDAT, beldad, hermosura. Ej. 388c, 1017a.

BELMEZ, compasión, amparo. Ej. 694b, 2008d.

BENDICITE, *benedicite,* oración que comienza con esa palabra. Ejemplo 1651c.

BERNAJE, proeza, hazaña de barón. Ej. 255b, 1855d.

BERROJO, cerrojo. Ej. 116a.

BESTIÓN, aumentativo de *bestia;* estípite o mascarón; bicha, monstruo o animal fantástico empleado como motivo decorativo; baluarte, bastión. Ej. 858b, 2074c.

BETUBNE, betún. Ej. 2340c.

BETUMNE, betún. Ej. 2308a.

BEUDEZ, embriaguez, borrachera. Ej. 1485d, 2379c.

BEVIDO, de *bevir* (vivir), vivido. Ej. 429a.

BIENANDANTE, dichoso. Ej. 2082d.

BIENCONÍA, abuso, injusticia. Ej. 1825a.

BIENESTANÇA, suerte, ventura. Ej. 1731a.

BIERVO, palabra. Ej. 1311d.

BIESPA, *bispa,* avispa. Ej. 792a, 2171b.

BISPO, obispo. Ej. 2511d.

BISSIESTO, suerte. Ej. 1671c.

BLANDO, suave, tierno, lisonjero. Ej. 938a.

BLANQUEADOS, colores blancos; pintado de blanco. Ej. 863c.

BLANQUEANTE, que despide blancura; refulgente. Ej. 864c.

BLASMO, ultraje, injuria. Ej. 2078b.

BOCADA, palabra, discurso. Ej. 1156d.

BOÇO, rostro, mejilla, boca. Ej. 2065c, 2425c.

BEFORDO, lanza sin punta para el juego de tirar al tablado. Ejemplo 711c.

BOIRI, marfil. Ej. 2542a.

BOLADA, vuelo. Ej. 2500d.

BOLONDRÓN, montón. Ej. 505a, 1181d.

BOLSERO, bolsillo. Ej. 2385d.

BOLVER, envolver, mezclar; volver, dar vuelta; trasnochar, enredar. *Bolver el torneo:* entablar combate. Ej. 504b, 1200c.

BOLLIR, bullir, hervir, agitarse, moverse. Ej. 721a, 2256b.

BONIELLO, diminutivo de *bueno,* bueno, lindo, mono. Ej. 1498a.

BORDÓN, bastón, palo de peregrino. Ej. 1168a.

BORRO, borrego. En sent. fig., necio. Ej. 230d.

BOTADO, arrojado, expulsado. Ej. 2151b.

BOTAR, lanzar, arrojar, tirar. Ej. 2151b.

BOTO, romo, sin punta; necio, torpe. Ej. 971d, 1388d.

BOZERO, portavoz, abogado, defensor; cantor. Ej. 158c, 1363b.

BRACTO, bactro, habitante de Bactriana. Ej. 1189c, 1642a.

BRAÇADA, brazada, golpe dado con un arma que se maneja con los brazos; movimiento hecho con el brazo. Ej. 709c.

BRAÇERO, Sust. el que arroja o maneja un arma con los brazos, luchador. Adj. combativo, esforzado. Ej. 440a, 1069b, 2238a.

BRAFONERA, pieza de la armadura que cubría la parte superior del brazo o de las piernas. Ej. 456a, 661a.

BRAGA, calzón, prenda de vestir del hombre. Ej. 1870c.

BRASADA, brasa. Ej. 2068b.

BRAVEZA, bravura. Ej. 14b, 115d.

BREÇUELLO, cuna. Ej. 2568b.

BREVIARIO, libro que contiene el rezo eclesiástico de todo el año; compendio. Ej. 653d, 1957a.

BRIAL, túnica de tela rica. Ej. 90c.

BROÑIDO, pulido, bruñido. Ej. 429d, 1774a.

BRUSCO, cordero, cabrito. Ej. 517b, 792d.

BUÇINO, mofa. Ej. 1810d.

BUDEFA, albudeca, badea (sandía o melón de mala calidad). Ejemplo 810b.

BUDEL, intestinos. Ej. 561c.

BUELTA, vuelta; cosas revueltas, mezcla; revuelta, riña, alboroto. *De buelta, en buelta:* juntamente, también, además de esto. *A bueltas:* además, después. *A bueltas de, a bueltas con:* junto con. Ej. 1522a, 2073a.

BUFETE, fuelle. Ej. 2136a.

BULLICIÓN, bullicio, agitación. Ej. 1685d.

C

CA, porque, pues. Ej. 409d, 1390d.

CARDAL, Sust. bienes, abundancia de algo. Adj. grande, principal. Ejemplos 319b, 931c, 1435b.

CABDELLADO, acaudillado, conducido, guiado. Ej. 1736b.

CABDELLAMIENTO, acaudillamiento. Ej. 1319a.

CABDELLERO, fuerte, poderoso; principal. Ej. 1337b, 2165d.

CABDIELLO, caudillo. Ej. 2117c.

CABDILLAR, CABDELLAR, acaudillar, guiar, conducir. Ej. 75a, 551b.

CABEAR, acabar, perfeccionar. Ej. 858a.

CABERO, hombre principal; allegado; último. Ej. 493d, 867d.

CABEZCOLGADO, doblando la cerviz como un buey; cabizbajo, humilde. Ej. 1943d, 2011d.

CABEZCORVO, con la cabeza encorvada, bajada. Ej. 512a.

CABEZTORNADO, con la cabeza vuelta; sumiso, humilde. Ej. 2314c, 2353a.

CABEZTORNANDO, huyendo. Ej. 465a.

CABILLO, capítulo, reunión, junta. Ej. 1728a, 1834c.

CABO, parte principal, extremo de una cosa; madriguera; fin; lado.

Desde, junto a. *De cabo:* al cabo, al fin. *En cabo:* finalmente. *Por mal cabo:* malamente. Ej. 3b, 398d, 1302c.

CABOSO, cabal, perfecto, cumplido. Ej. 127a, 708a.

CABTENENÇIA, CABTENENZA, modo de obrar, conservación, catadura. Ej. 67b, 2609d.

CADERA, silla, asiento. Ej. 1840a.

CADRÁ, futuro de *caer,* caerá. Ej. 1674d.

CAEÇER, acaecer, sobrevenir; ir a parar a alguna parte, hallarse allí. Ej. 1730b.

CAER, caer. *Caer a traiçión:* atacar a traición. *Caer en plazer:* agradar, gustar. *Caer de mano:* pasar desapercibido. *Caer en preçio:* tocar, corresponder. Ej. 18b.

CAL, calle. Ej. 1532b.

CALABRINA, hedor. Ej. 2428d.

CALAGRAÑA, variedad de uva para comer, mas no para hacer vino; uvas que tenían que guardarse colgadas y se consumían cuando estaban arrugadas. Ej. 2130a.

CALANDRA, calandria. Ej. 2136c.

CALAÑO, semejante. Ej. 282c, 921d.

CALAR, importar, tocar, convenir. Ej. 83d, 2126b.

CALBA, parte superior del almete (pieza de la armadura que protegía la cabeza) que cubre el cráneo. Ej. 586c.

CALCAR, apretar con el pie, comprimir, pisar; hincar a golpes. Ejemplo 1080d.

CALÇA, calza, prenda para vestir que cubría, bien ciñéndolos, bien de forma holgada, los muslos o la pierna completa. Ej. 456d, 1066c.

CALENTURA, calor, enardecimiento. Ej. 765d, 1732d.

CALNADO, candado. Ej. 110a.

CALOMIAR, achacar como delito, imputar, acusar, ejecutar. Ej. 135d.

CALONGE, canónigo. Ej. 1822a.

CALUMBRE, hollín, orín; impureza; suciedad que empaña el brillo de un metal. Ej. 1842b.

CALURA, calor. Ej. 1174b.

CALLAICA, según San Isidoro (cfr. nota a 1472ab), se trata de una gema «de color verde pálido, muy crasa y combina muy bien con el oro»; turquesa. Ej. 1472a.

CÁMARA, habitación. Ej. 2125a.

CAMBA, pierna. Ej. 149d, 661a.

CAMIAR, cambiar. Ej. 392a, 1078b.

CAMPEADOR, guerrero. Ej. 2567b.

CAMPEAR, guerrear, estar en campaña, sacar el ejército a combatir en campo raso, correr o reconocer con tropas el campo para ver si hay en él enemigo. Ej. 612d, 2624a.

CANANITANO, cananeo, natural de Canaán, región de Palestina occidental que comprendía las tierras habitadas por los descendientes de Canaán —hijo de Cam y nieto de Noé—, conquistadas por los israelitas mandados por Josué. Ej. 1516c.

CANDELA, luz, fuego, vela. Ej. 705b, 1635c.

CANSADURA, cansancio. Ej. 1732c.

CANSEDAT, cansancio. Ej. 1045c.

CANTADOR, cantor. Ej. 2534c.

CÁNTICA, relato, cantar, canción, exposición. Ej. 223a, 242a.

CANTILENA, cantar, copla, composición poética breve generalmente hecha para ser cantada. Ej. 1874d.

CANTO, piedra. Ej. 1526a.

CAÑAVERA, caña. Ej. 708d, 2165b.

CAÑO, cueva, madriguera; tubo. Ej. 2170b.

CAÑÓN, tubo para un líquido, tubo o instrumento de viento. Ejemplo 2135b.

CAPA, caseta portátil de madera para los soldados. Ej. 227a.

CAPADOÇIO, natural de Capadocia, antigua región de Asia Menor situada entre el Ponto, Armenia, Cilicia, Frigia y Galacia, que constituyó un reino independiente durante tres siglos y fue sometida en el año 17 por los romanos. Ej. 1516b.

CAPIELLA, capilla, capucha sujeta al cuello de las capas, gabanes o hábitos. Ej. 648d.

CAPIELLO, capacete, pieza de la armadura que cubría la cabeza. Ejemplo 1094d, 2152b.

CARACTA, carácter, marca, signo. Ej. 1155a.

CARBONIENTO, de color carbón. Ej. 2606d.

CARCAVA, foso. Ej. 1523c.

CARCAVEADO, rodeado de un foso. Ej. 1523b.

CARDENIELLO, cárdeno. Ej. 2129d.

CARETO, querido, amado. Ej. 1497d.

CARNIÇA, destrozo, carnicería; pasto de las fieras. Ej. 530b, 1409c.

CARO, CARIELLO, querido, amado. Ej. 355b, 1965a.

CARONA, carne. *A la carona*: sobre la carne. Ej. 455b.

CARPENTERÍA, carpintería. Ej. 1976b.

CARPENTERO, carpintero. Ej. 2030d.

CARRADA, carretada, carga que lleva una carreta. Ej. 1095c.

CARRERA, viaje, camino, sendero. Medio o modo de hacer una cosa. Ej. 248b, 1084b.

CARTA, pergamino en el que se escribía. Ej. 2470d.

CARVÓN, carbón. *Ser carvones: quemarse,* ser quemado. Ej. 223c.

CASCUNO, cada uno. Ej. 265c, 2592c.

CASTELLAR, castillos. Ej. 741c, 2074c.

CASTIGAR, aconsejar; enseñar; amonestar, corregir; aprender, enmendarse. Ej. 74a, 603b.

CASTIGO, consejo, enseñanza. Ej. 1965d.

CATADURA, mirada. Ej. 233d, 1590c.

CATAR, mirar; considerar o meditar alguna cosa, examinar. *Catar por:* buscar con la vista; ver, adquirir, guardar. Ej. 405a, 2251b.

CÁTEDRA, asiento, silla. Ej. 2538c.

CATIVAR, CABTIVAR, cautivar, prender, hacer prisionero. Ej. 1257b.

CATIVO, desgraciado; reo, cautivo. Ej. 1037d, 2662d.

CAVALGADA, correría a caballo, ataque a caballo, carga de caballería. Ej. 1603b, 1942d.

CAVALGADURA, modo de cabalgar. Ej. 2031b.

CAVALGANTE, soldado de a caballo. Ej. 1297d.

CAVALLERO, que va a caballo. Ej. 1867d.

CAVALLERÍA, nobleza, honradez; hazaña de caballero; conjunto de soldados que luchan a caballo; conjunto de caballeros. Ej. 1261c, 2524b.

CINAEDIA, gema «blanca y oblonga» (S. Isidoro, cfr. nota a 1482). Ej. 1482a.

CISTRENA, cisterna. Ej. 1178b.

CLAREDAT, claridad. Ej. 2457a.

CLEREZÍA, CLERIZÍA, referente, perteneciente a los clérigos —hombres de letras—; conjunto de saberes de los clérigos; sabiduría; conjunto de clérigos. Ej. 38a, 1825c.

COBDAL, de a codo, grande. Ej. 2168b.

COBERTURA, especie de gualdrapas (ropaje largo, de seda o lana, que cubre y adorna las ancas de la mula o caballo), para torneos o fiestas; cubierta. Ej. 807b, 1791b

COBRAR, alcanzar, recuperar. Ej. 499d, 2229d.

COBRIR, encubrir. Ej. 1662d.

COÇEDRA, colchón. Ej. 1150c.

COCHO, cocido. Ej. 109b, 297d.

COFONDER, confundir, mezclar, enredar, hacer confuso. Ej. 425b, 1138d.

COFONDIDO, mezclado, enredado, confundido. Ej. 1388d, 1714d.

COFRADE, hermano. Ej. 1360d.

COITA, cuita, apuro, pena, desventura. Ej. 1545d.

COJUNTURA, articulación de los huesos; coyuntura. Ej. 149b.

COLAÇIÓN, colación, comida, banquete. Ej. 2332d.

COLADO, part. de *colar. Azero colado:* acero limpio, purificado y purgado de escoria. Ej. 660b.

COLPADA, GOLPADA, golpazo. Ej. 381b, 1039d.

COLPAR, golpear. Ej. 509a, 1350d.

COLPE, golpe. Ej. 76d, 1366b.

COMBATER, combatir. Ej. 1996c.

COMEDIAR, repartir una cosa en dos partes. Ej. 280b.

COMEDIO, medio. *En comedio; en este comedio:* entretanto. Ej. 32b, 1124a.

COMEDIR, pensar, meditar. Ej. 468c, 1149b.

COMENDAR, encomendar, encargar. Ej. 2635c.

COMETER, acometer, ejecutar, llevar a efecto. Ej. 311d, 2171d.

COMIGO, conmigo. Ej. 1707d.

COMPAÑA, compañía. Ej. 164b, 1734d.

COMPAÑÓN, compañero. Ej. 1734c, 1998d.

COMPASSADO, hecho a compás, a medida; arreglado, dispuesto, acompasado, proporcionado. Ej. 658a, 2121b.

COMPASSAR, conpassar, hacer a compás, a medida; arreglar, disponer. Ej. 2459b.

COMPEÇAR, empezar. Ej. 51d, 2206a.

COMPIEZO, principio, comienzo. Ej. 966c.

COMPLIDO, CONPLIDO, perfecto, excelente. Ej. 246c, 1624c.

COMPLIMIENTO, cumplimiento; oferta que se hace por pura urbanidad o ceremonia; abundancia. Ej. 650a, 1238c.

COMPLIR, cumplir; complementar; bastar, ser bastante; convenir. Ej. 2444d.

COMUNAL, común, corriente. Ej. 290c, 2272b.

CONÇEJO, junta, reunión, asamblea. Municipio, ayuntamiento de los regidores de una villa; ayuntamiento o junta de todos los vecinos de una villa. *En conçejo:* en público. Ej. 125c, 1895a.

CONDENSADO, reunido, guardado, oculto, depositado. Ej. 1605b, 1929d.

CONDESAR, juntar, guardar, depositar, ocultar. Ej. 62b, 1804c.

CONDUCHO, comida, manjar; provisiones. Ej. 245b, 1095c.

CONFESORIO, confesonario. Ej. 376c.

CONFISIÓN, confesión. Ej. 2375d.

CONFORTAMIENTO, consuelo, ánimo. Ej. 2632d.

CONFORTAR, animar, esforzar. Ej. 44d.

CONFUERÇO, ánimo, aliento, apoyo moral. Ej. 253c.

CONFUERTO, consuelo. Ej. 897b.

CONNUSCO, con nosotros. Ej. 965b, 1620a.

CONOÇENÇIA, conocimiento. Ej. 1705a, 1862c.

CONPLISIÓN, complexión, temperamento. Ej. 2102d.

CONQUERIR, conquistar. Ej. 25c, 753d, 1205b.

CONQUISE, CONQUISIESTES…, de *conquerir,* conquisté… Ej. 191b, 1604a.

CONQUISTO, conquistado. Ej. 2278a.

CONSEJA, corro; mentidero; cuento moral, máxima. Ej. 1549b.

CONSEJADOR, consejero. Ej. 1270d.

CONSEJAR, aconsejar. Ej. 1328c.

CONTA, fama, brillantez. *Omne de conta:* hombre ilustre, famoso, del que se narran grandes hechos. Ej. 510d, 1812a.

CONTA, cantidad, número, cuenta. Ej. 2137a.

CONTADO, nombrado. Ej. 1239a, 1796c.

CONTAR, referir, narrar; nombrar, hacer mención de; numerar; deducir, opinar; aclarar, adivinar. Ej. 256b.

CONTASELLA (forma aragonesa), por todos los siglos. Ej. 1343d.

CONTEÇER, acontecer, suceder. Ej. 63a, 1447b.

CONTENDER, persistir, durar, insistir; lidiar, pelear; disputar, debatir. Ej. 424a, 1615c.

CONTENENTE, semblante. Ej. 942a.

CONTENDER, mantener. Ej. 2623c.

CONTESSA, contienda, batalla. Ej. 642d.

CONTIR, suceder, acontecer. Ej. 8a, 799c.

CONTORÇER, retorcer. Ej. 776c, 1066d.

CONTRA, hacia; para con; delante, en presencia de; en comparación con; enfrente de; acerca de. Ej. 785d, 2577b.

CONTRADIZER, contradecir. Ej. 1626b.

CONTRARIA, contrariedad. Ej. 443d, 1850a.

CONTRARIO, uno frente al otro, opuesto; sustantivado: cosas opuestas, contrariedad. Ej. 656a, 1845c.

CONTRASTAR, oponerse, resistir, replicar, ponerse en contra. Ej. 833d, 2431d.

CONTRASTERO, oponente, contrario, rival. Ej. 2194c.

CONTRASTO, oposición, resistencia, contratiempo. Ej. 774d, 965d.

CONTRECHA, contrariedad. Ej. 726b.

CONTROBADIÇO, conturbativo, que da lugar a confusión o perturbación. Ej. 1512d.

CONVIENTO, CONVENTO, convento; reunión, población, grupo de personas. *A conviento:* en grupo. Ej. 286b, 2643c.

CONVUSCO, con vosotros. Ej. 1741c, 2635a.

COPIA, abundancia. Ej. 1517d.

COR, corazón. *De cor:* de memoria. Ej. 259c, 1799a.

CORADA, entrañas. Ej. 709b, 1009c.

CORAJOSO, valiente. Ej. 1035b.

CORDAL, cuerda, soga. Ej. 1509b.

CORDOJO, compasión, pena; ira. Ej. 395d, 1765c.

CORELLA, baile, danza, juegos de corro. Ej. 1792d.

CORMANO, cohermano, primo hermano. Ej. 629d.

CORNALUDO, cornudo. Ej. 1945a.

CORNO, cuerno. Ej. 138b.

CORPUDO, de gran cuerpo. Ej. 106b.

CORRAL, corro grande; tribunal formado en corro. Ej. 594c, 2063b.

CORREAR, agasajar, recibir con alegría. Ej. 714c.

CORREDURA, correría. Ej. 1890d.

CORRENDERA, corriente, suelta, ligera. Ej. 1868d.

CORREUELA, correa. Ej. 783b.

CORRIDA, correría, incursión. Ej. 1806d.

CORTESA, corteza, envoltura de un árbol o un fruto. Ej. 2028c.

COSER, coser, clavar, atar. Ej. 1408d, 2499c.

COSIDO, valiente, atrevido, generoso, benévolo. Ej. 1030a, 1593c.

COSIMENTE, merced, amparo, compasión. Ej. 517c, 1948b.

COSQUEAR, cojear. Ej. 2665a.

COSTANA, cuesta, pendiente. Ej. 1171a.

COSTANERA, flanco, costado del ejército; orilla de un río. Ej. 524b, 2188b.

COSTUMBRADO, acostumbrado. Ej. 1603c.

COTO, acuerdo, convenio. *A coto assentado:* como de acuerdo. Ejemplo 230c.

COZINA, vianda aderezada al fuego, potaje, caldo. Ej. 296a.

CRAS, mañana. Ej. 1231c, 1931b.

CREBANTO, quebranto, daño, perjuicio, afrenta. Ej. 1432b.

CREBAR, quebrar, romper, reventar. Ej. 1235c.

CREMAR, quemar. Ej. 243a.

CRESPO, rizado, ondulado. Ej. 883d.

CRESUELO, candil. Ej. 33d, 2565c.

CRIAZÓN, conjunto de vasallos y criados, prole, progenie, sucesión. *Omne de criazón:* criado, esclavo. Ej. 14c, 2030b.

CRISTAL, Sust. hielo, cristal. Adj. reluciente, brillante. Ej. 851d.

CRUDO, cruel, vulgar. Ej. 310d, 1634a.

CUAJADA, cuajo, leche cuajada dispuesta para hacer queso. Ej. 1877d.

CUAJADO, lleno, repleto. Ej. 806c, 1414c.

CUAJADÓN, coágulo, cuajarón, porción de sangre y otro líquido que se ha cuajado. Ej. 2248b.

CUBIERTO, encubierto, engaño. Ej. 2396c.

CUEDAR, pensar, cuidar. Ej. 25d.

CUEITA, cuita, apuro, pena, desventura. Ej. 254b, 1417d.

CUEITAR, acuitar, afligir; acelerar, apresurar. Ej. 1461b.

CUER, corazón. Ej. 50d, 2073c.

CUESTA, costilla, espalda; laderas, monte; costado, lado. *De cuesta:* de lado, a un lado. *Yazer en cuesta:* tumbarse, estar echado. Ej. 755a, 1352c.

CUIDADO, preocupación, temor. Ej. 2047c.

CUIDAR, pensar, imaginar, creer. Ej. 349b.

CUISTIÓN, cuestión, pregunta. Ej. 2083c.

CUITAR, acuitar, afligir; acelerar, apresurar. Ej. 162b, 1434b.

CUNTIR, suceder. Ej. 2414c.

CUNTIÓ, de *cuntir*, sucedió. Ej. 273a.

CURA, cuidado, preocupación. Ej. 71d, 1455c.

CURIAR, cuidar, guardar, proteger. Ej. 356d, 1887b.

CUSTODIA, centinela, guardián, vigilante. Ej. 2156d.

CUTIANO, adj. cotidiano, diario. Adv. diariamente, cotidianamente. Ej. 826d, 1932a.

Ç

ÇAFIR, zafiro. Ej. 1491a.

ÇAGA, retaguardia, parte trasera de algo; fin, cabo, resultado de una cosa. *A çaga:* atrás. *De çaga:* detrás. *Dar mala çaga:* hacer una mala jugada, engañar. Ej. 55b, 1117a.

ÇALAGARDA, emboscada para coger descuidado al enemigo; astucia con que se procura engañar; alboroto repentino para espantar, pendencia, bulla. Ej. 1691a.

ÇAPATAS, zapato de mujer, zapato. Ej. 414a, 1819d.

ÇARATÓN, máscara. Ej. 1960d.

ÇEBO, cevo, comida. Ej. 1244a.

ÇEBTRO, cetro, vara de oro, u otra materia preciosa, que usaban emperadores y reyes como insignia de su dignidad. Ej. 1775b.

ÇEGAJOSO, casi ciego, obstinado. Ej. 1292c.

ÇELADA, emboscada, trampa. Ej. 747d, 1900b.

ÇELAR, ocultar, encubrir. Ej. 45d.

ÇENDAL, tela de seda muy delgada. Ej. 455b, 2538d.

ÇEÑAR, hacer señas con los ojos. Ej. 379b.

ÇEPO, pie del tronco de una planta; cepa; trampa. Ej. 2234c.

ÇERCA, cerco, asedio. Ej. 609a.

ÇERÇETA, zarceta, especie de pato. Ej. 1497a.

ÇERESA, cereza. Ej. 2560c.

ÇERESO, cerezo. Ej. 2560c.

ÇERESUELA, diminutivo de cereza. Ej. 1925b.

ÇERRADO, encerrado. Ej. 32b, 2109d.

ÇERTANO, seguro, cierto. Ej. 2116c.

ÇERTAS, ciertamente. Ej. 1822a.

ÇERTEDUMBRE, certidumbre, certeza. Ej. 1521b, 2481d.

ÇERTENIDAT, certeza. Ej. 1165a.

ÇERTIFICAR, asegurarse, darse cuenta de la verdad. Ej. 268c.

ÇERVERA, «adjetivo que se aplicaba a la ballesta envenenada que se tiraba a los ciervos» (Janer, *Glosario,* ed. *BAE,* pág. 572). Ej. 1867b.

ÇERVIGAL, cervical, cerviz, cuello, cabeza. Ej. 532c.

ÇESSAR, cesar, entretenerse, descansar, pararse. Ej. 142d, 1232a.
ÇESTERO, cesto. Ej. 1797d.
ÇETOAL, citoal, raíz de la cedoaria, usada como especia. Ej. 1463b.
ÇEVADA, pienso, cebada. Ej. 2452c.
ÇEVAR, comer, alimentar. Ej. 2500c.
ÇICLATÓN, tela de seda que solía tener además oro. Ej. 1960b.
ÇIERÇO, cierzo, viento septentrional. Ej. 2247b.
ÇIERTA, noticia cierta, segura. Ej. 1905c.
ÇIERTO, cierto. *A çierto, en çierto:* certeramente, acertadamente, ciertamente, de cierto, con certeza. Ej. 1244c, 2138b.
ÇILLERO, silo, troje, bodega, celda, habitación. Ej. 392d, 1896c.
ÇINCHERA, cincha. Ej. 2088c.
ÇINTO, de ceñir, ceñido. Ej. 370b.
ÇIRENEO, cirineo, natural de Cirene, capital del antiguo reino de Cirenaica en el norte de África; natural del reino de Cirenaica. Ej. 1516c.
ÇISCLATÓN, vestidos hechos con telas de seda, semejante al brial (túnica de seda rica). Ej. 1500d.
ÇITA, escita. Ej. 1189d.
ÇITANO, escita. Ej. 1516d.
ÇÍTOLA, instrumento de cuerda utilizado para acompañar el canto a los juglares de poesía lírica. Ej. 1545c.
ÇIVERA, cibera, trigo grano. Ej. 817c, 1466a.

CH

CHANÇELLER, CHANCELLER, canciller, secretario encargado del sello real, con el que autorizaba los privilegios y cartas reales; portero, ujier, escriba. Ej. 810c, 1984a.
CHIQUEJO, diminutivo de *chico,* pequeño. Ej. 1478d.
CHIQUEZA, infancia, niñez. Ej. 2266b.
CHUFÓN, burlón, mentiroso, exagerado. Ej. 1949d.

D

DADO, don; dado, juego de dados. Ej. 1549a, 2384a.
DAMNADO, dañado. Ej. 1668d.
DAPNAR, dañar. Ej. 1969b, 2392a.
D'AQUI, de aquí, desde ahora. Ej. 139b.
DAYUNAR, ayunar. Ej. 126b.
DEBAILADAS, baladas. Ej. 2139b.

DESATAR, destruir. Ej. 2121d.

DESBALÇADO, derrotado, vencido, desbaratado. Ej. 627c.

DESBALÇAR, derrotar, vencer, desbaratar. Ej. 825c, 2056d.

DESBALDIR, esparcir, derramar, echar abajo, malograr, derrotar, dar de balde. Ej. 779b.

DESBOLVER, desenvolver, desplegar; reflex. desnudarse. Ej. 250b, 2209d.

DESBUELTO, desenvuelto, desplegado. Ej. 1544b.

DESCABEÇADO, con la cabeza cortada, descabezado. Ej. 1605c.

DESCARNIDO, falto de carnes. Ej. 2372c.

DESCOGER, escoger, recoger, levar. Ej. 2298b.

DESCONSEJADO, desaconsejado, sin consejo. Ej. 2661b.

DESCORAZNADO, descorazonado. Ej. 1452a.

DESCOSER, descoser, romper; fig. desbaratar. Ej. 1314c.

DESCOSIDO, cobarde, acobardado. Ej. 2078a, 2251d.

DESCUÑAR, descerrajar, sacar de quicio. Ej. 1151c.

DESECHAR, evadir; acechar, aguardar. Ej. 725c.

DESENBLAR, separar. Ej. 2556c.

DESENDE, DESENT, desde entonces, desde allí. Ej. 123c, 1722d.

DESERVIDO, mal servido. Ej. 1045d.

DESFAÇIDO, deshecho. Ej. 547d.

DESFAMBRIDO, hambriento. Ej. 529d, 2386c.

DESFEAR, afear. Ej. 993d.

DESFER, deshacer, destruir. Ej. 237b, 1159a.

DESFEUZADO, desconfiado, desesperado. Ej. 1394d, 2420d.

DESFIAR, desafiar. Ej. 387b.

DESFIUÇADO, desconfiado, desesperado. Ej. 727b.

DESGUARDADO, desatendido, falto de protección. Ej. 2212d.

DESGUARNIDO, desguarnecido. Ej. 1682c.

DESGUARNIR, desguarnecer, desarmar, desvestir. Ej. 1764c.

DESGUISADO, desarreglado, no conveniente, excesivo. Ej. 2279b.

DESÍ, desde allí, después. Ej. 422d, 141d.

DESLAÇAR, desenlazar, desatar. Ej. 2618d.

DESLAVAR, lavar. Ej. 2613a.

DESLAYAR, dar de soslayo, resbalar. Ej. 486b, 1037a.

DESMAÍDO, perturbado, inquietado, espantado, desmayado, acobardado. Ej. 1307d, 2251c.

DESMAMPARAR, desamparar. Ej. 1584d.

DESMANCHAR, desmallar, romper la malla de la loriga. Ej. 1035d.

DESMARRIDO, triste, apenado. Ej. 246d, 1439b.

DESMAYADO, desanimado, congojado. Ej. 218a, 2027b.

DESMEDRIDO, amedrentado. Ej. 1081b.

DESMEMBRADO, mutilado, cortado un miembro. Ej. 1607c, 1911c.

DESMEMBRAR, olvidar. Ej. 995c.

621

DESMEOLLADO, falto de juicio. Ej. 1521c.

DESMESURA, desproporción, acción desproporcionada. Ej. 431b.

DESORDIR, desordenar. Ej. 75c, 1123d.

DESPAGADO, descontento. Ej. 1678c, 2365b.

DESPAGAR, descontentar. Ej. 566c.

DESPALADINAR, declarar, explicar. Ej. 2433c.

DESPECHO, enojo, ira; ofensa, desprecio. Ej. 273d, 1451c.

DESPENAR, rematar, matar. Ej. 1807b.

DESPISO, de *despender,* gastó, malbarató. Ej. 1518d.

DESPODERAR, desapoderar, desposeer, despojar. Ej. 1082a.

DESPUTAÇIÓN, discursión, disertación. Ej. 276b.

DESQUE, puesto que, ya que, después que, desde que. Ej. 407a, 1256a.

DESSO, de eso. Ej. 172c.

DESTAJADO, ajustado, convenido; terminado; omitido; desmenuzado. Ej. 1612b.

DESTAJAR, terminar, poner fin, ajustar, convenir, cortar, apartar, omitir; desmenuzar; particularizar. Ej. 14c, 2066a.

DESTAJO, obra u ocupación que se ajusta por un tanto alzado, a diferencia de la que se hace a jornal. *A destajo:* rápidamente. Ej. 1725a.

DESTEMADO, mutilado. Ej. 1607c.

DESTEMPRADO, desleído, disuelto. Ej. 1126c, 1541b.

DESTEMPRAR, desleír, disolver. Ej. 1541b, 2448b.

DESTORNAR, desviar, torcer (el curso de una cosa). Ej. 1307b.

DESTORVAR, estorbar, impedir. Ej. 1039d.

DESTORVO, estorbo, impedimento, obstáculo, problema. Ej. 1750d, 2087c.

DESTRAL, hacha pequeña. Ej. 2071b.

DESUELES, de *desolar,* destruyas, arrases. Ej. 238d.

DESUSADO, desacostumbrado. Ej. 777a.

DETARDAR, retardar. Ej. 1968d.

DEVEDAR, prohibir. Ej. 25a, 2110a.

DEVENIR, volverse, hacerse. Ej. 2259a.

DEVIEDO, prohibición. Ej. 1240d.

DEVISSADO, dintinguir, divisado; provisto de señal distintiva. Ejemplo 2483d.

DEVISSAR, divisar, discernir visualmente. Ej. 96d.

DEZENO, décimo. Ej. 318c.

DEZMAR, diezmar, pagar el diezmo. Ej. 1817a.

DIABLERÍA, acción diabólica, diablura. Ej. 2619a.

DIEZMO, décimo, la décima parte. Ej. 1525c.

DIFINÇIÓN, matanza, destrucción. Ej. 122c.

DINARADA, cantidad de dinero, cantidad de comestible o bebida que se compra con un *dinero,* recompensa. Ej. 370c, 1484d.

DEBATIDO, abatido, fuera de sí, postrado. Ej. 2659a.

DEBDA, deuda. Ej. 2242a.

DEBDO, deber, obligación. Ej. 73b.

DEBDOR, deudor. Ej. 1288c.

DECLINAR, inclinar, bajar, doblar. Ej. 2503b.

DECOGER, coger, tomar. Ej. 12b, 234b.

DECORADO, entendido, aprendido. Ej. 1800d.

DEÇEBIDO, engañado. Ej. 1102d, 2038b.

DEÇEBIR, engañar. Ej. 2360b, 2434a.

DEÇENDER, descender, bajar. Ej. 619b, 2510a.

DEÇIR, bajar, descender. Ej. 2503b.

DEESA, diosa. Ej. 336a.

DEFAMADO, difamado, mal reputado, privado de la buena reputación. Ej. 1635b.

DEFECÇIÓN, falta, apartamiento. Ej. 1224d.

DEFENÇIÓN, DIFINÇIÓN, defensa; prohibición; dehesa, tierra acotada. Ej. 122c.

DEFENDER, prohibir, evitar. Ej. 1457d.

DEFESADO, defendido; prohibido. Ej. 1199d.

DEFUIR, escapar, huir. Ej. 641d.

DELECTAR, deleitar, seducir. Ej. 132a.

DELGADO, delicado; delicioso; tierno; fino; escaso; agudo. Ej. 863d.

DELIBRAR, DELIVRAR, acabar, despachar, matar; jugar, resolver. Ejemplos 152b, 1456a.

DELLA, de ella. *Della... della:* de una parte... de otra. Ej. 2577d.

DEMANDAR, rogar, pedir, preguntar, buscar, registrar; llamar, citar; decretar. Ej. 36a, 1728a.

DEMÁS, además. *Los demás:* los más, la mayor parte. Ej. 1273c.

DEMETERSE, escapar, salir del paso. Ej. 643c.

DEMETIDO, descompuesto, furioso. Ej. 1030c.

DEMIENTRE, entretanto, mientras. Ej. 1804a, 2007b.

DEMORANÇA, tardanza, demora. Ej. 1413c, 1731c.

DEMOSTRANÇA, demostración, prueba, muestra. Ej. 291c, 2660b.

DEMOSTRAR, mostrar, señalar. Ej. 93c.

DEMUDAR, cambiar. Ej. 412c, 1332a.

DEMUNEADO, loco, poseído por el demonio. Ej. 1377d.

DENDE, DENT, DEND, DEN, de allí, desde allí, de ello, después. Ej. 168d.

DENODADO, brioso, acometedor. *A denodadas:* con denuedo, con brío. Ej. 320d, 1298c.

DENODAR, enojarse, oponerse; soltarse; resolver; salirse de la raya más de lo justo. Ej. 1886d.

DENODEJO, denuedo, brío. Ej. 1566d.

DENODEO, denuedo. Ej. 1113b, 1589d.

DENTERA, rabia, odio. Ej. 221b, 1898b.

DEÑAR, juzgar, digno, dignarse. Ej. 4d.

DEPARAR, preparar, disponer. Ej. 1430d.

DEPARTIR, juzgar, decidir, partir, dividir, separar, evitar, arreglar, quitar, explicarse. Ej. 365c, 2539c.

DEPORTAR, holgarse; divertirse; entretenerse, recrearse. Ej. 2036b.

DEPUERTO, recreo, juego, deporte, diversión, fiesta. Ej. 712a, 1432d.

DEREÇAR, disponer, dirigir, encaminar. Ej. 2599b.

DERECHAMENTE, justamente, de una manera justa, según le corresponde por justicia. Ej. 1817a.

DERECHO, Sust. dirección, camino; lo que corresponde a uno por justicia; lado o mano derecha. Adj. de pie, erguido; legítimo, fundado; recto, íntegro, justo; referido a vientos: favorable. Adv. con justicia. *A derechas:* rectamente, justamente. *Tener derecho:* tener razón. *Caer en un derecho:* coincidir en una dirección, línea o plano. *Tomar derecho:* acertar. *Dar derecho, fazer derecho:* compensar, pagar, hacer justicia. Ej. 1224b, 1704a.

DERECHURA, derechos; rectitud, justicia; lo que le corresponde a uno en justicia. Ej. 387c, 1455b.

DERECHURÍA, justicia, rectitud, acciones rectas y justas. Ej. 1825d.

DERRAIGAR, desarraigar. Ej. 2389a.

DERRAMAR, dispersarse, esparcir cada cual por su lado. Ej. 75b, 1299c.

DERRANCAR, arrancar, desbandar, vencer. Ej. 134a, 629b.

DERREDOR, alrededor. Ej. 964a.

DERRIBADO, derribado, humillado. Ej. 1922d.

DERROCAR, bajar; derrotar; echar a bajo, destruir, derribar. Ej. 573c, 1116c.

DERROMPER, romper, derribar. Ej. 977b, 2340d.

DESABOR, disgusto, contrariedad. Ej. 2022c, 2628d.

DESABORADO, fuera de sabor, disgustado, contrariado. Ej. 554b, 2353c.

DESABRIDO, desdichado, contrariado. Ej. 2441b.

DESACORDADO, fuera de sí, casi loco, falto de razón; desacorde, desavenido. Ej. 716b, 1377b.

DESACORDANTES, desavenidos, faltos de razón, fuera de sí. Ej. 2026b.

DESAFORAR, quebrantar el fuero o la ley. Ej. 197c, 1706b.

DESAGUISADO, Sust. desarreglo, pecado. Adj. contra razón, excesivo, inconveniente, injusto. Ej. 135b.

DESAQUÍ, desde ahora; desde aquí; de aquí en adelante. Ej. 190d, 1450a.

DESARRADO, confundido; desgraciado, triste, desconsolado, descorazonado. Ej. 487c, 1071a.

DESARRO, confusión, tristeza, desgracia, desconsuelo. Ej. 724d, 2022b.

DIONISIAS, gema «negra, mezclada con puntos rojos» (San Isidoro, cfr. nota 1485). Ej. 1485a.

DIOSO, anciano. Ej. 1403a.

DISANTO, fiesta, festividad, día festivo. Ej. 1432d.

DITADO, dictado, escrito, historia, relación. Ej. 2596d.

DITAR, dictar. Ej. 1984a.

DIVERSORIO, posada, mesón común o particular. Ej. 376a.

DO, donde. Ej. 78a, 1082d.

DÓ, de *dar,* doy. Ej. 2635b.

DOBLA, especie de canción o tonada, parecida a la balada. Ej. 2139c.

DOBLADO, doble, de dos capas. Ej. 660c, 1340b.

DOGAL, soga para atar a las caballerías o los reos por el cuello. Ejemplos 108c, 1714d.

DOLAR, golpear, herir. Ej. 1017d, 2015a.

DOLIENTE, dolido. Ej. 1763c.

DOLORIENTO, dolorido. Ej. 2606a.

DOMAJE, daño. Ej. 506c.

DONA, DOÑA, DUEÑA, señora, mujer. Ej. 380d, 1865a.

DONARIO, donaire. Ej. 1285d, 1957d.

DONO, don, gracia. Ej. 120d, 2307b.

DOÑEADOR, galanteador. Ej. 358b, 2567d.

DOQUIERE, donde quiera que. Ej. 1838c.

DUBDA, temor; vacilación. Ej. 458d.

DUBDADO, temido. Ej. 439b, 637a, 1499d.

DUBDANÇA, temor, duda, vacilación. Ej. 480c, 1413a.

DUBDAR, temer, dudar, vacilar. Ej. 239d, 1091a.

DUBDO, temor. Ej. 109d, 1635b.

DUEÑA, mujer, señora, dama. Ej. 1081b, 1962c.

DULÇOR, dulzura. Ej. 2421c.

DURAR, quedar, permanecer, tardar; contrarrestar. Ej. 1273d, 2010a.

DURMÓN, embarcación grande. Ej. 2025b.

DURO, duro, fuerte, resistente. *A duro, en duro, de duro:* a duras penas, difícilmente, apenas. Ej. 1294d, 2325c.

E

ECLIPSIS, eclipse. Ej. 1224d.

ECHADURA, acción de echar o arrojar. Ej. 271a.

ECHO, tiro, acción de echar. Ej. 926d.

EGUAL, igual. Ej. 1994b, 2184c.

EGUALAR, igualar. Ej. 1109d, 2407d.

EGUALDAT, igualdad. Ej. 1592c.

ELAMITANO, natural de Elam, antiguo estado de Asia, al este de Babilonia y el Tigris, y al norte de Persia y el Golfo Pérsico, próximo a Caldea. Ej. 1516a.

ELECTRIA, piedra «cristalina y del tamaño de una haba» (San Isidoro, cfr. nota a 1488). Ej. 1488a.

ELOSNA, variante de *alosna*. Ajenjo, musgo blanco de árbol. Ej. 2172d.

ELLOS, pronombre personal. *Ellos e ellos:* unos y otros. Ej. 334d, 1568b.

EMBAIDOR, embaucador, impostor. Ej. 1104b.

EMBAIR, ENBAIR, atropellar, acometer, maltratar; avergonzarse, confundir, detener; ofuscar, embaucar, engañar. Ej. 633a, 2370c.

EMBARGADO, abrumado, turbado, puesto en aprieto; impedido, apremiado. Ej. 539c, 1067b.

EMBARGO, estorbo. Ej. 1223d.

EMBARRAR, cercar, sitiar, encerrar; detener; fortificarse, ampararse tras la trinchera; meter en la barrera o defensa; reflex. darse de barro. Ej. 671d.

EMBEBDAR, ENBEBDAR, ENBEUDAR, embriagar, emborracharse. Ejemplos 100c, 2399d.

EMBIDAR, *todas ge las tenié quantas él embidava:* paraba todos los golpes que el otro le intentaba dar. Ej. 1387d.

EMBRAÇADO, abrazado. Ej. 1394a.

EMBRAÇAR, abrazar, poner en el brazo, sujetar con el brazo. Ejemplo 631b.

EMBRAVIDO, ENBRAVIDO, embravecido. Ej. 2172a.

EMBRAVIR, ENBRAVIR, embravecer. Ej. 2172b.

EMBRIAGO, embriagado, borracho. Ej. 58a.

EMENTAR, mentar, nombrar. Ej. 1412a, 2471a.

EMIENDA, enmienda, corrección; revancha, satisfacción. *Prender emienda:* recibir satisfacción. Ej. 55b, 557a.

EMIENTE, mente, memoria. *Fer emiente:* recordar. Ej. 1193d, 2180a.

EMPARAR, amparar, defender. Ej. 1601a.

EMPEEÇER, ENPEEÇER, impedir, perjudicar. Ej. 313d, 1469d.

EMPEGAR, embadurnar de pez. Ej. 159b.

EMPEITRAR, atropellar, lanzar de frente el caballo. Ej. 2410d.

EMPERADRIZ, emperatriz. Ej. 2407b.

EMPERANTE, emperador. Ej. 864b.

EMPONER, imponer. Ej. 128c.

EMPOÇOÑADO, envenenado. Ej. 2605d.

EMPRESTADO, prestado. Ej. 1539b.

EMPRIMAR, ensayar, estrenar, anteponer; ser el primero, utilizar por primera vez. Ej. 825d, 1007b.

EMPUXADA, empujón. Ej. 34d.

EN, ENDE, de ello, en ello. Ej. 549d.

ENANT, antes. Ej. 104c.

ENBARGADO, *vid.* EMBARGADO.

ENBOTAR, dejar sin punta; debilitar. Ej. 1545d.

ENBRAÇADO, EMBRAÇAR, *vid.* EMBRAÇADO, EMBRAÇAR.

ENBREGADO, empleado. Ej. 2403d.

ENCALAR, INCALAR, importar. Ej. 421c.

ENCALÇAR, perseguir, acosar, alcanzar, expulsar, vencer, aprisionar. Ej. 740b, 2117a.

ENCALÇO, persecución. Ej. 740a.

ENCARA, Adv. aún, también. Prep. enfrente de. Con negación, tampoco. Ej. 361b, 1114d.

ENCARNAR, encarnar; tomar cuerpo. Ej. 83a, 1810a.

ENCARGAR, acopiar, guardar; cargar. *La fambre que avién encargado:* el hambre atrasada. Refl. acometer, oprimir con ataques enérgicos (con complemento de dativo). Ej. 1432a, 2502a.

ENCARIDO, encarecido, subido de precio. Ej. 2525d.

ENCLAUSTRO, claustro, patio. Ej. 2132a.

ENCLAVADO, traspasado de parte a parte; asegurado con clavos. Ejemplo 1365a.

ENCLINO, inclinado. Ej. 2613d.

ENCLOIR, incluir, meter, introducir. Ej. 746b.

ENCOBRIR, encubrir, proteger. Ej. 537c.

ENCONADO, sucio, manchado, corrompido; infecto; envenenado, inflamado, irritado; exasperado. Ej. 1031c, 1378b.

ENCONTRADA, territorio, encontrón, encuentro. Ej. 79d, 1345c, 2198c.

ENCONTRADO, encuentro. Ej. 297a, 556a.

ENCORAJADO, lleno de coraje, animado, lleno de valor. Ej. 1233b.

ENCORAJAR, llenar de coraje, encorajinar; dar ánimo, valor y coraje. Ej. 696b, 1594d.

ENCORRER, incurrir en alguna sanción por incumplimiento de una orden. *Del aver e del cuerpo sería encorrido:* perdería los bienes y la vida. Ej. 803d.

ENCRESPADURA, el punto más alto de la frente. Ej. 2181c.

ENCUBIERTA, fraude, engaño, estratagema, disimulo. Ej. 746d, 1905a.

ENÇELAR, celar, ocultar, encubrir.

ENÇENSO, incienso. Ej. 1463c, 2480a.

ENÇIENTE, *Segunt el mío ençiente:* a mi entender. Ej. 1919d.

ENCHIR, henchir, llenar. Ej. 2551a.

ENDE, END, Adv. de allí. Pronominal: en ello, de ello. *Por ende:* por eso, por lo tanto. Ej. 343a, 1455c.

ENDURAR, soportar; tardar; sufrir, tolerar. Ej. 217a, 1035b.

ENEMIGA, acción propia del enemigo; enemistad, injuria, daño, maldad. (Cfr. *nemiga.*)

627

ENFENADO, sembrado, perfumado. Ej. 2084b, 2608b.

ENFESTAR, enhestar, alzar. Ej. 211b, 669a.

ENFIESTO, enhiesto, erguido. Ej. 841a, 2580b.

ENFLAQUIDO, enflaquecido, debilitado. Ej. 2014b.

ENFLAQUIR, enflaquecer, debilitarse. Ej. 537a, 1767c.

ENFLOTADO, orgulloso, hinchado, enflautado. Ej. 846a.

ENFOGAR, ahogar. Ej. 1004d.

ENFORCAR, ahorcar. Ej. 167b, 784c.

ENFORÇION, tributo del pechero en reconocimiento del dominio directo del señor. Ej. 22c.

ENFORMADO, formado, situado. Ej. 2495c.

ENFORTIDO, fortificado, fortalecido. Ej. 774c, 980b.

ENFOTO, confianza excesiva, orgullo. *En enfoto de:* confiando en, con-
tando en la protección de alguien, con orgullo de. Ej. 216a, 2218c.

ENFRENAR, poner el freno o bocado. Ej. 108c.

ENGASTONADO, engastado. Ej. 858c.

ENGEÑO, ingenio. Ej. 17c, 1976b.

ENGORDIR, engordar, enronquecerse. Ej. 2645b.

ENGRAVEÇER, desagradar, ofender. Ej. 236a.

ENGUEDAT, libertad, quietud, soltura. Ej. 984d, 1165c.

ENHYDROS, gema cristalina, según San Isidoro (cfr. nota a 1489).
Ej. 1489a.

ENLOÇIDO, pintado, decorado. Ej. 2122a.

ENLOQUIDO, enloquecido. Ej. 522d.

ENPEEÇER, *vid.* EMPEEÇER.

ENPONER, imponer. Ej. 16d, 128c.

ENRALIDO, enrarecido; poco. Ej. 1390d.

ENSAYAR, atacar, embestir, acometer; dar fuerza; probar. Refl. esforzarse en la lucha. Ej. 1943b, 2564b.

ENSELLADO, ensillado. Ej. 565b.

ENSEMBLAR, reunir, juntar. Ej. 245c.

ENSEÑAMIENTO, conocimiento. Ej. 1879c.

ENSORDIR, ensordecer, dejar sordo. Ej. 873d.

ENTALLAR, esculpir. Ej. 1239c.

ENTALLE, obra de entalladura, escultura de madera. Ej. 2123c.

ENTARDAR, retardar, retrasar. Ej. 1236d.

ENTECADO, enfermizo, enfermo, dañado, debilitado, contagiado de un
mal; dañino, infausto, adverso. *En hora entecada:* en mala hora.
Ej. 993b, 2466d.

ENTENÇIA, disputa, contienda. Ej. 344a, 1705c.

ENTENDER, apreciar, percibir; amar; oír. Ej. 769b, 1325c.

ENTRADERO, fácil de entrar, con posibilidades de entrar. Ej. 2157c.

ENTRAMBOS, ENTRAMOS, ambos. Ej. 538a, 1031d.

ENTRAMETER, entremeterse, inmiscuirse. Ej. 2610b.

ENTREMEDIANERO, situado en medio. Ej. 1228c.

ENTREMEDIANO, intermediario. Ej. 214a, 2189a.

ENTREMETIDO, osado, atrevido, valeroso, esforzado. Ej. 1040b, 2446a.

ENTREPEÇAR, tropezar. Ej. 1043c, 2629b.

ENVENINAR, envenenar. Ej. 2617c.

ENVERGONÇADO, avergonzado. Ej. 1680c.

ENVIRÓN, entorno, alrededor. Ej. 829b.

ENVISAR, prever, prevenir. Ej. 1661b.

ENVISEÇA, perspicacia, sagacidad. Ej. 2028a.

ENXANPLAR, ensanchar. Ej. 2257c.

ENXIERTO, injerto, planta injertada. Ej. 635d.

ERBOLADO, envenenado. Ej. 2616b.

ERÇÍA, de *erzer,* erguía, levantaba. Ej. 2501a.

ERÇIÓ, de *erzer,* levantó. Ej. 542c.

ERECHO, erguido (part. de erguir); derecho. Ej. 1144c.

ERMAR, dejar yermo, despoblar. Ej. 420d, 1116a.

ERMITANÍA, soledad, apartamiento; lugar apartado. Ej. 614c.

ERZER, levantar. Ej. 540b.

ESCAEÇER, aparecer; acaecer; desatender, olvidar; enflaquecer, desfallecer. Ej. 1169b.

ESCALANTADO, enardecido, animado, acalorado. Ej. 1859d.

ESCALENTAR, calentar, acalorar, enardecer, animar. Ej. 696a.

ESCANTO, encantamiento, encanto. Ej. 542d, 1567d.

ESCAÑO, banco de madera con respaldo. Ej. 1529c.

ESCARNIDO, escarnecido, afrentado. Ej. 529b, 1911b.

ESCARNIR, escarnecer. Ej. 426d, 1622c.

ESCATIMA, rebaja (tratándose de pagos); reproche, denuesto; excusa; litigio, disputa, riña. Ej. 1817b.

ESCODRIÑAR, escudriñar, examinar, inquirir. Ej. 2432b.

ESCOLAR, escabullirse. Ej. 2036a.

ESCONTRA, contra, hacia, para con. Ej. 1944a, 2297d.

ESCOPRO, escoplo, clase de arma; buril, podadera, escalpelo. Ej. 1034c.

ESCORRIDO, socorrido, ayudado; transcurrido, pasado. Ej. 981d.

ESCORRER, socorrer; acompañar, despedir. Ej. 1034d.

ESCOTE, pago de un gasto, especialmente de comida y hospedaje, y sobre todo si se hizo en común y lo pagan a prorrata los participantes. Ej. 934c.

ESCOTES, escoceses. Ej. 1514b.

ESCUREÇER, oscurecer. Ej. 8b.

ESCURO, oscuro. Ej. 1766b, 2037a.

ESCUSAR, esconder, ocultar, hacer sombra; guardar; salvar; evitar. Ej. 1209c.

ESCUSO, apartado. *A escuso;* en secreto, a escondidas. Ej. 998a, 2380c.

ESÇITANO, natural de Escitia. Ej. 1516d.

ESGUINÇAR, desgarrar, romper en pedazos. Ej. 1396d.

ESLEÍDO, elegido. Ej. 2638d.

ESLEÍR, elegir. Ej. 2653c.

ESMARAGDO, esmeralda. Ej. 1469a.

ESMARRIDO, triste, apenado. Ej. 874b.

ESPAÇIO, espacio. *Por espacio:* despacio. Ej. 654a, 1533a.

ESPADADA, espadazo, golpe fuerte con la espada. Ej. 532c, 1023c.

ESPANDIDO, extendido. Ej. 862c.

ESPEÇIA, bebida, medicina; condimento; artículo comercial, mercancía. Ej. 1541a.

ESPEDIR, despedir. Ej. 2673a.

ESPESSO, abundante, frecuente; denso, espeso. Ej. 1525a, 2546d.

ESPETADO, atravesado, clavado. Ej. O 1710b.

ESPETAR, atravesar, clavar, meter por un cuerpo un instrumento puntiagudo. Ej. O 2500a.

ESPIERTO, despierto. Ej. 550d, 635a.

ESPOLONADA, arremetida de algún número de la caballería contra el enemigo. Ej. 641a, 2048d.

ESTABLIDAT, estabilidad. Ej. 987b.

ESTABLIDO, establecido. Ej. 1560b.

ESTABLIR, establecer. Ej. 350d, 1865c.

ESTAÇIÓN, permanencia, lugar de estancia. Ej. 1143b.

ESTADO, part. de *estar.* Ej. 1711a.

ESTADO, Sust. estado, condición; medida de longitud equivalente a la altura de un hombre ordinario. Ej. 2135a.

ESTAME, ESTAMBRE, urdimbre, consistencia; fuerza, resistencia. Ejemplo 792c.

ESTANÇA, estancia, estado, modo de estar; campamento.

ESTENTINO, intestino. Ej. 2088d.

ESTIDO, de *estar,* estuvo. Ej. 23d, 1366c.

ESTILADO, estilizado, alto, derecho, estirado. Ej. 1873a.

ESTÍO, de *estar,* estuvo. Ej. 2666a.

ESTONDA, rato, espacio de tiempo. Ej. 2514d, 2629a.

ESTOPAÇIO, topacio. Ej. 1471c.

ESTORÇER, librarse, librarse de, preservarse; libertar, salvar. Ej. 72a, 761b.

ESTORDIDO, aturdido. Ej. 2659c.

ESTORDIR, aturdir. Ej. 350b.

ESTORPAR, maltratar, estropear. Ej. 167b.

ESTRADA, camino. Ej. 1009d.

ESTRAGAR, devastar, arruinar, asolar, hacer matanza. Ej. 1071c.

630

ESTRAÑO, notable, grande, descomunal; desconocido. Ej. 976b.

ESTRECHURA, apuro. Ej. 220a, 1885c.

ESTREMONÍA, astrología, magia. Ej. 1059b.

ESTRENADO, comenzado. Ej. 2052a.

ESTREVENCIA, atrevimiento. Ej. 812c.

ESTREVIO, atrevido. Ej. 1367c.

ESTREVUDO, atrevido. Ej. 638a, 1366a.

ESTRIBERA, estribo de montar. Ej. 708a, 2535d.

ESTRIBOTE, estrambote, género de composición poética. Ej. 2393a.

ESTUDIAR, esforzarse, aplicarse, poner celo, estudiar. Ej. 2663d.

ESTUDIERON, de *estar*, estuvieron. Ej. 1311b.

ESTUDIESSE, de *estar*, estuviese. Ej. 2460d.

ESTULTIÇIA, necedad, tontería. Ej. 1821c.

EXAMBRE, enjambre. Ej. 1004b.

EXAME, enjambre. Ej. 792b.

EXARAMIELLO, *xaramiello;* historia, explicación, disquisición.

EXIDA, salida. Ej. 1571b, 2114d.

EXIR, salir. Ej. 33b, 1333c.

F

FABLAR, hablar. Ej. 2c, 2247c.

FABLIELLA, dicho, frase proverbial. Ej. 520d.

FAÇERO, que va o está delante. Ej. 1025c, 2188c.

FAÇERUELO, almohada. Ej. 2646a.

FAÇILADO, angustiado. Ej. 1231b.

FADEZA, agüero, pronóstico. Ej. 1876c.

FADO, hado, suerte, destino, felicidad, buena fortuna. Ej. 85a.

FAJA, antorcha. Ej. 1897a.

FALAGO, halago, alabanza. Ej. 199b.

FALÇE, hoz. *Falçe podadera:* hoz para segar. Ej. 2563c.

FALDRIÉ, de *fallir,* faltaría, abandonaría. Ej. 403c.

FALSA, pócima, traición, mentira, engaño, quebranto. Ej. 2448b.

FALSAR, quebrar; infringir, quebrantar; falsear, hacer traición; dejar, faltar, mentir. Ej. 356c, 665c.

FALLA, falta. *Sin falla, sines falla:* ciertamente. Ej. 888c.

FALLEÇER, errar, caer en alguna falta; caer, acabar; mentir; faltar. Ej. 55c, 1636d.

FALLENÇIA, carencia, falta, mentira. *Caer en fallençia:* caer en error; acabarse. Ej. 285d, 918d.

FALLIMENTE, error. Ej. 1222c.

FALLIMIENTO, falta, engaño. Ej. 167d, 2522d.

FALLIR, engañar, faltar, abandonar, pecar, errar; caer. Ej. 84c, 375b.

FAMADO, famoso. Ej. 388a, 2279c.

FAME, hambre. Ej. 792d.

FAR, hacer. Ej. 228d, 1434d.

FARDIDO, denodado, ingenioso, astuto. Ej. 878c.

FARPA, arpa. Ej. 1545b.

FASCAS, casi; hasta; es decir. Ej. 550c, 1070c.

FASTA, hasta; hasta que. Ej. 1296d.

FASTIAL, hastial, parte superior triangular de la fachada de un edificio en la cual descansan las dos vertientes del tejado o cubierta. Ej. 2372b.

FATILADO, angustiado. Ej. 1377c, 2657c.

FAVA, haba. Ej. 1566d.

FAZAÑA, hecho extraordinario, proeza; ejemplo, modelo. Ej. 1341a, 2028d.

FAZEDOR, hacedor, artífice, ejecutor. Ej. 624d.

FAZENDADO, ocupado. Ej. 251a, 1908c.

FAZENDERA, trabajo, labor. Ej. 1868b.

FAZIENDA, asunto, negocio, suceso, valor, precio, estima. Plural: asuntos, negocios. Ej. 55a, 1450d.

FAZQUIA, pieza del arnés del caballo (quizá cincha). Ej. 118b.

FEBLES, débil, flaco. Ej. 395c.

FEDER, heder, oler mal. Ej. 719c.

FELERA, hiel, daño. *Vertié mala felera:* hacía estragos. Ej. 1028b.

FELLÓN, airado, enojado, cruel, traidor, falso, fanfarrón. Ej. 97c, 1798d.

FEMENÇIA, empeño, afán. Ej. 764c, 2609a.

FEMOS, de *fer,* hacemos. Ej. 1571b.

FENCHIR, hinchar, llenar, inflar. Ej. 810b, 2534a.

FENDER, hender, cortar, dividir, partir. Ej. 278d.

FER, hacer. Ej. 391b, 1324d.

FEREZA, fiereza, crueldad. Ej. 1719d.

FERIDA, herida. *Ir a las feridas:* entrar en combate, luchar. Ej. 1295a. .

FERIR, dar, caer, llegar a algún sitio; herir, acometer, golpear, atacar. *Ferir pregones:* echar pregones, anunciar. *Ferir palmas:* aplaudir. *Ferir el mal viento en alguno:* llegarle alguna mala nueva, sospecha o temor. *Ferir las manos:* estrechar las manos. Ej. 434b, 1880c.

FERMIDUMBRE, firmeza, constancia, resistencia. Ej. 1468d.

FERRADO, de hierro. Ej. 2068c.

FERREMOS, de *fer,* haremos. *Ferremos de faz:* les haremos frente. Ej. 454c.

FERRIÉ, de *fer,* haría. Ej. 683a.

FERROJO, cerrojo. Ej. 116a, en O.

FERVOR, excitación, furia; agitación, inquietud. Ej. 2664c.

FEUZA, FIUZA, confianza. Ej. 308a, 2041b.

FEVILLA, FEVIELLA, hebilla. Ej. 118b.

FEVOS, he aquí. Ej. 1008b.

FIAR, confiar, esperar. Ej. 1902b, 2627c.

FIEL, encargado de que se hagan algunas cosas con exactitud y conforme a las leyes o reglas establecidas para tal fin. Ej. 638d.

FIEL, hiel. Ej. 2418a.

FIGA, higo, cosa de poquísimo valor. Ej. 839c.

FIGURADO, representado, simbolizado. Ej. 831d.

FIJO, FIJ, FI, hijo. Ej. 27d.

FIJODALGO, hidalgo. Ej. 206b, 790c.

FILADO, hilado, ligaduras, porción de lino, cáñamo, seda... reducida a hilo. Ej. 2498c.

FILO, hilo. Ej. 590b.

FINADA, terminación, final, fin. Ej. 1836b, 2663b.

FINAR, acabar, terminar, morir. Ej. 44c, 725d.

FINANÇA, permanencia. Ej. 932b.

FINCAR, clavar; permanecer, quedarse, quedar. *Fincar con:* retener en su poder. *Fincar en:* quedar en poder de. *Fincar el ojo:* clavar o fijar los ojos. Ej. 84b, 499a.

FINIESTRA, ventana. Ej. 1151c.

FIRMAMIENTO, testamento. Ej. 2634a.

FIRMAR, FIRMARSE, afirmar, afirmarse. Ej. 520a, 1683c.

FIRME, firme, resoluto. *A firmes:* firmemente, de firme. Ej. 180b, 506d.

FIRMEDUMBRE, firmeza. Ej. 249c, 1842c.

FÍSICO, médico. Ej. 2620b.

FITO, clavado, hincado, fijo, persistente. Ej. 538b, 2224c.

FIUZANTE, confiado. Ej. 1163b.

FIVIELLA, hebilla. Ej. 91c.

FLAMA, llama. Ej. 551a, 952c.

FLEUMA, flema. Ej. 1479c.

FLUMEN, río. Ej. 1782c, 1915b.

FOIR, huir. Ej. 66c.

FOJA, hoja. Ej. 1982d.

FOL, loco. Ej. 1066a, 1719c.

FOLGAMENTO, holganza, placer. Ej. 2247b.

FOLGANÇA, descanso. Ej. 291d, 1632c.

FOLGAR, holgar, descansar. Ej. 32d, 1936b.

FOLGURA, respiro, alivio, descanso. Ej. 2335d.

FOLLÍA, FOLÍA, locura, imprudencia, maldad. Ej. 339a, 1370a.

FOLLONÍA, ira, traición, cobardía. Ej. 24a.

FONDA, honda; tira de cuero o trenza de lana, cáñamo, esparto u otra materia, utilizada para tirar piedras. Ej. 871b.

FONDIDO, hundido. Ej. 2386a.

FONDIR, fundir, derretir. Ej. 1727c.

FONDO, hondo. Ej. 332c.

FONDÓN, fondo. *De fondón:* a fondo. *En fondón:* en el fondo, abajo. Ej. 829c, 1914d.

FONSADO, hueste, ejército. Ej. 272d, 2205b.

FONTANAR, fuente, fontana. Ej. 2159b.

FORADO, agujero. Ej. 136c, 1304b.

FORCADO, trompa de elefante. Ej. 2069b.

FORNAZ, horno. Ej. 2412a.

FORNEZINO, fornicador, fornicario; bastardo, adulterino. Ej. 1063d.

FORNIQUERO, fornicario. Ej. 2374d.

FORTALLADO, fuerte, robusto. Ej. 1978b.

FORTEDUMBRE, fortaleza, fuerza, vigor. Ej. 249d, 2340d.

FORTEDUMPNE, fortaleza. Ej. 2614b.

FORTIGA, ortiga. Ej. 150d.

FOSSAR, fosa, sepultura, hoyo para enterrar un cadáver. Ej. 1633b.

FOYA, fosa, hoyo. Ej. 2672c.

FOZ, hoz, angostura de un valle profundo. Ej. 2110d.

FRAIRE, hermano. Ej. 1049c, 2481a.

FRANQUEZA, libertad; generosidad. Ej. 12b, 972c.

FREIRÍA, frailía, convento, comunidad de frailes. Ej. 413d.

FRIOR, frescura. Ej. 938a.

FRIURA, frío. Ej. 1174c, 2415a.

FRONTERO, fronterizo, guardador de la frontera; delantero. Ej. 76c, 823c.

FRUENTE, frente. Ej. 1041c, 1608d.

FUÇIJO, faja, cinta (Keller, *op. cit.*, pág. 102). Ej. 1981c.

FUERA, FUERAS, afuera; a excepción de, excepto. *Fueras que:* excepto que. Ej. 1115b, 2101b.

FUESSA, fosa, huesa, sepultura. Ej. 1633c.

FULÁN, fulano. Ej. 1995a.

FUNDIR, hundir, destruir, arruinar. Ej. 2308d.

FURTAR, hurtar, robar; escaparse. Ej. 355c, 2033b.

FUSIELLO, balaustre, columnilla. Ej. 1803b.

FUSSES, de *seer,* fueses. Ej. 2493a.

FUSTE, bastón, garrote, látigo; palo, madera. *A fuste:* a latigazos. Ejemplos 134d, 201b.

FUSTE, de *seer,* fuiste. Ej. 1783b, 2435a.

G

GABAR, GABARSE, alabarse, jactarse. Ej. 59c, 699d.

GAFO, leproso. Ej. 1621b.

GAGATES, azabache. Ej. 1470a.

GALACTITES, gema «de color lechoso y triturada da jugo blanco de sabor de leche» (San Isidoro, cfr. nota a 1479ab). Ej. 1479a.

GALAÇIAS, gema blanca con «figura del granizo» (San Isidoro, cfr. nota a 1480). Ej. 1480a.

GALEA, galera. Ej. 2268b, 2505c.

GALGA, pedrusco. Ej. 225c, 1597d.

GALINGAL, galanga, planta exótica de raíz medicinal. Ej. 1463a.

GALOPEAR, galopar. Ej. 477a.

GALLO, *El primer gallo:* medianoche. *Segundo gallo, medios gallos, mediados gallos:* tres de la madrugada. *Tercer gallo, hora de gallos:* el amanecer, hora de maitines. Ej. 1735d, 2454a.

GALLARÓN, sisón, ave zancuda similar a la avutarda, pero de menor tamaño. Ej. 2177a.

GAMBAX, jubón colchado, debajo de la coraza. Ej. 455b.

GANANÇIA, botín, despojo, saqueo; provecho; riqueza; donativo, regalo. Ej. 1413d.

GARABATA, trampa, arte para sonsacar en el comercio. Ej. 1819c.

GARÇÓN, joven, mancebo, joven disoluto. Ej. 2145d, 2380a.

GARRIDENÇIA, salvación, ayuda. Ej. 2005d.

GAVIÓN, vencejo, pájaro semejante a la golondrina. Ej. 2136c.

GAYO, arrendajo; ave relativamente pequeña, de color gris morado, con moño ceniciento, de manchas oscuras, y en las cobijas anteriores de las alas rayas transversales de blanco, negro y azul. Ej. 2136c.

GE, se. Ej. 406c, 2551b.

GENGIBRE, jengibre, planta cingiberácea de flores purpúreas y fruto de olor aromático y sabor acre y picante como el de la pimienta. Ej. 1463b.

GENOJO, hinojo, rodilla. Ej. 2613d.

GENTA, gentil, gallarda, hermosa, preciosa. Ej. 366c, 1878c.

GIGA, especie de rabel con tres cuerdas. Ej. 1545b.

GINGIBRE, jengibre (cfr. *gengibre*). Ej. 906c.

GINOJO, hinojo, rodilla. *Ginojo feçión:* genuflexión. Ej. 1142c.

GIRGONÇA, piedra preciosa, jacinto. Ej. 1491a.

GIROFE, cariofileo, clavo de especia. Ej. 1463d.

GLADIO, espada. Ej. 2219c.

GLOTONÍA, glotonería. Ej. 2378a.

GOLA, gula. Ej. 2378a.

GOLIELLA, cuello, garganta; adorno que circunda el cuello. Ej. 954c.

GORGA, cuello, garganta humana. Ej. 87c.

GRAÇIR, agradecer. Ej. 38b.

GRADA, peldaño, escalón; conjunto de peldaños, escalera. Ej. 1571c.

GRADEÇER, agradecer. Ej. 1061d, 1933d.

GRADIR, agradecer. Ej. 2539d.

GRADO, agradecimiento; voluntad, gusto. *Grado a:* gracias a. *Tener a o en grado:* agradecer. *Mal grado a ellos:* a su pesar. Ej. 808c, 1280b. *De grado:* gustosamente. Ej. 1b.

GRAFA, garra. Ej. 97b.

GRAFIL, buril, instrumento de acero, prismático y puntiagudo, que sirve para abrir y hacer líneas en los metales. Ej. 857c.

GRAJA, grajo, corneja. Ej. 869d.

GRANADO, grande, importante, excelente. Sustantivado: cosas grandes, hechos importantes. Ej. 531a, 1771b.

GRANDEZ, grandeza. Ej. 1315a, 1504a.

GRANDÍA, bravata; grandeza. Ej. 600d, 1167a.

GRAÑÓN, grano de uva. Ej. 2354a.

GRAVE, duro, pesado, difícil. Ej. 124c, 2138d.

GREÇIANO, griego. Ej. 1967a.

GRIEVE, grave, duro. Ej. 1369c, 1504d.

GRIFO, animal fabuloso parecido a un águila. Ej. 2497a.

GRIFÓN, animal fabuloso. Ej. 861c.

GRIÑÓN, greña, cabellera revuelta y mal compuesta; barbas. Ej. 1041c, 2071d.

GUALARDÓN, galardón, premio recompensa. Ej. 192a, 1813b.

GUALARDONADO, galardonado, premiado. Ej. 1658d.

GUARDA, protección, tutela, mirada atenta, vigilancia. Ej. 1691b.

GUARDADOR, protector, custodio. Ej. 1543b.

GUARDAR, atender, mirar, proteger. Ej. 925d, 1208c.

GUAREÇER, socorrer, salvar, curar, proteger. Ej. 783d, 1159d.

GUARIDA, cura, curación; salvación, protección. Ej. 2059c, 2086d.

GUARIR, curar, proteger, salvar, cuidarse, salvarse. Ej. 74d, 2649a.

GUARNIÇIÓN, arma defensiva que se viste, loriga. Ej. 183c.

GUARNIMIENTOS, vestidos, aderezos. Ej. 968a, 1981a.

GUARNIDO, guarnecido, vestido, armado. Ej. 1713b.

GUARNIR, vestir, armar, arrear. Ej. 601a, 2543a.

GUERREADOR, luchador, guerrero. Ej. 780c, 2626d.

GUIÓN, guía, guiador, lazarillo. Ej. 2358d.

GUISA, modo, manera. Ej. 364d, 1450a.

GUISADO, arreglado convenientemente, dispuesto. Ej. 481d, 1457c.

H

HAZ, tropa ordenada, línea de batalla. Ej. 75a, 1737b.

HELIOTRÓPICA (piedra...), heliotropo, gema, según San Isidoro (véase nota a 1473), «de color verde lechoso, salpicado de puntos rojos y vetas sanguíneas». Ej. 1473a.

HEMATITES, gema «de color de sangre» (San Isidoro, cfr. nota a 1474cd). Ej. 1474c.

HEREDA, «parece "pegada", "unida"» (Janer, *BAE,* pág. 576). Ejemplo 1875b.

HEREDAT, herencia; dominio, reino. Ej. 57c, 2090c.

HEVOS, he aquí. Ej. 1138a.

HEXECONTÁLITO, gema «multicolor» (S. Isidoro, cfr. nota a 1486ab). Ej. 1486a.

HONRADO, honrado, que tiene honra; excelente. Ej. 328a.

HONTA, deshonra. Ej. 26a, 510a.

I

IDE, de *ir,* id. Ej. 143a, 1380c.

IDES, de *ir,* vais. Ej. 2645c.

IMOS, de *ir,* vamos. Ej. 254a, 2281c.

INCHIÓ, de enchir, llenó. Ej. 442a.

INDIANO, natural de la India, hindú. Ej. 1515a, 2007a.

INFANÇÓN, individuo correspondiente a la segunda clase de nobleza, superior a los hidalgos e inferior a los ricos hombres. Ej. 1734b.

INFINIDAT, multitud, muchedumbre. Ej. 2533c.

INGLÍS, inglés. Ej. 1798c.

INPLIR, hinchar, llenar. Ej. 2068b, 2204c.

IRADO, airado, enojado. Ej. 418c, 1098a.

IRCANO, natural de Hircania, antigua comarca de Asia, en Persia, al sur y sureste del mar Caspio. Ej. 1020a, 1515c.

IRIS, gema «de color cristalino, con seis ángulos» (S. Isidoro, cfr. nota a 1487ab). Ej. 1487a.

IRLANDO, irlandés. Ej. 1514b.

IXEN, de *exir,* salen. Ej. 238c.

J

JAMÁS, siempre; nunca; alguna vez. *Por jamás:* para siempre. Ejemplos 167c, 530d.

JANERO, enero. Ej. 2555a.

JASPIS, jaspe. Ej. 1469c.

JENERO, enero. Ej. 89a, en P.

JENOJO, rodilla. Ej. 116b, 1046b.

JOGLARÍA, juglaría; bufonada, burla, chanza. Ej. 2a, 700a.

JUDIÇIO, juicio, sentencia. Ej. 1247b, 2330c.

JUDGAR, juzgar, sentenciar. Ej. 2551d.

JUEGO, broma, juego. *A juegas:* de broma. Ej. 157c, 1922c.

JUNTA, reunión, encuentro. Ej. 1308b.

JUÑIR (aragonesismo), acercarse para luchar, alcanzar. Ej. 1408a.

JUSTAR, hacer una justa (pelea, combate singular, a caballo y con lanza). Ej. 638b, 2057a.

JUSTIÇIAR, ajusticiar. Ej. 1910d.

JUVENTA, juventud. Ej. 1462b

L

LABRAR, trabajar, construir; labrar. Ej. 747a, 2220c.

LABRO, labio. Ej. 24a, 564b.

LAÇADA, lazo, nudo corredizo, atadura del yugo a la lanza. Ej. 859a.

LADO, ancho. Ej. 275c.

LAGAÑA, legaña. Ej. 1721c.

LAÍDO, afligido, acosado. Ej. 636b.

LANDE, bellota. Ej. 2565a.

LANÇA, lanza. Fig. pena, tristeza. Ej. 1617b.

LARGO, generoso, espléndido; largo. Ej. 1c.

LARGUERO, grande, largo, extenso, amplio. Ej. 873a, 2506d.

LASO, cansado. Ej. 177d.

LAUDADO, alabado. Ej. 2598d.

LAUDAR, alabar. Ej. 2599a.

LAUGERO (provenzalismo), ligero. Ej. 1797a.

LAZERIA, mezquindad, miseria, calamidad, pena, sufrimiento. Ejemplo 2336d.

LAZERIO, miseria, pena, sufrimiento. Ej. 715d, 1090c, 2027a.

LAZRADO, sufrido, lacerado, atormentado. Ej. 1612a.

LAZRAR, lacerar, torturar, padecer, sufrir. Ej. 367c, 1433b.

LAZROSO, el que padece trabajos y miserias, miserable. Ej. 408c.

LEDANÍA, letanía, plegaria; retahíla; recuento, relación de cosas seguidas, cuentos, entretenimientos, historia. Ej. 70c, 294c.

LEDO, alegre. Ej. 804b.

LEGAÇÍA, mensaje, comisión. Ej. 2524d.

LEGISTA, letrado, profesor de leyes y jurisprudencia. Ej. 345d.

LENGUADO, con lengua, hablador. *Bien lenguado:* elocuente. *Barva lenguada:* hocico largo, trompa. Ej. 1324d, 2065a.

LERAL, arenal. Ej. 2372c.

LETIÇIA, alegría. Ej. 1230d, 2351a.

LETRA, carta. Ej. 156a, 780a.

LETRADO, sabio, docto, instruido. Ej. 1209c, 2160a.

LETUARIO, electuario, preparación farmacéutica de consistencia de miel, hecha con polvos, pulpas o extractos y jarabes. Ej. 906b, 2401a.

LEVAR, llevar. Ej. 41c, 386d.

LEXAR, dejar, abandonar, separarse de algo o de alguien. Ej. 1742c.

LIBIANO, natural de Libia. Ej. 1515d.

LIDIAR, luchar. Ej. 71b, 470b.

LIEVE, LIEV, leve, ligero. *De lieve:* fácilmente. Ej. 552b, 888a.

LIEVO, LIEVEN... de *levar* (llevar), llevo, lleven... Ej. 1635c.

LIGADO, atado. Ej. 2255b.

LIGAR, atar. Ej. 2254a.

LIGEREZ, ligereza. Ej. 1315c.

LISIÓN, herida, lesión. Ej. 1229b, 1618b.

LIT, lucha. Ej. 82a, 504b.

LIVIANO, de poco peso; lujurioso; diestro, hábil. Ej. 545a, 989d.

LIVRAR, poner fin a, arreglar. Ej. 470c, 1640a.

LOÇANO, soberbio, altivo, alegre; lozano. Ej. 2023a.

LODADO, enlodado, lleno de lodo, sucio. Ej. 2279d.

LOGADO, alquilado, mercenario. Ej. 1639b.

LOGAR, colocar, alquilar. Ej. 2561a.

LOGRAR, gozar el fruto de una cosa; aprovecharse, valerse de algo; tener éxito, alcanzar la perfección. Ej. 1808d.

LOGRO, beneficio, ganancia, provecho, lucro. Ej. 931c, 2349b.

LONGANA, palabra desconocida (Julia Keller, *op. cit.*, pág. 118). Ejemplo 1969c. Tal vez, «paciente», según Xebon (cfr. su ed. cit. del *Alexandre*, pág. 602).

LOQUELLE, lenguaje, palabra. Sólo se utiliza en la expresión *loquelle nin sermones:* ni lenguaje ni habla. Ej. 1538d.

LORAR, llorar; lamentarse. Ej. 189a.

LORIGA, armadura para la defensa del cuerpo, hecha de láminas pequeñas e imbricadas, por lo común de acero. Ej. 455c, 1066c.

LORIGADO, soldado protegido con loriga. Ej. 865a.

LUA, guante. Ej. 92c, 1773d.

LUEGO, inmediatamente, sin dilación. Ej. 4b, 1427a.

LUEN, lejos. Ej. 553d.

LUENGA, lengua; información, noticia. Ej. 840a, 2151c.

LUENGO, largo. *A luengas:* durante mucho tiempo. Ej. 367a, 1413c.

LUEÑE, lejos. Ej. 1432c.

LUMBRE, luz, lumbre. Ej. 2340a.

LUMNERA, lumbrera, luminaria, fogata, lumbre. Ej. 1540d.

LUZENÇIA, luz, claridad, resplandor. Ej. 826c.

LYDÓN, «forma de decoración difícil de precisar». «Es posible que mientras *literata* fuese con adornos en forma de letras, o marcada, la *litone* fuese con adornos de dibujos o figuras. Entonces podría ser interpretado el pasaje de *Alexandre —semejavan bivos, tanto eran lydones—* como "tan bien imitados estaban".» Keller, *op. cit.*, pág. 116.

LL

LLAGADO, herido. Ej. 1764d.

LLANERO, llano. Ej. 1639c.

LLAGAR, venir; juntar, reunir; conducir; refl. llegarse, acercarse. Ejemplos 1450b, 2665c.

M

MADRIGADO, dícese del macho de ciertos animales, particularmente del toro, que ha padreado. Ej. 707c.

MADRONA, matrona. Ej. 568a, 2346b.

MAESTRAMENTE, magistralmente. Ej. 2121b.

MAESTRÍA, ciencia, arte, habilidad; remedio; medicamento. Ej. 2d, 1475d.

MAGNETE, imán, piedra magnética. Ej. 1470c.

MAGUER, aunque, a pesar de. Ej. 14a, 1122c.

MAGUERA, no obstante, aunque, a pesar de todo. Ej. 2169a.

MAITÍN, mañana. Ej. 1878d.

MAJADURA, golpe, molimiento, tormento. Ej. 1449b.

MAJAMIENTO, mortificación. Ej. 2513d.

MAJAR, golpear, azotar. Ej. 150d.

MAJO, mazo. Ej. 1725c.

MAJUELO, viña o cepa nueva. Ej. 647d, 1637b.

MALA, en mala hora. Ej. 1872d.

MALANDANTE, desventurado, desdichado. Ej. 646b, 1409d.

MALASTRUGO, desventurado. Ej. 464c, 2109a.

MALCORAZNADO, descorazonado. Ej. 1581b.

MALDICHO, maldito. Ej. 1911a.

MALDIGUEZA, maldición. Forma desconocida (J. Keller, *op. cit.*, página 121). Ej. 2354c.

MALEDITO, maldito. Ej. 107b, 538a.

MALENCONÍA, ira, enojo, disgusto. Ej. 339b, 2267a.

MALESTANÇA, desdicha, fracaso. Ej. 1413b.

MALETÍA, enfermedad, dolencia. Ej. 24b, 2267c.

MALFADADO, malhadado, hechizado; con mal hado, con mala suerte, desafortunado; predestinado a un mal. Ej. 2661a, 1654b.

MALMETER, maltratar, castigar, echar a perder. Ej. 1240c, 1694b.

MALO, malo. *El malo:* el diablo. Ej. 2551b.

MALTRAER, maltratar, calumniar, destruir. Ej. 430a.

MALVENTURADO, malaventurado, desdichado, de mala suerte, infortunado. Ej. 176c, 2661d.

MALVESTAT, maldad. Ej. 1085a, 2457c.

MANANTÍO, manante, que mana. Ej. 1769c.

MANÇANIELLA, parte inferior y redonda de la barba; cada uno de los botones redondos y forrados de tela con que solía abrocharse la ropilla (vestidura corta con mangas y brahones —rosca o doblez que ceñía la parte superior del brazo—, de los cuales pendían regularmente otras mangas sueltas o perdidas, y se vestía ajustada al medio cuerpo sobre el jubón). Ej. 648b.

MANÇEBÍA, juventud, mocedad; conjunto de criados o siervos. Ejemplos 269c, 927c.

MANCHA, malla, escama de la loriga. Ej. 702c.

MANDADERO, enviado, mensajero. Ej. 794d, 1099a.

MANDADO, mensaje; noticia, nueva; mandato, orden. *Recabdar un mandado:* ejecutar una orden, llevar un recado. *Salir de un mandado:* contravenir o desatender una orden. Ej. 229d, 1250b.

MANDAMIENTO, mandato, orden. Ej. 2637b.

MANEAR, manejar. Ej. 117c.

MANERO, apoderado, representante; manual; manejable, acomodaticio. Ej. 2192c.

MANO, *De mano:* enseguida, para empezar; *Mano a mano:* al punto, inmediatamente; dos personas solas en paridad de condiciones. *Man' a maxiella:* pensativamente, tristemente. *Ir a mano:* reprimir a alguien. *Caer de mano:* pasar desapercibido. *Dar de mano:* soltar, dejar libre. Ej. 301a, 630d.

MANPARAR, amparar. Ej. 875d.

MANTENENÇIA, manutención, comida, vivienda. Ej. 2105c, 2380a.

MANTILLO, diminutivo de *manto,* bandera, enseña. Ej. 2062b.

MANZIELLA, desgracia; dicho inconveniente; mancha, lástima, pena, herida. Ej. 2445c.

MANZIELLO, Sust. herida. Adj. herido. Ej. 530b.

MANZILLA, mancha, lástima, pena, herida, desgracia, dicho inconveniente. Ej. 50c.

MAÑA, manera, modo; habilidad; costumbre, hábito; engaño, artificio, estratagema. Ej. 235d, 494d.

MAÑANADA, amanecer. Ej. 657b.

MAÑERA, estéril. Ej. 1170a.

MAÑO, grande. Ej. 2485d.

MARGARITA, perla. Ej. 1476a.

MARIDADO, casado. Ej. 1706b.

MARRAS, en otro tiempo. Ej. 1169a.

MARTIELLO, martillo. Ej. 1761d.

MAS, pero, sino. Ej. 2045c, 2288d.

MASCLO, macho. Ej. 1866b.

MATINADA, los maitines. Ej. 2452d.

MAXIELLA, MAXILLA, mejilla. *Man'* (mano) *a maxiella:* pensativamente, tristemente. Ej. 34b, 630d.

MAYA, canción de mayo. Ej. 2559c.

MAYORAL, principal, primer hombre, jefe. Ej. 1134a, 1429b.

MAYORMIENTRE, mayormente, principalmente. Ej. 128a.

MAYOS, canciones de mayo. Ej. 1951c.

MEAJA, moneda de poco valor. Ej. 785d, 1897c.

MEDEÇINA, medicina. Ej. 74d.

MEDIADO, el viviente que se halla en la media edad *(BAE,* pág. 577). Ej. 2475c.

MEDIANEDO, línea donde se pone un mojón divisorio; tribunal sobre litigios de los pertenecientes a diferentes jurisdicciones. Ej. 934b.

MEDIANO, medo, natural de Media. Ej. 1515b.

MEDIO, medio, mitad. *A lo medio:* a la mitad, para la mitad. Ejemplo 2507b.

MEGE, médico. Ej. 43a, 449c.

MEGEAR, curar, aliviar. Ej. 1305d.

MEITAD, MEITAT, mitad. Ej. 1570b, 2464d.

MEJAR, medicar, curar, sanar. Ej. 1764d.

MEJORANÇA, mejoría, provecho, ventaja, medro. Ej. 1617c.

MELENA, almohadilla o piel que se sujeta a los cuernos del buey para que no le lastime el suyo. *Venir a la melena:* soportar el yugo, someterse, obedecer de grado o por fuerza. Ej. 1943d.

MELEZINA, medicina. Ej. 906a, 2350c.

MELOÇIO, moloquites, piedra preciosa. Ej. 1472c.

MEMBRAR, MENBRAR, recordar, acordarse. Ej. 299a, 1809b.

MENA, almena. Ej. 1109d, 2222d.

MENAR, llevar, conducir, mover, menear, manejar. Ej. 1179c.

MENAZA, amenaza. Ej. 199b, 779b.

MENCAL, moneda de oro, de dieciocho pepiones en tiempo de Alfonso X. Ej. 1818c.

MENESTER, oficio, empleo. *Es menester:* es necesario. Ej. 1170d, 1974d.

MENESTRAL, persona que se gana la vida haciendo un oficio mecánico. Ej. 1194d, 1818a.

MENGAR, faltar, menguar. Ej. 1656c.

MENGUA, falta; deshonra. Ej. 660a.

MENGUADO, falto, carente, disminuido. Ej. 781a, 2011b.

MENGUAR, faltar, disminuir. Ej. 83c, 1461d.

MENSAJERÍA, mensaje, misiva. Ej. 1915d.

MENUDO, pequeño, chico, delgado. Ej. 659d, 2323b.

MEOLLO, seso, cerebro; parte comestible de una fruta seca. Ej. 1023d, 1719c.

MERCADAL, mercado, plaza. Ej. 2345c.

MERCADERO, mercader. Ej. 1285c.

MERCADO, negocio, contrato; encuentro. Ej. 699d, 1431d.

MERCADOR, mercader. Ej. 95a.

MERCADURA, mercadería, mercancía.

MERÇED, merced, favor, gracia. Ej. 240a.

MERCHANDÍA, mercancía. Ej. 1866c.

MERCHANTERÍA, mercancía. Ej. 69c.

MEREDIANA, MERIDIANA, mediodía. Ej. 939b, 2041c.

MERINO, autoridad puesta por el rey o un gran señor para ejercer funciones fiscales, y posteriormente judiciales y militares, sobre cierto territorio. Ej. 200b.

MESNADA, conjunto de caballeros vasallos de un señor, tropas. Ejemplos 245c, 978c.

MESNADERO, perteneciente a la mesnada de un señor. Ej. 2030b.

MESNEA, mesnada. Ej. 1131a.

MESSAGERO, mensajero. Ej. 142a.

MESTER, servicio, empleo, oficio. *Ha mester, es mester:* es necesario. Ej. 1b, 367b.

MESTURA, mezcla, linaje, chisme, delación falsa. Ej. 327d.

MESTURADOR, mesturero, embustero, cizañero. Ej. 909d.

MESTURAR, revelar, descubrir; denunciar, chismear; revolver, cizañar. Ej. 130d.

MESTURERO, embaucador, difamador, denunciante. Ej. 904a.

MESURA, prudencia, juicio; dignidad, respeto; medida. Ej. 155d, 765b.

MESURADO, prudente, digno, juicioso. Ej. 574a.

MESURAR, medir. Ej. 302b, 2276d.

METER, poner; meter. Ej. 2636a.

MEZCLAR, confeccionar; mezclar; cizañar. Ej. 137c.

MIENTE, memoria, mente. *Meter mientes:* poner atención, tomar conciencia. *Parar mientes:* pensar. *Tener mientes a:* fijarse en. *Venir en miente:* acordarse. Ej. 407d, 659c.

MIENTRE, mientras. *De mientre:* entre tanto; mientras tanto. Ejemplos 730d, 1093d.

MIÉSSEGO, siega de mieses. Ej. 2564a. Cfr. nota a 2564a.

MIGAJA, miga; algo. *Nin migaja:* nada. Ej. 1897b.

MIGERO, milla, rato (necesario para andar una milla). Ej. 873b, 1738c.

MILLARÍA, el que mandaba mil soldados. Ej. 1551a.

MILLIA, miles, mil. Ej. 68b.

MINISTERIO, oficio. Ej. 1800d.

MINTRÍA, de *mentir,* mentiría. Ej. 1976d.

MINTROSO, mentiroso. Ej. 1949d.

MISO, de *meter,* puso. Ej. 178c, 669c.

MISSIÓN, conjunto de cosas que se envían; conato, esfuerzo; paga, sueldo, valor. Pl. *missiones:* gastos, expensas. Ej. 296a, 437b.

MISSIONADO, esforzado, empeñado, porfiado. Ej. 2198a.

MOÇAJÓN, mozo, mocetón. Ej. 2472c.

MOJÓN, señal permanente para fijar los linderos. Ej. 1914a.

MOLEJA, mollar, variedad de uva. Ej. 2130b.

MOLLERADA, golpe en la mollera (cabeza). Ej. 1039c.

MONAGÓN, monaguillo. Ej. 1954d.

MONAZIELLO, monaguillo. Ej. 632c.

MONGÍA, comunidad de monges, monasterio. Ej. 413b, 1822a.

MONTAR, importar, subir. Ej. 1013c.

MONTERO, montés. Ej. 1597d.

MONTINO, montés. Ej. 2477c.

MORRÉ, MORREDES, de *morir,* moriré, moriréis. Ej. 46c, 1708d.

MORRER, morir. Ej. 78d.

MORRIÉ, de *morrer,* moriría. Ej. 2252b.

MORTERO, mezcla de cal y arena, argamasa. Ej. 1509b.

MORTIGUAR, amortiguar, dejar como muerto. Ej. 500a, 2000d.

MOSTRO, monstruo. Ej. 2170d.

MOTE, lema, palabra. Ej. 763c, 2393c.

MOTEJAR, hablar, decir «motes» (palabras, sentencias). Ej. 1274a.

MOTÓN, cordero, montón. Ej. 113d.

MOVER, partirse, marchar; ahuyentar, desterrar; incitar, inspirar. Ejemplo 84a.

MUDADA, cambio, modificación. *Prender mudada:* tomar prestado. Ejemplo 630c.

MUDADO, cambio, variación, modificación. Ej. 236d.

MUDAR, variar, modificar, cambiar. Refl. irse, dispersarse. Ej. 263c, 1395b.

MUEBLE, alhaja; ganado. Ej. 359c.

MUEBDA, males, contienda, movimiento. Ej. 524c.

MUELA, cerro escarpado y con cima plana. Ej. 2074b.

MUELLE, flexible, blando, suave. Ej. 815c.

MUEPTA, movimiento, impulso, revolución; escuadrón, multitud de gente. Ej. 2183a.

MUESSO, bocado. Ej. 2358c.

MUR, ratón. Ej. 2166a.

MURGÓN, sarmiento que se entierra para que arraigue. Ej. 223d.

MURMORIO, murmullo, murmuración. Ej. 1207c.

MUSIAR, manifestar dolor con quejidos, gemir. Ej. 1767b.

MUZO, bordes, boca. «Acaso el autor imaginara el arca de vidrio de Alexandre como una botella» (Julia Keller, *op. cit.*, pág. 132). Ejemplo 2306c.

N

NADA, nacida. Ej. 388b.

NADI, nadie. Ej. 244b, 534d.

NADO, nacido. Ej. 357c, 890c.

NANA, mujer casada, madre. Ej. 1064b.

NASCO, de *naçer*, nació. Ej. 718a.

NATURA, naturaleza; esencia de las cosas; propensión; estirpe, linaje. *De natura:* naturalmente, de naturaleza. Ej. 40a, 1258b.

NAVEADOR, navegador, navegante. Ej. 250a.

NEMIGA, enemiga, acción propia del enemigo, daño, maldad, injuria, enemistad. Ej. 1252c, 1730b.

NERVIO, cuerda, cabo de cuerda. Ej. 689c.

NIN, ni. Ej. 26b, 403c.

NINIVITANO, natural de Nínive, antigua ciudad de Asia, capital de los imperios asirios, situada a las orillas del Tigris, al noroeste de Babilonia. Ej. 1516b.

NOGUERA, nogal. Ej. 2563a.

NOMBRADO, NONBRADO, *por nombrado:* así llamado. Ej. 2675d.

NONA, novena. *(Hora) nona:* desde las tres hasta las seis de la tarde. Ej. 33a, 1414a.

NOTAR, contar, anotar, comentar; copiar, inscribir. Ej. 653, 1244c.

NOZIR, dañar, perjudicar. Ej. 581d, 1474d.

NUEVAS, nuevas, noticias; fama, renombre. Ej. 145b.

NUGARUELAS, nogueruelas, clase de uvas. Ej. 2129b.

NUL, NULLO, ningún, ninguno. *Nulla res:* nada. Ej. 64d, 2013c.

NUNCA, alguna vez; jamás. Ej. 1240a, 1943b.

NUVADA, nube. Ej. 1105d, 2176c.

O

OBLADA, ofrenda que se lleva a la iglesia y se da por los difuntos; normalmente es un pan o rosca. En otro tiempo solía ponerse encima de la sepultura, antes de dársela al cura, y allí permanecía mientras se oficiaba la misa. Ej. 1635c.

OBRAR, trabajar, construir. Ej. 91a, 651d.

OCASIÓN, daño grave, muerte; causa, motivo, ocasión. Ej. 1628c, 2434d.

OÇIENTE, OÇIENT (galicismo), *segunt mi oçient:* según creo, según mi opinión. Ej. 1265d, 2509a.

OCHAVARIO, octavario; periodo de ocho días, fiesta que se hace en los ocho días de una octava (espacio de ocho días durante los cuales celebra la Iglesia una fiesta solemne o hace conmemoración del objeto de ella). Ej. 1133d.

ODOR, olor. Ej. 1464d.

OFREÇIÓN, regalo, oferta, don. Ej. 1234c.

OJO, ojo. *Por ojo:* a simple vista. Ej. 2665b.

OMIL, humilde. Ej. 1590c.

OMNE, OME, hombre. Indefinido: uno, alguno; y con negación: ninguno, nadie. *Omne de días:* viejo. Ej. 860c, 2450c.

ONDA, ola. Ej. 381a, 2277a.

ONDADO, adornado con ondas. Ej. 857b.

ONDE, donde, de donde, de lo cual. Ej. 55d, 383d.

ONTA, honta, afrenta, deshonra. Ej. 26c.

ORAGE, tiempo atmosférico, viento, régimen de vientos. Ej. 2300b.

ORDIO, cebada, cereal. Ej. 2560d.

ORDIR, urdir, tramar. Ej. 1900b.

ORELLANO, esquinado, dado de lado, puesto en un extremo u orilla. Ej. 1248b, 1583b.

ORGANEAR, cantar. Ej. 2559c.

ORRESCAS, vicio repugnante. Ej. 2373d.

ORRURA, escoria, légamo que dejan los ríos en las crecidas, sustancia sucia. Ej. 818b, 1449c.

ORTADO, fino, culto. Ej. 838c, 1209a.

OSTAL, HOSTAL, posada, casa. Ej. 338b.

OTERO, cerro aislado que domina un llano. Ej. 266d.

OTORGAR, autorizar, asentir. Ej. 1613d.

OTRAMENTE, OTRAMIENT, de otra suerte, de otra manera. Ej. 226d, 1700d.

OTROSÍ, además, también. Ej. 285b, 371b.

OVO, huevo. Ej. 143c. De *aver,* hubo. Ej. 1644, 2205c.

P

PADIR, padecer, sufrir. Ej. 180d, 1813c.

PAEDEROS, gema incluida por S. Isidoro entre las de color blanco (cfr. nota a 1477). Ej. 1477a.

PAGADO, sust. amigo. Adj. complacido, contento. Ej. 472b, 1265d.

PAGAMIENTO, contento, gusto, satisfacción. Ej. 463b, 1263b.

PAGAR, contentar, complacer. Ej. 164c, 1372d.

PAJUELA, paja. *Echar las pajuelas:* engañar. Ej. 751a, 2036d.

PALAÇIANÍA, cortesanía, nobleza, generosidad. Ej. 235b.

PALAÇIANO, palaciego, cortesano, urbano, festivo, noble, generoso. Ej. 358a, 939d.

PALADINO, claro. Ej. 2325b.

PALAFRÉN, caballo de camino y de lujo. Ej. 1892d.

PALAVRADA, palabrota, dicho ofensivo. Ej. 145d.

PALESTRA, lugar donde se lucha, lucha. Ej. 468a.

PAÑO, vestido. Ej. 416a, 2486a.

PARADA, paro, conclusión. Ej. 41c.

PARAJE, linaje, alcurnia. Ej. 506b.

PARAMIENTO, decisión; convenio, ajuste. Ej. 1109a.

PARAR, preparar, disponer; armar; presentar; advertir, reparar; poner. Ej. 356a, 1135c.

PARÇIR, perdonar. Ej. 132a, 1333d.

PAREÇENÇIA, apariencia, ejemplo; vista, aparición. Ej. 2187c.

PAREÇER, parecer, parecer bien; aparecer, descubrirse, manifestarse, mostrarse, dejarse ver. Sust. parecer, apariencia, aspecto; opinión. Ej. 1141b, 1771b, 2318d.

PARIA, tributo; semejanza. Ej. 443c, 809d.

PARIENTE, padres, padre y madre; perteneciente a la familia. Ejemplos 1240c, 2341d.

PARLATORIO, locutorio. Ej. 376b.

PARLERO, hablador. Ej. 816c, 1371c.

PARTIDA, porción, parte, separación; región. Ej. 265a, 1711d.

PARTO, natural de Partia, región de Asia antigua, origen de un imperio que se extendía desde el mar Caspio al Indo y al Éufrates. Ej. 1516a.

PARVA, conjunto de mieses tendidas en la era antes de separar el grano. Ej. 2562b.

PASCO, de *paçer,* tomó, comió. Ej. 718c.

PASSADA, paso, lugar por donde se pasa, acción de pasar; modo de pasar la vida. Ej. 841b, 1571b.

PASSAR, atravesar; purgar, servir de evacuativo; celebrar; padecer. Refl. morir. Neut. acontecer, tener lugar. Uso metaf. soportar, experimentar. Ej. 188a.

PASTURA, pasto. Ej. 2577d.

PAVÓN, pavo real. Ej. 1727a.

PAVURA, pavor. Ej. 1885d, 2473d.

PAXARO, pájaro. Ej. 2563d.

PEBRE, pimienta. Ej. 1465d.

PECADO, falta, pecado; diablo. *Mal pecado:* exclamación. Ej. 1412c, 2372a.

PECADRIZ, pecador. Ej. 2342a.

PECHA, tributo, deuda. Ej. 1144a.

PECHAR, pagar, tributar, pagar una deuda, satisfacer un agravio. Ejemplos 79a, 1362b.

PECHO, tributo. *Coger el pecho:* sacar el provecho. Ej. 2359c.

PECHUGADA, golpe dado con el pecho. Ej. 1393c.

PEÇIAR, hacer pedazos. Ej. 1393b.

PEDIDO, petición, súplica. Ej. 351a, 2364a.

PEDRENAL, pedernal. Ej. 1524b, 2184b.

PELAMBRE, falta de cabello; daño. Fig. plaga. Ej. 2343d.

PELMAÇO, emplasto; tal vez acolchado de estopas que se pondrían los caballos para protegerse el cuerpo (cfr. Corominas, *Diccionario);* engorros, estorbos. Ej. 1033c.

PELO, pelo. *Mal pelo:* muda de plumas de las aves. Ej. 1954b.

PELLA, pelota. *Meter a la pella:* burlar, mortificar. Ej. 2409c.

PELLO, pelota. Ej. 783b.

PENDÓN, insignia militar consistente en una bandera más larga que ancha. Ej. 669a.

PEÑISCAL, peñascal. Ej. 2344d, 2505c.

PÉÑOLA, pluma. Ej. 2615c.

PEÓN, el que camina a pie, soldado de infantería. Ej. 199d, 1411d.

PEONADA, infantería; grupo de personas que camina a pie. Ej. 203a, 1346c.

PEPIÓN, moneda de poco valor. Ej. 68c, 1391d.

PERCODIDO, violento. Ej. 2162c.

PERCUDIR, envenenar, enconar. Ej. 2172c.

PERÇEBIDO, apercibido, despierto, agudo. Ej. 803a.

PERÇEBIR, ver, descubrir; apercibir. Ej. 1074d.

PERÇEBUDO, apercibido, despierto, agudo. Ej. 1029c, 1366c.

PERÇINTO, lío, bulto, atadijo. Ej. 1080c.

PERDÓN, perdón; indulgencia. Ej. 200d.

PERIR, perecer, morir, sucumbir. Ej. 752c.

PERLADO, prelado. Ej. 2368d.

PERO, por esto; aunque; sin embargo. *Pero que:* aunque. Ej. 779a, 1361a.

PERPUNTO, jubón fuerte, colchado con algodón y pespuntado, para preservar y guardar de las armas blancas el cuerpo. Ej. 1094d.

PERSIANO, persa. Ej. 1948a.

PERSIANTE, persa. Ej. 1409c.

PESADURA, peso, carga. Ej. 2223c.

PESANTE, pesado, que pesa, que tiene pesar, pesaroso. Ej. 646a, 1409a.

PESCOÇADA, pescozón; golpe que se da en el cuello o la cabeza con la mano. Ej. 485a.

PESTOREJO, parte posterior del pescuezo, carnuda y fuerte. Ej. 150c, 543c.

PIEDES, pies. Ej. 266c.

PIELAGUILLO, diminutivo de *piélago.* Ej. 2152a.

PIÉRTEGA, pértiga, vara, remo. Ej. 2298a, 2500a.

PINTO, pintado. Ej. 2122c.

PITAFIO, epitafio, inscripción puesta sobre un sepulcro. Ej. 330a, 1800a.

PITANÇA, comida que se da por piedad, regalo. *En pitança:* con comida que se da por piedad. Ej. 480d, 783a.

PLAÇA, sitio, espacio; plaza; mercado. Ej. 1358c.

PLAGA, llaga, herida, golpe. Ej. 925d, 1452d.

PLANEZA, llanura. Ej. 935b.

PLANTIDAD, cantidad, abundancia. Ej. 1495b.

PLANTO, llanto. Ej. 652a, 1236a.

PLAÑER, plañir, llorar, hacer un planto. Ej. 1777a.

PLAÑIMIENTO, planto, lloro. Ej. 2632b.

PLAÑIR, llorar, hacer un planto. Ej. 651b, 1237c.

PLAZENTERÍA, gusto, placer. Ej. 1453c.

PLAZENTERO, contento. Ej. 806d, 2192b.

PLAZO, cita judicial; plazo. *Meter o poner por plazos:* aplazar. Ejemplos 164b, 1426b.

PLEGA, de *placer,* plazca. Ej. 575d.

PLEGADO, clavado, doblado. Ej. 1046b.

PLEITESÍA, homenaje, agrado; trato, convenio, promesa; pleito, reclamación; asunto; ruego. Ej. 1415c, 2455c.

PLEITO, pacto, convenio; homenaje, reconocimiento; cuestión, disputa, doctrina, asunto; obligación, contrato, negocio, escritura; proceso; promesa. Ej. 1460b, 2456b.

PLENEDAT, abundancia, riqueza. Ej. 1058d, 1120d.

PLENERO, lleno, pleno, completo, repleto; cumplido, adecuado. Ejemplos 1256c, 2268b.

PLOGÓ, de *placer,* agradó. Ej. 273a, 2076d.

PLOMADA, maza de armas guarnecida de acero. Ej. 924d, 1039a.

PLORANTE, lloroso, angustiado. Ej. 2139b.

PLUS, más. Ej. 1047c, 2108c.

POBLEÇER, crecer con la pubertad. Ej. 1869d.

POBREDAT, pobreza. Ej. 1520d.

POÇÓN, veneno, pozoña. Ej. 1486d, 2173b.

PODADERO, que poda. *Foz podadera:* clase de hoz, herramienta acerada, con corte curvo y mango de madera, que se usa para podar. Ej. 1347d.

PODER, fuerza, fuerza física, fortaleza. Ej. 579d, 2255d.

PODESTADÍA, poder. Ej. 2060d, 2484d.

PODRE, sust. putrefacción, pus. Adj. podrido. Ej. 2253d.

POMA, manzana. Ej. 2544a.

POMADA, recolección de manzanas, recolección efectuada en huertos de árboles frutales. Ej. 657d.

PONTÓN, barca de paso empleada donde no hay puente; barca de transporte. Ej. 434d, 829d.

POPAR, desechar, negar, menospreciar; dejar, perdonar. Ej. 1402c.

PORA, para. Ej. 141c, 357b.

PORFAÇIAR, afrentar. Ej. 471a.

PORFAÇO, afrenta. Ej. 292d, 2202d.

PORFIDIA, contienda, disputa. Ej. 761d, 1934b.

PORFIDIOSO, porfiado, terco. Ej. 1758a.

PORFIJAR, prohijar, adoptar. Ej. 1784c, 1947c.

PORIDAT, secreto. Ej. 359a, 1561d.

PORNÁ, pondrá, de *poner.* Ej. 1263d.

PORNIÉN, de *poner*, pondrían. Ej. 1100d.

PÓRPORA, púrpura, vestimenta de púrpura. Ej. 1714c.

PORQUE, a causa de; aunque. Ej. 2119c.

PORRADA, golpe, porrazo. Ej. 644d, 1023c.

PORTIELLO, PORTILLO, portillo; abertura que hay en las murallas, paredes o tapias; camino angosto entre dos alturas. Ej. 530c, 1094a.

POSADA, habitación, vivienda, hospedaje. Ej. 275d, 2453c.

POSAR, tomar posada u hospedaje, detenerse a descansar, sentarse, descansar; colocarse, plantarse. Ej. 1558b, 2622b.

POSO, descanso. Ej. 170a, 1686b.

POSTEMA, absceso, tumor supurado, úlcera. Ej. 105d.

POSTREMO, postero. *A postremas:* al fin, a la postre. Ej. 1890c.

POSTRIMERO, último. Ej. 957d, 1420c.

POTESTAD, POTESTAT, fuerza, poder, potestad. Ej. 1728a, 2496a.

POTRIELLO, potrillo. Ej. 749c.

POYAL, lugar alto, monte; altura, elevación del terreno. Ej. 2123c, 2538c.

POYO, prominencia del terreno, cerro, otero. Ej. 302a, 1565c.

PRADAL, pradera. Ej. 1768c.

PREAR, saquear. Ej. 30c.

PREÇIAR, apreciar, estimar. Ej. 1576d, 2671b.

PREÇIO, precio, valor, premio, ventaja, importancia, estimación, crédito. Ej. 71c, 1273b.

PREDA, presa, botín, ganancia, provecho, robo, rapiña. Ej. 624a.

PREGADO, atado, fijado, clavado. Ej. 2308c.

PREGAR, orar, suplicar. Ej. 2670c.

PREMIA, opresión, tiranía, apremio, violencia fuerte. Ej. 46d, 2110a.

PREMIADO, apremiado, violentado, oprimido. Ej. 2625a.

PREMIR, PREMER, bajar, apretar, pisar, oprimir. Ej. 56b, 1289b.

PRENDER, coger, atrapar, sorprender, tomar, recibir. Ej. 1a, 1299c.

PRESA, mano, garra. Ej. 149c.

PRESETE, vestido, tela; vestidura larga, toga. Ej. 854c.

PRESO, de *premer,* apretado. Ej. 218b, 456c.

PRESSURA, prisa, aprieto. Ej. 220b, 2508d.

PRESSURADO, apresurado, con prisa; impaciente. Ej. 1303d.

PRESTAR, ayudar, favorecer; entregar, contribuir. *De prestar:* de valer. Ej. 709a, 2015b.

PRESTO, Adj. preparado. Adv. pronto, rápido. Ej. 245b, 1328d.

PREZ, precio, estima, premio, renombre, honor, fama. Ej. 694c, 1557c.

PREZES, preces. *Yazer prezes:* estar rezando, estar haciendo preces. Ej. 725c.

PRIEGO, oración, súplica; ligadura, traba. Ej. 705b, 2308c.

PRIETO, apretado. Ej. 1870c.

PRISIERO, de *prender,* prendiera. Ej. 115b.

PRISO, de *prender,* cogió, tomó, recibió. Ej. 211a, 1881a.

PRIVADO, sust. amigo, confidente, valido. Adj. retirado, apartado, particular. Adv. pronto, presto. Ej. 178c, 2491d.

PRIVANÇA, *en privança:* en privado. Ej. 398a.

PRIVECHO, de *privar,* privado. Ej. 1234d.

PRO, provecho. Ej. 764d, 2471c.

PROÇESSIÓN, procesión. Ej. 1538c.

PRODEZA, provecho, proeza. Ej. 2292d.

PROFETAR, profetizar. Ej. 1536b.

PROIÇIAR, postrar, humillar (desconocido —Julia Keller, *op. cit.,* página 151—). Ej. 2440c.

PROMIÇIA, primicia. Ej. 2376b.

PROMISIÓN, promesa. Ej. 1949c.

PROMISO, prometido. Ej. 1698d.

PRONUNÇIADOR, el que pronuncia cuchicheos de amor (Sas, *op. cit.,* página 512). Ej. 1953c.

PRONUNÇIAMIENTO, noticia, palabra. Ej. 1951d.

PROPHÁN, Julia Keller: «Cfr. Ford, *Old Spanish Reading*, pág. 140, que propone: *'prophan,* «Preste Johan = preste Juan». Título del emperador de los abisinios y en su lengua vale rey, porque antiguamente eran sacerdotes estos príncipes'» *(op. cit.,* pág. 152). Ej. 855b.

PROPIEDAT, propiedad, característica, virtud, don. Ej. 2488b.

PROS, valiente, atrevido. Ej. 604a.

PROSA, poema, himno. Ej. 1956d.

PROSIÇIÓN, procesión. Ej. 2139b.

PUCHERA, puchero, vasija. Ej. 2346d.

PUES, después, después que, después de. *Pues que:* después que, porque. *En pues:* después de, en pos de, tras. Ej. 739a, 1077b.

PUESTA, apuesta. *Meter puesta:* apostar. Ej. 1934a.

PUJAR, subir, crecer. Ej. 56a, 1158d.

PUNÇELLA, doncella, niña. Ej. 2409d.

PUNTO, momento. Ej. 518c.

PUÑAL, agudo. Ej. 9b.

PUÑIDOR, punzante, picante. Ej. 2344b.

PURGADURA, purgante, medicamento. Ej. 902c.

Q

QUADERNO, cuádruple, que consta de cuatro. Ej. 2c.

QUADRA, *a quadra:* a escuadra. Ej. 2121b.

QUADRIELLO, especie de saeta. Ej. 530a, 1867c.

QUAL, cual, cualquier. Ej. 2032b.

QUALQUE, cualquier. Ej. 1623d.

QUALSEQUIERE, cualquiera. Ej. 2277d, 2544b.

QUANTO, *quanto en, quanto a:* en cuanto a, en lo que se refiere a. Ejemplo 1903c.

QUARTERÓN, cuarta parte de algo. Ej. 87b.

QUARTIZAR, dividir en cuatro partes. Ej. 280b.

QUE, Conjunción. Introduce una preposición sustantiva. Introduce una proposición adverbial: 1. consecutiva (aunque); 2. final (para que); causal (porque); 3. temporal (cuando); 4. causal (porque); 5. condicional o restrictiva (si); 6. adversativa, en oración negativa (pero); 7. comparativa... *Que... que:* sea... sea (cfr. Caroll Mardem: *Libro de Apolonio.* Part II, *Grammar, notes and vocabulary* —Nueva York, Kraus Reprint Corporation, 1965—, págs. 156-157). Ej. 1399a, 2112d.

QUEBRANTADO, roto, desbaratado. Ej. 1762b.

QUEBRANTAR, romper, desbaratar, dañar. Ej. 110b, 627a.

QUEBRANTO, afrenta, daño. Ej. 547b, 1442b.

QUEBRAR, reventar. Ej. 1732c.

QUEÇA, alquicel (vestidura morisca a modo de capa y comúnmente blanca y de lana; cierto tejido que servía para cubiertas de mesas, bancos y otras cosas). Ej. 641c.

QUEDAR, sosegar, descansar, dejar, parar, cesar, estar quieto. Ejemplos 274d, 1129c.

QUEDILLO, despacito, quietecito. Ej. 2401b.

QUEDO, quieto, parado. Ej. 1806d.

QUEQUIERE, cualquiera que, cualquier cosa que. Ej. 1696c, 2256a.

QUEXADA, mandíbula, quijada. Ej. 786c.

QUEXAR, quijada, mandíbula. Ej. 2401b.

QUI, quien, quienes. *Qui... qui:* unos... otros. Ej. 307c, 1521a.

QUILMA, saco. Ej. 818b, 1562d.

QUINCUAGENARIO, quincuaenario, jefe de un cuerpo de cincuenta hombres. Ej. 1551c.

QUINTA, quinta parte del botín que se reservaba para el señor de la hueste. Ej. 1909d.

QUIÑÓN, quinta parte de la ganancia, lo que corresponde a uno en el reparto. Ej. 447b, 2459b.

QUIRIO, kirie, kirieleisón, imploración a Dios al principio de la misa. Ej. 568d.

QUISQUIERE, cada cual, cada uno; quienquiera, cualquiera. Ejemplos 1896c, 2350d.

QUISTO, querido, de *querer.* Ej. 221a.

QUITACIÓN, liberación de una deuda o carga; satisfacción, pago; libertad, abandono. Ej. 1277d.

QUITAR, dejar, permitir; abandonar; eximir, dispensar; libertar; pagar; refl. separarse, liberarse. Ej. 972c, 1588d.

QUITO, librado; libre, exento. Ej. 962d, 1646b.

QUIXAR, quijada, mandíbula. Ej. 1027b.

R

RABADÁN, zagal de pastor. Ej. 1194b.

RABIDO, robado, raptado. Ej. 333b.

RABIR, robar, raptar. Ej. 2571a.

RACHA, astilla grande de madera. Ej. 482c.

RADIO, errante; loco, tonto. Ej. 2299b.

RAFEZ, vil, villano, fácil. Adv. fácilmente. Ej. 7c, 1063d.

RÁFEZMIENTE, RAFEZMIENTRE, fácilmente. Ej. 1668c, 2013b.

RALEAR, hacerse rala (dícese de las cosas cuyas partes están separadas más de lo regular en su clase) una cosa, perdiendo la intensidad o solidez que tenía. Ej. 1028d.

RAMO, rama. Ej. 832a, 1675b.

RANCAR, arrancar, desbandar, vencer. Ej. 61d, 1296b.

RAPAZ, muchacho, ladrón. Ej. 784c.

RASCADO, rasgado. Ej. 716c.

RASO, pulido, raspado, raído. Ej. 2124d.

RATA, cantidad, interés. Ej. 1819b.

RAVAL, arrabal. Ej. 2345a.

RAYO, rayo, relámpago; radio de una rueda. Ej. 858a.

RAZÓN, discurso; opinión; alegación en juicio; justicia; orden y méto-do; suceso, trance; pregunta, problema. *A razón:* correctamente. *Aver razón:* tener por justo. *Meterse en razón:* venirse a buenas. *Por razón:* convenientemente. Ej. 203c, 2543b.

REAL, sust. albergue; campamento. Adj. perteneciente al rey. Ejemplos 230b, 1385d.

REBATAR, coger con ímpetu, arrebatar, juntar; tomar; refl. tomar con calor y arrebato, apresurarse. Ej. 668c.

REBOLTOR, revolvedor, revoltoso. Ej. 2307d.

REBOLVER, entablar, urdir, poner en conmoción, enfrentar; dar vuelta, revolverse. Ej. 503d, 2048d.

REBTAR, culpar, vituperar. Ej. 431b, 1326c.

REBUELTA, agitación: enredo. Ej. 1826c.

RECABDAR, lograr, conseguir, ganar, obtener, llevar a cabo, ejecutar; salir bien, tener éxito. Ej. 76b, 1049b.

RECABDO, prevención, cuidado; número incalculable; cuenta, número; confirmación; seguridad, salvación, respuesta. Ej. 281d, 1166a.

RECADÍA, recaída. Ej. 901d.

RECODIR, responder, contestar; volver; volver en sí; corresponder, de-rivarse, acudir más y más de una y otra parte, pagar devolviendo lo debido. Ej. 1065a, 2259d.

RECONTAR, contar, hacer recuento. Ej. 1412d.

RECREER, desmayar, desesperarse. Ej. 767b, 2388d.

RECREYENTE, el que desmaya, el que se desespera. Ej. 779a.

RECUDIR, confirmarse; contestar, responder; corresponder; resurtir al paraje de donde se salió, recurrir; concurrir; resurtir; arrojar; volver en sí, despertar. Ej. 548c, 1827d.

REDOR, alrededor. Ej. 713d, 1101d.

REDRADO, retirado. Ej. 612c.

REDRAR, retirar, apartar, hacer volver. Ej. 670c, 1037c.

REFAÇIO, airado, amenazador, díscolo; contumaz; reacio. Ej. 538b.

REFERIR, rechazar, apartar, perseguir. Ej. 75b, 1091c.

REFERTAR, replicar. Ej. 37b, 521c.

REFERTERO, pendenciero, contrariador, respondón, discutidor; contrario; tacaño. Ej. 809d.

REFIERTA, disputa, alegación, riña, ofensa; proceso. Ej. 550a, 2356b.

REFOLLIR, oponerse, resistir. Ej. 2070d.

REFUIR, rehuir. Ej. 581a.

REFUSAR, rehusar. Ej. 570c.

REGAJAL, regajo, charco, arroyo. Ej. 937c, 1768a.

REGAÑAR, enseñar los dientes, reñir, refunfuñar. *A dientes regañados:* furioso, refunfuñando. Ej. 1430b, 2166c.

REGNADO, reinado. Sust. reino. Ej. 1888d.

REGÜELDO, eructo. Ej. 2379b.

RELAMPAR, relampaguear. Ej. 98a.

RELAMPO, relámpago. Ej. 1151b.

RELEVAR, exaltar, engrandecer; remediar, socorrer; absolver, perdonar, reemplazar a una persona por otra. Ej. 159a.

RELIGIÓN, comunidad o vida religiosa; sentimiento religioso, creencia religiosa; escrúpulo, delicadeza; veneración, respeto. Ej. 852d.

REMANEÇER, permanecer, quedarse, quedar. Ej. 409c, 2647d.

REMANGO, arremango, acto de arremangarse y levantarse las mangas o faldas. Ej. 565c.

REMANIDO, conservado, permanecido. Ej. 1040d.

REMANSÓ, de *remaneçer,* quedó, permaneció. Ej. 1942b.

REMEDIR, redimir, rescatar. Ej. 1278b.

REMELLADO, mellado de los labios o de los párpados; hablando de los ojos: abiertos desmesuradamente. Ej. 2032d.

REMESSA, ataque, acometida. Ej. 642b.

REMETER, arremeter, atacar. Ej. 466d, 1073c.

REN, COSA; en frase negativa: nada . Ej. 822c, 1613d.

RENCONADO, arrinconado. Ej. 2578c.

RENCORÓ, de *rencurar,* querellarse de, quejarse. Ej. 546b.

RENCURA, RANCURA, pena, rencor, malestar, queja. Ej. 40d, 1376b.

RENCURAR, quejar. Refl. quejarse. Ej. 1049a, 1642c.

RENDER, vencer, sujetar; dar, entregar. Refl. entregarse, someterse. Ej. 192a, 1934c.

RENDIR, devolver. Ej. 630c.

RENUNÇIAR, anunciar. Ej. 105a.

REPENTENÇIA, arrepentimiento. Ej. 46c, 812d.

REPENTIDO, arrepentido. Ej. 1682d.

REPENTIR, REPENTIRSE, arrepentir, arrepentirse. Ej. 137d, 2302b.

REPOYO, abandono, repudio. Ej. 258b.

REPRESO, reprimido, cercado, reprendido. Ej. 213a, 2572c.

REPRISO, reprendido, de *reprender.* Ej. 211d.

REPTAR, culpar, vituperar. Ej. 172a.

REPUNTAR, tener a mal, reprobar, desechar. Ej. 1882d.

REQUERIR, buscar con insistencia, buscar mucho. Ej. 2564c.

RES, cosa. Ej. 64d.

RESPONSIÓN, respuesta, contestación. Ej. 798c, 1291d.

RESPONSO, respuesta, contestación; palabra o verso que se repite muchas veces, verso que se dice al final de cada lección en el oficio eclesiástico. Ej. 1540b.

RESPUSO, respondió, de *responder.* Ej. 49a, 1058a.

RESTROJO, rastrojo. Ej. 420a.

RETENER, prohibir; detener. Ej. 398b, 1733c.

RETENTAR, tentar más, tocar. Ej. 100d, 1462a.

RETORICAR, hacer retórica, convertir en retórica, utilizar la retórica. Ej. 42a.

RETRAER, referir, contar; reprochar; reprender; imitar; retractar, deshacer argumentos. Sust. refrán, dicho. Ej. 3c, 1063b.

RETRECHA, cosa que reprochar, mancha, pecado. Ej. 1325d, 2242c.

RETREMER, retemblar. Ej. 1358b.

RETROXO, de *retraer,* reprochó, reprendió; contó, refirió; imitó, retractó. Ej. 1064b.

REVELADO, rebelado. Ej. 2220d.

REVENIR, retornar, volver. Ej. 697b.

REVERDIDO, reverdecido. Ej. 1954a.

REVERTER, echar, despedir de sí, expulsar; extender, esparcir, dar suelta; rebosar; resultar; refl. convertirse en, ir a parar a. Ejemplos 212d, 2379b.

REVEZERO, el que hace algo repentinamente. Ej. 2061b.

REZADO, recitado, leído en voz alta. Ej. 786a.

RIBA, ribera. Ej. 2001b.

RIBAÇO, ribazo, porción de tierra con alguna elevación y declive. Ejemplos 540a, 2465d.

RIBISCAR, revivir, renacer. Ej. 1196b.

RIDIENDO, riendo, de *reír.* Ej. 1849d.

RIEBTO, RIEPTO, acusación. Ej. 1d, 1270d.

RIMERO, montón. Ej. 1896d.

RIOTA, debate, disputa, burla. Ej. 1545a.

RISO, risa, burla. Ej. 1604c.

RIVIELLO, diminutivo de *río.* Ej. 2002a.

ROBRE, roble. Ej. 2565b.

RODIENDO, de *roer,* royendo. Ej. 2356c.

ROIDO, humor, ruido; pl. noticias, fama. *Malos roidos:* quejas, lamentaciones. Ej. 19c, 1330c.

ROSARIO, rosal. Ej. 937c.

ROSTRITUERTO, con el rostro torcido, con la boca torcida. Ej. 2377a.

ROTA, arpa pequeña. Ej. 1545b.

ROXNADO, marcado, señalado. Ej. 1608d.

RÚA, calle. Ej. 1537a, 2349c.

RUÇIADA, rociada. Ej. 1952a.

RUGADO, arrugado. Ej. 2258c.

S

SABADES, de *saber,* sepades. Ej. 2485a.

SABEO, natural de Saba. Ej. 1513c.

SABER, conocer; saber, tener noticia; averiguar, indagar; reconocer, admitir por cierto; decidir, disponer; con infinitivo: poder, acertar. Ej. 1930c.

SABIDOR, entendido, conocedor. Ej. 358a, 1979c.

SABOR, deseo, gusto, placer. *A sabor de:* a gusto de. *A su sabor:* a su gusto. *De sabor:* a gusto. *Aver sabor de:* desear, gustar. *Aver mal sabor:* tener pesar o disgusto. *Fablara muy gran sabor:* hablar convenientemente. Ej. 650d, 1838b.

SABORGADO, lleno de sabor, deseoso, lleno de placer. Ej. 773b.

SABORIDA, sabroso, lleno de sabor, placentero. Ej. 1485c.

SABRIDO, placentero, gustoso, agradable. Ej. 2597d.

SABROSO, gustoso, placentero, digno de ser deseado. Ej. 364a.

SACUDIR, apresar, quitar; condicir. Ej. 755b.

SAGDA, gema, según San Isidoro (cfr. nota a 1474a) de color verde. Ej. 1474a.

SAGITA, saeta. Ej. 2236c.

SAGRADA, juramento. Ej. 2218c.

SAGRAMENTE, juramento. Ej. 1458c.

SAGUDIR, sacudir; apresar; quitar; conducir. Ej. 1319b.

SALA, de *salir,* salga. Ej. 154d.

SALMORADA, salmuera. Fig. incomodidad, molestia. Ej. 1946c.

SALTERIO, instrumento de cuerdas rasgueadas o golpeadas con mazos, y con su caja en forma de cuadrilátero o trapecio. Ej. 1545c.

SALTO, asalto, salto. *Dar salto:* asaltar, atacar. *De salto:* de asalto, rápidamente, de pronto, de repente. Ej. 174a, 2248d.

SALVA, seguridad, garantía: excusa, justificación; reserva, salvedad, disculpa solemne. *Complir la salva:* «hacer la salva. Comp. Covarrubias: "previnieron que el Maestre Sala poniendo el servicio delante del señor le gustase primero sacando del plato alguna cosa de aquella parte de donde el príncipe había de comer, haciendo lo mismo con la bebida, derramando el vaso en que ha de beber el señor alguna parte sobre la fuentecilla y bebiéndola. Esta ceremonia se llamó *ha-*

cer la salva, porque da a entender que está salvo de toda traición y engaño"» (Julia Keller, *op. cit.,* pág. 166). Ej. 1880d.

SALVAR, librarse de un peligro, salvar, saludar; proteger, defender. Ej. 795c.

SALVEDAT, *cartas de salvedat:* cartas de garantía. (J. Keller, *op. cit.,* página 166.) Ej. 308d.

SANGNE, sangre. Ej. 1242d.

SANÍO, sano. Ej. 1178d.

SANTERO, festivo. Ej. 89b.

SANTIDAD, SANTIDAT, poder de ejecutar milagros. Ej. 1136c.

SAÑA, cólera. *A sañas:* sañudamente. Ej. 134c, 1397a.

SAÑOSO, colérico, lleno de saña. Ej. 452d, 1757c.

SAPIENÇIA, sabiduría. Ej. 46a, 1058d.

SARO, v. sarro. Ej. 1965c.

SARRAÇEAR, llover, nevar. Ej. 2556b.

SARRO, amarillento, medio cano. Ej. 202b.

SÁVANA, paño, lienzo, sábana. Ej. 2122b.

SAYAL, tela basta, de lana burda. Ej. 1714c.

SAYÓN, alguacil, verdugo. Ej. 200b.

SAZÓN, época, tiempo, rato. *A poca de sazón:* al poco rato. *Una gran sazón:* mucho tiempo. Ej. 17d, 1428d.

SEDA, cerda. Ej. 564c.

SEDER, ser; haber; estar; hallarse en un estado o situación. El imperfecto, *sedía,* significa «hallarse colocado en un sitio». Ej. 32b, 964a.

SEER, ser, haber, estar; hallarse en un estado o situación. Ej. 1524d.

SEGUDAR, perseguir, acosar. Ej. 465b, 1381a.

SEGUNDO, según. Ej. 1930b.

SEGURADO, seguro. Ej. 297b, 1717d.

SEGURANÇA, seguridad. Ej. 404a.

SEGURAR, asegurar, dar seguridades. Ej. 797a.

SEGURÓN, hacha grande, hacha, segur. Ej. 1094c, 2071b.

SELENITES, piedra que «brilla con fulgores blancos y es la imagen de la luna» (S. Isidoro, cfr. nota a 1481cd). Ej. 1481c.

SELVA, bosque. Ej. 1888b.

SEMEJAR, parecer; dar indicios una cosa de lo que es; hacerse manifiesto, inspirar una opinión; parecerse, ser semejante. Ej. 67d, 539d.

SEMITÓN, melodía en la que se usaban los semitonos de la escala cromática, frente a dos de la natural, única empleada por la Iglesia (Alvar, *Poesía española medieval,* pág. 1050). Ej. 2139b.

SEN, seso, sentido, inteligencia. Ej. 16b, 1825c.

SENADO, sensato, juicioso, cuerdo. Sust. consejo, reunión de notables. Ej. 563c, 1895a.

SENDÍO, simple, bobo, tonto, loco, idiota. Ej. 1290b.

SENDOS, cada uno uno. Ej. 1360c, 1508c.

SEÑA, enseña, bandera; seña. Ej. 501b, 1548c.

SEÑALADO, ilustre, famoso, importante. Ej. 509c, 1913c.

SEÑERO, solo. Ej. 227c, 1069a.

SEÑORAR, señorear. Ej. 1565d.

SEQUERA, secano, lugar seco. Ej. 2402c.

SEQUERO, secano, lugar seco. Ej. 1782b.

SEQUIERE, siquiera. *Como sequiere:* como fuera, de cualquier modo. Ejemplo 2002b.

SERENO, humedad que cae durante la noche. Ej. 1952a.

SERMÓN, discurso, manera de hablar, lengua. Ej. 852b, 2380b.

SERMONARIO, colección de sermones. Fig. razonamiento, discurso. Ej. 1957b.

SERMONÍA, predicación, sermón. Ej. 1822d.

SERVIÇIAL, criado, sirviente. Ej. 1714d.

SESO, prudencia, discreción, inteligencia; dicho o hecho inteligente, prudente o discreto. Ej. 57c, 1319d.

SESTAR, asestar, dirigir un arma hacia el objeto que se quiere ofender con ella, descargar un golpe o tiro. Ej. 140c.

SET, sed. Ej. 2140d.

SETENARIO, SEPTENARIO, tiempo de siete días dedicado a la devoción y culto de Dios o de algún santo. Ej. 651c, 1090b.

SETENO, séptimo. Ej. 318a.

SÍ, así, de la misma manera, de esa manera, ojalá. Ej. 74c, 1114c.

SIERPE, serpiente. Ej. 408a, 1196d.

SIESTA, calor, bochorno; la hora sexta (de las doce de la mañana a las tres de la tarde); siesta. Ej. 2171a, 2537c.

SIESTO, lugar, sitio; reposo; calor; duración; tamaño, dimensiones; blanco de puntería. Ej. 1408b, 2560d.

SIET, sede. Ej. 1168b.

SIGNAR, hacer señal. Ej. 189c.

SIMONÍA, compra deliberada de cosas espirituales —sacramentos...—, prebendas, cargos o beneficios eclesiásticos. Ej. 1825b, 2366a.

SINES, sin. Ej. 546d.

SINFONÍA, zanfoña; vihuela de cuerda, a cuyo son se cantaban las gestas. Ej. 1545b.

SINON, sino, excepto. Ej. 2375d.

SIQUIERE, siquiera, *siquiere... siquiere:* tanto si, como si. Ej. 2032c.

SIRPIENTE, serpiente, culebra. Ej. 2341a.

SO, suyo. Ej. 885b, 1586d.

SO, bajo, debajo. Ej. 100a, 1815b.

SÓ, soy, de *seer.* Ej. 1279d, 1626c.

SOBEJANO, abundante, grande, enorme. Ej. 1195a, 1933c.

SOBEJERO, abundante. Ej. 809c.

SOBEJO, muy grande, numeroso. Ej. 125b, 647a.

SOBERVIADO, ensoberbecido, lleno de soberbia. Ej. 496b.

SOBJUDGADO, subyugado. Ej. 1526d, 2326a.

SOBRA, de sobra, en exceso, con demasía. Ej. 1461c.

SOBRADO, desván. Ej. 2125a.

SOBRANÇANÍA, soberanía; exceso, injusticia. Ej. 24d, 842c.

SOBRANÇARÍA, SOBRANÇERÍA, exceso, injusticia, soberanía. Ej. 1370d, 2196d.

SOBRANÇERO, excesivo. Ej. 446c, 2146c.

SOBREVENIR, llegar por sorpresa; aparecer de improviso. Ej. 177d.

SOBREVIENTA, sobresalto, sorpresa. Ej. 2043a, 2495d.

SOBULLIDO, enterrado, sepultado. Ej. 1832b.

SOCAJO, desconocido. Tal vez derivado de *quexar*, «muela» (O *quexado*, quejoso, Sánchez, *Glosario*). (J. Keller, *op. cit.*, págs. 171-172.) Ejemplo 1046c.

SOCAVAR, excavar algo por debajo. Ej. 228b.

SOFONDIDO, hundido, sumido. Ej. 1920c, 2291b.

SOFRIDOR, sufrido, que sabe sufrir. Ej. 1985d.

SOJORNAR, pasar la noche, permanecer, detenerse. Ej. 1130a, 1547c.

SOLANO, lugar donde da el sol. Ej. 2189d.

SOLDADA, remuneración, pago. Ej. 79c, 1553b.

SOLDAR, remunerar. Ej. O 245d.

SOLGEMA, «La *gema del sol* es blanca, y toma su nombre de que, a manera de sol, esparce sus rayos refulgentes» (S. Isidoro, cfr. nota a 1481ab). Ej. 1481a.

SOLTAR, dar, conceder; perdonar una deuda, acabar. Ej. 306c, 2642b.

SOLTERO, suelto. Ej. 644c, 1990d.

SOLVITO, ¿fuelles? (Julia Keller, *op. cit.*, pág. 172). Palabra que aún permanece sin identificar. Ej. 538d.

SOLLAR, soplar. Ej. 2136a.

SOMERO, que está arriba, en lo más alto; más alto. Ej. 267b, 2222d.

SOMO, arriba, encima; encima de. Ej. 486a, 2532a.

SOMOVER, mover, remover; producirse. Ej. 194d.

SOPEAR, comer, comer sopa, tomar colación. Ej. 1329a.

SOROR, sor, monja. Ej. 411c.

SORRENDAR, refrenar; aflojar las riendas. Ej. 1065c.

SORROSTRADA, afrenta, daño, mal. Ej. 828d, 2652d.

SORTERO, agorero, adivino, hechicero, que dice la suerte. Ej. 410b.

SORTIJA, aro. Ej. 456b, 584b.

SORVIR, sorber, beber. Ej. 2153b.

SOSSACAR, idear, trazar, imaginar; tramar; sacar furtivamente. Ejemplos 341a, 2067b.

SOSSACADOR, que saca furtivamente, que solicita con cautela. Ejemplo 2067a.

SOSSACO, trama, idea. Ej. 2348c.

SOSSAÑAR, denostar, gritar, reprender, regañar. Ej. 492a, 1254a.

SOSSAÑO, denuesto, grito. Ej. 416c, 1272c.

SOTAR, saltar. Ej. 274c.

SOTERRAMIENTO, enterramiento, entierro. Ej. 650c, 1238d.

SOTERRAR, enterrar. Ej. 651a, 2665c.

SOVAR, golpear, azotar, sobar. *Sovar la correa:* padecer un castigo, ser azotado. Ej. 2498a.

SOVO, SOVIERA... de *seer,* fue, fuera, estuvo, estuviera... Ej. 549d, 2178d.

SOYAÇIENTE, subyacente. Ej. 2461b.

SUBIERO, de *subir.* Ej. 115d.

SUBJEÇIÓN, sumisión, dominio, país dependiente de otro o sometido a él. Ej. 1604b, 2430d.

SUELDO, especie de moneda. Ej. 2039b.

SUERAS, colgaduras. Ej. 2088d.

SUERTE, parte de tierra separada de otra por sus lindes. Ej. 278b.

SUFRE, azufre. Ej. 2340c.

SUPERBIA, soberbia. Ej. 2320c.

SUSANO, lo de arriba. Ej. 1608c.

SUSO, arriba. Ej. 327c, 1598a.

SUVO, de *seer,* fue, estuvo. Ej. 2035b.

T

TABLERO, tablero; caja; féretro, ataúd. Ej. 1420d.

TAJAR, cortar, rajar. Ej. 377a, 2254b.

TALIENTO, TALENTO, voluntad, ganas; clase de moneda. Ej. 11c, 912c, 2643a.

TAMAÑO, tan grande. Ej. 501c, 1238c.

TANTO, *dos tantos, tres...:* doble, triple... Ej. 248d, 2014d.

TAÑER, tocar; atañer, pertenecer. Ej. 377b, 1306a.

TAPEDES, alfombra, tapete. Ej. 324c, 2122b.

TARDANIELLO, diminutivo de *tardano,* tardío. Ej. 2129a.

TARDANO, tardío. Ej. 2131b.

TARDAR, retener, retardar. Ej. 2436a.

TASTAR, tocar, gustar. Ej. 2380d, 2448c.

TAU, tau, letra *t* del alfabeto hebreo. Ej. 1242d.

TAUD (desconocido) sala (Sánchez, *Glosario, BAE,* pág. 581). Ejemplo 1483c.

TAVERNERO, el que frecuenta las tabernas. Ej. 2385a.

TAVLA, mesa, escudo; tabla. Ej. 338b, 702b.

TAVLADO, tablado; andamio o castillejo de madera, formado por tablas, al cual lanzaban los caballeros para derribarlo o quebrantarlo. Ej. 69d, 2230d.

TEMPESTA, tempestad, tiempo, mal tiempo. Ej. 2303a.

TEMPRADO, templado. Ej. 1778d.

TEMPRADURA, templanza. Ej. 2415c.

TEMPRAR, templar. Ej. 663c, 1541c.

TENDAL, poste para armar la tienda, tienda. Ej. 311c.

TENER, mantener, guardar, poseer; creer; retener; contener; pasar; haber (auxiliar). *Poner por, tener a:* estimar, considerar como, *Tener en:* porfiar en, empeñarse en. Ej. 1211d, 2381b.

TENEBREDAT, oscuridad; infamia. Ej. 2457b.

TENOR, contenido literal de un escrito u oración. Ej. 780a.

TEÑIR, mojar, empapar. Ej. 378b.

TERÇERO, clase de peón (soldado de a pie); intención; propósito. Ej. 809b.

TERÇIA, tercera; *(hora) terçia:* de las nueve de la mañana a las doce del mediodía. Ej. 1332c.

TERLIZ, tejido de tres lizos (lizo: hilo fuerte que sirve de urdimbre para ciertos tejidos; cada uno de los hilos en que los tejedores dividen la seda o estambre para que pase la lanzadera con la trama). Ej. 583d, 660c.

TERMINAR, adivinar acertijos, resolver enigmas, adivinar. Ej. 1477b.

TÉRMINO, lugar, sitio, espacio, extensión. Ej. 2672d.

TERNEDES, de *tener,* tendréis. Ej. 770b.

TERREÑO, terreno, tierra, puerto. Ej. 1111b.

TESTE, testigo. Ej. 1906c.

TESURA, tiesura, dureza, rigidez, tirantez; empresa peligrosa, porfía. Ej. 271b, 2146c.

TIENTO, consideración, prudencia, cuidado. Ej. 743d.

TIESTA, cabeza. Ej. 621c, 2181b.

TIMBLOSO, tembloroso. Ej. 204b.

TIMÓN, palo, vara, timón de carro o arado. Ej. 1073c.

TINTO, teñido. Ej. 271c.

TIRAR, sacar, librar, salir de, quitar; arrastrar, tirar, estirar, tensar. Ej. 2546a.

TOLLER, quitar. Ej. 50a, 1066a.

TOMAR, coger, asir, recibir, aceptar; quitar; sufrir, experimentar. Ejemplos 140b, 2210b.

TOQUINEGRADAS, que llevan las tocas negras. Ej. 414d.

TORDERA, red, trampa. Ej. 1780c.

TORDO, género de pájaros, estornino. Ej. 2136c.

TORNA, regreso, vuelta. *Fazer torna-fuye:* utilizar una estratagema consistente en fingir que se huye del enemigo y atacarle por sorpresa. Ej. 751b.

TORNADA, vuelta, regreso. Ej. 243b, 399b.

TORNAR, volver; devolver. Ej. 465a, 2615d.

TORNAVISCADA, vuelta y revuelta, sinuosidad, meandro. Ej. 2512d.

TORNEO, combate, lucha. Ej. 137c.

TORNO, vuelta. Ej. 1213b, 1533d.

TORPEDAT, torpeza. Ej. 2090d.

TORRONTÉS, «uva blanca que tiene grano pequeño: es muy trasparente y clara, y tiene el hollejo muy delgado y tierno, por lo que se pudre muy presto; hácese de ellas vino muy oloroso, suave y claro, y se conserva mucho tiempo» *(Diccionario de Autoridades).* Ej. 2130c.

TOVAJA, paño, toalla. Ej. 1958d.

TRABUGUERA, lazo, cinta, atadijo. Ej. 661b.

TRAER, conducir, llevar consigo; poseer, estar provisto de; llevar, tener puesta una cosa; contener, encerrar; alegrar; manejar; neut. tratar, referirse; traicionar. *Mal traído:* maltrecho, mal parado. *Traer las manos:* entregarse. Ej. 1047b, 1562b.

TRAGITADO, trasladado, colocado. Ej. 2133c.

TRAÍDO, traicionado. Ej. 1729a, 2594a.

TRANSIR, pasar, morir. Ej. 188b.

TRAPERO, Adj. *aceñas traperas:* «batán en que se fabrica paño, que por llamarse *drap*, las caeñas se *llamaron traperas.* Sánchez, Glos. *Rueda trapera:* rueda de batán» (Julia Keller, *op. cit.,* pág. 180). Ej. 1347c, 1466b.

TRASCO, de *traer,* trajo. Ej. 718b, 1374d.

TRASNOCHADA, vigilia, vela, vigilancia nocturna. Ej. 842c.

TRASNOCHADOR, vigilante, vigía. Ej. 1985a.

TRASPUESTO, sust. fuga. Adj. oculto. *Entrar en traspuesto:* huir. Ejemplo 1574b.

TRASTORNAR, desordenar, trastornar; vencer con persuasiones eficaces el ánimo de alguno; volver atrás; hacer dar la vuelta; hablando de naves: zozobrar. Ej. 229a, 1980b.

TRAVA, traba, lazo; pelea, contienda. Ej. 679d.

TRAVAR, aferrar, embarazar, retener, asir, tirar de algo, reprender, criticar. Ej. 588d, 2646d.

TRAVESERO, atravesado, que va de través. *Capa travesera:* manto que se terciaba por uno de los hombros. Ej. 1867a.

TRAVESÍA, maldad. *Andar en travesía:* andar al revés de como se debe. Ej. 1822c.

TRAVESSAR, atravesar, pasar. Ej. 397b, 2058d.

TRAVIESSO, malo, atrevido, maligno. *De traviesso:* de través. Ejemplo 1408b.

TREBEJAR, trabajar, jugar, divertirse, enredar. Ej. 697a, 2002d.

TREBEJO, juego, enredo, juguete, recreo; trabajo; burla. Ej. 125a, 2054b.

TRECHA, obra, labor; treta. Ej. 726d.

TRECHO, de *traer,* tratado, traído. Ej. 1760b.

TREGUAR, dar tregua. Ej. 87d.

TREMEÇER, temblar. Ej. 8c.

TREMER, temer, temblar. Ej. 2314d.

TREMOLIENTO, tembloroso. Ej. 1462c.

TRESNA, movimiento penoso. Ej. 2254c.

TRESNAR, moverse penosamente; arrastrar, llevar de una parte a otra, manosear. Ej. 2254b.

TREVER, TREVERSE, atrever, atreverse. Ej. 875d, 1274b.

TRIBO, tribu. Ej. 992b, 1242b.

TRISCA, bailoteo, saltos, regocijo. Ej. 1952c.

TRISTIÇIA, tristeza. Ej. 2351c.

TROBAR, encontrar, hallar, descubrir. Ej. 10a, 1053c.

TROÇIR, pasar, transcurrir. Ej. 1501b, 2461a.

TROMPA, especie de trompeta. Ej. 628a, 1295b.

TROMPERO, tocador de trompa. Ej. 873d.

TRONIDO, trueno. Ej. 151b.

TROTAR, andar con prisa, correr, bailar, hacer ruido con los pies. Ej. 1545c, 2130b.

TROTERO, mensajero, correo. Ej. 819a, 2192d.

TROXERA, troj, troja, especie de granero. Ej. 623b, 1833d.

TRUXIERON, de *traer,* trajeron. Ej. 450c.

TUCÓN, tucón, muñón de un miembro; base del tronco de un árbol cortado. Ej. 1041a.

TUELLE, de *toller,* quita. Ej. 1809a, 1933b.

TUERTO, sust. agravio, injusticia, daño, desorden. Adj. injusto, contra razón; torcido, bizco. *A tuerto:* contra derecho. *Prender tuerto:* sufrir perjuicio o injusticia. Ej. 34b, 1431a.

TURAR, durar, subsistir, aguantar; sufrir, perseverar. Ej. 2113c.

TURQUESA, molde a modo de tenaza para hacer bodoques de ballesta o balas de plomo. Ej. 1867b.

TURRADO, quemado; atontado. Ej. 1269d.

U

UFRIR, ofrecer. Ej. 1143c.

UNO, UN, uno, uno mismo. *En uno:* juntos. Ej. 1994a, 2664b.

USADO, acostumbrado, habituado; tratado, frecuentado; utilizado. Ej. 871b, 2027a.

USO, costumbre, hábito; empleo. Ej. 1490d, 2060b.

UVIAR, llegar al encuentro, acontecer; socorrer; tener ocasión o lugar. Ej. 428c, 1412c.

UXOR, esposa. Ej. 366d, 2592d.

V

VAGAR, descansar, tener tiempo, estar ocioso. Ej. 81a, 1110b.

VAGO, errante, indeterminado. *En vago:* sin firmeza, sin consistencia, en vano. Ej. 486c.

VAL, valle. Ej. 326a, 1766b.

VALA, de *valer,* valga. Ej. 154a.

VALAMOS, de *valer,* ayudemos, socorramos. Ej. 1730a.

VALDOQUE, baldaquín. Ej. 1773b.

VALEDOR, protector, persona que ampara a otra. Ej. 2143b.

VALER, ayudar, socorrer. Ej. 613a.

VALÍA, poder, autoridad; valor, precio, interés, estimación; socorro, favor, ayuda. Ej. 1788b.

VALITANA, arrogancia, jactancia. Ej. 2270d.

VALLADAR, vallado; cerco que se levanta y forma de tierra aprisionada, o de barbas, estacas, etc., para defensa de un sitio e impedir la entrada en él. Ej. 606a, 1027c.

VALLEJADA, valle. Ej. 2204c.

VALLEJADO, provisto de valles. Ej. 303b.

VALLEJO, valle pequeño. Ej. 475a, 1768a.

VANDO, bando, facción, partido. Ej. 268d, 1423d.

VASERA, vaina, funda de un vaso, vasar. Ej. 585a.

VEDEGAMBRE, heléboro (nombre de planta), veneno, cualquier sustancia venenosa. Ej. 2343b.

VEDEGAME, *vedegambre.* Ej. 792a.

VEGADA, vez. *A las vegadas:* a veces. *Entrar su vegada:* entrar por su turno. Ej. 47d, 1224b.

VELLIDO, bello. Ej. 389d, 2251b.

VENABLADA, golpe de venablo. Ej. 1129a.

VENAÇIÓN, venados, res, caza. Ej. 29c.

VENADO, cualquier animal objeto de caza; caza, venado. Ej. 1888b, 2120b.

VENEDIÇO, advenedizo; extranjero, forastero. Ej. 1635d.

VENERA, concha de peregrino. Ej. 2535b.

VENINO, veneno. Ej. 643d, 1105c.

VENIR, ir, traer. Ej. 291a.

VENTANA, viento, ventolera; respiradero de una nave o de una tienda; ventana. Ej. 2270b, 2547a.

VENTAR, descubrir, ventear. Ej. 622d, 706d.

VENTERNERO, glotón, tragón. Ej. 58a.

VENTRIL, caja o cuerpo del carro. Ej. 856d.

VENTURA, suerte, fortuna, destino. Ej. 1670a, 2100b.

VENTURADO, afortunado, venturoso. Ej. 89c.

VERAMENTE, verdaderamente. Ej. 1717a.

VERANO, primavera. Ej. 657b.

VERBA, palabra. Ej. 1940d.

VERBERO, hablador. Ej. 158b.

VERBO, palabra. Ej. 1754c.

VERDIANTE, verdeante. Ej. 2361c.

VERGEL, trozo de floresta con pradera; mancha verdeante en medio del robledal; huerto con árboles frutales. Ej. 936c.

VERMEJURA, BERMEJURA, rojez, rojura. Ej. 1231c.

VERNÁ, de *venir,* vendrá. Ej. 1447d.

VERO, verdadero. *A veras:* de verdad. *De vero:* de verdad. Ej. 157c, 708b.

VERRÓN, verraco. Ej. 564a.

VERTER, echar; derramar. Ej. 1361c.

VEZADO, sust. costumbre. Adj. acostumbrado. Ej. 1978d, 2265a.

VEZAR, acostumbrar. Ej. 906d, 2265a.

VEZERO, alterno, mudable, cambiante; lo que se hace alternativamente o por turno. Ej. 1016c.

VIA, sust. camino. Exclamación: ¡fuera! Ej. 500c, 1140c.

VIDO, de *ver,* vio.

VIEDA, de *vedar,* veda, veta, prohíbe, impide. Ej. 1727b.

VIERBO, palabra. Ej. 2208d.

VIERSO, verso, canción, refrán, adivinanza. Ej. 1748b, 2003a.

VIÉSPERAS, vísperas; la tarde y el anochecer; rezo que se efectúa después de nona (rezo último de las horas menores), que pertenece al oficio del día siguiente y que se decía al anochecer. Ejemplos 1414b, 2176a.

VILTA, vileza, afrenta. Ej. 1108d.

VILTANÇA, vileza, afrenta. Ej. 1731d.

VILLANÍA, dichos villanos, hechos villanos. Ej. 2357b.

VINÇREDES, de *vencer,* venceréis. Ej. 2080c.

VIOLA, vihuela, violín que se tocaba normalmente con arco, si bien también existía una variedad que se punteaba con pluma. Ejemplos 232c, 1545d.

VIRTO, violencia, fuerza. Ej. 587d.

VISIÓN, vista, fantasma, aparición, sueño, ensueño. Ej. 97d, 2025d.

VISO, sentido de la vista, rostro, visión. Ej. 34c.

VÍSPERA, vid. *viésperas.* Ej. 2537c.

VITO, alimento. Ej. 962b, 1932a.

VÓ, voy, de *ir.* Ej. 193d, 572d.

VOLENTER, VOLUNTER, de buena gana. Ej. 62c, 232d.

VULPES, zorra. Ej. 2166c.

X

XAMETE, tela de seda. Ej. 941a.

XAMIT, *xamete,* tela de seda. Ej. 1500d, 2541b.

XARAMIELLO, historia, explicación, disquisición. Ej. 1761a.

XIMIO, mono. Ej. 1960d.

Y

Y, allí. Ej. 73d, 961b.

YAGO, de *yazer,* yazco. Ej. 1573b.

YANTAR, comer. Sust. alimento, comida. Ej. 1881c, 2505d.

YAZER, estar echado, dormir; quedarse, permanecer; estar, hallarse. Ej. 405c, 1476a.

YERMO, desierto, solitario. Ej. 132b, 1169c.

YERRA, yerro, equivocación. Ej. 1113d.

YNOJO, hinojo, rodilla. Ej. 123b.

YOGUIESSE, de *yazer,* estuviese, yaciese, se hallase... Ej. 1919c.

YUS, abajo; bajo, debajo de. Ej. 227b, 1529b.

YUSANO, de abajo, que está abajo. Ej. 631d.

YUSO, abajo. Ej. 2223d.

Colección Letras Hispánicas